OPGEJAAGD WILD

PAUL MCAULEY

OPGEJAAGD WILD

UITGEVERIJ LUITINGH

© 2007 Paul McAuley
All Rights Reserved
© 2009 Nederlandse vertaling
Uitgeverij Luitingh ~ Sijthoff B.V., Amsterdam
Alle rechten voorbehouden
Oorspronkelijke titel: *Players*
Vertaling: Yolande Ligterink
Omslagontwerp: Wouter van der Struys/Twizter.nl
Omslagfotografie: Arcangel/ImageStore

ISBN 978 90 245 3087 8
NUR 330

www.boekenwereld.com

Voor Georgina
en
voor Stephen Jones,
deze splinter duisternis

1

Aan het eind van de dinsdagmiddag riep brigadier Ryland Nelsen, het hoofd van de Afdeling Beroving van de politie van Portland, Summer Ziegler naar zijn kantoor. Hij vroeg haar niet te gaan zitten, dus bleef ze met rechte rug in haar crèmekleurige blouse en zwarte rok voor zijn bureau staan wachten tot hij een arrestatierapport had doorgelezen. Ze was gekleed voor een verschijning bij de rechtbank die het grootste deel van de dag had opgeslokt en was nog laat gebleven om papierwerk af te maken. Nu wilde ze dat ze aan het eind van haar dienst meteen naar huis was gegaan, want ze wist gewoon dat haar baas haar weer een rotklusje ging geven.

Hij nam zijn tijd met het rapport, dat hij van a tot z las, maar uiteindelijk zei hij: 'Geloof je in karma, rechercheur Ziegler?'

'Het lot, bedoelt u?'

'Ik bedoel of je ervan overtuigd bent dat je gestraft zult worden voor je zonden.'

'Ik denk dat ons werk een stuk gemakkelijker zou worden als alle slechteriken werden afgestraft door hun karma.'

Ryland Nelsen liet het rapport op zijn bureau vallen, leunde achterover in zijn stoel en vlocht zijn vingers ineen achter zijn grijze stekelhaar. 'Denk eens terug aan afgelopen december. Toen heb je een jonge vrouw gearresteerd die Edie Collier heette.'

Summer dacht even na. 'Ze had geprobeerd een paar kasjmier truien te stelen bij Meier and Frank, de bewaking sprak haar erop aan en ze zette het op een lopen. Ik was in de buurt en heb geholpen haar te pakken. Ze kreeg dertig dagen celstraf plus twee jaar voorwaardelijk.'

'Kreeg ze celstraf voor winkeldiefstal? Ik wou dat al mijn ar-

7

restanten voor die rechter moesten verschijnen.'

'Ze had al voorwaardelijk wegens winkeldiefstal en ze had een paar eerdere veroordelingen. Ze pleitte schuldig bij de voorgeleiding en de rechter zei dat hij haar een korte, maar harde schok zou geven en haar met Kerstmis in de gevangenis zou zetten, in de hoop dat ze het daarna wel zou laten. Ik neem aan dat het niet geholpen heeft.'

Summer nam ook aan dat Edie Collier bij ergere dingen dan winkeldiefstal betrokken was geraakt als ze de aandacht had getrokken van de Afdeling Beroving, die gevallen onderzocht waarbij een wapen was gebruikt of met een wapen was gedreigd. Gewone gevallen van winkeldiefstal werden behandeld door de geüniformeerde politie en de wijkagenten.

'Ik weet niet of het geholpen heeft of niet,' zei Ryland Nelsen. 'Maar ik weet wel dat een paar vissers haar gevonden hebben in het bos, een heel eind ten zuiden van hier, vlak bij Cedar Falls. Weet je waar dat is?'

'Ik ben er wel eens langsgereden.'

'Over de I-5, net als ik en een miljoen andere mensen. In ieder geval was Edie Collier zwaar gewond door een val of zo, en ze overleed voordat de ambulance haar naar het ziekenhuis kon brengen. De plaatselijke politie ziet het als een verdacht sterfgeval. Ze hebben haar geïdentificeerd aan de hand van haar vingerafdrukken en zijn er zo achtergekomen dat haar laatst bekende adres in Portland was, dus heeft hun sheriff ons gebeld en gevraagd of iemand haar ouders op de hoogte kon stellen en ze kon overhalen om naar Cedar Falls te gaan voor een formele identificatie en om de uitvaart te regelen. En dat verzoek is naar beneden doorgegeven voor de persoon die haar het laatst gearresteerd heeft.'

'Ik dus,' zei Summer ontmoedigd.

'Jij,' zei Ryland Nelsen, en hij wees naar haar met zijn wijsvinger en kromde zijn duim. 'Heb je ooit nabestaanden op de hoogte moeten stellen toen je nog bij de geüniformeerde dienst zat?'

'Nee, meneer. Dat soort dingen lieten we over aan de recherche.'

'En je hebt net drie weken geleden je rechercheurspenning gekregen... Zie je wat ik bedoel met karma?'

'Ik begin een idee te krijgen.'

'Het is nooit gemakkelijk om het slechte nieuws te brengen,' zei Ryland Nelsen. 'En als het in dit geval doodslag of moord blijkt te zijn...'

Hij zweeg om Summer de gelegenheid te geven de zin af te maken.

Ze zei: 'Dan zijn de ouders verdachten. Ik zal iemand mee moeten nemen voor het geval ze iets zeggen dat relevant is.'

'Ik denk dat de politie van Cedar Falls er zelf wel op af zou gaan als ze dachten dat de ouders er iets mee te maken hadden. Maar het is verstandig om iemand mee te nemen die kan bevestigen wat er gebeurt als je het slechte nieuws brengt. Heb je iemand in gedachten?'

Summers mentor, Andy Parish, was een uur geleden al vertrokken aan het eind van zijn dienst. Alleen Dick Searle zat nog aan zijn bureau, maar hij was druk bezig en had zijn telefoon tussen zijn schouder en zijn kaak geklemd terwijl hij iets typte op zijn computer. Bovendien kende Summer hem amper; ze hadden misschien tien zinnen gewisseld sinds ze bij de afdeling Beroving werkte. Ze kon Ryland Nelsen natuurlijk vragen haar uit de brand te helpen, maar ze wilde niet dat haar baas over haar schouder mee zou kijken en ze had ook het idee dat van haar verwacht werd dat ze wat initiatief zou tonen. Het arrestatierapport dat ze had ingevuld nadat ze Edie Collier had gearresteerd, lag voor haar op het bureau. Hoewel het ondersteboven lag, kon ze gemakkelijk Edies adres lezen en ze zag verderop het vinkje staan dat bevestigde dat het het adres van haar ouders was...

Ze zei: 'Haar ouders wonen bij Southeast Foster. Ik heb daar wel een vriendin die me kan helpen.'

'Klinkt goed. Je moet trouwens niet denken dat ik je dit laat doen omdat je op dit moment de laagste in rang bent op de dertiende verdieping. Het is omdat je het meisje kende. Is dat duidelijk?'

'Ja, meneer.'

Summer was blij, maar ook op haar hoede. Blij omdat ze de kans kreeg te bewijzen wat ze waard was, op haar hoede omdat ze wist dat dit karweitje lastiger zou kunnen blijken dan het eruitzag. Ze herinnerde zich dat ze voor de rechtszaal een woordenwisseling had gehad met Edie Colliers stiefvader. Hij was geen grote man geweest, maar hij had beslist een akelige houding gehad.

Ze zei: 'Weet u wat ze daar in het bos deed?'

Ryland Nelsen schudde zijn hoofd. 'Daar mag de plaatselijke politie zich druk over maken. Jij hoeft alleen maar de nabestaanden op de hoogte te stellen en ze naar het sheriffkantoor in Cedar Falls te dirigeren. Oké?'

'Ja, meneer.'

'Persoonlijk geloof ik niet in karma of lotsbeschikking of dat

9

soort lariekoek,' zei Ryland Nelsen. 'Maar dit komt allemaal wel heel netjes uit, vind je ook niet?'

2

De moeder en stiefvader van Edie Collier woonden in Felony Flats, een vervallen wijk in het zuidoosten van Portland vol drugslaboratoria en ex-gedetineerden. Summer Ziegler reed ernaartoe in een patrouillewagen met haar vriendin Laura Killinger aan het stuur, die haar bijpraatte over alle roddeltjes van Bureau Zuidoost voordat ze haar vroeg hoe het rechercheurswerk haar beviel en of ze al mooie zaken had opgelost.

Summer zei: 'Ik heb nog geen onderzoeken mogen leiden, maar ik zal je vertellen wat voor werk ik doe. Ik heb gistermiddag de hotelkamer mogen doorzoeken van een junk die een nachtwinkel had overvallen. Hij had één schone onderbroek en ongeveer honderd stapels kranten en oude nummers van de New Yorker.'

Laura zei: 'De New Yorker? Je krijgt wel een betere klasse misdadiger bij Bureau Centraal.'

Summer zei: 'Ik weet niet of die vent er iets van gelezen had, maar ik weet wel dat hij stom genoeg was om een mes te trekken en ermee te zwaaien toen de bediende de kassa niet snel genoeg opendeed, dus hij kan tien jaar gaan brommen. Ik heb elke krant en elk tijdschrift moeten doorkijken om te zien of hij er iets belastends in had verstopt. Het enige wat ik gevonden heb, waren een paar gebruikte naalden. Hij stak de opbrengst van zijn berovingen waarschijnlijk meteen in zijn arm.'

Laura glimlachte. 'Het is allemaal niet zo opwindend als het lijkt, hè?'

'Ik probeer eraan te wennen om pas te komen kijken als alles al gebeurd is. En ik verbaas me over de hoeveelheid papierwerk. Ik wist dat het veel zou zijn, maar we lijken er het grootste deel van onze tijd aan te besteden. Het uitschrijven van getuigenverklaringen, het verwerken van inleidende klachten en aanvullende rapporten en bewijsstrookjes, het opbouwen van dossiers...'

'Dus daarom zie je eruit als een secretaresse.'

'Leuk, hoor. Ik heb de hele dag in de rechtszaal gezeten om te getuigen in een zaak van vier maanden geleden. Herinner je je de kroegruzie nog tussen die twee broers, die uitliep op een steekpartij?'

'Was dat die zaak waarbij de dader op zijn motor op de vlucht sloeg en op de Fremont Bridge ten val kwam, recht voor een patrouillewagen?'

'Die, ja. Hij beroept zich op zelfverdediging, maar de officier van justitie heeft me verteld dat hij drie goede getuigen heeft die dat weerleggen. Om nog maar niet te spreken over de broer.'

Het was laat geworden in de rechtszaal. Summer had de halve morgen in de gang zitten wachten en na de lunch nog een uur, en toen ze eindelijk was opgeroepen, had ze nog geen tien minuten in het getuigenbankje gezeten om te bevestigen dat zij de eerst aanwezige agent was geweest en dat ze eerste hulp had verleend aan het slachtoffer, en om te vertellen dat hij bij bewustzijn en bij zinnen was geweest en in staat was geweest haar te vertellen wat er gebeurd was.

Summer zag nog voor zich hoe ze naast het slachtoffer op de vloer van het toilet had gezeten en een schone theedoek tegen de wond in zijn buik had gedrukt om het bloeden te stelpen. Ze herinnerde zich zijn boze ogen en hoe hij haar pols had gegrepen toen hij haar vertelde dat zijn jongere broer hem had aangevallen bij een ruzie over een horloge dat hij van hun vader had geërfd. Ze had het geval gemeld en ontdekt dat de broer inmiddels een ongeluk had gehad en was gearresteerd wegens rijden onder invloed. Ze had ervoor gezorgd dat hij werd teruggebracht naar de bar, waar ze hem had voorgesteld aan de rechercheurs die net waren gearriveerd om de poging tot moord te onderzoeken.

Ze zei tegen Laura: 'Ik had nooit gedacht dat ik het nog eens zou zeggen, maar ik begin de actie op straat te missen.'

'Die blijft altijd hetzelfde, daar komt geen einde aan,' zei Laura. 'Het enige wat er is veranderd sinds ik je de laatste keer heb gezien, is dat ik weer een paar kilo zwaarder ben geworden op de heupen.'

Laura Killinger was een stevige vrouw van achter in de dertig met blond haar dat in een dikke vlecht halverwege de rug van haar uniformjasje hing. Zij en Summer hadden als nieuwbakken agenten samengewerkt in Wijk Noord. Nadat Summer was overgeplaatst naar Centraal en Laura naar Zuidoost was gegaan, waren ze af en toe blijven afspreken om ergens iets te gaan drinken of een potje squash te spelen, of om te gaan schieten op de schietbaan van een gepensioneerde politieman. Ze waren goede vriendinnen, die het gevoel hadden dat ze alles tegen elkaar konden zeggen.

Summer zei tegen Laura: 'Je moet niet zo veel donuts eten.'

'Alsof ik dat niet weet. Maar er komt bijna elke dag wel een brave burger een doos afgeven op het bureau om te laten zien hoeveel waardering hij heeft voor het goede werk van de hermandad. Het zou onbehouwen zijn om ze af te slaan.'

'De hermandad?'

Laura was gek op kruiswoordpuzzels en maakte graag gebruik van minder gangbare of exotische woorden.

'De hermandad, Spaans voor broederschap, de politie dus. Over politie gesproken, hoe reageren je collega's op een scherpe jonge rechercheur als jij? Ik heb gehoord dat je baas zei dat hij de lycra in je superheldenkostuum kon ruiken toen je je voor het eerst bij hem meldde.'

Terwijl de meeste agenten in Portland minstens zeven jaar in uniform bleven voordat ze rechercheur probeerden te worden, was dat Summer al na vijf jaar gelukt. Ze wist dat ze zich zou moeten bewijzen voor haar nieuwe collega's, allemaal veteranen die geen moeite deden onder stoelen of banken te steken dat ze naar hun mening een onervaren rechercheur was die snel promotie had gemaakt omdat ze een goed uitziende jonge vrouw was en dus een streepje voor had bij leidinggevenden die meer belangstelling hadden voor een goede pr dan voor het oplossen van misdrijven. Het feit dat de *Oregonian* een kort verhaal had gepubliceerd bij haar promotie, waarin de nadruk was gelegd op haar relatief jonge leeftijd en nogmaals was verteld dat zij en twee andere agenten een medaille hadden gekregen nadat ze iemand die zelfmoord wilde plegen en die op de reling van de Broadway Bridge zat hadden gegrepen, had de zaak geen goed gedaan.

Summer zei: 'Het zat eigenlijk zo. Ryland Nelsen vroeg me of ik lycra droeg. Ik was net het kantoor uit gelopen nadat ik me bij hem gemeld had en hij kwam naar de deur en vroeg heel nonchalant – net als Peter Falk toen hij Colombo speelde, weet je wel? – of ik lycra droeg onder mijn mooie nieuwe pakje.'

'Seksuele intimidatie, wat ik je brom,' zei Laura.

'Nee, het was een van die grapjes waar Ryland Nelsen een patent op heeft. Ik stond daar met mijn mond vol tanden te bedenken wat hij bedoelde en de andere rechercheurs op de afdeling zaten naar me te grijnzen, die wisten precies wat hij in zijn schild voerde. Toen vroeg hij of ik ooit harder had gelopen dan een locomotief op volle snelheid of met één sprong op een hoog gebouw was gesprongen.'

'En of je ooit was aangezien voor een vogel of een vliegtuig.'

'Dat is een goeie, dat is hij vergeten. Ik zei iets stompzinnigs als: "Dat van die locomotief weet ik niet, maar ik ben in ieder geval langzamer dan een kogel." En toen zei hij dat hij blij was het te horen, omdat de afdeling Beroving geen plaats was voor superhelden. Als hij ook maar een beetje lycra rook, zei hij, zat ik in de problemen.'

'Rare kerel. Waar ga je je superkrachten inzetten als je klaar bent bij de Afdeling Beroving?'

In Portland moesten nieuwe rechercheurs het eerste jaar met drie verschillende afdelingen kennismaken.

Summer zei: 'Ik heb ingeschreven op Georganiseerde Misdaad en Moordzaken, maar bijna iedereen wil bij Moordzaken.'

'Dus zullen ze je wel Kindermishandeling en Zeden geven.'

'Omdat ik een vrouw ben?'

'Omdat je goed met mensen kunt praten. Omdat iedereen weet dat jij absoluut de beste persoon bent die een dronken schoft die zichzelf met zijn vrouw en kinderen in zijn huis heeft opgesloten naar buiten kan praten.'

'Dat heb ik maar één keer gedaan.'

'Verdomme, meid, iedereen weet dat jij de ongekroonde koningin van het huiselijke geweld bent. Wat moet jij bij Moordzaken? Die dooien zeggen niets terug.'

'Nee, maar getuigen wel. En het punt van dit eerste jaar is dat ik allerlei nieuwe vaardigheden kan opdoen, zoals mijn mentor telkens zegt als ik klaag over het papierwerk.'

'Leuke vent, die mentor van je?'

Laura was net gescheiden en was, zoals zij het uitdrukte, weer zoekende.

Summer zei: 'Andy Parish? Hij heeft een mooie snor. En hij is achtenveertig, gelukkig getrouwd en al opa.'

'Ik heb wel iets met oudere mannen. Ik weet nog dat ik op de middelbare school helemaal weg was van mijn leraar Engels.'

'Kom maar eens langs, dan stel ik je voor. Andy zal het prachtig vinden om een nieuw slachtoffer te hebben aan wie hij alle foto's van zijn kersverse kleinzoon kan laten zien. Op de dertiende verdieping zitten wel een paar aardige kerels, maar niet aardig genoeg om de regels tegen relaties op het werk voor te overtreden, als je het mij vraagt.'

Laura drukte een knop in van de computer die zich tussen haar en Summer bevond om te kijken of er nieuwe meldingen waren. 'Als je nog contact mag hebben met de geüniformeerde dienst, kunnen we wel een keer samen uitgaan. Naar Binks of de Horse Brass Pub, een beetje biljarten, bier drinken en mannen kijken.'

'Voorlopig nog niet, als je het niet erg vindt.'

'Ben je nog steeds niet over die jurist van je heen?'

'Ik wel, maar mijn moeder nog niet. Ze hoopte echt dat hij de ware was.'

'Nou, ga mee op jacht als je over hem heen bent.'

'Ik moet eerst een beetje thuis zijn in mijn nieuwe baan. En ik geloof niet dat ik al weer klaar ben voor het uitgaanscircuit.'

'Ik kan het je niet kwalijk nemen. Het is een harde wereld,' zei Laura, en ze sloeg links af. 'Dit is de straat waar je moet zijn. Honderdveertien, toch?'

'Ja.'

Ze reden langzaam verder tot ze het huis zagen, een onverzorgde bungalow van goedkope bouwblokken achter een gaashek. Toen ze uit de politiewagen waren gestapt, zei Laura: 'Hoe wil je het aanpakken?'

Ze hadden geen van beiden ooit iemand hoeven vertellen dat een naaste was overleden. Summer was nooit verder gekomen dan de verzekering aan een vrouw die betrokken was geweest bij een frontale botsing dat de ambulancebroeders met haar vriend bezig waren, terwijl die vriend dood achter het stuur van zijn auto zat met het motorblok op de plek waar zijn benen hadden moeten zitten.

Ze zei: 'Ik denk dat ik het woord maar moet nemen.'

'Geen probleem.'

'Het zou ook geen probleem moeten zijn, tenzij de moeder of stiefvader gaat opspelen.'

Voordat ze naar Bureau Zuidoost was gereden, had Summer Edies stiefvader, Randy Farrell, nagetrokken via de computer en haar vermoeden dat hij een strafblad had bevestigd gezien. Blanke man, zwart haar, bruine ogen. Een meter zeventig lang, drieënzestig kilo. Geen grote kerel dus, maar hij was toch dertien kilo zwaarder en een stukje groter dan zij. Volgens zijn geboortedatum was hij nu vierenvijftig. Geen littekens of andere opvallende kenmerken, geen FBI-nummer... Hij had voor het merendeel kleine overtredingen gepleegd: inbraak, heling. Hij had vele tweede kansen gekregen en had door middel van schikkingen voorwaardelijk gekregen in plaats van gevangenisstraf, zodat Summer vermoedde dat hij de geheime informant van een of andere rechercheur was. Maar hij had toch in de gladiatorenarena van de staatsgevangenis van Salem gezeten nadat hij was veroordeeld wegens samenzwering tot roof, en met maar liefst drie aanklachten wegens mishandeling op zijn naam zag het ernaar uit dat hij snel met zijn vuisten klaarstond. Ze herinnerde zich dat hij in de rechtszaal achter zijn stiefdochter had gezeten, zijn armen over elkaar over zijn spijkerjasje, met veel gel achterovergekamd haar en een blijvend zuur gezicht. Ze wist ook nog hoe hij haar in het nauw had gedreven in de drukke gang voor de rechtszaal nadat Edie veroordeeld was, en dat hij haar gevraagd had hoe ze het vond een jong meisje naar de gevangenis te sturen, hoewel hij zich op zijn hakken had omgedraaid en was weggelopen nadat ze hem had geadviseerd zich bij de rechter te gaan beklagen. De vrouw van Randy Farrell, Edies moeder, had ook een strafblad waar geweldpleging op voorkwam: bedreigend gedrag en verschillende aanklachten wegens mishandeling, onder andere van een leraar van de middelbare school, waarvoor ze een jaar voorwaardelijk had gekregen, plus een aanklacht wegens openbare dronkenschap en driemaal voor rijden onder invloed. Na de laatste keer, twee maanden geleden, was haar rijbewijs ingevorderd.

Summer verwachtte dus problemen en was blij Laura naast zich te weten toen ze naar de bungalow liep. De schemering was inmiddels ingevallen. Er brandde licht achter een paar ramen, maar toch moest Summer meer dan een minuut tegen de deurbel leunen voordat ze beweging zag achter de drie oplopende ruitjes met ondoorzichtig glas in de voordeur. Toen die openging, rechtte Summer haar rug en hield ze haar penning omhoog. Ze zag uit haar ooghoek dat Laura haar rechterhand naar de Glock op haar heup bracht. Maar de man in de deuropening was vel over been. Hij was blootsvoets en droeg een openhangende ochtendjas over een t-shirt en een boxershort. Zijn gezicht was mager en ingevallen en zijn oog begon blauw te verkleuren. Het duurde even voor Summer in dit wrak de man herkende die ze pas een halfjaar geleden bij de rechtszaal terecht had gewezen.

Hij staarde naar Summer, blijkbaar zonder haar te herkennen, en toen keek hij naar Laura en zei: 'Wat je ook verkoopt, ik heb het niet nodig.'

Summer vroeg of ze zijn vrouw kon spreken.

'Wat heeft ze nou weer uitgespookt?'

'Voor zover ik weet niets, meneer Farrell. Kunt u haar even aan de deur roepen?'

'Lucinda is niet in staat om met de politie te praten. Komen jullie morgen maar terug.'

'Het gaat over haar dochter, meneer Farrell. Als ze niet aan de deur kan komen, moet u ons binnenlaten. We moeten haar echt spreken.'

Randy Farrells houding van een hond die zijn terrein verdedigt was meteen verdwenen. 'Gaat het om Edie? Wat is er gebeurd? Is ze gewond, ligt ze in het ziekenhuis of zo?'

'Laat ons binnen, meneer Farrell. We moeten uw vrouw spreken.'

'O god,' zei Randy Farrell en hij deed zijn ogen even dicht.

Laura zei: 'We willen het niet hierbuiten bespreken, meneer Farrell, waar al uw buren ons kunnen zien, en ik weet zeker dat u dat ook niet wilt. Zullen we naar binnen gaan?'

'Vooruit dan maar,' zei Randy Farrell, en hij ging opzij. 'Maar ik moet u waarschuwen dat Lucinda behoorlijk aangeschoten is en dat ze geen gezellige dronk heeft.'

Summer en Laura liepen achter hem aan het gangetje door, dat vol stond met kartonnen dozen. Het was er warm en benauwd en het rook er naar sigarettenrook en vette maaltijden.

'Hierbinnen,' zei Randy Farrell, met een handgebaar naar een boog waardoor het geflikker van de tv te zien was.

Lucinda Farrell lag onderuitgezakt op een met plastic afgedekte bank. Ze was een opgeblazen beer van een vrouw in een roze sweater en een grijze joggingbroek, die met een hoog glas half vol ijsblokjes tegen haar boezem naar Oprah lag te kijken op het grote tv-scherm aan de andere kant van de kamer. Op een bamboe salontafel stonden een flesje wodka, een kan sinaasappelsap, een afwasbak vol popcorn en een asbak vol peuken. Toen Summer de kamer in stapte, keek Lucinda Farrell even naar haar en toen zei ze met schrille, maar krachtige minachting, die boven het lachen en het applaus van Oprah's publiek uitkwam: 'Ik heb niets te zeggen tegen de politie, dus donderen jullie meteen maar weer op.'

Randy Farrell, die nog in de boog stond, antwoordde: 'Rustig aan, ja? Ze moeten je iets vertellen. Over Edie.'

'Edie? Die kan de pot op. En jij ook omdat je die lamzakken hebt binnengelaten.'

Summer deed het licht aan en liep in de plotselinge gloed de kamer door om de tv uit te zetten. Daarna ging ze recht voor de vrouw op de bank staan. Laura stond net voorbij de boog, klaar om Randy Farrell tegen te houden als hij problemen zou willen veroorzaken. Summer zei: 'Zullen we even opnieuw beginnen, mevrouw Farrell?'

De vrouw staarde Summer aan. Gebleekt haar, zo droog als stro, stond in pieken om haar strijdlustige gezicht. 'Mijn dochter is vier maanden geleden weggelopen. Als ze iets heeft gedaan, is dat niet mijn probleem, ze is inmiddels boven de achttien. Dus zeg wat je te zeggen hebt en rot dan op.'

Summer wachtte nog even om duidelijk te maken dat ze zelf bepaalde wat ze deed. 'Mevrouw Farrell, uw dochter is vanmorgen zwaargewond gevonden in het bos bij een stadje dat Cedar Falls heet. Het spijt me u te moeten zeggen dat ze op weg naar het ziekenhuis is overleden.'

'Jezus Christus,' zei Randy Farrell zachtjes.

Lucinda Farrell boog iets naar voren en goot met de fronsende concentratie van een klein kind een goede tien vingers wodka in haar glas. Ze deed er een scheutje sinaasappelsap bij, dronk het glas halfleeg en zei tegen niemand in het bijzonder: 'Dat is dan dat.'

'Mevrouw Farrell, de sheriff van Cedar Falls wil graag dat u haar formeel komt identificeren...'

De vrouw wapperde met haar hand. 'Voor mij was ze al dood sinds ze dit huis verliet. Dat heb ik tegen haar gezegd en ze zei dat het haar geen donder kon schelen. Sinds die tijd is ze niet meer terug geweest. Dus waarom zou het mij nu een donder moeten schelen?'

'U moet dit voor uw dochter doen,' zei Summer.

'Ik heb alles gedaan wat ik voor haar kon doen,' zei Lucinda Farrell effen, en ze dronk haar glas leeg.

Summer probeerde haar om te praten, maar de vrouw trok zich terug in een koppig stilzwijgen. Ze klemde het glas tussen haar gezwollen handen en keek boos naar een plek boven Summers linkerschouder. Uiteindelijk zei Summer: 'Ik kom morgen terug. Dan zullen we het er nog eens over hebben.'

'Doe verdomme de tv aan als je weggaat. Ik wil zien hoe Oprah Demi Moore naar haar nieuwe slaafje vraagt.'

Summer negeerde haar verzoek en vroeg in de gang aan Randy Farrell of Edies biologische vader in Portland woonde.

'Die is bij een auto-ongeluk omgekomen voordat ik Lucinda had ontmoet. Edie heeft zijn naam aangehouden, maar als ze een vader heeft... verdomme, hád, ben ik het.'

Summer zei: 'Ik zal morgen terug moeten komen, meneer Farrell. Ik moet uw vrouw nogmaals spreken.'

'Het zal niet veel helpen.'

'De plaatselijke politie wil dat ze haar dochter komt identificeren. Het is een formaliteit, maar het moet gedaan worden voordat ze het lichaam vrij kunnen geven. En uw vrouw zal op een gegeven moment de begrafenis moeten regelen.'

Randy Farrell schudde zijn hoofd. 'Lucinda meende het toen ze zei dat Edie voor haar al dood was. Ze heeft niet één keer geprobeerd haar te vinden toen ze was weggelopen en ze heeft haar nooit bezocht toen ze in de gevangenis zat...'

'Praat met haar, meneer Farrell. Zeg haar dat ze het aan Edie verplicht is. Ik kom morgenochtend nog even langs om te kijken of ze zich heeft bedacht.'

'Als Lucinda zich iets in het hoofd heeft gezet, krijg je het er niet meer uit. Edie was ook zo.' Randy Farrell keek Summer aan en zei: 'Ze is dus in het bos gevonden. Hebt u enig idee hoe ze daar terecht is gekomen?'

'Het spijt me, meneer Farrell. Ik ben niet bij het onderzoek betrokken.'

Voordat ze op weg ging naar Bureau Zuidoost had Summer het sheriffkantoor in Cedar Falls gebeld en kort gesproken met ene Denise Childers, de rechercheur die de leiding had over deze zaak. De vrouw was vriendelijk geweest, maar had niets losgelaten.

Randy Farrell zei: 'Voor zover ik weet had ze geen enkele reden om Portland te verlaten. U zou haar vriendje eens moeten vragen wat ze daar deed.'

Toen Summer deze opdracht had gekregen, had ze gedacht dat er niet veel eer aan te behalen was. Als ze het verknoeide, bevestigde ze Ryland Nelsens onuitgesproken vermoeden dat ze een omhooggevallen strebertje was dat niet tegen haar taak was opgewassen. En als ze het goed deed, werd ze er voortaan iedere keer op uitgestuurd als de Afdeling Beroving naasten moest verwittigen van een overlijden. Het was zo'n smerig, ondankbaar karweitje dat de mannen graag doorgeven aan hun vrouwelijke collega's omdat vrouwen volgens hen beter met mensen kunnen omgaan. Maar nu voelde ze iets van belangstelling en ze zei: 'Hebt u de naam en het adres van dat vriendje?'

Randy Farrell keek even afwezig langs haar heen en toen zei hij: 'Ik geloof dat hij Billy heette.'

'Weet u zijn achternaam? Een adres?'

Randy Farrell schudde zijn hoofd. 'Ik heb die jongen nooit ontmoet en Edie heb ik maar één keer gesproken nadat ze iets met hem had gekregen. Ze heeft me verteld dat ze in zijn busje woonden. Ik was er niet blij mee toen ik dat hoorde, maar ze zei dat het prima ging.'

'Wanneer is ze uit huis vertrokken?'

'De eerste week van februari, na een grote ruzie tussen haar en haar moeder.'

'En toen is ze weggelopen naar die vriend?'

Randy Farrell haalde zijn schouders op.

'Hoe lang kende ze hem al?'

'Laat ik het zo zeggen: ik had nog nooit van hem gehoord voordat ze wegliep.'

'Heeft hij een baan?'

'Ik zou het niet weten.'

'Ze woonden in zijn busje. Waar parkeerden ze 's nachts?'

'Ergens bij het vliegveld, geloof ik.'

Laura zei: 'Ik zal de jongens van Bureau Noordoost vragen naar hem uit te kijken. Meneer Farrell, weet u of ze een vaste plek hadden waar ze 's avonds de bus neerzetten? In Piedmont misschien? Maywood Park?'

'Ergens bij het vliegveld, meer weet ik er niet van.'

'Vertel me dan eens iets over dat busje,' zei Laura. 'Het merk, de kleur, wat dan ook.'

'Zoals ik al zei, ik heb hem nooit ontmoet, en ik heb zijn busje ook nooit gezien.'

Summer zei: 'Neemt u de tijd, meneer Farrell. Het zou enorm helpen als u ons iets meer kon vertellen, wat het ook is.'

'Ik weet nog dat ze gelukkig was toen ik haar zag. Ze had plannen, ze dacht erover weer naar school te gaan... Wat gebeurt er als niemand voor haar zorgt?'

Summer zei: 'Als niemand haar lichaam opeist, betaalt de staat de begrafenis.'

'Ja, dat dacht ik al. Dan begraven ze haar in een kartonnen doos zonder steen erboven. Dat verdient ze niet.' Randy Farrell zweeg even en toen zei hij: 'Ik weet wie jij bent. Jij bent degene die Edie net voor Kerstmis heeft gearresteerd. Je was toen in uniform, maar ik vergeet nooit een gezicht. Het is oké, ik geef jou niet de schuld voor wat er met haar gebeurd is, maar wat dacht je ervan iets voor mij te doen?'

'Als u Edie wilt helpen, meneer Farrell, moet u uw vrouw overhalen haar te gaan identificeren.'

'Moet iemand haar identificeren? Als jij me nou eens naar Cedar Falls brengt,' zei Randy Farrell. 'Dan regel ik meteen alle andere dingen. Ik heb geld.'

'Misschien moet ik morgen nog even langskomen en met uw vrouw praten.'

'Dat zal niet helpen. Maar ik wil iets doen voor Edie, ook al wil Lucinda dat niet.'

Summer zag dat de man echt van streek was. 'Ik zal de politie in Cedar Falls vertellen over uw aanbod, meneer Farrell. Dat is het beste dat ik nu voor u kan doen.'

'Ik was als een vader voor haar, begrijp je? Ik heb meer dan tien

jaar geholpen haar op te voeden, en nu wil ik haar recht doen...
Vertel hen dat maar. Maar je moet ook uitleggen dat ik leverkanker heb en dat ik vanwege de bijwerkingen van mijn medicijnen niet kan rijden. Ik krijg van die black-outs. Dus zeg maar tegen ze: als ze willen dat iemand haar identificeert, moet jij me brengen, of anders moeten ze me komen halen.'

Summer haalde een van haar kaartjes tevoorschijn en gaf het hem. 'Als u zich nog iets herinnert dat van belang zou kunnen zijn, wat het ook is, bel me dan, dan geef ik het door aan de rechercheur die de zaak in onderzoek heeft. Ik denk dat u nu beter bij uw vrouw kunt gaan kijken, meneer Farrell. Volgens mij heeft dit haar harder aangegrepen dan ze wil laten blijken.'

Eenmaal buiten trok Laura Killinger haar riem omhoog en zei: 'Edie Collier is door die twee grootgebracht en op haar strafblad staat alleen winkeldiefstal? Ze moet wel een halve heilige zijn geweest.'

Later die avond zei Summers moeder: 'Wie denk je dat het gedaan heeft? Haar moeder, haar stiefvader of allebei samen?'

Summer antwoordde: 'Eigenlijk zie ik ze het geen van beiden doen.'

'Denk je dat het vriendje er iets mee te maken heeft?'

'Mogelijk.'

'Als hij bestaat,' zei haar moeder.

'Denk je dat Randy Farrell hem verzonnen heeft? Waarom zou hij?'

'Om je aandacht af te leiden van de meest voor de hand liggende verdachte. Lucinda Farrell beweert dat haar dochter niet meer thuis is geweest nadat ze was weggelopen. Maar stel dat ze wel thuis is geweest? Je hebt een moeder en een dochter die niet met elkaar kunnen opschieten, de moeder is een zware drinker en ze is opvliegend, ze is veroordeeld wegens het mishandelen van een leraar... Stel dat ze haar dochter in een dronken bui is aangevlogen? Ze slaat haar dochter zo erg dat het lijkt alsof ze haar heeft vermoord en zij en haar man dumpen het lijk in het bos. Ze rijden weg, maar het meisje is niet dood. Ze komt bij, maar ze is gewond, ze weet niet hoe ze uit het bos kan komen en ze loopt in kringetjes rond of in de verkeerde richting tot ze in elkaar zakt.'

Summer zei: 'Oké, er zijn vreemdere dingen gebeurd, maar Cedar Falls ligt meer dan driehonderd kilometer ten zuiden van Portland. Dat is een heel eind om een lijk te dumpen.'

'Het zou verklaren waarom Randy Farrell niet wil dat je met

zijn vrouw praat. Het zou Lucinda Farrells reactie op het nieuws dat haar dochter dood is verklaren. En is het niet zo dat bij negen van de tien moordzaken het slachtoffer de moordenaar kende?'

'Ja, maar bij de meeste moorden binnen het gezin tref je de dader bij het lichaam aan. Of hij zit in de andere kamer tv te kijken en bier te drinken. Een vriend van mij heeft eens een vent op het dak aangetroffen waar hij dakbedekking vastspijkerde met de hamer waarmee hij net zijn vrouw had vermoord, nadat die tegen hem had gezegd dat hij daarmee moest stoppen en met haar uit winkelen moest gaan. Het is mogelijk dat Lucinda Farrell haar dochter heeft vermoord en dat zij en Randy Farrell samen het lijk hebben opgeruimd. Maar waarom is Edie Collier zo ver van Portland gevonden terwijl er genoeg plaatsen in de stad zijn waar je een lijk kunt dumpen? De rivieren, een van de parken, of zelfs een steegje of een braakliggend terrein.'

Summer en haar moeder, June, zaten aan de lange grenenhouten tafel in de sjofele, maar comfortabele keuken van Junes huis, waar Summer woonde sinds Jeff Tuohy, haar jurist, was verhuisd naar de stad Washington en zij uit het appartement in The Pearl had moeten vertrekken omdat ze de huur in haar eentje niet kon betalen. Summer zat aan een late maaltijd, spaghetti *marinara*, die ze had afgehaald bij de plaatselijke Italiaan, en een glas wijn. Haar moeder was bezig aan haar derde gin-tonic, rookte een sigaret en speelde rechercheurtje. Ze was professor aan de University of Portland en was als antropoloog gespecialiseerd in de precolumbiaanse indiaanse gemeenschappen aan de kust. Ze was een lange vrouw van halverwege de zestig met een knap, gegroefd gezicht en grijs haar dat met een brede houten klem in een losse paardenstaart bijeen werd gehouden. Ze droeg een blauwe spijkerbroek en een wijde blauwe sweater die van haar man was geweest. Ze was zijn kleren gaan dragen nadat hij een jaar eerder aan een hartaanval was overleden.

June Ziegler, de dochter van een Engelse oorlogsbruid die was getrouwd met een Amerikaanse legerkapitein en na de Tweede Wereldoorlog naar de Verenigde Staten was geëmigreerd, maakte nog steeds eens per maand een echte Engelse zondagsmaaltijd klaar, volgde elke verwikkeling in de soapopera van de Britse koninklijke familie en verslond ouderwetse detectives die zich afspeelden in Engelse landhuizen, met ingewikkelde plots waarin alle stukjes op hun plaats vielen als de detective alle verdachten bijeenbracht in de bibliotheek en hen liet zien hoe slim hij was. Hoewel ze vijf jaar na dato nog steeds haar afkeuring uitsprak over Summers beroepskeuze, waren de verhalen waarmee Summer thuiskwam uit haar werk het enige waar zij en haar dochter over konden praten zonder persoonlijk te worden.

Nu blies June een rookpluim naar het plafond en zei ze: 'Misschien hebben de Farrells een band met de plek waar hun dochter is gevonden.'

Summer glimlachte. 'Ze sloegen haar zo erg dat ze dachten dat ze haar hadden vermoord, en toen werden ze overvallen door sentimentaliteit en namen ze haar mee naar een favoriet plekje?'

'Als mensen in stress verkeren, gaan ze vaak terug naar bekend terrein.'

'Het is waarschijnlijker dat Edie Collier en haar vriendje een of ander raar uitstapje hebben gemaakt en dat ze in het bos verdwaald is.'

'Aangenomen dat er een vriendje ís.'

'Of misschien was ze aan het liften en is ze in de verkeerde auto gestapt, maar wist ze er uit te komen nadat ze was aangevallen of zo en is ze toen verdwaald.'

'Misschien is haar moeder of haar stiefvader in Cedar Falls opgegroeid.'

Summer zei: 'Het probleem is dat ze geen van beiden kunnen rijden.'

'Lucinda Farrell is haar rijbewijs kwijtgeraakt en Randy Farrell heeft je verteld dat hij niet kon rijden vanwege zijn medicijnen. Dat betekent niet dat ze niet kúnnen rijden.'

Het was ergerlijk genoeg een goed punt.

Summer zag hoe haar moeder haar sigarettenpeuk uitdrukte in de asbak. 'Wanneer stop je daar nou eens mee?'

'Ik hoop dat ik in mijn leven nog niet op het punt ben aangekomen dat ik dingen moet gaan opgeven.'

'Je bereikt dat punt eerder dan je denkt als je blijft roken.'

'Het is minder gevaarlijk dan iedere dag met misdadigers omgaan.'

'Ik ga om met misdadigers van een betere klasse nu ik rechercheur ben,' zei Summer, die terugdacht aan de opmerking van Laura Killinger. 'Ik zou sommigen van hen zelfs de hand kunnen schudden zonder eerst handschoenen aan te hoeven doen.'

'Dat vergat ik nog te zeggen, ik kwam laatst Ed Vara tegen. Hij vroeg naar je.'

'Die vriend van je die jurist is?'

Summer was meteen op haar hoede en vroeg zich af of dit een

van haar moeders pogingen zou worden haar weer in contact te brengen met Jeff. Hij had Summer na zijn verhuizing een paar keer gebeld en ze wist dat hij ook een of twee keer met haar moeder had getelefoneerd, maar wat haar betrof was hun relatie lang voordat hij besloot naar Washington te verhuizen al ten dode opgeschreven geweest.

Summer had Jeff Tuohy ontmoet toen hij voor het Openbaar Ministerie werkte. Jeff had politieke aspiraties en het was een goede plek om punten te scoren. Ze konden met elkaar praten over hun werk, en Jeff was leuk om te zien, slim en grappig en ontroerend idealistisch. Maar hij was ook moordend ambitieus, en tegen de tijd dat ze de grote stap hadden genomen en bij elkaar waren ingetrokken, werkte hij zestien uur per dag, zodat het huishouden en het koken op Summer neerkwamen. En toen had hij vrijwilligerswerk gedaan voor de succesvolle verkiezingscampagne van een vrouwelijk lid van het huis van afgevaardigden, wat hem het aanbod had opgeleverd van een baan bij haar vaste staf. Summer was niet bereid geweest haar baan in Portland op te geven, naar de andere kant van het land te verhuizen, te trouwen en huisvrouw te worden... Ze had er inmiddels al genoeg van voor hem te koken en schoon te maken. Jeff had aangeboden de baan te weigeren, maar Summer wist dat hij zijn zinnen erop had gezet en dat hun relatie het nog geen week had volgehouden als zij hem had gevraagd te blijven. Dus dat was het einde geweest voor Summer en haar jurist, maar Summers moeder koesterde nog enige hoop dat ze weer bij elkaar zouden komen en zei daar af en toe iets over.

Maar nu zei June Ziegler: 'Ed zei dat hij een detective zocht.'

'Ik dacht dat hij meestal zaken met betrekking tot de burgerrechten deed. Waar heeft hij een detective voor nodig?'

'Ik dacht dat je dat misschien met hem zou willen bespreken.'

'Ik heb al een baan.'

'Louter papierwerk en onbelangrijke klusjes.'

'Dat is precies wat de detective van een jurist ook doet. Feiten verzamelen en dingen nazoeken. Ze zitten achter hun bureau telefoonboeken en databases uit te kammen.'

'Ik zei het omdat Ed zaterdag komt eten. Kijk niet zo verschrikt, schat. Mijn collega Engels komt ook en nog wat andere mensen.'

'Ik denk dat ik hem wel wat namen kan geven van gepensioneerde politiemensen die misschien belangstelling hebben.'

Haar moeder haalde haar schouders op en stak nog een sigaret op.

Summer zei met liefhebbende ergernis: 'Ik ben geen klein meisje meer.'

'Natuurlijk ben je dat wel. En ik wil je graag een goede raad geven, als je het niet erg vindt. Volgens mij moet je eens gaan praten met de buren van de Farrells. Misschien hebben zij het meisje onlangs nog gezien. Of misschien hebben haar ouders een paar dagen geleden een lange autotocht gemaakt.'

Summer depte de saus op met een kontje brood. 'Dat zou ik doen als het mijn zaak was. Maar dat is het niet. Het is de zaak van de sheriff van Cedar Falls.'

'Dus je laat het allemaal gewoon lopen vanwege iets onzinnigs als jurisdictie?'

'Dat ook weer niet,' zei Summer. 'In feite heb ik al gesproken met de rechercheur die de leiding heeft over de zaak. Wat ik nu moet doen, is uitvogelen hoe ik Randy Farrell in Cedar Falls kan krijgen.'

3

Op weg naar zijn baas, om te horen wat voor puinhoop de man had veroorzaakt tijdens zijn afwezigheid, verraste Carl Kelley een van de bewakers in de trofeezaal. De man had geen reden en geen recht zich daar te bevinden. Een computersysteem gaf bewoners, gasten, bezoekers en personeelsleden al dan niet toegang tot verschillende delen van de torens en bijgebouwen van het landhuis via een code in de elektronische armbanden die iedereen moest dragen. De mensen die de hoofdpoort bewaakten en over het terrein patrouilleerden, konden in het wachthuis, de keukens en de eetkamer voor het personeel komen, meer niet, maar nu liep Frank Wilson, de nieuwe vent die pas vorige week in dienst was genomen, rond in een ruimte die gereserveerd was voor de meest geprivilegieerde mensen.

De trofeezaal besloeg een groot deel van de benedenverdieping van de hoofdtoren. De lemen muren hingen vol koppen van poema's, antilopen en gaffelantilopen en rond de centrale open haard met zijn vuurplaats van ruwe steen en zijn koperen mantel, die zo groot was als de uitlaat van een maanraket, stonden leren stoelen en lage tafeltjes. Op de vloer lagen zebrahuiden. Carl stond net achter de open deur, een pezige man van middelbare leeftijd in een wit shirt met korte mouwen en een zwarte werkbroek, met een sporttas over zijn schouder. De bewaker, Frank Wilson, bukte om dingen in de lagere nissen te bekijken en tuurde naar voorwerpen op planken. Toen Carl door de kamer naar hem toe liep, draaide hij zich om.

'Wat een zaal, niet?' zei Wilson met een snelle, onoprechte glimlach.

'Ik hoop maar dat je nergens aan hebt gezeten,' zei Carl. 'Het is een enorme klus om het systeem opnieuw in te stellen.'

Elk kunstvoorwerp en elke curiositeit had een RFID-chip, een klein printplaatje dat een gecodeerd signaal uitzond als er een specifieke radiofrequentie op af werd gestuurd. Je kon van elke kamer in het landhuis een virtuele plattegrond oproepen en de stukken op hun plaats zien staan als schaakstukken op een bord. Als er iets ook maar twee centimeter werd verplaatst, werd het bijbehorende icoontje rood en begon het te knipperen. Als het werd meegenomen, sloot de computer de deuren en ging het alarm af.

'Ik kijk alleen maar,' zei Wilson. Hij was ruim vijftien centimeter groter dan Carl en droeg een lichtblauw shirt met zwarte epauletten, die pasten bij zijn broek. Aan zijn riem hingen een knuppel, een radio en een sterke zaklamp.

Carl zei ad rem: 'En, nog iets moois gezien?'

'U zult zich wel afvragen hoe ik hier binnen ben gekomen. Dat komt zo: ik was de lampen langs de oprit aan het controleren,' zei Wilson. Hij haalde een spanningsmeter uit de achterzak van zijn broek en liet hem aan Carl zien. Over de knokkels van de middelvinger en de ringvinger van zijn rechterhand was een paar achten getatoeëerd. 'U hebt misschien gemerkt dat sommige daarvan niet aangaan als ze dat horen te doen. In ieder geval, ik zag de voordeur openstaan, ik dacht dat ik maar even moest kijken, en toen bleek de deur van deze zaal ook open te staan.'

Carl zei: 'Gek, maar de voordeur stond net niet open.'

'Ik heb hem zeker dichtgedaan toen ik binnenkwam,' zei Wilson.

De man glimlachte nog steeds, maar zijn blik was harder geworden. Carl moest denken aan het leger en aan het weeshuis. Twee mannen die tegenover elkaar staan, geen van beiden bereid een stap achteruit te doen.

Hij zei: 'Die deur gaat niet open voor mensen die hier niet mogen komen. Ik moet weg, maar ik zal je eerst even uitlaten.'

Carl liet Frank Wilson voor hem uit door de trofeezaal naar de hoge hal daarachter lopen. De man keek links en rechts naar de spullen in de stalen kasten met glazen deuren en de nissen in de roze leem. Stukken van een Japanse wapenrusting naast fantasievoorwerpen. Kisten met messen en boksbeugels. Menselijke schedels met een kam langs de pijlnaad, slagtanden, botstekels of andere versieringen. Trappen die naar links en rechts bogen en hoog daarboven een soort kroonluchter van gesmeed staal en tientallen tv's, ouderwetse beeldbuizen zonder omhulsel, met de printplaten en bedrading in het zicht. De tv's wezen elk een andere kant uit en ze lieten verschillende scènes zien van *Trans*, het computerspel waarmee dit allemaal betaald was.

Wilson zei: 'Hij heeft wel veel spullen. Net een museum, toch?'

'Dit is mijn favoriete stuk,' zei Carl. Hij stapte naar een nis onder de kromming van de linkertrap, waarin een ceremonieel zwaard op twee stukken zwart eiken rustte. Het gekromde lemmet was half uit de roodgelakte schede getrokken en aan het eind van de degenknop hing een rode kwast. 'Koreaans, driehonderd jaar oud.'

'Mooi,' zei Wilson zonder enig enthousiasme. Hij wilde duidelijk zo snel mogelijk weg.

Carl zei: 'Dat gebruiken ze voor executies. Ik heb het zelf een keertje uitgeprobeerd op een hond. Het snijdt door de botten in de nek alsof ze van boter zijn.'

Daar had Wilson niets op te zeggen. Carl keek even naar hem en liep toen naar de hoge kasteeldeur. Het slot signaleerde de chip in zijn armband en klikte open. Hij liet de bewaker voorgaan en nam hem mee om de basis van de hoofdtoren heen. De andere twee torens, waarvan er één minder hoog was omdat hij nog niet af was geweest toen het geld op was, staken boven de bamboebosjes uit. Carl wees naar de boomgrens boven op de heuvel daarachter, die zich zwart aftekende tegen de donker wordende hemel, waaraan al een paar sterren glinsterden, en zei tegen Wilson dat hij terug moest gaan naar zijn post. Misschien wist hij het niet, maar er was een trap die recht naar het wachthuis leidde, een snellere route dan langs de oprit.

Hij voegde er terloops aan toe: 'O, waar heb je trouwens voor gezeten?'

'Ik begrijp niet wat u bedoelt.'

'Verkoop geen onzin, jongen. Ik heb die gevangenistatoeages gezien op je vingers. Twee achten, dat is de code voor HH, nietwaar? Heil Hitler. Waar heb je voor gezeten? En in welke gevangenis?'

Frank Wilson probeerde de kille blik van Carl te pareren, maar slaagde daar niet in. 'Dat gaat u niets aan.'

'Het gaat me wel degelijk aan als iemand die gezeten heeft rondloopt waar hij niet hoort rond te lopen en belangstelling heeft voor de eigendommen van mijn baas.'

'Dacht u soms dat ik wat van die troep wilde stelen?'

Ja, het was net als in het leger, alleen was deze kerel met zijn gevangenisspieren en zijn stomme frons een watje in vergelijking met een soldaat vol bier met tien gretige makkers achter zich.

Carl zei: 'Ik denk dat jij in de gevangenis iemands hoer was. Was hij zwart? Liet hij anderen meedelen in de pret?'

'Je bent gek.'

'Je bent groot, maar hij was groter, nietwaar? Hoe was het om elke nacht door hem bereden te worden?'

Wilson wierp Carl een gemene, boze blik toe en deed een stap naar voren met zijn gebalde vuisten half geheven. 'Zeg dat nog eens, opdondertje.'

Carl haalde het gloednieuwe penschietpistool uit zijn sporttas en hield de loop vijftien centimeter van de neusbrug van de man. 'Ik raad je aan in te binden als je geen nieuw gat in je voorhoofd wilt.'

Wilson keek scheel toen hij probeerde het pistool te zien. Het zag er met zijn gevlamde plastic kolf en dikke magazijn uit als een straalpistool uit een sciencefictionfilm. Hij zei: 'De volgende keer dat ik je zie, kun je maar beter een echt pistool bij je hebben.'

'Loop nou maar door, meneer Wilson. Als ik je weer moet spreken, merk je het wel.'

Carl keek de man na toen hij over het pad naar de trap liep, langs de schijnwerpers tussen de bamboeplanten en de geïmporteerde, zwartgranieten rotsblokken. Ergens in de heel nabije toekomst, dacht Carl, zou hij eens een pittig gesprek voeren met Patrick Metcalf, de manager van het bedrijf waar de bewakers vandaan kwamen. Hij zou hem eens vragen waarom hij een ex-gedetineerde in dienst had en hoe die ex-gedetineerde zonder de juiste armband in de hoofdtoren had weten te komen. Als de politie tenminste niet eerst op het toneel verscheen en lastige vragen ging stellen over een dood meisje...

Een ongeluk komt nooit alleen, dacht Carl toen hij de toren weer in liep en de kleine lift nam naar de bibliotheek, waar zijn baas, Dirk Merrit, op hem zat te wachten.

De bibliotheek besloeg net als de trofeezaal, het mediacentrum, de statige eetkamer en de belangrijkste slaapkamer een hele verdieping van de grootste toren. Er stonden niet veel boeken en de boeken die er stonden, waren decoratief, zoals de grote middeleeuwse Bijbel die met een ketting was vastgemaakt aan een eikenhouten lessenaar met snijwerk in de vorm van een engel met een doodshoofd, *catalogues raisonnés* van Francis Bacon, Hans Belmer, Diane Arbus, Joel-Peter Witkin en andere meesters van de groteske mensheid, medische woordenboeken, adressenbestanden en catalogi, een complete verzameling van *The Journal of Plastic Surgery* en een hoop boeken over transhumanisme, futurologie en technieken om het leven te verlengen, die de uitgevers hadden toegestuurd voor citaten in het openbaar (die Dirk Merrit altijd gaf). De meeste boeken stonden in twee grote, stalen kasten met glazen deuren, tweedehands aangeschaft van het St. Vincent's Hospital in New York, waar eens chirurgische instrumenten in bewaard waren. Elders in de grote kamer stonden een projectie-tv met leren leunstoelen ervoor, een cocktailbar en een popcornmachine, een wapenrusting die was versierd met pieken en opstaande randen, vrijstaande kasten met antieke messen, jachtbogen, kruisbogen en vuurwapens, globes van de aarde, de maan en Mars en een bureau van staal en glas ter grootte van een kleine auto tegenover een rij van twintig tv's. Aan de muur achter het bureau hing een zestiende-eeuws Vlaams wandtapijt waarop mannen en honden een zwijn najoegen door een winterbos. En boven dat alles hing een levensgrote replica van Leonardo da Vinci's beroemde vliegmachine in kersenhout en canvas, de scharnierende vleermuisvleugels volledig gespreid, met de toppen minder dan een handbreedte van de tegenover elkaar staande muren van gegoten beton. De piloot in zijn zitje had het gezicht van Dirk Merrit en was vaak bijgewerkt om de vele veranderingen bij te houden die de plastisch chirurgen hadden aangebracht bij hun patiënt.

De man zelf zat in een bewerkte eiken stoel met een hoge rugleuning met uitgesneden pieken erop, zodat hij wel wat leek op een troon. Zijn allernieuwste beste vriend en persoonlijke dokter, Elias Silver, maakte net de manchet van een bloeddrukmeter los van zijn linkerarm. Silver keek zuur op toen Carl naderde.

'Carl,' zei Dirk Merrit. 'Daar ben je eindelijk.'

Hij droeg zijn favoriete groenzijden kimono van driehonderd jaar oud en zat stijf rechtop in zijn stoel, heel lang en heel mager. Een koninklijke houding. Op het eerste gezicht leek het alsof hij een masker op had. Dan besefte je dat het masker zijn gezicht was. Sommige mensen konden niet lang naar Dirk Merrit kijken. Naar wat hij met zichzelf gedaan had. Naar wat hij geworden was. Anderen staarden met openlijke verbazing of afkeer naar de jukbeenderen als hoge kantelen, de vleermuisoren, het voorhoofd en de gladgeschoren schedel met richels als van een kamschelp. Carl, die net zo bekend was met de rijke verscheidenheid van menselijke uiterlijkheden als welke chirurg dan ook, zag het amper.

'We vroegen ons al af waar je zat,' zei Elias Silver.

'Op de I-5 van Los Angeles naar hier, zonder te slapen,' zei Carl, en hij keek de dokter aan tot die zijn blik afwendde.

Toen hij zes maanden eerder in de rode cijfers was gekomen, had Dirk Merrit zijn topkok en keukenpersoneel, zijn persoonlijke trainer, zijn Engelse butler en een tiental tuinlieden en dienstmeisjes ontslagen. En toen was Elias Silver op een weekend op komen dagen als gast. Hij was nooit meer weggegaan en maakte zich verdienstelijk door Dirk Merrit te voorzien van drugscocktails en mee te gaan in zijn obsessie over zijn evolutie van een gewoon mens tot een superieur wezen dat eeuwig zou leven.

Dirk Merrit zei: 'Elias heeft me een nieuw ontwerp laten zien voor mijn oren. Hij ziet veel in een nieuwe techniek om kraakbeen te cultiveren. Je gebruikt stamcellen op een template van collageen en dan kun je elke vorm krijgen die je maar wilt.'

Carl zette zijn sporttas aan zijn voeten, kwam overeind en sloeg zijn armen over elkaar. 'We moeten praten. Onder vier ogen.'

'Ik hoop dat het niet lang duurt,' zei Elias Silver. Hij deed zijn spullen in een aluminium koffertje. Elias Silver was een klein, dik mannetje van dertig jaar met een bos sneeuwwit geverfd haar en de overdreven maniertjes van iemand die veel ouder was. Zijn bril had ijsblauw getinte glazen. De nagels van zijn kleine, zachte, witte handen waren onberispelijk gemanicuurd. Hij droeg een van zijn gebruikelijke, kraagloze jasjes, ditmaal felgeel, dat helemaal dichtgeknoopt was. Toen hij zijn koffertje met een ferme klik had dichtgedaan, zei hij tegen Carl: 'Dirk heeft het grootste deel van de middag een videoconferentie gehad met zijn financieel adviseurs. Zijn bloeddruk is wat hoger dan normaal. Hij moet rusten.'

'Je zou hem niet zo veel speedballs moeten geven,' zei Carl.

'Ik heb hem juist een milligram Ativan gegeven.'

'Ja, en wat nog meer?'

'Misschien wil je ook een Ativan. Je lijkt een beetje hyper.'

Elias Silver had de gewoonte om zich tot de lucht op ongeveer dertig centimeter van het hoofd van de geadresseerde te richten. Hij deed het nu ook en zoals gewoonlijk ergerde Carl zich er mateloos aan.

Dirk Merrit keek van de een naar de ander en zei opgewekt: 'Jullie zouden toch echt moeten proberen beter met elkaar te leren opschieten.'

'Blijf niet te laat op,' zei Elias Silver tegen hem. 'En probeer de thee die ik je heb aanbevolen.'

'Die smaakt naar gekookt gras.'

'Hij zal je helpen ontspannen.'

Toen Elias Silver weg was, haalde Carl een envelop uit een zak van zijn werkbroek en hield hem ondersteboven boven een tafeltje, zodat er allemaal creditcards naast een grote glazen pot met een paar aan elkaar gegroeide menselijke foetussen in strokleurige alcohol terechtkwamen.

'Mooi,' zei Dirk Merrit. 'Heb je nog problemen gehad met meneer Grow?'

Eric Grow was hun mol bij Powered By Lightning, het bedrijf dat de eigenaar was van *Trans* en het spel beheerde. Dirk Merrit was de grootste aandeelhouder geweest tot zijn financiële moeilijkheden te groot waren geworden en de Bank of America opdracht had gegeven tot een grote reorganisatie van zijn bezittingen. Erik Grow verschafte hem geldige wachtwoorden en andere nuttige informatie uit de ledenlijst van *Trans*, voorzag hem van gekloonde creditcards via een Russische connectie en was van plan in de zeer nabije toekomst met de hulp van Carl zijn werkgevers af te zetten.

Carl zei: 'Hij was net zo vriendelijk als anders. Je mag deze kaarten maar één keer gebruiken. Voor een directe aankoop of als je online iets koopt of zo. Eén keer maar, dan moet de kaart vernietigd worden.'

'Dat ben ik heus niet vergeten.'

'Ik herinner je er even aan omdat er een heleboel dingen zijn die je wel bent vergeten. Je pelgrims minstens een week vasthouden voor je er iets mee doet, bijvoorbeeld. Nooit iets alleen doen en nooit of te nimmer iets op je eigen terrein doen, dat zijn er nog twee. En dan heb ik het nog niet over de belofte die je me gedaan hebt voordat ik wegging.'

'O, begin je nu daarover?'

'En of ik daar verdomme over begin.'

Die morgen was er al vroeg stront aan de knikker geweest. Nadat Carl de creditcards had opgehaald en Erik Grow op zijn nummer had gezet, had hij in zijn motelkamer wat verdiende ontspanning genoten met een meisje van zijn favoriete bureau toen Dirk Merrit had gebeld. De man had op schrille en opgewonden toon verteld dat hij een van de pakjes kwijt was. Hij had meteen weer opgehangen en niet opgenomen toen Carl hem terugbelde. Carl, die meteen geraden had wat er was gebeurd, had de hoer weggestuurd, zijn rekening betaald en was teruggegaan naar Oregon. Hij had ten zuiden van Sacramento in de file gestaan toen Dirk Merrit weer had gebeld en hem inmiddels veel kalmer had verteld dat de politie het pakje had gevonden, maar dat het geen probleem was omdat het onherstelbaar beschadigd was. Op dat moment had Carl veel zin gehad om te keren en de man aan zijn verdiende lot over te laten. Maar hij wilde niet zijn kans verspelen op een buit waar hij de rest van zijn leven mee toe zou kunnen, en dan was er nog de kwestie van de foto's en videobeelden van de eerste keer dat ze hadden samengewerkt. Dirk Merrit had erop gestaan dat ze allebei exemplaren bewaarden op een veilige plek, zodat ze ervan verzekerd konden zijn, had hij gezegd, dat ze elkaar helemaal konden vertrouwen. Carl moest zijn best doen om Dirk Merrit uit handen van de politie te houden tot hij klaar was om de abonneegelden van Powered By Lightning te ontvreemden en ermee te verdwijnen, en dat betekende dat hij deze rotzooi ook zou moeten opruimen.

Hij zei: 'Begin nou maar bij het begin. Welke was het, het meisje of de jongen?'

'Het meisje. En maak je maar geen zorgen, ze is dood.'

'Heb je het méisje laten ontsnappen?'

'Het was gewoon pech. Een ongelukje.'

Carl had langgeleden al geleerd zijn woede onder bedwang te houden, maar soms lukte dat niet zo goed en werd hij gegrepen door sterke impulsen. Dan rolde er zwarte bliksem over zijn ruggengraat die zich in zijn hoofd ontlaadde en gewelddadige beelden bij hem opriep. Hij voelde die bliksem nu over Dirk Merrits doodsbleke gezicht flitsen, dat gebroken en bloedend wegviel onder meedogenloze klappen, dus griste hij de grote, glazen pot van tafel, hief hem boven zijn hoofd en smeet hem op de vloer.

Toen het geluid van de klap was weggestorven, zei hij rustig: 'Denk je soms dat dat ook een ongelukje was?'

Dirk Merrit weerstond Carls verhitte blik en zei: 'Je bent boos. Dat is volkomen begrijpelijk.'

Carl schopte naar de flarden bleek vlees en de glanzende splinters gebroken glas. De zoete geur van ethanol vervulde de lucht. 'Wil je dat ik laat zien hoe boos ik echt ben?'

'Ik geloof dat je wel duidelijk genoeg bent geweest, Carl. Dat specimen heeft me vijfentwintighonderd dollar gekost.'

'Hou maar in van het salaris dat je me niet meer betaalt. Waar is dat ongelukje gebeurd?'

'Op de wei langs de richel. Aan de zuidrand van het landgoed.'

'Jezus Christus. Kon je haar niet een paar kilometer verder van je huis brengen? En van mijn huis.'

'Ik wilde het op mijn eigen terrein doen. Het leek belangrijk... En trouwens, stel dat iemand me op de openbare weg had zien rijden.'

Dirk Merrits financieel adviseurs hadden hem het voorgaande jaar gedwongen dat stuk land te verkopen, maar daar zei hij maar niets van. 'Wanneer heb je het gedaan? Overdag of 's nachts?'

''s Nachts. Dat hoorde erbij, snap je. Ik heb het nog nooit alleen gedaan en ik heb het ook nog nooit 's nachts gedaan.'

'Heeft niemand je gezien? Ben je niet gevolgd?'

Carl maakte zich zorgen over Elias Silver, die stiekemerd.

'Het was na middernacht.'

'Je hebt haar daarheen gebracht en aan een staak vastgezet.'

'Inderdaad.'

'Je droeg je bivakmuts, je vertelde haar dat je haar ging vermoorden, je liet de springlading afgaan die het slot openblies en ze rende voor haar leven.'

'Ik deed het precies zoals we het altijd doen.'

'Nee. Nee, dat deed je niet. Je deed het in je eentje en je hebt haar laten ontsnappen. Wat is er gebeurd, had je een probleem met de ultralight?'

'Ik heb de ultralight niet gebruikt. Het was nacht, zo gek ben ik nou ook weer niet. Ik heb haar een mes gegeven en toen heb ik haar losgelaten. Ik wilde haar een voorsprong geven.'

'Je wilde te voet achter haar aan gaan en je hebt haar een mes gegeven? Ben je gek geworden?'

'Ik wilde haar een eerlijke kans geven,' zei Dirk Merrit. 'Ik had ook een mes, en mijn kruisboog. En mijn nachtkijker.'

'Oké. Je gaf haar een mes en blies het slot kapot. Toen is ze het bos in gerend en ben je haar kwijtgeraakt.'

'Niet precies. Nou, ze rende wel het bos in. Ik heb haar een tijdje in kringetjes laten lopen, dat was wel leuk, en toen heb ik geschoten. Maar ik miste, en ze rende recht over de rand van de rots, vijf, zes meter recht naar beneden. Het ene moment was ze er nog en toen was ze opeens weg. Je kunt je voorstellen hoe verbaasd ik was. Tegen de tijd dat ik onder aan de rots kwam, was er geen spoor meer van haar te bekennen.'

'Maar ze is de volgende dag weer opgedoken. Iemand heeft haar gevonden.'

'En ze is doodgegaan voordat ze haar naar het ziekenhuis konden brengen. Dus je ziet dat er uiteindelijk niets aan de hand is.'

'Tenzij ze nog iets gezegd heeft voordat ze stierf. Iets wat de politie rechtstreeks naar jou zal leiden.'

Dirk Merrit haalde zijn schouders op. 'Als ze iets belastends had gezegd, was de politie hier al geweest.'

'De lijkschouwer zal inmiddels wel sectie op haar hebben verricht. God mag weten wat hij ontdekt heeft.'

'Ze was naakt en ze heeft het grootste gedeelte van de nacht in het bos rondgelopen nadat ze was ontsnapt, dus ik denk niet dat de lijkschouwer iets heeft ontdekt waar ze wat aan hebben. Luister naar me, Carl. Wat er met haar gebeurd is nadat ze was ontsnapt, is niet belangrijk, maar het feit dát ze is ontsnapt wel. Heb je ooit gehoord van wat ze een gelukkig toeval noemen? Of serendipiteit? Het is een integraal deel van creativiteit. Je zoekt iets, of je zoekt helemaal niets, en je struikelt ergens over dat ideaal is voor je behoeften. Dat gebeurde voortdurend toen ik *Trans* aan het maken was. En dat is dit ook. Een gelukkig toeval. Het heeft mijn ogen geopend. Het heeft alles veranderd. Het heeft me in staat gesteld een heel nieuwe richting in te slaan.'

'Luister naar wat ik zeg,' zei Carl. Ondanks het gebrek aan slaap, zijn woede en de overtuiging dat de hele zaak op het punt stond in het honderd te lopen, had hij zichzelf weer volledig in de hand en er klonk een doordringend, wit gegons in zijn hoofd. 'Luister naar mij en luister goed. Dit is geen computerspelletje. Er is iets heel erg mis gegaan en je kunt niet terug en het opnieuw proberen tot het je wel lukt. Het meisje is ontsnapt. Misschien is ze doodgegaan voordat ze iets kon zeggen, maar op dit moment probeert de politie erachter te komen wie ze is en waarom ze zonder een draad aan haar lijf in het bos rondliep. Dus denk maar niet dat de kwestie is afgedaan. Denk maar niet dat de politie hier niet zal komen rondsnuffelen, dat ze niet hierheen zullen komen om je lastige vragen te stellen. Want dat doen ze wel.'

Dirk Merrit schudde zijn hoofd. 'De politie heeft geen belangstelling voor mij, en ik zal je zo vertellen waarom niet. Ik heb nu eenmaal gecompliceerde behoeften, Carl. Jij hebt in veel van die behoeften voorzien, dat wil ik graag toegeven. Maar je kunt niet aan al mijn wensen tegemoetkomen, en ik verwacht net zo min dat jij begrijpt wat ik allemaal nodig heb als dat ik zou verwachten dat... een hond kleurentelevisie begrijpt.'

'Ik ben niet je hond. Dokter Elias Silver, ja, hij misschien wel. Maar vergeet nooit wie ík ben.'

'Dat met die hond is een vergelijking, Carl. Honden kunnen geen kleuren zien. Ze hebben niet de juiste kegeltjes of staafjes of zoiets.

Een of andere cel in hun netvlies die wij wel hebben en zij niet. Elias zal het ongetwijfeld weten. Het punt is dat wat wij samen doen echt leuk is. Het is stevig vlees. Maar ik kan niet alleen van vlees leven. Ik moet meer variatie in mijn dieet hebben.'

Het punt was dat Dirk Merrit zichzelf veel slimmer vond dan hij werkelijk was. De laatste paar jaar had hij zijn fortuin verkwanseld aan zijn huis en zijn behoeften en was zijn ego opgebold als een aneurysma. Hij geloofde dat hij zich zo ver ontwikkeld had dat menselijke instellingen geen vat meer op hem hadden, dat hij kon doen wat hij wilde, en dat wilde hij steeds sneller achter elkaar omdat zijn trofeeën en zijn video's niet meer toereikend waren om zijn fantasieën te voeden en de opwinding van zijn spelletjes terug te brengen.

Carl zei onder invloed van het witte gegons van zijn enorme rust: 'Ik denk dat je je een tijdje koest moet houden. Wacht tot de gevolgen van dit "gelukkige toeval", of hoe jij het ook wilt noemen, zijn overgewaaid.' Hij haalde het penschietpistool uit zijn sporttas en hield het omhoog. 'Weet je wat dit is?'

Dirk Merrit hield zijn hoofd schuin. 'Carl, toch. Nou doe je wel erg dramatisch.'

'Het wordt in slachterijen gebruikt om dieren te doden.'

Carl had in Afrika ook zoiets gehad, een ouderwets model dat met een geweerpatroon een spijker in de hersenen van het dier dreef en ook ernstige schade kon toebrengen aan de knieschijven en handen van gevangenen die niet meteen wilden praten. Bij deze versie werd een cilinder samengeperste kooldioxide gebruikt om een pen af te schieten. Hij had het wapen gekocht in een landbouwwinkel aan de rand van Sacramento, na het tweede telefoontje van Dirk Merrit.

Dirk Merrit glimlachte. 'Je wilt me een lesje leren door onze laatste pelgrim als een beest af te maken. Dat is voor jouw doen heel subtiel, Carl.'

'Eén schot in het voorhoofd, ruim twee centimeter staal in zijn hersenen, licht uit. Geen gedoe, geen lawaai. In tegenstelling tot een gewoon vuurwapen kun je dit in die kelder gebruiken zonder het risico te lopen doof te worden. Ik vind dat we hem daar moeten vermoorden, moeten wachten tot het goed donker is en zijn lichaam dan in het meer moeten gooien.'

'Als het daarop aankomt, heb ik een geluiddemper voor mijn colt die net zo goed zou functioneren. Ik ben het met je eens dat we hem zo snel mogelijk kwijt moeten zien te raken, maar ik ga hem niet afslachten als een aftands paard. Nee, we doen het op de gebruikelijke manier. Morgen, of op zijn allerlaatst overmorgen. Kun je het voor die tijd regelen?'

'Meen je dat echt?'

'Elke andere manier zou oneervol zijn.'

'Wat heeft eer ermee te maken? Dat joch probeerde je op te lichten.'

Dirk Merrit leunde naar voren. Het licht glansde op zijn geribbelde schedel. Zijn ogen, met de zwarte contactlenzen die de hele oogbol bedekten, glinsterden als pasgedolven kolen. 'Dat is precies waarom we op hem zullen jagen. Hij heeft het verdiend.'

'Geen sprake van. Als ze hem vinden, brengen ze hem in verband met het meisje. Of met het spel.'

'Hoeveel hebben ze er tot nu toe gevonden? Maar twee. En zelfs als ze hem vinden, zelfs als ze hem in verband brengen met het meisje, wat dan nog? Ze kunnen het meisje niet in verband brengen met mij.'

'Ik kan er nu meteen heen gaan en hem netjes en snel uit de weg ruimen. Het zal zijn alsof hij nooit heeft bestaan.'

Dirk Merrit schudde weer zijn hoofd. 'Dat zou een belediging voor hem zijn, en bovendien een teken van zwakte. Of paniek.'

'Het is noodzakelijk. Net zoiets als de rotzooi opruimen na een ongeluk.'

'Ik weet dat je het goed bedoelt, maar ik zal deze jongen eren. Met jou of zonder jou,' zei Dirk Merrit, die Carl recht aankeek. 'En je hoeft er niet aan te denken er stiekem naartoe te sluipen en hem achter mijn rug om van kant te maken. Ik heb er een ander slot op gezet.'

Als Dirk Merrit eenmaal zo begon, was er niet meer met hem te praten. Ach, dacht Carl, hij moest zijn baas nog even te vriend houden en ze moesten dat joch toch kwijt...

Hij zei: 'Nou ja, het was allemaal toch al geregeld, dus we kunnen er net zo goed mee doorgaan.'

'Precies.'

'Maar je kunt het lichaam niet achterlaten. Niet deze keer. We zullen het moeten laten verdwijnen.'

'Nee, het moet net zo zijn als alle andere offers. Ik neem zijn hart en onze gevleugelde vrienden krijgen de rest.' Dirk Merrit liet nu bijna al zijn scherpe tanden zien in een brede glimlach. 'Kijk niet zo bezorgd, Carl. Wat dat gedoe met dat meisje betreft, denk ik dat ik iemand anders de schuld wel in de schoenen kan schuiven. Ik zal je iets laten zien wat net op het plaatselijke televisiejournaal was, en dan zal ik uitleggen wat we moeten doen.'

4

De rechercheurs van de politie van Portland hielden een werkdag aan van acht tot vier, maar brigadier Ryland Nelsen begon graag voordat de dienst begon, zodat hij de arrestanten- en onderzoeksrapporten kon lezen die die nacht waren ingediend en ze onder zijn rechercheurs kon verdelen zodra ze binnenkwamen. Toen hij op woensdagmorgen om kwart over zeven bij zijn kantoor op de dertiende verdieping van het politiebureau arriveerde, bleek Summer Ziegler hem al op te wachten met twee koppen koffie en een papieren zak met een assortiment donuts. Hij bekeek haar even met een stalen gezicht en zei toen: 'Ik hoop dat dit niet betekent dat je tegen problemen bent aangelopen bij die melding van overlijden.'

'Het is geen zoenoffer, meneer. Eerder een poging tot omkoping.'

'We praten in mijn kantoor verder.'

Dit keer vroeg hij of Summer wilde gaan zitten. Ze legde uit dat Lucinda Farrell had geweigerd iets met haar dochter te maken te hebben, maar dat de stiefvader, Randy Farrell, zich had opgeworpen om naar Cedar Falls te gaan. 'Ik heb de rechercheur die de leiding heeft over het onderzoek gesproken en haar de situatie uitgelegd. Ze vindt het prima als hij het slachtoffer komt identificeren.'

Ryland Nelsen nam een slok koffie. Er zat een beetje poedersuiker op zijn das. 'Als hij het wil doen en de betreffende rechercheur het hem wil laten doen, wat is dan het probleem?'

'Randy Farrell mag niet autorijden. Hij heeft kanker en hij krijgt black-outs van zijn medicijnen.'

'Ook al wil zijn vrouw haar dochter niet identificeren, dan kan ze hem er toch nog wel naartoe rijden?'

'Zoals ik al zei heeft ze vierkant geweigerd zich met de zaak in te laten. En ze is haar rijbewijs kwijtgeraakt nadat ze een keer te vaak dronken achter het stuur had gezeten.'

'Ik geloof dat er een bus helemaal over de I-5 naar Californië rijdt, en die stopt bij de plaatsjes onderweg.'

'De man is behoorlijk ziek. Bovendien wil Denise Childers, de leidende rechercheur, hem graag snel spreken.'

'Heb je haar gebeld?'

'Gisteravond, nadat ik Randy Farrell had gesproken. Ze denkt dat hij nuttige achtergrondinformatie kan verschaffen over zijn stiefdochter.'

Summer zweeg even, maar Ryland Nelsen zei niets.

Ze zei: 'Ik zou hem erheen kunnen rijden en aan het eind van de dag terug kunnen zijn.'

'Weet je welk percentage zaken de eenheid op dit moment oplost, rechercheur Ziegler?'

'Ik geloof dat het rond de vijftig procent ligt.'

'Het ligt dichter bij de veertig en zelfs als ik jou meetel, kom ik nog twee man tekort. Hoe weet ik dat je geen smoesje hebt bedacht omdat je het zeer nuttige werk dat we hier doen te saai vindt?'

'Ik probeer iets te doen voor het dode meisje, meneer. En een lange rit met een crimineel met een voorgeschiedenis van geweld tegen vrouwen is niet bepaald een leuk uitje.'

Er viel nog een stilte. Eindelijk zei Ryland Nelsen: 'Ik zal rechercheur Childers maar even bellen.'

Summer wachtte aan haar bureau. Buiten hing een grijze mist. Het was half acht en er was nog maar één andere rechercheur aan het werk in de noordoosthoek, het domein van de afdeling Moordzaken, die met zijn voeten op zijn bureau zat te telefoneren. Na vijf minuten kwam Ryland Nelsen zijn kantoor uit en zei: 'Kun je die vent in je eentje aan?'

'Ik denk het wel.'

'Je zult wel moeten. Ik kan niemand anders missen.'

'Ik zal geen last van hem hebben. Hij wil meewerken.'

'Je zult een van de rammelkasten van het bureau moeten nemen in plaats van je eigen auto. Je verzekering dekt geen politiewerk. En zorg dat je je morgenochtend stipt op tijd bij me meldt.'

Voordat ze op weg gingen naar Cedar Falls wilde Randy Farrell Summer per se laten zien dat zijn vrouw voor apegapen op bed lag. Het was een tweepersoonsbed en Lucinda Farrell nam het bijna helemaal in beslag en lag volledig gekleed in de schemerige, te warme slaapkamer met open mond te snurken. Ze stonk naar alcohol.

'Het nieuws heeft haar toch erg aangegrepen,' zei Randy Farrell zachtjes. Hij deed de deur van de slaapkamer dicht en vertelde Summer dat hij duizend dollar aan contanten had en dat hij dat wilde gebruiken voor Edies begrafenis. 'Denk je dat het genoeg is?'

'Dat zult u met de begrafenisondernemer moeten bespreken, meneer Farrell. Bent u klaar om te gaan?'

'Ik moet eerst mijn pillen nemen.'

Ze reden rechtdoor over de i-5 door de Willamette Valley naar het begin van Oregons bananenplantages. Ze waren amper op weg toen het begon te regenen, maar vijfenzestig kilometer ten zuiden van Portland brak de zon door een gerafelde scheur in de wolken en betastte hij het boerenland aan beide kanten van de snelweg met schuine lichtvingers. Het eerste deel van de rit zat Randy Farrell te slapen op de achterbank van de Taurus. Hij werd pas wakker toen Summer in Springfield de snelweg af ging om iets te eten bij een Wendy's. Nadat hij een tijdje in zijn hamburger met friet had zitten prikken, verdween hij in het herentoilet. Tien minuten later ging Summer hem zoeken en ze vond hem achter het restaurant bij een afvalcontainer, waar hij het laatste stukje van een strak gerolde joint op stond te roken.

'Ik heb er een vergunning voor,' zei hij met een uitdagende blik. 'Het zorgt ervoor dat ik niet zo misselijk word nadat ik heb gegeten. Als je me niet gelooft, laat ik je de registratiekaart wel zien die ik van de dokter heb gehad.'

'Ik hoef uw kaart niet te zien, meneer Farrell. Ik wacht bij de auto tot u klaar bent, maar maak het niet te lang.'

Toen ze weer op weg waren, legde Randy Farrell uit dat er drie jaar geleden leverkanker bij hem was geconstateerd. De dokters hadden een tumor zo groot als een ganzenei uit zijn lichaam gehaald. Hij was beter geworden, maar vier maanden geleden was de kanker nog erger teruggekomen en had zich uitgezaaid naar zijn botten en zijn alvleesklier. Hij had niet lang meer te leven, en daarom wilde hij juist iets voor Edie doen. Bovendien, zei hij, hield hij van het meisje alsof ze zijn eigen dochter was. Hij was in zijn jongere jaren een schoft geweest die zijn vriendinnetjes sloeg en zelfs zijn moeder een keer te lijf was gegaan, maar het huwelijk en de opvoeding van zijn stiefdochter hadden hem vaste grond onder de voeten gegeven. Hij was na zijn laatste verblijf in de gevangenis zelfs opgehouden met drinken, maar toen was het kwaad al geschied.

Zijn bekentenis was goed gerepeteerd en zat vol jargon dat hij waarschijnlijk had geleerd bij de Anonieme Alcoholisten en de praatgroep voor kankerpatiënten. Maar hij leek het te menen en hij vertelde Summer dat Edie van lezen had gehouden. Engels was haar beste vak geweest op school en ze zou Engels zijn gaan studeren als ze niet de kont tegen de krib had gegooid en in aanraking was gekomen met de politie. Hij vertelde dat Edie dol was geweest op een zwart katje dat ze Edgar Allan Poe had genoemd en dat Edie haar eigen kleren had genaaid van patronen, en dat ze ook goed had kunnen schilderen. Edie en haar moeder hadden nooit met elkaar kunnen opschieten, zei Randy Farrell, maar hij hoopte dat hij haar tot steun was geweest. Toen hij haar die ene keer had gezien nadat ze was weggelopen, had ze vol plannen gezeten. Hij had haar geld gegeven om behoorlijke kleren te kopen, zodat ze weer naar school kon en een kantoorbaantje zou kunnen krijgen. Intussen was ze serveerster geweest in een snelbuffet. De manager had een deel van haar basisloon ingehouden omdat ze voorwaardelijk had en hij had haar weer naar de gevangenis kunnen sturen wanneer hij maar wilde, maar ze had het verschil terugverdiend met fooien.

'Het ging heel goed met haar, op die nietsnut van een vriend na.'

'Kunt u zich nog iets meer over hem herinneren?'

Voordat ze naar het huis van de Farrells was gereden, had Summer de vijf politiebureaus in Portland gebeld voor het geval het vriendje van Edie Collier haar als vermist had opgegeven, maar zonder resultaat.

Randy Farrell zei: 'Ik heb ze één keer samen gezien, heel toevallig. Ik bevond me op de verdieping boven hen in het Lloyd Center om iets voor Lucinda's verjaardag te kopen. Toen zag ik Edie met een jonge kerel voor de bioscoop staan.'

'Hebt u hem goed kunnen zien?'

'Ik zei al dat ik een verdieping hoger stond toen ik ze zag. Tegen de tijd dat ik met de roltrap naar beneden was gegaan, waren ze al weg. Ik denk dat ze naar de film gingen.' Randy Farrell zweeg even. Summer keek naar hem via de achteruitkijkspiegel. Hij keek afwezig voor zich uit en zijn mondhoeken wezen naar beneden. Na een tijdje zei hij: 'Ik besef net dat het de laatste keer was dat ik haar heb gezien.'

'Wanneer was dat?'

'Op de dag af twee weken geleden. Ik heb een kristallen dolfijn voor Lucinda gekocht. Ze houdt van dat soort troep. Het is erg dat ik het moet zeggen, maar Edie heeft niet eens een kaart gestuurd.'

'En dat was de enige keer dat u Edies vriend gezien hebt?'

'Als de jongen met wie ze was haar vriend was, ja.'

'Hoe zag hij eruit?'

'Ik heb hem niet echt goed kunnen zien.'

'Nou, was hij blank of zwart?'

'Blank.'

'Hoe oud, denkt u?'

'Ongeveer van Edies leeftijd, geloof ik. Misschien een beetje ouder. Het is moeilijk te zeggen.'

'Edie was achttien.'

'Ze zou volgende maand negentien zijn geworden.'

'Dus die vriend, Billy zonder achternaam, was achttien of negentien.'

'Misschien iets ouder. Ik heb hem niet goed gezien.'

'Hoe groot was hij?'

'Ik stond er nogal ver vanaf.'

'Groter dan Edie? Kleiner?'

'Misschien een kop groter. Hij had zwart haar tot op zijn schouders.'

'Wat droeg hij?'

'Een spijkerbroek, geloof ik. Een blauwe spijkerbroek. En zo'n groot, geruit overhemd, zoals sommige kinderen als een jas over hun T-shirt dragen. Zoiets. En hij had ook een koffertje bij zich. Verder leek hij precies op al die kinderen die bij Pioneer Square rondhangen.'

'Wat voor koffertje?'

'Hoe bedoel je?'

'Van metaal of van leer?'

Randy Farrell dacht even na. 'Ik geloof dat het meer zo'n ding was waar je die kleine computers in meeneemt. Je weet wel, met een schouderband.'

'Een tas voor een laptop.'

'Ja, zoiets.'

'Hebt u zijn gezicht gezien?'

'Ik zag hem alleen van achteren.'

'Schouderlang zwart haar, een blauwe spijkerbroek, een geruit overhemd. En een laptoptas.' Het was niet veel, maar toch iets. Er konden niet veel straatjongens zijn die een laptop bij zich hadden, of in ieder geval een tas voor een laptop.

Randy Farrell zei: 'Edie zei dat ze verliefd waren. Ze liet me een goedkope ring zien die hij voor haar had gekocht. Je kon aan de manier waarop ze praatte horen dat ze hem geweldig vond, maar zeggen jullie niet altijd dat de eerste verdachte bij een moordzaak degene is die het dichtst bij het slachtoffer staat?'

'Ik heb daar geen mening over, meneer Farrell. Het is niet mijn onderzoek.'

Maar Summer vroeg zich af of de reclasseringsambtenaar of de manager van het restaurant waar ze had gewerkt iets over haar vriend zou weten, zijn achternaam, waar ze hem kon vinden. Ze wilde hem vragen wat Edie meer dan driehonderd kilometer ten zuiden van Portland had gedaan; ze wilde hem vragen of Edie haar ouders nog had bezocht nadat ze van huis was weggelopen. Intussen besloot ze Randy Farrell een beetje onder druk te zetten om te zien of er iets uit kwam.

'Zeg, meneer Farrell? Ik vroeg me iets af. Hoe komt u aan dat blauwe oog? Het wordt wel een prachtexemplaar.'

'Ik ben tegen een deur aan gelopen,' zei Randy Farrell een beetje te snel. En hij voegde eraan toe: 'De medicijnen die ik moet nemen maken me duizelig. Ik val steeds om. En ik krijg tegenwoordig ook snel blauwe plekken.'

'Ik dacht eigenlijk dat Lucinda er iets mee te maken had. Ze is nogal driftig, nietwaar?'

'Ze heeft haar problemen.'

'Ze leek niet veel problemen te hebben met het nieuws over Edie. Ik bedoel, ze maakte zich druk om het feit dat ze door ons niet naar Oprah kon kijken, niet om het nieuws zelf.'

'Je zag hoe ze er vanmorgen aan toe was. Ze maakte zich op haar eigen manier druk.'

'Ik zag hoe ze gisteravond was. Heeft uw vrouw u ooit geslagen, meneer Farrell? Als dat zo is, hoeft u zich daar helemaal niet voor te schamen. Mannen die vrouwen slaan, dat kent iedereen. U zeker. Maar vrouwen die mannen slaan, dat komt meer voor dan u denkt.'

'Wat ik gedaan heb, heb ik lang geleden gedaan. Niet dat ik me er niet voor schaam, maar ik ben nu een ander mens.'

'Als u het zegt, meneer Farrell.'

'Wat, denk je soms dat ik iets te maken heb met de dood van Edie? Dat is echt hard, zelfs voor iemand van de politie. Ze is nog wel helemaal op het platteland gevonden en ik kan niet eens rijden.'

'Rustig aan, meneer Farrell,' zei Summer. 'We hadden het niet over Edie. We hadden het over u en uw vrouw.'

'Je hebt het recht niet,' zei Randy Farrell. Hij leunde achterover en ging met een nors gezicht en in zichzelf gekeerd voor zich uit zitten kijken, met zijn zwarte nylon jasje tot de hals dicht geritst. Als een kind van tweeduizend jaar dat gesnapt was met zijn hand in de koekjespot.

Summer zei: 'Toen ik nog in uniform liep, ben ik eens bij een echtelijke ruzie geroepen. Een vrachtwagenchauffeur, een man die eruitzag als een kruising tussen een Hell's Angel en een van die tv-worstelaars, een meter vijfennegentig en meer dan honderd kilo, was in brand gezet door zijn vrouw. En die was misschien half zo zwaar als hij. Ze bleek hem regelmatig te mishandelen. Ze sloeg hem met koekenpannen, ze stak hem met scharen en keukenmessen. Dat was jaren zo doorgegaan, tot hij met tweedegraads verbrandingen over zijn halve lichaam op de afdeling eerste hulp belandde. Iedereen is geneigd te denken dat vrouwen passief zijn, dat ze niet gewelddadig zijn. En inderdaad zijn ze niet vaak betrokken bij kroeggevechten of gewelddadigheden in het verkeer. Maar vrouwen die hun echtgenoten of hun partners mishandelen, meneer Farrell, u zou er verbaasd over staan hoe vaak dat voorkomt, en hoe vaak de man erover zwijgt.'

Randy Farrell zei niets. Zijn trots had een ernstige deuk opgelopen en hij bleef mokken.

Summer liet de stilte duren. De krakkemikkige Taurus, een roestbak met meer dan honderdzestigduizend kilometer op de teller die vroeger van een verhuurbedrijf was geweest, werd ingehaald door alle andere voertuigen op de weg: auto's, vrachtwagens en campers, een pick-up met een trailer erachter met een grote witte speedboot erop, een pick-up met een Duitse herder in de achterbak. Summer passeerde een serie trucks met oplegger op een lange, bochtige helling en de trucks met oplegger passeerden haar een paar kilometer verder op een vlak stuk weg. Aan beide kanten van de snelweg rezen steile hellingen vol Douglassparren op.

'Zeg eens, meneer Farrell, sloeg uw vrouw Edie ook wel eens?' Summer keek naar hem via de achteruitkijkspiegel. Toen hij zijn schouders ophaalde, zei ze: 'U hebt me gisteravond verteld dat ze altijd ruzie maakten toen Edie nog thuis woonde.'

'Dat heeft er niets mee te maken,' zei Randy Farrell heftig.

Summer vroeg zich af of hij echt boos was of eerder nerveus werd omdat ze te dicht bij iets kwam dat hij wilde verzwijgen.

Ze zei: 'Ik zie het zo, en u kunt me gerust corrigeren als ik het mis heb. Nu Edie er niet meer is, kan uw vrouw haar niet meer slaan, maar ze haalt nog wel uit. Ze slaat u omdat u te ziek bent om zich te verdedigen.'

Randy Farrell zei niets en keek haar recht aan toen ze via de achteruitkijkspiegel naar haar keek, met een blik waarin iets primitiefs en onverzoenlijks lag.

Summer besloot dat het tijd werd hem met rust te laten. 'Zoals ik al zei, hoeft u zich er helemaal niet voor te schamen, meneer Farrell. Misschien kan ik u aan een sociaal werkster helpen, als u dat wilt.'

Hij haalde zijn schouders op.

Summer zweeg een tijdje en toen zei ze: 'Nog één vraag. Waarom blijft u bij uw vrouw als ze u zo slecht behandelt?'

Ze keken elkaar weer aan via de achteruitkijkspiegel. Randy Farrell zei: 'Zeg jij maar eens waar ik anders heen kan op dit punt van mijn leven.'

5

Carl Kelley klampte Pat Metcalf aan toen de manager van het be-veiligingsbedrijf woensdag tegen lunchtijd naar het landgoed kwam voor zijn wekelijkse inspectie. Hij liep recht op hem af en zei: 'Ik moet je spreken.'

'Als het maar niet te lang duurt. Ik ben laat.'

Ze stonden naast Metcalfs zwarte Range Rover op de parkeer-plaats bij het wachthuis, die uitzicht bood over de vallei, de hoge, smalle v van de dam en het meer daarachter, met het vervallen ho-tel en de vakantiehutten aan de ene kant en het bos aan de ande-re. Het was een warme, zonnige dag. Een havik cirkelde rond aan de felblauwe hemel.

Carl zei: 'Ik zal meteen ter zake komen. Ik heb gisteravond een van je mannen in het huis aangetroffen, waar hij in de trofeezaal rondliep.'

'Ja, dat heeft Frank Wilson me verteld,' zei Metcalf. 'Hij zei ook dat je hem bedreigd hebt.'

'Hij taxeerde de bezittingen van meneer Merrit als een veiling-meester. Wat ga je eraan doen?'

'Hij zag de deur openstaan en is gaan kijken. Waarom moet ik daar iets aan doen?'

Pat Metcalf was een zwaargebouwde man met een slordige, zwartgeverfde bos haar, met een sportjasje over een wit overhemd en een veterdas. Hij was rechercheur geweest bij de afdeling Ze-dendelicten in Los Angeles tot hij tegen een aanklacht wegens mis-handeling aanliep nadat hij een prostituee in coma had geslagen omdat ze hem geen gratis beurt wilde geven. Dat was tien jaar ge-leden, maar hij had nog steeds de koppige arrogantie van een po-litieman en hij maakte duidelijk dat hij Carl beschouwde als een onbetrouwbare, opportunistische schurk. Dan zei hij bijvoorbeeld bij het passeren: 'Ik weet waar je woont, maat.' Of: 'Denk maar niet dat ik het niet weet.' Of: 'Jij en ik, zeg maar waar en wan-neer.' En dan keek hij hem met strijdlustige minachting aan. Om hem uit te dagen.

Zo keek Metcalf nu ook. Carl betaalde hem met gelijke munt terug en zei: 'Wist jij dat Frank Wilson gezeten heeft? Dat zal wel niet, anders had je hem niet aangenomen.'

'Ik kan bij een sollicitatiegesprek niet vragen of iemand ooit ge-arresteerd is. Dat is een overtreding van de federale wet op de pri-vacy. Ik kan hem ook niet vragen of hij ooit geestelijke problemen heeft gehad, of hij homo is en of hij hiv heeft.'

'Frank Wilson heeft een gevangenistatoeage op zijn hand. Hij is beslist ergens voor veroordeeld.'

'En wat dan nog?'

'Dus is dat verhaal dat de deur openstond je reinste gelul,' zei Carl.

'Ik zei toch dat die kerel verdwaald was.'

'En dat herinnert me aan iets anders dat me dwars zit. Er loopt een kerel rond in de trofeezaal die beweert dat de deur openstond. Maar waarom was die deur eigenlijk open?'

'Misschien heb je een probleem met je systeem. Als ik jou was, zou ik dat eens nagaan,' zei Metcalf, en hij maakte aanstalten langs Carl heen te lopen.

Carl zei: 'Het systeem haperde of anders heeft meneer Frank Wilson een armband te pakken gekregen die hem toegang verschafte tot een deel van het huis waar hij niets te zoeken had. Misschien moet jij daar eens naar kijken.'

'Wat wil je dan dat ik doe? Moet ik hem ontslaan?'

'Dat zou ik doen.'

'Ja, maar jij hoeft geen behoorlijke mensen te vinden die genoegen nemen met minder loon dan in een hamburgertent. En zal ik je eens wat vertellen? Ik neem liever iemand in dienst die in de nor heeft gezeten dan een halfgare flikker met een enge ziekte.'

'Als al je werknemers zo zijn, kunnen we misschien beter een andere beveiligingsfirma zoeken.'

'Waarom neem je de zaak niet op met meneer Merrit als je niet gelukkig bent met de diensten die mijn bedrijf levert? O, maar je bent vast al naar hem toe gerend met je paranoïde verhaaltje en hij zal wel gezegd hebben dat je niet zo moeilijk moest doen. Ben je daarom zo chagrijnig?'

'Ik ben nijdig omdat er iets mis is met de beveiliging en jij dat niet serieus neemt.'

'Er is niets mis met de beveiliging,' zei Metcalf met overdreven geduld, 'dus hou op met dat slappe gelul over een samenzwering om de boel te beroven of wat je ook wilt zeggen. Hou je bij je eigen werk, wat dat ook mag zijn, en steek je neus niet in mijn zaken.'

Carl liet de man langslopen en zei toen tegen zijn rug: 'Wie zei er iets over een samenzwering?'

Metcalf ging er niet op in en liep over de parkeerplaats naar het wachthuis, een met gras begroeide heuvel met een gevel van veldsteen en glas. Carl ging de andere kant uit, de steile trap af naar de tweeënhalve toren die oprees van een terras in de zijkant van de vallei. Voor het eerst sinds hij terug was uit Los Angeles voelde hij zich opgewekt en tevreden. Hij was er nu zeker van dat Metcalf en de bewaker, Frank Wilson, van plan waren Dirk Merrit te beroven. Het klopte allemaal precies. De ex-politieman had beseft dat het dreigende bankroet van een van zijn cliënten een ideale gelegenheid bood om hem van wat activa te verlossen: niemand zou veel aandacht schenken aan voorwerpen die verdwenen voordat de curator het huis in beslag nam en een behoorlijke inventaris liet opstellen. Dus had hij contacten van zijn vroegere baan bij de politie gebruikt om een dief in dienst te nemen die snel geld nodig had, iemand die, als hij tenminste leek op de dieven die Carl in Engeland had gekend, in zijn vrije tijd veilingcatalogi en antiektijdschriften naploos om op de hoogte te blijven van de marktprijzen. Geen geschikter persoon om Dirk Merrits spullen te taxeren en te bekijken wat de moeite van het stelen waard was.

Het klopte allemaal precies en Carl zou daar goed gebruik van maken. Pat Metcalf zat Carl al dwars sinds hij hier was gekomen, en Carl had zich er zorgen over gemaakt dat de ex-politieman een probleem zou vormen als het erop aankwam. Nu had hij een perfect excuus om Metcalf aan te pakken, en daar moest hij meteen mee beginnen. Dirk Merrit had bijna alles verpest door helemaal alleen met dat meisje te willen spelen, en hoewel het plan om iemand anders daarvoor te laten opdraaien leek te werken, had Carl het gevoel dat de problemen niet zo gemakkelijk zouden verdwijnen als Merrit geloofde.

Goed. Begin met Frank Wilson en laat de man op band bekennen dat hij en Metcalf wat eersteklas goederen uit het huis hadden willen stelen. Ruim hem uit de weg, ruim Metcalf uit de weg, speel het bandje af voor Dirk Merrit en vertel de man dat alles geregeld is. Daarna zou Carl rustig zijn eigen zaakjes kunnen afhandelen. Hij zou het doen zodra ze terug waren van de jacht. Niemand zou Frank Wilson missen en Metcalf zou alleen gemist worden door zijn Filippijnse vriendin en zijn ex-vrouw en dochter in Los Angeles. Tegen de tijd dat de politie die twee kwam zoeken, was Carl allang weg. Wilson, dan Metcalf, dan de rest. Het had geen zin nog langer te wachten.

Carl dacht aan de lol die hij de komende paar dagen zou hebben en liep over de oprit naar de kleinste van de twee afgebouwde torens, waarin de voorraadkamers, de keuken en de accommodatie voor het huispersoneel waren gevestigd. Louis Frazier, de kok, zat in een tuinstoel op het laadperron een joint te roken. Louis was een grote man met een donkerbruine huid en een rode zakdoek om zijn hoofd alsof hij een bendelid was. Hij keek op toen Carl naderde en zei met zijn zachte, slaperige stem: 'Het is allang lunchtijd geweest, man. We zijn de rest van de middag gesloten.'

Carl negeerde hem en liep de wenteltrap op naar de grote keuken op de eerste verdieping. Hij stond een broodje klaar te maken aan het roestvrijstalen aanrecht toen Louis Frazier binnen kwam wandelen, een laatste trekje van zijn joint nam, de natte peuk in de gootsteen aan het eind van het aanrecht gooide en zei: 'Heb je het journaal gezien?'

'Ik kijk nooit tv,' zei Carl.

Hij stond zijn broodje, ham en kaas op volkorenbrood, in folie te verpakken. Hij was van plan de rest van de dag in de schuur te blijven om de camper en de ultralight klaar te maken voor de trip van de volgende dag.

Louis blies een grote rookwolk uit. 'Man, doe het deksel op de mosterdpot, anders droogt hij helemaal uit langs de rand. Weet je nog van dat jonge meisje dat ze hier vlakbij spiernaakt in het bos hebben gevonden en dat is overleden voordat ze haar naar het ziekenhuis konden brengen? De pólitie...' Louis benadrukte de eerste lettergreep omdat hij altijd wat zuidelijke zwierigheid in zijn stem legde als hij stoned was, 'heeft daar net een of andere blanke gek voor gearresteerd. Het is het belangrijkste nieuws op het plaatselijke journaal. En op CNN en Fox.'

'Ik zei toch dat ik nooit tv kijk,' zei Carl.

Maar hij wist alles van de arrestatie. Een paar uur eerder was hij langs het huis gekomen waar hij de vorige avond het bewijsmateriaal had neergelegd, en hij had de politiewagens langs de weg gezien en een zwerm hulpsheriffs en rechercheurs op het terrein. Later had Dirk Merrit hem verteld dat iemand het verhaal naar de pers had gelekt, vol vrolijkheid om dit laatste bewijs van zijn criminele genie.

Louis Frazier zei: 'Volgens de laatste meldingen hield die griezel haar vast als seksslavin of zo. Ik dacht dat het in de stad erg was, maar wat die lui op het platteland allemaal uithalen...'

Carl nam een augurk uit een grote pot en pakte die ook in.

'Weet je wat de baas een paar avonden geleden bestelde? Carpaccio van rundvlees. Ik zei, car... wat? Hij zei dat ik het maar op moest zoeken. Blijkt het heel dun gesneden, rauw vlees te zijn. Dus wat deed ik, ik sneed plakjes van een bevroren stuk filet, marineerde ze in olijfolie met wat citroensap erin en ik deed er wat geroosterde pijnboompitten en Parmezaanse kaas bij. Het werd verdomde lekker, al zeg ik het zelf.' Louis ging met de punt van zijn tong over zijn glimlach en zei: 'Wat je hier al niet leert, hè?'

'Wil je hier nog iets mee zeggen?'

Louis keek Carl slaperig aan. 'Neem een pilletje voor de ontspanning, broeder. We praten maar wat, Voor de gezelligheid.'

'Ik sta mijn lunch klaar te maken,' zei Carl. 'Jij bent hier degene die lawaai maakt.'

Hij vroeg zich af of Louis Frazier, die twee jaar gezeten had wegens een poging tot afpersing, en wie wist wat hij verder nog op zijn kerfstok had, deel uitmaakte van de samenzwering van Metcalf en Wilson. Of misschien vermoedde hij dat Dirk Merrit iets te maken had met het dode meisje en viste hij naar informatie, wilde hij te weten zien te komen wat Carl erover wist.

Carl Kelley had altijd moeite gehad zich in te leven in de gevoelens van andere mensen, de geheime signalen te begrijpen die ze uitwisselden en iets mee te krijgen van de irritante caleidoscoop van hun stemmingen en beweegredenen. Toen hij klein was, had hij grote problemen gekregen in zijn laatste pleeggezin en toen had hij een van zijn psychiatrische beoordelingen gestolen en gelezen dat hij 'blijk gaf van het gemis aan genegenheid en spontaniteit dat kenmerkend is voor echte sociopaten. Hij heeft geleerd gezichtsuitdrukkingen te imiteren die worden geassocieerd met gewone menselijke emoties, maar in mijn aanwezigheid is alles wat hij zegt en doet berekend en is hij voortdurend waakzaam en bezig elk van mijn woorden en gezichtsuitdrukkingen te beoordelen. Deze voortdurende waakzaamheid is uitputtend, maar noodzakelijk; zijn grootste angst is voor gek te staan, en ik geloof dat daaruit zijn razernij ontstaat.' Carl had genoten van elk woord van het rapport. Het bevestigde wat hij al wist: dat hij een wolf tussen de schapen was. Maar Jezus, het was af en toe wel vermoeiend om altijd te moeten doen alsof je een normaal iemand was en moest zien uit te dokteren wat er omging in het hoofd van andere mensen en welke betekenis er school in hun eindeloze gekakel.

Net zoals nu, met Louis Frazier, die zei: 'Ik weet dat je je gedraagt als een monnik, alsof je een gelofte hebt afgelegd om te zwijgen, maar er is niets mis met een gewoon gesprekje, man. Over koetjes en kalfjes praten laat de wielen van de beschaving soepel lopen. Wat dacht je ervan om die augurken eens door te geven? Ik heb trek.'

Toen Carl geen aanstalten maakte, kwam Louis om het aanrecht heen, viste een augurk uit de pot en nam er een grote hap van. Nadat hij had gekauwd en geslikt zei hij: 'Weet je wat de baas nog meer wilde? Sushi. Ik zei dat hij die troep maar moest bestellen en uiteindelijk moest ik hem wat gerookte zalm geven met venkel en mierikswortel. Jullie gaan zeker weer op reis?'

Carl keek naar hem.

Louis glimlachte. 'Ik wist het. Weet je hoe ik het wist?'

Dertig centimeter van Carls rechterhand stond een rek met roestvrijstalen keukenmessen. Hij moest de impuls om er een door Louis Fraziers adamsappel te steken de kop indrukken.

Louis zei: 'Ik weet het omdat de baas voor een trip altijd zin heeft in rauw eten. Dat brengt hem zeker in de stemming.'

'Waarvoor?'

Louis nam nog een hap van zijn augurk en veegde met een duim het vocht van zijn kin. 'Voor het jagen, natuurlijk. En wat jullie nog meer uitspoken als jullie alleen zijn met Moeder Natuur. Man, kijk niet zo. Ik maak maar een geintje. Waar gaan jullie deze keer op af? Herten? Berggeiten? Misschien kun je er eens iets van meenemen, voor in de vriezer.'

'Ik geloof niet dat je het lekker zou vinden,' zei Carl. Hij grijnsde al zijn tanden bloot.

6

Cedar Falls was een uitgestrekt stadje dat van oost naar west werd doorsneden door de rivier de Umpqua en van noord naar zuid door de iets hoger gelegen I-5. Summer Ziegler volgde de lange bocht van de afrit naar een boulevard met vier rijstroken, waaraan allemaal motels en tankstations lagen. Ze reed via de betonnen brug over de traag stromende rivier en hotste over een enkel treinspoor dat langs de westrand van het centrum liep. Het station was verbouwd tot bank. Er waren een paar straten met winkels, restaurants en kleine bedrijven, en de huizen lagen verspreid over de steile helling van het rivierdal. De kale top ernaast werd bekroond door antennes voor radio, tv en microgolven.

Het sheriffkantoor van Macabee County nam twee verdiepingen in beslag van een brok beton en getint glas van vier verdiepingen, dat een blok vormde met de jeugdgevangenis, het stadhuis en een imposant gerechtsgebouw in Griekse stijl. De rechercheurs zaten op tweede verdieping in een lange ruimte vol tegen elkaar staande bureaus en rijen dossierkasten. Aan de ene kant waren kantoren, verhoorkamers en arrestantencellen, aan de andere boden hoge ramen een mooi uitzicht over de stad en de rivier. Daar ontmoetten Summer Ziegler en Randy Farrell Denise Childers, de rechercheur die de leiding had over het onderzoek naar de dood van Edie Collier. Denise Childers stelde hen voor aan haar partner, Jerry Hill, condoleerde Randy Farrell met zijn verlies en begon uit te leggen dat het sheriffkantoor weliswaar niet de faciliteiten had van een grote stad als Portland, maar dat ze zich toch heel goed konden redden.

Jerry Hill zei: 'Denise probeert je te vertellen dat we hebben vastgesteld dat het slachtoffer geen ongeluk heeft gehad, maar is ontvoerd en vermoord en dat we de dader hebben gearresteerd, en dat allemaal binnen vierentwintig uur.'

Summer zei: 'Wacht even. Was Edie Collier ontvoerd?'

Randy Farrell zei: 'Jullie weten wie die vent is? Jullie hebben hem gearresteerd?'

Hij sprak zo luid dat een vrouw die bij een fotokopieerapparaat stond zich naar hem omdraaide.

'Rustig aan, meneer Farrell,' zei Denise Childers, die Jerry Hill een geërgerde blik toewierp. 'Laten we niet te hard van stapel lopen.'

'Ik vind dat ik het recht heb het te weten als jullie hier een of andere schoft voor gearresteerd hebben,' zei Randy Farrell.

'Ik kan u alleen vertellen dat er een arrestatie is verricht, maar de arrestant is nog niet in staat van beschuldiging gesteld,' zei Denise Childers.

Ze was een tengere vrouw van begin veertig in een blauwe spijkerbroek en een suède jasje, met schouderlang kastanjebruin haar dat met speldjes uit haar bleke gezicht werd gehouden. Een gezicht als het hare kon je zien op foto's van immigranten in de tijd van de Depressie of nog eerdere opnamen van pioniersfamilies die poseerden in de deuropening van hun plaggenhut. Zorgelijk, maar taai. Vastberaden en rechtdoorzee.

Jerry Hill zei: 'We hebben ons oog laten vallen op een kerel uit deze plaats. Gisteren hebben we hem gearresteerd voor iets anders en vanmorgen hebben we bewijzen aangetroffen die hem in verband brengen met Edie Collier.'

Jerry Hill was een potige man van in de veertig met een droge bos blond haar en het rode gezicht van een toegewijd drinker. Hij droeg eveneens een spijkerbroek, een blauw hemd met korte mouwen en een bordeauxrode, gebreide das vol oude vetvlekken. Op zijn rechterheup hing een Sig-Sauer .38. Summer voelde zich een beetje te chic gekleed in haar grijze broekpak en met haar nette zwarte tas over haar schouder.

Randy Farrell vroeg: 'Wat voor bewijzen?'

Denise Childers antwoordde: 'Het spijt me, meneer Farrell, maar daar kunnen we in dit stadium nog niets over zeggen.'

Jerry Hill zei: 'We hebben hem nog niet ondervraagd, daarom is Denise zo voorzichtig. Maar je kunt van mij aannemen dat het een uitgemaakte zaak is. Hij hangt.'

Randy Farrell was verbijsterd en boos. Het bloed stroomde via zijn kaakgewrichten naar zijn ingevallen wangen. Hij zei: 'Jullie wisten dat Edie vermoord was, jullie hebben de verdomde schoft die het gedaan heeft te pakken en jullie hebben me daar niets van verteld?'

'Ik vertel het je nu toch? En let een beetje op je taal, jongen,' zei Jerry Hill met een glimlach naar Summer. 'Er zijn dames aanwezig.'

'Hoe had je dan verwacht dat hij zou reageren?' vroeg Summer.

Ze had meteen een hekel aan Denise Childers' partner. Jerry Hill leek het schoolvoorbeeld van een ouderwetse macho, het soort politieman dat altijd luidkeels verkondigde dat hij geen zin had in politieke correctheid of in snotneuzen van studentjes die dachten dat ze beter waren dan mannen die het vak op straat hadden geleerd, het soort dat ervoor zorgde dat de verdachte zijn hoofd stootte als hij in een wagen werd gezet en die het een prachtmop vond een vrouwelijke collega te vragen hoe de zaak erbij hing.

Denise Childers zei: 'Dat was mijn beslissing, meneer Farrell. Ik dacht dat we u daar beter persoonlijk van op de hoogte konden stellen. We willen net zo graag als u dat de waarheid boven tafel komt, en ik beloof u dat we ons best zullen doen voor Edie. Daarom zouden we het zeer waarderen als we met u over haar konden praten.'

Jerry Hill zei: 'Gewoon vraag en antwoord. Ik ben ervan overtuigd dat een man als jij weet hoe dat gaat.'

'O, ja,' zei Randy Farrell bitter. 'Ik weet hoe dat gaat.'

Summer zei: 'Denk eraan dat u hier voor Edie bent, meneer Farrell.'

Randy Farrell zei verontwaardigd tegen Summer: 'Je wist al die tijd al dat ze vermoord was, of niet soms?'

'Ik weet hier net zo veel van als u.'

Summer had aangeboden te helpen bij het onderzoek naar Edie Colliers dood toen ze Denise Childers de avond tevoren aan de telefoon had gehad en ze had voorgesteld dat ze een poging zou doen om de vriend van het meisje op te sporen en hem zou vragen wat Edie volgens hem in Cedar Falls had gedaan. Ze had gehoopt dat ze Ryland Nelsens klusje wat meer inhoud kon geven, zodat ze de andere rechercheurs had kunnen laten zien dat ze uit het goede hout was gesneden, dat ze haar werk kon doen zonder dat er iemand over haar schouder meekeek en ze haar carrière een flinke duw in de rug had kunnen geven. Maar die kans was nu vervlogen.

Denise Childers stelde voor een plek te zoeken waar ze rustiger konden praten en ging Summer en Randy Farrell voor naar een van de verhoorkamers. De gebruikelijke gehavende tafel en stoelen, een raam met jaloezieën ervoor en een videocamera in een hoek, een hulpstuk dat de politie van Portland niet mocht gebruiken omdat het gemeentebestuur van mening was dat het opnemen van verhoren een inbreuk was op de rechten van de burger.

'Gaat u zitten, meneer Farrell,' zei Denise Childers. 'Kan ik iets voor u halen? Iets fris, koffie?'

Randy Farrell ging voorzichtig zitten. 'Cola zou wel lekker zijn. Light. Ik kan niet meer tegen al die suiker.'

'Ga jij even een koude cola halen, Jerry?' vroeg Denise Childers en ze draaide een stoel bij zodat hij tegenover die van Randy Farrell stond en ging erop zitten, met haar knieën bijna tegen die van hem.

Summer nam een stoel aan de andere kant van de tafel, vol bewondering over de manier waarop de vrouw haar gezag had laten gelden.

Denise Childers zei: 'Ik wil u nogmaals condoleren met uw verlies, meneer Farrell, en ik waardeer het zeer dat u helemaal hierheen bent gekomen. U kunt me nu het best helpen door me over Edie te vertellen. Waar ze woonde, waar ze werkte, met wie ze omging. Alles waarvan u denkt we er iets aan zouden kunnen hebben.'

'Ik heb het haar allemaal al verteld,' zei Randy Farrell, en hij wees met zijn kin naar Summer.

'Ik zou het fijn vinden als u het met mij nog eens door zou willen nemen, voor de volledigheid,' zei Denise Childers, en ze haalde een opschrijfboekje uit de zak van haar jas.

Ze was geduldig en nauwgezet, ze kreeg Randy Farrell goed aan de praat en maakte aantekeningen met een rond handschrift. Summer spoorde hem aan te vertellen hoe hij Edie en haar vriendje in het winkelcentrum had gezien. Jerry Hill, die met over elkaar geslagen armen tegen de deur leunde, keek onbewogen toe. Het duurde een halfuur. Eindelijk deed Denise Childers haar notitieboekje dicht en bedankte ze Randy Farrell nogmaals. Ze zei dat de informatie die hij had gegeven het onderzoek zeer zou bespoedigen.

Ze voegde er terloops aan toe: 'Tussen twee haakjes, zegt de naam Joseph Kronenwetter u iets?'

'Is dat de vent die Edie heeft vermoord?'

'Hebt u de naam ooit eerder gehoord?'

Randy Farrell schudde zijn hoofd.

'Heeft Edie hem ooit genoemd?'

Randy Farrell schudde nogmaals zijn hoofd. 'Ze heeft het ook nooit over deze plaats gehad. Ik weet niet wat ze hier deed.'

'Dat is iets waar wij ook heel graag achter willen komen,' zei Denise Childers.

Jerry Hill zei vanaf zijn post bij de deur dat hij Summer en Randy Farrell wel mee zou nemen naar het ziekenhuis om de klus van de identificatie van het lijk te klaren. Zo noemde hij het, een klus. Toen Denise Childers hem een scherpe blik toewierp, zei hij vriendelijk: 'Ga jij dit nu maar uitschrijven, ik beloof dat ik goed voor ze zal zorgen.'

Terwijl hij Randy Farrell en Summer in zijn kersrode Dodge Ram Charger door het stadje reed, legde Jerry Hill uit dat Denise Childers een goede rechercheur was die graag alles volgens het boekje deed, maar dat het boekje soms het gewone menselijke fatsoen in de weg stond. Hij had er zelf echter geen probleem mee hen op de hoogte te stellen van de laatste ontwikkelingen in de zaak; hij zei dat hij het zelfs zijn plicht als christen vond om hen alles te vertellen.

'Denise zag sporen op een van de benen van het meisje die wezen op een soort kluister. Toen de lijkschouwer haar vermoeden bevestigde, hadden we plotseling te maken met een potentiële ontvoering en moord. Gisteren zijn we begonnen met een buurtonderzoek en toen had ik eens geluk,' zei Jerry Hill met een glimlach naar Summer.

Randy Farrell zei: 'Je vond die kerel. Kronenwetter.'

'Beter nog,' zei Jerry Hill. 'Ik was gisteravond bij hem om hem de vragen te stellen die we iedereen in de buurt voorlegden. Meneer Kronenwetter staat bij ons bekend wegens stropen en omdat hij zich verschillende malen op verboden terrein heeft begeven, en hij heeft in de gevangenis gezeten wegens mishandeling van een politiebeambte. Dus je kunt wel nagaan dat ik mijn pistool in de aanslag had en een paar hulpsheriffs bij me had toen ik op de deur van zijn hut klopte. De kerel komt stinkend naar de whisky naar buiten en schreeuwt allerlei onzin, en hij heeft een handwapen in de voorkant van zijn broek. Ik arresteerde hem voor het bedreigen van een politiebeambte en nam hem mee naar het bureau. Toen hij vanmorgen bij de rechter werd voorgeleid, werd hij naar de gevangenis gestuurd voor een psychiatrische evaluatie en rond dezelfde tijd werden wij gebeld met de boodschap dat we eens in zijn kelder moesten gaan kijken. Daar vonden we een set voetkluisters, het rijbewijs, de verzekeringspas en de bibliotheekkaart van het meisje, haar jurk en een slipje met bloed erop, dat we naar Eugene sturen voor een DNA-analyse.'

'De schoft,' zei Randy Farrell.

Summer, die naast Jerry Hill zat, draaide zich om naar Randy Farrell en zei: 'Kunt u het wel aan om dit allemaal te horen?'

Randy Farrell negeerde haar en vroeg aan Jerry Hill wie hen gebeld had om die schooier aan te geven, hij zou hem graag de hand willen schudden.

'Iemand die zijn naam niet wilde zeggen,' zei Jerry Hill. 'Een buurman, denken we. Joe Kronenwetter heeft ruzie met zowat iedereen die de pech heeft bij hem in de buurt te wonen. We zijn rechtstreeks naar de gevangenis gegaan en hebben hem precies uitgelegd hoe zwaar hij in de problemen zat en gevraagd of hij iets te zeggen had. Hij zei geen woord en bleef maar met zijn hoofd schudden en kreunen. Hij wou niet eens met een advocaat praten. We hebben hem daar gelaten om beoordeeld te worden door de zielenknijper en om te bedenken hoe diep hij in de stront zit. Als de openbare aanklager klaar is met het papierwerk, brengen we hem naar het bureau om hem in staat van beschuldiging te stellen en begint het weer van voren af aan.'

'De schoft,' zei Randy Farrell weer.

'Maak je geen zorgen, Randy. Zelfs als hij blijft doen alsof hij gek is, hebben we genoeg om hem heel lang op te sluiten.' Jerry Hill grijnsde tegen Summer. 'Vertel eens, rechercheur, is het in Portland ook wel eens zo spannend?'

Het lijkenhuis was een bijgebouw achter het medisch centrum, dat met het hoofdgebouw was verbonden door een korte gang met brede dubbele deuren aan elk uiteinde. In Portland identificeerden familieleden en vrienden een lichaam op afstand, via een tv-scherm. In Cedar Falls deden ze het nog op de ouderwetse manier, in een kleine, wit betegelde kamer met het lichaam op een brancard, van top tot teen bedekt met een stijf, blauw laken. Toen de assistent het bovenste deel van het laken weg vouwde van het dode gezicht, zei Randy Farrell meteen: 'Dat is Edie.'

Summer herkende Edie Collier ook en dacht eraan hoe ze in haar patrouillewagen langs Meier and Frank was gereden en de winkeldetective, een ex-politieman die Tom McMahon heette, het meisje had nagezeten door de menigte winkelende mensen. Summer had het meisje op een kruising met de auto de pas afgesneden en sloeg haar net in de boeien toen Tom McMahon hijgend aan kwam lopen. In een kaal kantoortje in de kelder van de winkel had Edie Collier met rustige onverschilligheid toegekeken hoe Summer haar schoudertas doorzocht. Summer wist nog dat ze een paperback van *Nine Horses* van Billy Collins tussen de gebruikelijke troep had gevonden, met veel onderstrepingen en commentaar op de bladzijden, en ze herinnerde zich dat ze Edie Collier had gevraagd of ze van poëzie hield in een poging contact met haar te leggen. Maar het meisje had amper haar schouders opgehaald en haar blik was net zo stralend en zorgeloos geweest als die van een madonna toen Tom McMahon haar had verteld dat de winkel een aanklacht zou indienen. Voor de rechter had ze met dezelfde serene blik verklaard dat ze schuldig was en ze had zich in haar eigen wereldje bevonden toen de rechter haar vertelde dat eerdere overtredingen en het feit dat ze betrapt was op winkeldiefstal terwijl ze voorwaardelijk vrij was voor dezelfde overtreding hem zeiden dat ze de kerstdagen maar eens in de gevangenis moest doorbrengen. Het was haar kans om na te denken over de richting die ze was ingeslagen en weer op het rechte pad te komen.

Randy Farrell, die in de rechtszaal vlak achter zijn stiefdochter had gezeten, had zich naar voren gebogen om iets tegen haar te fluisteren toen ze werd weggebracht. Ze had geglimlacht en zijn hand even aangeraakt alsof ze hem wilde verzekeren dat ze zich wel zou redden. Nu streek hij een paar lokken haar van haar dode gezicht en trok met het tedere gebaar van een ouder die zijn slapende kind instopt het laken recht om de aanzet van de grof gehechte, Y-vormige incisie van de sectie te verbergen. Op de voorkant van haar rechterschouder was een roos getatoeëerd met een banier om de stengel met het opschrift *Billy* in gotische letters.

Na vijf jaar te hebben gepatrouilleerd in de straten van Portland had Summer eelt op haar ziel gekregen. Het grootste deel van de tijd deed ze haar werk met het taaie pragmatisme van een dokter die op een slagveld moet bepalen welke gewonden het eerst moeten worden geholpen. Ze had goede dagen en ze had slechte dagen, en hoewel ze hoopte dat er meer goede dan slechte waren, had ze geleerd dat het alleen maar verdriet bracht om dat bij te hou-

den, en ze probeerde wat ze op straat zag niet mee naar huis te nemen. Maar ze had ook gemerkt dat sommige zaken je bijbleven.
Edie Collier, opgegroeid in een chaotisch huishouden met een gewelddadige, dronken moeder en een stiefvader die voortdurend in
de gevangenis zat, was precies het type dat zou eindigen als slachtoffer op een brancard in het lijkenhuis. Summer had tientallen meisjes als zij ontmoet in de straten van Portland. Maar nu ze het dode gezicht van het meisje zag, dat een delicate tint groen kreeg door
de tl-buizen, voelde Summer die betrokkenheid heel scherp en ze
wist dat dit een van de zaken was die ze nooit zou vergeten.

'Dit moeten jullie zien.' Jerry Hill tilde de andere kant van het
laken op zodat de benen van het dode meisje tot halverwege het
bovenbeen te zien waren, en wees naar twee parallelle striemen boven de knokkel van haar rechterenkel. 'Zo kwamen we erachter
dat ze ergens vastgebonden had gezeten.'

'Leg dat laken terug,' zei Summer met plotselinge boosheid.

Jerry Hill haalde zijn schouders op en liet het laken vallen. 'Ik
dacht dat jullie het interessant zouden vinden. Ik bedoel, dat is de
reden waarom we op zoek zijn gegaan naar de schoft die haar vermoord heeft.'

In de gang vroeg Randy Farrell of hij even gebruik kon maken
van het toilet. Toen ze alleen waren, zei Jerry Hill tegen Summer:
'Het grijpt mannen vaak harder aan dan vrouwen, vind je ook
niet?'

'Hij heeft kanker,' zei Summer. 'Pak hem niet te hard aan.'

En ze had er meteen spijt van, alsof ze iets had doorverteld dat
haar in vertrouwen was gezegd.

Jerry Hill bekeek haar over zijn zonnebril heen. Hij stond een
beetje te dicht bij haar en hij had te veel aftershave op.

'Ik heb het strafblad van die ouwe bekeken,' zei hij. 'Behoorlijk
indrukwekkend, nietwaar? Als we Joe Kronenwetter niet hadden
gehad, zou ik Randy wat lastige vragen over zijn stiefdochter stellen. Ik snap niet waarom je hem zo graag wilt verdedigen, tenzij
het iets te maken heeft met dat beroemde liberalisme in Portland.'

'Ik zou zeggen dat het normale beleefdheid was,' zei Summer.

Jerry Hill knikte in zichzelf. 'O, ja, als ik Joe Kronenwetter niet
in de cel had zitten, zou ik eens heel goed kijken naar Randy Farrell. Dat blauwe oog van hem kan hij best bij een worsteling hebben opgelopen. Hoor eens, als jij hier nu op je vriend wacht, ga ik
buiten even een paar telefoontjes plegen.'

Toen Randy Farrell bloedeloos en verschrompeld uit het toilet
kwam, zei Summer dat hij het prima gedaan had, maar hij schud-

de zijn hoofd en zei dat hij nog niet klaar was. Hij moest nog uitzoeken hoe hij Edie terug moest brengen naar Portland. Summer praatte erover met een van de assistenten van de lijkschouwer en hij gaf haar de naam van een begrafenisondernemer die de noodzakelijke regelingen zou treffen als het lichaam eenmaal was vrijgegeven. Toen liep ze met Randy Farrell naar de parkeerplaats, waar Jerry Hill hen zat op te wachten bij zijn Dodge Ram.

Hij nam er de tijd voor om terug te rijden naar het sheriffkantoor. Hij bleef een heel eind onder de toegestane snelheid, stopte op kruisingen om andere voertuigen voor te laten gaan, deed een drive-in aan en bleef daar vijf minuten met de serveerster praten voordat hij zijn koffie bestelde. Hij vertelde Summer dat Cedar Falls een prima plaatsje was en dat hij wel een barbecuerestaurant wist waar de beste biefstuk van het district werd geserveerd als ze erover dacht er de nacht door te brengen. Hij kon haar ook nog wel een motel aanraden. Het was simpel, maar comfortabel, en politieagenten kregen er korting, als ze begreep wat hij bedoelde.

Hij trok weer die brede grijns, ontspannen en vol zelfvertrouwen, een alfamannetje op zijn eigen terrein. Ze vroeg zich af hoeveel vrouwen hij al had overgehaald een kamer te nemen in dat motel van hem. Ze zag hem al een uur of zo nadat ze had ingecheckt op komen dagen met een flesje van het een of ander en een paar glazen en hoorde hem al zeggen dat ze vast wel wat gezelschap wilde... Ze zei tegen hem dat ze van plan was die avond weer in Portland te zijn.

'Ik zou er niet op rekenen,' zei Jerry Hill. 'Ik zal Randy nog eens moeten spreken.'

'Ik heb je alles verteld wat ik weet,' zei Randy Farrell.

'Dat zullen we nog wel zien,' zei Jerry Hill. Zijn pieper ging af en nadat hij erop had gekeken, voerde hij de snelheid op en toeterde toen hij over een kruising schoot. Hij zei: 'Als je Randy niet achter wilt laten, rechercheur Ziegler, ziet het ernaar uit dat je vanavond niet meer in Portland komt. Denk maar eens over dat motel. Ik zal je met genoegen een kamer bezorgen.'

'Ik wed dat dit een heel leuk stadje is,' zei Summer, 'maar ik moet echt terug naar Portland. We zullen je partner maar even vragen of zij denkt dat het nodig is om meneer Farrell nog eens te ondervragen.'

'Ze mag er gerust bij komen zitten. En jij ook,' zei Jerry Hill. Hij reed zijn grote pick-up de parkeerplaats achter het sheriffkantoor op en zei met gemaakte onschuld: 'O jee, wat hebben we hier?'

Er stond een tv-busje tussen de zwart met witte patrouillewagens en de burgerauto's, en aan de achterkant van het gebouw was enige commotie ontstaan. Twee hulpsheriffs stonden te praten met een chic geklede vrouw en een man met een videocamera op zijn schouder, terwijl twee andere hulpsheriffs een grote man met een slordige bos haar, handboeien om en een oranje overal aan uit een politiewagen hielpen. Summer besefte dat de gevangene Joseph Kronenwetter moest zijn en draaide zich al om op haar stoel om tegen Randy Farrell te zeggen dat hij moest blijven waar hij was. Maar hij tastte al naar de portiergreep en Jerry Hill pakte Summer bij de arm toen ze hem tegen wilde houden en zei: 'Laat die arme kerel toch even gaan.'

'Blijf van me af,' zei Summer, en ze sprong uit de auto en rende achter Randy Farrell aan over de parkeerplaats.

Hij rende zo hard hij kon. Een van de hulpsheriffs, een vrouw, probeerde hem te onderscheppen en greep hem vast, en ze draaiden in een onhandige kluwen om elkaar heen. Hij stompte haar met zijn elleboog in een oog, zij verloor haar evenwicht en zat plotseling op het asfalt en hij schoot om haar heen en begon de gevangene te schoppen en te slaan, schreeuwend dat hij de schoft zou vermoorden. Toen knalde Summer tegen hem aan. Ze worstelde hem tegen de zijkant van de politiewagen, kreeg een van zijn polsen te pakken, draaide die op zijn rug en hield hem daar terwijl een potige hulpsheriff hem de handboeien omdeed en twee andere hulpsheriffs de gevangene wegleidden, de verslaggever vragen riep en de camera alles registreerde.

7

Charles F. Worden, de sheriff van Macabee County, was een schriel ventje in een marineblauw pak met clubdas om, een witte bos geföhnd haar en het benepen gezicht van een man die iets heeft gegeten dat niet goed is gevallen. Vanuit de leren draaistoel achter zijn grote bureau keek hij Summer streng aan en hij vertelde haar dat Randy Farrell de nacht in de cel zou doorbrengen en de volgende morgen voor de rechter zou moeten verschijnen wegens mishandeling van een politieagent.

'Wat mij betreft is het een uitgemaakte zaak, maar omdat u te gast bent in mijn stad, rechercheur, ben ik bereid u aan te horen.'

Summer was vastbesloten haar uiterste best te doen. Ze was nog steeds boos over het gemene trucje dat Jerry Hill hen had geflikt en ze voelde zich ook een beetje schuldig. Ze had alleen maar willen helpen door Randy Farrell naar Cedar Falls te brengen. Ze voelde zich verantwoordelijk voor hem en nu waren ze bezig om hem op de vierde verdieping in een arrestantencel te zetten.

Ze zei: 'Meneer Farrell had net het lichaam van zijn stiefdochter geïdentificeerd toen hij werd geconfronteerd met de man die ervan wordt beschuldigd dat hij haar ontvoerd heeft. Dat had nooit mogen gebeuren, meneer, en gezien de omstandigheden vind ik niet dat meneer Farrell gestraft moet worden voor zijn reactie, hoe verkeerd die ook was.' Ze zweeg even en toen sheriff Worden ook niets zei, speelde ze haar troefkaart uit. Ze vond het niet leuk, maar ze was van mening dat ze geen andere keus had. 'Bovendien is hij een terminale kankerpatiënt. Denkt u eens aan de slechte publiciteit als de pers dat te horen krijgt.'

Sheriff Wordens benepen gezicht vertrok boos. 'Het spijt me dat hij kanker heeft. Maar die meneer Farrell van u is een platvloerse veelpleger met een hele rij veroordelingen wegens gewelddaden, hij is niet eens een bloedverwant van het slachtoffer en hij heeft een van mijn hulpsheriffs, een vrouwelijke hulpsheriff nog wel, mishandeld voor het oog van een tv-camera. U hebt het misschien niet gezien, maar ik kan u vertellen dat de beelden meteen na een verslag over de positieve ontwikkelingen in de zaak Collier op het plaatselijke nieuws zijn vertoond. Dit is een vriendelijk stadje, rechercheur Ziegler. Een aardig stadje. Een rustig stadje. We houden er niet van als mensen hier problemen komen maken.'

'Meneer Farrell is hier niet gekomen om problemen te maken, meneer,' zei Summer. Ze had moeite om kalm te blijven. 'Hij is gekomen om het lichaam van zijn stiefdochter te identificeren, op verzoek van een van uw rechercheurs. De problemen zijn alleen ontstaan omdat hij werd teruggebracht van het mortuarium op precies hetzelfde moment dat Joseph Kronenwetter hierheen werd gebracht vanuit de gevangenis.'

'Wilt u soms zeggen dat dit met voorbedachten rade is gebeurd, rechercheur Ziegler?'

Dat was precies wat Summer wilde zeggen, maar ze wist dat het zinloos was om beschuldigingen te uiten tegen Jerry Hill. 'Ik vraag alleen om een beetje mildheid.'

'Ik heb al mildheid genoeg betoond, rechercheur Ziegler, door geen klacht in te dienen bij uw meerdere vanwege uw onachtzaamheid.'

'Mijn meerdere weet al wat er gebeurd is, meneer. Hij is ook niet gelukkig met de gang van zaken.'

Het was geen gemakkelijk gesprek geweest, maar nadat Ryland Nelsen Summers versie van de gebeurtenissen had gehoord, had hij erin toegestemd dat ze die nacht in Cedar Falls zou blijven en de volgende dag de voorgeleiding van Randy Farrell zou bijwonen.

'Nee, hij zal er inderdaad wel niet gelukkig mee zijn,' zei sheriff Worden. 'En ik begrijp waarom u en hij niet willen dat dit voor de rechter komt, gegeven uw zorgplicht ten opzichte van de heer Farrell. Maar het recht moet zijn loop hebben, rechercheur. Ik ben bang dat u zich daar maar bij neer moet leggen.'

Summer vond dat de sheriff met zijn stijve glimlachje en zijn naar voren stekende natte onderlip precies leek op de schildpad die haar broer vroeger had gehad. Ze probeerde het nog één keer en zei: 'Het gaat niet om mij, meneer. Het gaat om een zieke, rouwende man die een domme fout heeft gemaakt.'

'Zoals ik al zei, begrijp ik uw positie. En ik hoop dat u begrijpt waarom ik dit niet over mijn kant kan laten gaan. Cedar Falls heeft een prima reputatie als een plaats waar gezinnen en gepensioneerden zich veilig kunnen voelen, waar bezoekers kunnen vissen, jagen en watersport kunnen beoefenen zonder bang te hoeven zijn voor de misdadigheid die steden als Portland teistert,' zei sheriff Worden met een handgebaar naar een muur vol foto's van hemzelf met allerlei beroemdheden. Bruce Willis en Demi Moore voor hun scheiding. Dolph Lundgren in een wit wetsuit. Sylvester Stallone. Chuck Norris. Clint Eastwood. Op alle foto's droeg sheriff Worden hetzelfde bruine shirt met gouden tres op de schouders en een gouden ster op zijn borst, en dezelfde, stijve glimlach.

'Het is mijn plicht om die reputatie te beschermen en om iedereen ervan te verzekeren dat we elk aspect van deze ongelukkige zaak de baas zijn. In feite,' zei sheriff Worden, en hij streek over zijn springerige bos wit haar, 'heb ik over tien minuten een tv-interview met onze verslaggever van de NBC. Kan ik nog iets anders voor u doen?'

In de kleine donkere observatiekamer naast de rechercheruimte zaten de mannen voor een kleine kleuren-tv op een gehavend tafeltje. Ze maakten plaats voor Summer toen ze binnenkwam. De tv vertoonde beelden van de videocamera in de verhoorkamer. Terwijl ze had zitten wachten tot sheriff Worden haar te woord kon staan, had Summer gezien hoe Denise Childers geprobeerd had het gemelijke zwijgen van Joseph Kronenwetter te verbreken. Een van de mannen zei tegen haar: 'Jerry heeft zijn best gedaan, maar met ongeveer net zo veel succes als Denise.'

Ze keken neer op Joseph Kronenwetter. Hij zat op een stalen stoel aan een tafeltje, met zijn rechterpols in een handboei die was vastgemaakt aan het frame van dat tafeltje. Zijn ruige hoofd was gebogen en zijn lange witte baard zat tegen de borst van zijn oranje overal gevouwen. Denise Childers zat aan de andere kant van het tafeltje, terwijl Jerry Hill door de kamer beende. Zijn stem schalde door de luidspreker van de tv.

'We nemen het nog één keer door, Joe. Je hebt de jurk van die arme meid, je hebt haar identiteitskaart, je hebt een heleboel van haar bezittingen in je kelder. Je hebt haar rijbewijs. Hier is het, voor het geval je het was vergeten,' zei Jerry Hill, en hij pakte een plastic zakje van een hoek van de tafel en duwde het onder Kronenwetters gebogen hoofd. 'Ken je dit, Joe? Ken je het meisje op dat fotootje? Ik weet zeker van wel. Goed. Je hebt de jurk, je hebt het rijbewijs met haar naam erop en haar foto. Wat nog meer? O ja, hoe kon ik het vergeten? Je hebt haar verzekeringskaart en je hebt haar bibliotheekkaart. Kijk maar, van de centrale bibliotheek van Multnomah County, op naam van Edie Collier. Hetzelfde meisje wier foto op het rijbewijs staat.'

Summer vond dat hij zwaar overdreef, dat hij er lol aan beleefde om met de man te spelen in plaats van hem te bespelen. Jerry Hill hield van spelletjes.

'En als laatste hebben we haar slipje nog,' zei Jerry Hill. 'Op dit moment is een laborant in een zaal vol van die dure apparaten die je in CSI ziet dat bloed aan het bekijken dat erop zit. Maar we weten allebei van wie dat bloed is, of niet soms?'

Kronenwetter keek naar de tafel. Zijn geboeide hand balde en ontspande zich steeds; verder verroerde hij zich niet.

Denise Childers boog zich voorover, legde haar hand op die van hem en zei tegen hem dat hij zich een stuk beter zou voelen als hij hen precies zou vertellen wat er gebeurd was.

Een van de rechercheurs bij Summer in de observatieruimte zei: 'Die vent klapt dicht. Nu krijgen ze er helemaal niets bruikbaars meer uit.'

Summer vroeg of Kronenwetter al iets gezegd had.

'Geen woord meer nadat hij tegen de openbare aanklager had gezegd dat hij geen advocaat nodig had omdat hij onschuldig was.'

Een andere rechercheur zei: 'De eerste keer dat Jerry hem aanpakte, ging hij tekeer over een monster in het bos. Hij beweerde dat het monster hem achtervolgde en dat het de dood van dat arme meisje op zijn geweten moest hebben.'

'Hij is zelf het monster,' zei de eerste rechercheur. 'In ieder geval heeft hij een monster in zijn hoofd.'

Jerry Hill stond nu achter Kronenwetter, met zijn handen op de schouders van de man en zijn gezicht naar de camera. Hij maakt er een show van, dacht Summer met een flits van woede.

'Misschien kun je me uitleggen,' zei Jerry Hill, 'waarom je haar slipje hebt bewaard, maar niet haar beha. O, ze droeg zeker geen beha. We hebben de laatste tijd mooi weer gehad en ik wed dat ze niets anders aan had dan dat dunne katoenen jurkje en haar zwarte slipje toen je haar tegenkwam. Heb je haar daarom meegenomen, Joe? Zo'n mooi jong meisje met de zon door haar jurk, zodat haar strakke lijf en haar tietjes te zien waren?'

'Rustig aan,' zei Denise Childers, maar Jerry Hill sloeg er geen acht op.

'Kreeg je een stijve, Joe? Nou? Heb ik gelijk of heb ik gelijk?'

Kronenwetter staarde naar de tafel, met zijn lange haar los rond zijn gezicht.

'Hij heeft zich helemaal in zichzelf teruggetrokken,' zei de eerste rechercheur.

Op de tv zei Denise Childers: 'We moeten jouw versie horen, Joe. Waarom doe je jezelf geen lol en vertel je me alles?'

Jerry Hill zei: 'Ik zal je vertellen hoe ik het zie, Joe. Ik zal het punt voor punt uitleggen en als je denkt dat ik iets verkeerd heb, mag je me onderbreken en vertellen hoe het echt zit. Goed? Het is volgens mij zo gegaan: je zit in je auto en je ziet een knap jong meisje langs de weg staan met haar duim omhoog, hopend op een lift. Ze draagt niets anders dan een dun jurkje en ze is een jong, knap meisje. Je ziet de vorm van haar lichaam door dat dunne materiaal. Dus doe je wat elke echte kerel zou doen. Je stopt en laat haar instappen. Tot dusver heb je nog niets verkeerds gedaan, maar nu ze vlak naast je zit in dat dunne jurkje, kun je haar ruiken en ze ruikt zo lekker dat je haar wel op kunt vreten. Je woont in je eentje op het platteland. Ik wed dat er weken voorbij gaan zonder dat je iemand spreekt, laat staan een lekker jong ding als zij. Ze is uit eigen beweging in je pick-up gestapt in dat dunne jurkje en ze praat honderduit. Misschien leunt ze tegen het raam om de wind door haar haar te laten waaien en je ruikt haar en je verlangt naar haar. Je gaat bijna kapot van verlangen, nietwaar? Dat zou iedere man toch doen?'

Toen ze dit zo zag op het kleine tv-toestel besefte Summer dat het Jerry Hill niets kon schelen of Kronenwetter het verhaal bevestigde of ontkende. Nee, die klootzak wilde ervoor zorgen dat zijn versie werd vastgelegd.

Ze zag hem glimlachend naar de camera opkijken toen hij zei: 'Dus probeer je haar te versieren. Het volgende moment zet ze het op een gillen en je raakt in paniek en op de een of andere manier sla je haar buiten westen. En dan ben je over de schreef gegaan. Dat feit bevrijdt je. Je kunt doen wat je wilt. Dus neem je haar mee naar je hut... Nee, misschien stop je eerst en sleep je haar de auto uit en een greppel in om haar ter plekke te pakken, nietwaar Joe? Want je kunt niet meer wachten. Omdat ze zo jong en fris is.

En daarna weet je dat je haar niet meer kunt laten gaan,' zei Jerry Hill, die steeds harder ging praten. 'Dus neem je haar mee naar je hut en sleep je haar naar je kelder. Je scheurt dat dunne jurkje en dat zwarte slipje van haar lijf en je ketent haar. Je houdt haar daar vast, naakt en geketend als een beest. We weten dat je dat gedaan hebt, Joe, want we hebben de boeien gevonden die je hebt gebruikt. En zal ik je eens wat vertellen? Er zit bloed op die boeien. Hetzelfde bloed dat we op haar jurk en op haar slipje hebben aangetroffen.'

Kronenwetter schudde heftig met zijn hoofd. Zijn haar zwaaide om zijn gezicht, zijn tanden waren ontbloot en zijn ogen stijf dichtgeknepen.

Het geluid dat hij maakte, was schril en rauw, alsof er prikkeldraad uit zijn keel werd gerukt.

Summer had het gevoel dat iemand een ijsklontje in haar nek had laten vallen. Een van de rechercheurs zei: 'Jezus.'

Op de tv zei Denise Childers: 'Misschien moeten we even pauzeren.'

Jerry Hill pakte een handvol van Kronenwetters haar, wond het om zijn vuist, trok het hoofd van de grote man naar achteren en bukte zich om in zijn oor te praten. 'Je hebt dat meisje langs de kant van de weg opgepikt. Je hebt haar ontvoerd en je hebt haar gevangen gehouden en je hebt haar verkracht. Hoe vaak? Vijf keer? Tien keer? Twintig keer? En toen je dat allemaal gedaan had, ontsnapte ze en wat deed je toen? Niets. Omdat het je gewoon niets kon schelen. Omdat je dacht dat je toch niet gepakt zou worden. Of wacht, misschien wilde je juist gepakt worden. Is dat het? Heb je daarom haar jurk, haar rijbewijs, haar bibliotheekkaart en haar slipje in je kelder laten liggen? Heb je daarom die verdomde boeien niet weggedaan? Zit je daarom nou te snotteren, klootzak die je bent?'

Kronenwetters mond vertrok in zijn baard en hij stootte een

woordeloze kreet uit, zo hard dat iedereen om Summer heen op-
schrok. Op de tv had Jerry Hill Kronenwetters haar losgelaten en
de man schudde schreeuwend zijn hoofd.
'Ik heb het niet gedaan! Ik heb het niet gedaan! Het was het
monster!'

8

Na die uitbarsting sloeg Joseph Kronenwetter dicht. Denise Childers en Jerry Hill namen hem om de beurt onderhanden, maar hij
bleef naar de tafel kijken en op een gegeven moment begon hij te
huilen. Hij maakte natte snufgeluiden en veegde zijn neus af aan
zijn mouw. De wilde man met de profetenbaard huilde als een bang
kind. Toen duidelijk werd dat hij niets meer zou zeggen, werd hij
naar een cel gebracht. Summer nam een kamer in een Travelodge.
Ze belde haar moeder om te zeggen dat ze die nacht niet thuis
kwam en moest vervolgens uitleggen waarom. Ze vertelde hoe Jerry Hill zich bij het mortuarium verontschuldigd had omdat hij
moest bellen, hoe hij op de terugweg had getreuzeld tot zijn pieper was afgegaan, hoe Randy Farrell Joseph Kronenwetter te lijf
was gegaan onder het oog van een tv-verslaggever en een camera-
man en was gearresteerd, en over haar onsuccesvolle gesprek met
sheriff Worden.
'Ik kan het niet bewijzen,' zei ze, 'maar ik vraag me toch af of
Jerry Hill de gevangenis heeft gebeld om te vragen hoe laat Kronenwetter bij het sheriffkantoor moest zijn, en of hij ook de televisie niet heeft gebeld.'
'Denk je dat hij hierop heeft aangestuurd?'
'Het is mogelijk.'
'Nou, waarom vraag je het hem niet?'
'Vind je dat ik de confrontatie moet aangaan, zoals in het wilde Westen? Zijn Sig-Sauer tegen mijn Glock. Dat kan nog interes-
sant worden.'
'Mijn kleine meid met haar ongezonde fascinatie voor wapens.'
'Natuurlijk maakt het eigenlijk niet uit waarom of hoe het gebeurd is. Ik kan nu alleen nog maar voor Randy Farrell getuigen
en er het beste van hopen.'
'Het is niet jouw schuld,' zei haar moeder. 'Meneer Farrell is oud
genoeg om beter te weten.'

'Hij mag dan een opvliegende schoft zijn, hij vindt het echt erg wat er met zijn stiefdochter is gebeurd. Hij is helemaal hierheen gekomen om haar recht te doen en hij had het niet verdiend om in de gevangenis gegooid te worden.'

Summer was nog steeds boos, boos en van streek, en bovendien schaamde ze zich behoorlijk. Ten eerste had zij Randy Farrell naar Cedar Falls gebracht, en ze had het gevoel dat het haar plicht was om hem te beschermen. Ten tweede was Jerry Hill haar te slim af geweest. Hij had voor haar neus een confrontatie tussen Randy Farrell en Joseph Kronenwetter in scène gezet en zij had pas beseft wat hij aan het doen was toen het te laat was. En dat niet alleen, ze snapte niet waarom hij het had gedaan. Misschien was het gewoon een gemene kerel en had hij het alleen gedaan omdat hij de mogelijkheid had. Maar hij had zijn lolletje al gehad toen hij Randy Farrell had overvallen met het nieuws dat Edie ontvoerd was, dus ze vroeg zich toch af of er nog een andere reden was geweest.

Haar moeder zei: 'Zal ik er eens met Ed Vara over praten? Hij heeft veel ervaring met gevallen van provocatie door de politie.'

'Randy Farrell zal de hulp misschien waarderen als hij terecht moet staan. Maar op dit moment is het olie op het vuur gooien om er een mensenrechtenadvocaat uit Portland bij te halen.'

Haar moeder zei: 'Je vindt me te bemoeizuchtig.'

'Ben je ooit in Cedar Falls geweest?'

'Ik ben er vaak langs gereden.'

'Het is een aardig stadje. Ouderwets. De meeste bedrijven hebben die rood-wit-blauwe kaartjes om hun steun te betuigen aan onze soldaten en de meeste pick-ups en auto's hebben stickers van gele lintjes op hun bumpers voor de soldaten. De Republikeinen hebben een kantoor met etalage midden in Main Street, met aan de ene kant foto's van verkozen politici en aan de andere foto's van plaatsgenoten die in Irak dienen. En de Democraten hebben een soort schuurtje op een steile helling aan de rand van een parkeerplaats.'

'Met andere woorden, het is geen Portland.'

'Laat ik het zo zeggen: ik wed dat iedereen die hier woont en die op Kerry heeft gestemd, dat angstvallig stilhoudt. Ik kom er morgen bij de voorgeleiding wel achter hoe diep Randy Farrell in de problemen zit. Als ze besluiten hem te vervolgen, stelt hij wat *pro bono* hulp waarschijnlijk wel op prijs. Maar laten we eerst maar even afwachten.'

Even later zat Summer op de rand van haar bed met een half oog naar het journaal te kijken en tegelijkertijd vette nasi en kip Kung Pao met een overheersende smaak van verbrande uien te eten toen haar mobiele telefoon ging. Het was Denise Childers, die zich afvroeg of Summer iets met haar wilde gaan drinken.

'Ik vind eigenlijk dat je er vandaag nogal slecht bent afgekomen. En ik wil je mijn verontschuldigingen aanbieden omdat ik je niet voor je aankomst verteld had dat Joe Kronenwetter was gearresteerd.'

'Geen probleem. Je wilde zeker zien hoe Randy Farrell reageerde toen je hem over Joseph Kronenwetter vertelde, voor het geval hij iets te maken had met wat er met zijn stiefdochter is gebeurd. En ik was een onbekende factor. Je kon er niet zeker van zijn dat ik me niet iets zou laten ontglippen als je me had verteld wat jullie van plan waren.'

'Zoiets. Alleen maakte Jerry er een zootje van.'

'De olifant in de porseleinkast, hè?'

'Een kilometer of vijftien ten noorden van Cedar Falls is een hotel, de enige plek in Macabee County waar ze een enigszins behoorlijke martini schenken. Ik wil je graag trakteren om je te bedanken omdat je meneer Farrell helemaal hierheen hebt gebracht.'

Summer keek de aanwijzingen van Denise Childers na op een kaart die ze in het kantoor van het motel had gehaald en stopte een halfuur later voor het hoofdgebouw van het hotel.

Het stond op ruim drie hectare bebost terrein in een bocht van de rivier de Umpqua. Langs de rivier en verspreid tussen de douglassparren en de witte pijnbomen stonden houten hutten. Het hoofdgebouw van steen en hout had een lobby met gewreven grenen vloeren en dikke grenen balken. Denise Childers zat op een bankje in het donkere barretje naast het drukke restaurant met een martini voor zich. Ze had haar haar losgemaakt en wat lippenstift opgedaan, maar ze droeg nog steeds het versleten suède jasje en de spijkerbroek. Ze kwam waarschijnlijk rechtstreeks van haar werk. Summer wilde er wat onder verwedden dat haar penning, haar pieper en haar pistool in de grote leren tas op het lage tafeltje voor haar zaten, samen met alle andere spullen die de politie moest meeslepen: handboeien, een zaklamp, latex handschoenen, een aantekenboekje en minstens twee pennen, pepperspray...

Toen de serveerster was gekomen en Summer een Beefeater Martini met citroen had besteld, zei Denise dat ze het niet laat kon maken. Haar oppas kon maar een paar uur blijven en ze moest nog iets doen voordat ze naar huis kon.

'Heb je kinderen?'

'Een dochter van twaalf. Rebecca.'

'Leuke leeftijd.'

'Nu nog wel, maar de problemen zijn in zicht. Ze is helemaal dol op *American Idol* en boybands.'

'O o. Dan volgen de echte jongens snel.'

Denise glimlachte. 'Ze wordt een echte hartenbreekster. Bovendien is ze vast van plan beroemd te worden. Als ik niet oppas, ben ik straks de moeder van de volgende Christina Aguilera.'

De serveerster bracht de martini. Die was lekker fris en koud. Summer en Denise praatten nog even over Summers recente bevordering tot rechercheur en hoe ze probeerde haar plekje te vinden op de afdeling Berovingen. Summer had een heleboel vragen, maar Denise had de leiding en blijkbaar wilde ze eerst weten wat voor vlees ze in de kuip had. Ze vroeg hoe Summer bij de politie terecht was gekomen. Was het een familietraditie?

'Niet echt. De familie van mijn vader heeft een lange traditie bij het leger, misschien telt dat ook mee. Mijn vader had een studiebeurs en is na de universiteit ook een paar jaar in het leger geweest, maar toen hij mijn moeder had ontmoet, is hij daar zo snel mogelijk weggegaan.'

Summer voelde een steek in haar hart nu ze het over haar vader had, die nog geen jaar dood was. Haar ouders hadden elkaar op een leuke manier ontmoet, net als in de film. In mei 1971 was haar moeder met drie vriendinnen naar de stad Washington gereden om te gaan demonstreren tegen de oorlog. Ze waren gestopt voor koffie en hadden in het restaurant Sam Ziegler in zijn legeruniform aan een naburig tafeltje zien zitten. Hij was ook onderweg geweest naar Washington, waar hij werkte als adjudant van een vijfsterrengeneraal. Summers moeder had hem aangesproken, ze hadden adressen uitgewisseld, het een had tot het ander geleid en het jaar erop waren ze getrouwd, nadat Sam Ziegler zijn tijd bij het leger had uitgediend.

In de eerste jaren van hun huwelijk hadden ze hun boeken en lp's en twee kleine kinderen van de ene campus naar de andere gesleept, op jacht naar baantjes aan universiteiten en hogescholen. Ze kochten meubels en kleren in tweedehandswinkels, knipten bonnen uit kranten en reden in derde- of vierdehands auto's om hun magere inkomen te sparen. Na tien jaar nomadenbestaan hadden ze zich gevestigd in Portland, waar June een vaste aanstelling kreeg aan de universiteit en Sam uiteenlopende baantjes had, van het beheren van een jazzcafé tot het organiseren van de verhuizing van de Spruce Goose van Howard Hughes van Long Beach naar Portlands Evergreen Aviation Museum, terwijl hij intussen langzaam hun vervallen victoriaanse huis in Laurelhurst restaureerde, dat een paar straten van het park stond. Hij leerde zichzelf timmeren en kwam er met vallen en opstaan achter hoe hij elektriciteit moest aanleggen en het loodgieterswerk moest verzorgen. Een paar jaar eerder had hij met geld dat hij van zijn vader had geërfd een stuk grond gekocht op een prachtige, eenzame plek in de Columbia River Gorge, en hij was daar begonnen aan een huis dat hij zelf had ontworpen. Daar had hij de hartaanval gekregen waaraan hij in augustus was overleden.

Summer zei tegen Denise Childers: 'Ik ben niet bepaald op een normale manier bij de politie terechtgekomen. Het begon ermee dat ik ophield met mijn studie. Ik had het net zes maanden volgehouden toen ik erachter kwam dat ik geen schoolwerk meer wilde doen. Ik had net gebroken met mijn vriendje van de middelbare school...'

'Ik ben ermee getrouwd. Een enorme fout. We waren binnen het jaar gescheiden.'

'Is hij de vader van je dochter?'

'Nee. Ik heb Becca's vader een paar jaar na mijn scheiding ontmoet. Dat was in Seattle. Ik ben hier in Cedar Falls geboren, maar mijn ouders zijn naar Seattle verhuisd toen ik nog klein was. Mijn tweede man was autoverkoper. Ik wilde mijn oude wrak inruilen, maar trouwde in plaats daarvan met hem. We modderden een paar jaar door en er was een goede periode nadat Becca was geboren, maar op een dag vertrok hij opeens vanuit het spreekwoordelijke niets naar Alaska. Het bleek dat hij een enorme hekel had aan auto's verkopen en dat hij eigenlijk houthakker wilde zijn. We zijn een paar jaar terug gescheiden, zodat hij kon trouwen met een Russisch meisje van het internet. Het kon me helemaal niets schelen. Hij betaalt tenminste regelmatig de alimentatie voor Becca. Blijkbaar kun je goed geld verdienen als je bomen kapt in Alaska en hoef je er geen belasting over te betalen. Dus jij bent gestopt met je studie. Hoe kwam je daarna bij de politie terecht?'

'Ik heb een paar maanden als au pair in Engeland gewerkt en ik heb vrijwilligerswerk gedaan in een tehuis voor daklozen in San Francisco, maar uiteindelijk kwam ik weer in Portland terecht, bij een liefdadigheidsinstantie die straatkinderen helpt. Ik had een paar maanden verkering met een van de rechercheurs van de afdeling voor jeugdige weglopers en op een dag ben ik meegereden met een patrouillewagen, en dat was dat. Ik wist dat ik het bij de politie wilde proberen. Dus ben ik weer naar de universiteit gegaan voor een studie psychologie en hier zit ik nu.'

'Ik ben ook via een omweg bij de politie terechtgekomen,' zei

Denise. 'Nadat mijn tweede man me had verlaten moest ik gaan werken, dus werd ik parkeerwachter. Dat was een idee van een van mijn vriendinnen. Het was geen fantastische baan, zeker niet in de winter, maar ik kon de rekeningen betalen. Toen ging mijn vader met pensioen en verhuisden hij en mijn moeder weer hiernaartoe om een *bed and breakfast* te beginnen. Ik was een keertje bij ze op bezoek en toen zag ik in de plaatselijke krant een advertentie voor het politie-examen. Ik deed mee, ik slaagde en ik verhuisde hierheen. Ik ben tien jaar agent geweest voordat ik rechercheur kon worden. Het salaris is niet echt je van het, maar mijn dochter heeft haar eigen pony en ze kan van school naar huis lopen zonder dat ik er bang voor hoef te zijn dat een of andere perverse schoft haar zal ontvoeren of zal proberen haar drugs te verkopen. Niet dat we hier geen problemen hebben.'

Denise vertelde Summer dat er een heleboel welgestelde mensen waren die na hun pensioen naar het platteland waren verhuisd of hier een tweede huis hadden, en dat Cedar Falls goed verdiende aan de houthandel en het toerisme, maar dat er in de meer afgelegen gebieden ook veel armoede was. Er waren een heleboel dakloze kinderen die bij vrienden op de bank en op de vloer sliepen, en sommigen kampeerden zelfs in het bos. Er was wrijving tussen de plaatselijke afdeling van de Hell's Angels en een bende. Er waren altijd problemen geweest met mensen die op verborgen plekken in het bos marihuana verbouwden – de DEA en de douane hadden permanente kantoren in het gebouw waarin ook de politie was gevestigd – en op dat moment was er een ware crisis over speed, net als in Portland. Slechts een maand eerder was er een superlab ontdekt in een oude boerderij een paar kilometer ten noorden van Cedar Falls, de vierde van dat jaar. Intussen werden er regelmatig tankstations, motels, fastfoodrestaurants en nachtwinkels overvallen door misdadigers die via de I-5 op weg waren naar andere plaatsen, met Thanksgiving en nieuwjaarsdag waren er altijd een paar zelfmoorden in motelkamers of mooie plekjes in de buurt en ze hadden ieder jaar een stuk of tien moorden op te lossen.

'Meestal in de huiselijke sfeer, maar niet altijd,' zei Denise. 'Vorig jaar hebben we bijvoorbeeld een dubbele moord gehad en een belegering die twaalf uur geduurd heeft. Een paar tieners hadden gijzelaars genomen nadat een passerende patrouillewagen had gezien hoe ze een supermarkt probeerden te beroven.'

'Dus het is hier niet bepaald een schilderij van Norman Rockwell.'

'Niet echt. Je moet niet op sheriff Worden afgaan.'

'Je hebt zeker wel gehoord dat ik met hem gepraat heb.'

Denise duwde met haar pols een streng haar naar achteren en nam een slokje van haar martini. 'De sheriff is een politieman van de oude stempel, een steunpilaar van de samenleving. We hebben een plaatselijk weekblad. Meestal staat er wel een foto van hem op pagina twee waarop hij staat te smoezen met een of andere beroemdheid die het stadje heeft bezocht en waarschijnlijk vind je hem ook op pagina vijf of zes in een smoking bij een liefdadigheidsbal of picknick. Vorig jaar heeft hij met geld van Homeland Security videocamera's opgehangen in Main Street en metaaldetectors geplaatst in de plaatselijke middelbare school. Hij is goed in politiek, en daar heb je hier een heleboel aan, maar met een echte zaak als deze weet hij geen raad. Heb je hem op het journaal zien uitleggen dat het sheriffkantoor snel heeft ingegrepen en dat het recht zal zegevieren?'

'Hij heeft Joe Kronenwetter op een presenteerblaadje aan de pers gegeven, nietwaar?'

'En of.'

Summer wachtte af in de overtuiging dat ze vanzelf wel op het onderwerp zouden komen waar Denise echt over wilde praten.

De vrouw nam nog een slokje van haar martini en zei: 'Ik heb de leiding omdat ik bij het begin van de zaak heb gereageerd op de noodoproep van de vissers. Ik nam een jonge agent mee die Jay Sexton heet. We kwamen vlak na de ziekenwagen aan op de plaats delict. Ze hadden Edie Collier al op een brancard liggen die ze helemaal door het bos hadden gedragen. Ze was in een van die thermische dekens gewikkeld en ze legden een infuus aan. Ze was bij kennis, maar bijna in shock. Ze bleef maar zeggen dat ze het gevoel had dat ze viel en de ziekenbroeders schreeuwden voortdurend tegen haar dat ze erbij moest blijven. Te midden van al dat tumult heb ik haar nog kunnen vragen wat er was gebeurd, maar het enige wat ze zei, was: "Waar is Billy?" Ik hield haar hand vast toen ze dat zei en ze keek me recht aan.'

Er viel een korte stilte. Denise Childers keek afwezig in de verte; Summer wist dat ze alles weer voor zich zag.

Denise zei: 'Edie had op een gegeven moment een zware smak gemaakt. Haar linkerpols was gebroken en ze had haar hoofd gestoten. Ze bleek een bloeding onder haar schedel te hebben, zodat er druk op de hersenen ontstond. De ziekenbroeders hebben hun uiterste best gedaan en haar zo snel mogelijk naar de helikopter gebracht, maar ze is gestorven voordat ze in het ziekenhuis aankwamen.'

Weer een stilte. Summer en Denise dronken van hun martini. Eindelijk zei Denise: 'Nou, we kwamen erachter wie ze was toen we haar vingerafdrukken in AFIS hadden ingevoerd. We hebben haar strafblad opgevraagd en met haar reclasseringsambtenaar gesproken, en we ontdekten dat ze op vrijdag een afspraak had gemist en dat ze op donderdag het laatst gezien was op haar werk.'

Summer zei: 'Dus is ze ontvoerd nadat ze donderdagavond vroeg van haar werk kwam.'

Denise knikte. 'En ze is ergens vastgehouden voordat ze wist te ontsnappen. Jerry raakte erbij betrokken doordat we iedereen in het gebied lieten ondervragen zodra we beseften dat Edie ergens gevangen moest zijn gehouden. Jerry arresteerde Joe Kronenwetter voor een of andere onzinnige overtreding en toen kregen we de anonieme tip die ons naar de spullen in Kronenwetters kelder leidde.'

'Hij heeft me er alles over verteld.'

'Dat zal best. In ieder geval had ik nog steeds de leiding, maar Jerry had Joe Kronenwetter te pakken gekregen, dus werkten we vanaf dat moment samen aan de zaak.'

Summer probeerde wat meer schot in de zaak te brengen. 'Jerry Hill had een gelukje en je denkt dat Kronenwetter schuldig is. Wat doen we dan hier? Niet dat ik geen waardering heb voor je gastvrijheid.'

Denise zei: 'Heb je dat verhoor van Kronenwetter gezien?'

'Een deel. Is dat hier normaal, om verhoren op de tv te laten zien zodat iedereen die dat wil kan meekijken?'

'Het is een idee van sheriff Worden. Hij denkt dat het de teamgeest bevordert.' Denise keek Summer recht aan en haar blik was eerlijk en open. 'Hard, niet?'

'Je kunt Jerry Hill niet bepaald subtiel noemen.'

'Jerry is een karikatuur van de harde politieman die wel een borrel lust. Veertig jaar oud, drie keer gescheiden, vriendinnetjes bij de vleet. De jongens noemen hem Slick en dat vindt hij prachtig. Hij haalt graag grappen uit, meestal onschuldige dingen zoals de auto van een pasgetrouwd stel vullen met opgeblazen condooms, dat soort dingen. En hij heeft de reputatie dat hij voortdurend in de problemen komt. Na een paar biertjes kan hij een heleboel oorlogsverhalen vertellen. Vorig jaar is hij bijna geschorst nadat hij werd betrapt met de vrouw van een toerist die door een paar plaatselijke bruten in coma was geslagen. Jerry en de vrouw gingen flink tekeer in de linnenkast...'

Denise glimlachte wrang tegen Summer, haar wenkbrauwen opgetrokken. Beide vrouwen lachten.

'Zet Jerry in een kamer met een nurkse tiener,' zei Denise, 'en het kind bekent binnen een paar minuten. Maar Joe Kronenwetter bevindt zich in een nogal kwetsbare toestand. Hij is teruggekomen nadat hij uit het leger was ontslagen wegens problemen met zijn geestelijke gezondheid. Volgens de psycholoog die hem in de gevangenis heeft onderzocht zit hij tegen de schizofrenie aan. Ik had tegen Jerry gezegd dat we geduld moesten hebben en hem voorzichtig aan het praten moesten zien te krijgen...'

Summer wachtte af, in de wetenschap dat Denise een manier probeerde te vinden om te zeggen wat ze wilde zeggen zonder af te geven op een collega.

'Het zit zo,' zei Denise. 'Jerry is ervan overtuigd dat Joe Kronenwetter Edie Collier heeft ontvoerd. Sheriff Worden en de openbare aanklager zijn het met hem eens. Het is een eenvoudig verhaal, een probleemloze uitkomst, een nieuw hoofdstuk in de legende van Jerry Hill. Maar ik moet bekennen dat ik er problemen mee heb. Kronenwetter is een eenzelvig mens met een reputatie voor excentriek gedrag. Hij heeft een paar keer moeilijkheden gehad met de politie, maar dat ging meestal om onschuldige dingen. Zijn buren hebben geklaagd dat hij intimiderende taal bezigt en dat hij steeds om hun huizen heen sluipt en hun afval doorzoekt. Er zijn een paar keer marihuanaplanten op zijn land gevonden, maar hij ontkende er iets van te weten en er werd geen aanklacht ingediend. Bovendien is hij een berucht stroper. Hij heeft verscheidene boetes gehad wegens het betreden van andermans terrein en een paar jaar terug is hij zijn jachtvergunning kwijtgeraakt nadat hij bekende een hert te hebben geschoten buiten het seizoen. Vorig jaar heeft hij allemaal bordjes om zijn terrein opgehangen dat hij er mijnen had gelegd. Dat had hij natuurlijk helemaal niet gedaan en hij was ervan af gekomen met een waarschuwing als hij niet slaags was geraakt met de hulpsheriffs die de bordjes kwamen weghalen. Hij kreeg een boete en twee weken gevangenisstraf, en dat is het ergste dat hij tot nu toe heeft uitgehaald.'

'De man heeft ongetwijfeld geestelijke problemen, maar een ontvoering zou voor hem een grote stap zijn.'

Denise knikte. 'Ik denk zelf dat hij dat meisje misschien in zijn kelder heeft vastgehouden, maar dat het niet zijn idee was om haar daarheen te brengen. Hij heeft geholpen haar te ontvoeren of anders hield hij haar voor iemand anders vast. En dan kijken we nog niet eens naar de tip zelf en de vraag hoe de anonieme beller wist dat de spullen van Edie Collier in die kelder lagen. Dan is er nog de vraag waarom Joe Kronenwetter haar daar eigenlijk vasthield. Bovendien weet ik nog steeds niet of ze hier ontvoerd is of in Portland of ergens daartussenin.'

Summer zag voor zich hoe Jerry Hill naar de camera had gelachen toen hij Kronenwetter had verteld hoe hij dacht dat de ontvoering van Edie Collier in zijn werk was gegaan.

Ze zei: 'Mijn eerste ingeving is dat ze in Portland moet zijn ontvoerd. Ze was voorwaardelijk vrij, ze had een vriend en een vaste baan en het zag ernaar uit dat ze haar leven weer een beetje op de rit kreeg. Volgens haar stiefvader had ze geen enkele reden om hierheen te komen.'

'Dat was mijn eerste gedachte ook,' zei Denise. 'Het probleem is dat Joe Kronenwetter sinds zijn ontslag uit het leger en zijn terugkomst de streek niet uit is geweest. En zijn pick-up wordt bij elkaar gehouden met ijzerdraad en spuug. Ik geloof niet dat het ding tot Eugene zou zijn gekomen, laat staan naar Portland en terug. Hij kan haar dus zelf ontvoerd hebben, maar dat betekent dat het hier moet zijn gebeurd. Of anders heeft iemand anders haar in Portland ontvoerd, haar hierheen gebracht en hem gevraagd om op haar te passen. Misschien dat zogenaamde monster waar hij het over had. Iemand voor wie hij zo bang is dat hij hem niet durft te verraden.'

Summer vroeg zich af waar ze naartoe wilde en zei: 'Maar je hebt geen idee wie dit zogenaamde monster kan zijn of waarom hij Edie eigenlijk ontvoerd heeft.'

'Er zijn een heleboel onbeantwoorde vragen. Bijvoorbeeld hoe Edie op de plaats is gekomen waar ze is gevonden. Het is een heel eind van de hut van Kronenwetter en ze kan er nooit zelf heen zijn gelopen. Ze moet erheen gebracht zijn of naar een plek in de buurt, maar waarom? En waar heeft ze al die verwondingen opgelopen?'

'Jullie hebben goed bewijs dat ze in Kronenwetters kelder is vastgehouden, maar geen idee hoe ze daar gekomen is of hoe ze in het bos is beland.'

'Onze nieuwe pro-Deoadvocaat is een jonge man die graag van zich laat spreken. Hij zal erbovenop zitten en ik kijk er niet naar uit voor de rechter te moeten uitleggen dat ik de antwoorden op de meeste van zijn vragen niet weet. Hij zal morgen trouwens meneer Farrell verdedigen, dat had ik al eerder moeten zeggen. Als je morgen om een uur of tien, voordat de zitting begint, bij de rechtbank langskomt, zal ik jullie aan elkaar voorstellen. Mark Kirkpatrick. Hij komt van een oude en rijke familie, maar in wezen is het een goede vent.'

'Dat zou ik prettig vinden.'

Summer dacht er even over om Denise te vragen of ze enig idee had waarom Jerry Hill zoveel moeite had gedaan om de confrontatie tussen Randy Farrell en Joseph Kronenwetter in scène te zetten, maar ze besloot dat het niet het juiste moment was.

Denise zei: 'Je kunt erop rekenen dat Mark gaten in deze zaak gaat schieten. Vooral over de vraag hoe Joe Kronenwetter Edie Collier te pakken heeft kunnen krijgen. Ik vroeg me af of die vriend van haar daar misschien iets over zou weten.'

Summer glimlachte. 'Ik heb zelf ook aardig wat vragen over hem.'

'Toen we elkaar gisteravond over de telefoon spraken, zei je dat je wel zou willen helpen.'

'Dat wil ik nog steeds.'

'Mooi, want ik moet je het een en ander vragen,' zei Denise. 'Ten eerste wil ik graag ingaan op je aanbod om zo veel mogelijk te weten te komen over die vriend, die Billy zonder achternaam. Wat hij doet, met wie hij omgaat... Je weet wel, de gebruikelijke dingen. Als je hem zou kunnen opsporen en hem hier zou kunnen brengen, zou ik graag eens een lang gesprek met hem hebben over Edie Collier.'

'Is dit een officieel verzoek?'

'Als je bedoelt of ik sheriff Worden aan jouw baas wil laten vragen of hij je wat tijd en middelen kan geven om dingen na te trekken, dan is het niet echt officieel. Wat de sheriff betreft, is de zaak beklonken. Niets te zien, tijd om verder te gaan. Anders ging ik zelf wel naar Portland.'

'Ik denk dat ik wel even met Edies reclasseringsambtenaar kan gaan praten als ik terug ben en wat vragen kan stellen bij het restaurant waar ze werkte. Maar ik moet het eerst met mijn brigadier regelen, en die is al nijdig omdat ik een extra dag hier blijf.'

'Als je er problemen mee krijgt...'

'Dan vind ik er wel wat op,' zei Summer. 'Ik heb mijn eigen redenen om je te willen helpen.'

Denise glimlachte. 'Ik denk dat Jerry en zijn grapjes er een van is.'

Summer glimlachte ook, opgelucht dat Denise erover was begonnen. 'Als je die toestand met Randy Farrell en Joseph Kronenwetter bedoelt, inderdaad.'

'Je weet het waarschijnlijk niet, maar Jerry is goed bevriend met de verslaggever die toevallig aanwezig was toen meneer Farrell en Joe Kronenwetter tegelijk werden aangevoerd. Op dit moment ver-

73

telt hij zijn maats er alles over in de Hanging Drop, waar alle politiemensen altijd komen.'

'Ik had al het idee dat het in scène was gezet,' zei Summer, en ze vertelde over de telefoontjes die Jerry Hill bij het mortuarium had gepleegd en het feit dat zijn pieper onderweg naar het sheriffkantoor was afgegaan. 'Maar dat is het niet alleen. Ik wil Edie Collier recht doen, en volgens mij zit er veel meer achter deze zaak dan jouw sheriff wil geloven.'

Denise zei met een trieste glimlach: 'Het is een tragische zaak, inderdaad.'

Er viel een stilte. Summer zag Edie Colliers gezicht voor zich met de serene, onverschillige rust die ze had uitgestraald, en ze wist dat Denise het ook zag.

Summer zei: 'Je zei dat je me een paar dingen wilde vragen. Edie Colliers vriend vinden is er één, wat is het andere?'

'Ik ga bij iemand op bezoek die licht zou kunnen werpen op Joe Kronenwetters monster en op de vraag wat Edie Collier in het bos deed. Ik vroeg me af of je soms mee wilde.'

9

Dirk Merrit zat achter zijn grote bureau in de bibliotheek, zijn bleke, hoekige gezicht overspoeld door de gloed van het computerscherm, zijn rechterhand aan een draadloze muis, waarmee hij een set bouwtekeningen doornam. Aan de andere kant van de donkere kamer lieten de plasma-tv en de rij kleinere schermen eromheen steeds dezelfde beelden zien uit het avondnieuws van de plaatselijke tv-zender, met het geluid uitgeschakeld; een magere man in het zwart stormde op een veel grotere man in een oranje overal af, het beeld schokte toen de camera bij het gevecht betrokken raakte en er volgden verwarde beelden van voeten en onduidelijke bewegingen tot het beeld zich vestigde op een vrouw in een grijs broekpak, die de man in het zwart tegen de zijkant van een politiewagen gooide en hem daar vasthield terwijl een hulpsheriff hem de handboeien omdeed. Het geheel begon steeds weer van voren af aan en licht en schaduw bewogen over de muren als een zwerm opvliegende vogels.

Carl Kelley, die door de kamer liep, wist dat Dirk Merrit zijn legerlaarzen kon horen tikken op de vloer van gegoten beton, maar de man wachtte een volle minuut voordat hij met de muis de plannen voor het huis die hij had zitten bestuderen wegklikte en ronddraaide op zijn stoel. Nadat Carl had verteld dat hij de camper had nagekeken en volgetankt, de ultralight op de trailer had gezet en dat alles klaar was om te gaan, zei Dirk Merrit: 'Morgen bij dageraad.'

'Het is jouw feestje.'

'Ik heb het gevoel dat je nog steeds boos bent omdat ik het slachtoffer wil eren in plaats van het snel uit de weg te ruimen.'

Daar wilde Carl het niet meer over hebben. 'Hoe is het met hem?'

'Hij is ook boos,' zei Dirk Merrit. 'Hij heeft zijn avondeten tegen de muur gegooid en stond met geheven vuisten in het donker. Ik denk dat hij hoopte op een gevecht. Het is een pittige jongen, Carl. We zullen een hoop lol hebben samen.'

'De rustige types rennen meestal beter.'

'We zullen zien.' Dirk Merrit gebaarde naar de rij tv's. 'Weet je waar dat allemaal over gaat?'

'Die grote vent in het oranje is zeker degene die we erin hebben geluisd.'

'Zo te zien is hij gek genoeg, vind je ook niet?'

Carl haalde zijn schouders op.

'Ik hoop wel dat je morgen niet meer zo loopt te mokken,' zei Dirk Merrit. Hij klonk geamuseerd.

'Ik kom alleen maar melden dat alles klaar is. Als je verder niets hebt, wil ik graag naar bed, want morgen moeten we al vroeg vertrekken.'

'Die vent in het zwart is de stiefvader van het meisje. Die vrouw daar...' Dirk Merrit draaide zich weer om naar de computer, bewoog de muis naar het menu onder aan het computerscherm en klikte op een icoontje. Aan de andere kant van de kamer stond de actie op de tv's stil. 'Dat is een rechercheur van de politie van Portland. Denk je dat dat iets betekent?'

'Ze heeft waarschijnlijk de stiefvader hierheen gebracht om het meisje te identificeren.'

'Dat denk ik ook.' Dirk Merrit klikte weer met de muis en de actie werd hervat. De rechercheur schoof de stiefvader tegen de zijkant van de politiewagen en hield zijn armen vast terwijl een hulpsheriff hem de handboeien om deed. Dirk Merrit zei: 'Ook een felle tante, vind je niet? Ik wed dat ik in de juiste omstandigheden een hoop lol met haar zou kunnen hebben.'

Carl zei niets. Als de man in zo'n bui was, maakte het niet uit wat je tegen hem zei.

'Er is nog een opname, maar ik vind het te lastig om je die te laten zien,' zei Dirk Merrit. Hij leunde achterover in zijn stoel en raakte zijn glimlachende mond aan met zijn tegen elkaar gezette vingers. Aan elke vinger zat een zwarte klauw in de vorm van een rozendoorn. 'Sheriff Worden die olie op de ondiepe wateren van zijn in beroering gebrachte vijvertje gooide en de wereld alles vertelde over de heer Joseph Kronenwetter. Alles is heel goed terecht gekomen, vind je ook niet?'

'Je hebt geluk gehad,' zei Carl. 'Maar de politie zou nog steeds iets kunnen ontdekken of tot het besef kunnen komen dat ze de verkeerde te pakken heeft.'

'Mmmm. Denise Childers, de rechercheur die hier een paar dagen geleden was, komt vanavond nog eens,' zei Dirk Merrit met een glimlach. 'O, dat was ik vergeten. Jij was er toen niet.'

Carl onderdrukte de plotseling opstekende paniek. 'Wat moet ze?'

'Dat weet ik niet.'

'Heb je het niet gevraagd?'

'Het leek geen goed plan om belangstelling te tonen.'

'Jezus. Nou, wat moest ze toen ze hier de eerste keer was?'

'Ze stelde een paar vragen over het arme meisje dat onder zulke geheimzinnige omstandigheden zo tragisch is overleden. Niets specifieks, de politie ging bij iedereen in de buurt langs, ze waren nog niet telefonisch op het spoor van de heer Joseph Kronenwetter gezet. Ik zei dat ik niets wist en ze ging weer weg.'

'Jezus,' zei Carl nog eens. 'En nu komt ze terug.'

Dirk Merrits glimlach werd breder. 'Ze is hier over een kwartier. Wat zal ik dit keer eens tegen haar zeggen?'

Terwijl ze over een bochtige, tweebaans asfaltweg reden met aan beide kanten enorme douglassparren die oprezen in de duisternis, vertelde Denise Childers Summer over Dirk Merrit en zijn familiegeschiedenis.

Dirk Merrit was de eigenaar van een stuk land van drieëndertighonderd hectare dat oorspronkelijk in 1908 was aangekocht door zijn overgrootvader Alfred Merrit. Alfred Merrit, de eigenaar van de grootste houtfabriek in Macabee County en een van de rijkste mannen in de streek, had een dam gebouwd in de rivier die door zijn nieuwe eigendom liep om een meer te creëren en had een rustiek buitenhuis naast het meer gezet, waar zijn gezin elke zomer twee maanden doorbracht. Na Alfreds dood in 1932 had zijn oudste zoon de opbrengst van het houtbedrijf over de balk gesmeten en de onderneming te gronde gericht, maar zijn jongste zoon John, die het land had geërfd, bleek een betere zakenman. Hij had het zomerhuis afgebroken en in plaats daarvan een hotel gebouwd dat door de goede mogelijkheden om te vissen en te jagen en mooie wandelingen en ritten te paard te maken al snel rijke en beroemde mensen van de hele westelijke kust had aangetrokken. Het hotel brandde in 1955 onder mysterieuze omstandigheden af – het gerucht ging dat de brand was aangestoken door de dochter van John Merrit, die niet lang daarna in een gesticht werd opgenomen – en hoewel het snel werd herbouwd, trok het niet langer de jetset. In 1971, toen Dirk Merrit was geboren, stonden er allemaal vakantiehuisjes om het hotel en waren er twee kampeerterreinen en een terrein voor campers. Over het meer, waar eens filmsterren en sportlieden op regenboogforel hadden gevist, scheurden nu de motorboten.

Dirk Merrit erfde het terrein nadat zijn ouders in de eerste dagen van het nieuwe millennium bij een verkeersongeluk waren omgekomen, net nadat hij het geld dat hij had verdiend bij de hausse in de informatietechnologie had geïnvesteerd in de ontwikkeling van een online computerspel, *Trans*. Hij sloot het hotel, de kampeerterreinen en het camperpark en begon aan de bouw van een huis, dat een trouwe nabootsing moest worden van de vestingen waarin de heersers van de postapocalyptische fantasiewereld van *Trans* woonden. En tegelijkertijd begon hij zichzelf te verbouwen.

'Hij heeft meer plastische ingrepen ondergaan dan Michael Jackson,' zei Denise. 'Hij doet zijn uiterste best een van de heersers uit het spel te worden, hij mist alleen nog de vleugels. Als hem daarnaar gevraagd wordt, zegt hij altijd hetzelfde, dat hij een paar vleugels neemt zodra iemand een manier vindt om dat te doen, en dat hij intussen een vliegtuig zal gebruiken als hij wil vliegen, net als alle andere mensen. Vroeger zag je hem voortdurend in talkshows, waarin hij praatte over de toekomst en onsterfelijkheid en supermannen. Niet te geloven dat je nog nooit van hem gehoord hebt.'

Summer was opgegroeid in een huishouden zonder televisie. Ze had nooit begrepen dat Jeff, haar jurist, een hele zondagavond uitgezakt naar de troep had kunnen zitten kijken die doorging voor amusement. Het was alsof je de zuurstofvoorziening naar je hersenen uitschakelde.

Ze zei: 'Ik ben niet zo'n fan van talkshows. Dus hij is rijk, hij is een beetje gek...'

Denise zei: 'Vroeger was hij rijk, maar hij heeft de laatste tijd

77

ernstige geldproblemen. Bovendien was hij een paar jaar geleden zijdelings betrokken bij een dubbele moord in Los Angeles. De slachtoffers waren Don Beebe, de man die had geholpen bij de ontwikkeling van het computerspel, en zijn vrouw.'

'Was Merrit getuige of verdachte of iets anders?'

'Hij is verhoord, maar hij is nooit verdacht. Het lichaam van Don Beebe was gevonden in een huurflat, samen met allerlei pornografische homoblaadjes en leren uitrustingsstukken... De rechercheurs die aan de zaak werkten, gingen ervan uit dat Beebe een mannelijke prostituee had opgepikt en dat die zijn auto had gestolen, naar het huis was gereden om in te breken en Beebes vrouw had vermoord toen ze hem betrapte. Maar ze hebben er nooit iemand voor opgepakt, de zaak is nog steeds niet gesloten, en het gebeurde net nadat Dirk Merrit zijn meerderheidsbelang in het spel dat hij samen met Beebe had ontwikkeld had moeten verkopen. Ik weet wat je denkt,' zei Denise. 'Het is toeval, meer niet. Maar er zijn nog wat toevalligheden. Ten eerste is Edie Collier maar een paar kilometer van de zuidelijke rand van Merrits terrein gevonden, naast een kreek die van dat terrein komt. Als ze die kreek stroomafwaarts heeft gevolgd, zoals veel mensen doen als ze de weg door een bos proberen te vinden, kan ze ergens op Merrits land zijn begonnen. Ten tweede heeft Kronenwetter in de tijd dat Merrit en Joe Kronenwetter samen op de middelbare school zaten twee zomers op het vakantieterrein van Merrits ouders gewerkt. En ten derde, weet je nog dat ik zei dat Kronenwetter was opgepakt wegens het betreden van privéterrein en stropen? Het blijkt dat Dirk Merrit een van de mensen was die een klacht tegen hem hadden ingediend. En ik weet dat het onbelangrijk klinkt, maar Joe Kronenwetter ging tekeer over monsters toen we hem hadden gearresteerd en na al die plastische ingrepen ziet Merrit eruit alsof hij net uit een UFO is gestapt.'

'Moeten we wel met Merrit gaan praten als jij denkt dat hij iets te maken heeft met wat er met Edie Collier is gebeurd?'

Summer wist dat de verdachte bij de meeste onderzoeken de laatste was die je verhoorde. Je praatte met getuigen en vrienden van het slachtoffer, je verzamelde bewijzen en trok aanwijzingen na, je verdiepte je grondig in de achtergrond van de verdachte en deed wat je kon om zo sterk mogelijk te staan en pas als dat allemaal gebeurd was, nodigde je de verdachte uit in de onbekende en intimiderende omgeving van een politiebureau voor een gezellig praatje. Denise had niet alleen bijna niets om op af te gaan, maar ze ging naar de man toe in plaats van hem op het politiebureau te ontbieden, dus vroeg Summer zich af of ze soms een persoonlijke wrok tegen hem had.

Denise zei: 'Sommige zaken gaan niet volgens het boekje. Soms moet je je aanpak wijzigen. Trouwens, Merrit denkt dat we Joseph Kronenwetter hebben gearresteerd en aangeklaagd voor de ontvoering en moord op Edie Collier. Het journaal heeft het over niets anders. Dus waarom zou hij niet met ons willen praten om een paar losse eindjes vast te knopen?'

Summer glimlachte. 'Je wilt de boel een beetje opstoken en kijken wat er gebeurt.'

'Ik wil er absoluut zeker van zijn dat de juiste persoon de gevangenis in gaat voor wat er met dat meisje is gebeurd. Jij niet?'

'Daarom ben ik hier.'

'Mooi. Nou, volgens mij moeten we het zo spelen. We vertellen Merrit dat we verder onderzoek doen naar Kronenwetter en we verzoeken hem een paar vragen te beantwoorden voor achtergrondinformatie. Dan zien we vanzelf wat hij te zeggen heeft.'

'Hij zal wel vragen wat ik hier doe. Hoeveel moet ik hem vertellen?'

'Ga gewoon mee met wat hij zegt, kijken waar het toe leidt.'

'In de hoop dat hij zich verspreekt.'

'Het geval wil dat de man graag praat. Twee dagen geleden, voor het telefoontje over Kronenwetters kelders, hebben we iedereen in de buurt ondervraagd. Toen hebben meneer Merrit en ik een heel interessant gesprek gehad over de mogelijkheid dat iemand Edie Collier door het bos heeft opgejaagd. Hij zei dat ik de film *The Most Dangerous Game* eens zou moeten bekijken. Ik heb het opgezocht en die film gaat over een krankzinnige miljonair die mensen opjaagt door de jungle. Misschien betekent het niets. De man vindt het leuk om hints te geven, te manipuleren en te doen alsof hij meer weet dan hij zegt. Maar het is een van de dingen die ik nader wil bekijken.'

'Dus hij is zo iemand die denkt dat hij slimmer is dan de politie.'

'Nee, dat niet. Die vent denkt dat hij slimmer is dan wie ook.'

De oprit van Dirk Merrits landgoed werd versperd door een stalen hek. Het hek en de hoge veldstenen muren aan weerszijden werden verlicht door schijnwerpers op hoge palen. Denise liet het raampje van haar auto naar beneden glijden, boog zich naar buiten, drukte op de knop van de intercom, gaf degene die antwoordde haar naam en zei dat ze een afspraak had met meneer Merrit. De poort ging open en Denise en Summer reden door en stopten iets verder bij een slagboom. Een man in het uniform van een beveiligingsbedrijf bekeek hun penningen, overhandigde hen zwarte plastic armbandjes en begon uit te leggen dat ze die te allen tijde moesten omhouden en dat ze slechts toegang gaven tot een paar vertrekken van het huis...

'Die speech heb je de vorige keer dat ik hier was ook al afgestoken,' zei Denise. 'Wat dacht je ervan om ons gewoon door te laten?'

'Ik moest van meneer Merrit zeggen dat hij in de trofeezaal is. Dat is op de benedenverdieping van de grote toren,' zei de bewaker, en hij liet de slagboom omhoogkomen.

Denise en Summer reden over een weg die zigzaggend tussen bomen en rotsuitsteeksels liep en na een scherpe bocht plotseling een smalle vallei onthulde, geblokkeerd door een hoge wig van wit beton, die sterk afstak in het licht van de schijnwerpers langs de bovenrand. Recht voor hen, halverwege de zijkant van de vallei, bevond zich een breed terras waarop drie eveneens met schijnwerpers verlichte torens stonden.

Denise zei: 'Dat is de dam en dat is Merrits huis, als je het tenminste een huis kunt noemen.'

Het was net een sprookjespaleis, dacht Summer, of een drietal ouderwetse raketten. De hoogste toren was bijna vijftig meter hoog en had een glinsterende, glazen koepel aan de bovenkant. Het was echt net een ruimteschip. De andere twee torens waren kleiner. Een ervan leek maar half afgemaakt en eindigde in een ongelijke kroon van stalen pijpen. Op verschillende hoogten zaten er schietgaten en ronde ramen in de gladde, geelbruine muren.

Denise parkeerde haar Jeep Cherokee aan de voet van de hoogste toren, achter een zwarte Mercedes suv. Summer en zij stapten uit en deden hun armbanden om. Het was heel stil. Aan hun linkerkant rees een steile, beboste helling op naar de zwarte hemel. De andere twee verlichte torens stonden achter rotsblokken en bosjes bamboe. Hoewel de spookachtige opzet zo dramatisch was dat Summer erom moest lachen, voelde ze zich nog niet helemaal op haar gemak toen ze Denise volgde naar de gladde flank van de toren, waar een kasteeldeur stilletjes openzwaaide, zodat ze zich in zo'n idiote horrorfilm waande. De hal, die zich in de greep bevond van twee gebogen trappen en die werd verlicht door het felle geflikker van een groep tv's die als een kroonluchter boven hen hing, liep uit op een grote stalen deur die net als de kasteeldeur openzwaaide toen Denise en Summer erop afliepen. Ze zagen een grote kamer met leren banken en stoelen rond een open haard in het midden. In nissen en achter glazen deuren in de lemen muren bevonden zich allerlei voorwerpen, boven hen hingen groepjes dierenkoppen en aan de andere kant stond een lange man met zijn rug naar Summer en Denise toe naar een flatscreen-tv te kijken waarop een of andere tekenfilm te zien was waarin een strijder in de stijl van *Mad Max* over een straat vol ruïnes naar een groepje kapotte wolkenkrabbers rende.

De man stond met zijn handen op zijn rug, die doodsbleek afstaken tegen de groene zijde van zijn kamerjas – nee, het was een kimono, besefte Summer, en dat grote rode doelwit op zijn rug was een chrysant. De hoge kraag van de kimono was opgezet, zodat ze zijn hoofd niet kon zien. De zoom viel net boven zijn knieën. Zijn kuiten waren net zo bleek als zijn handen en zo kaal als die van een mannequin.

Hij bleef met zijn rug naar Summer en Denise toe staan toen ze dichterbij kwamen. 'Rechercheur Childers, wat leuk om u hier weer te zien,' zei hij. 'Gefeliciteerd met de arrestatie, trouwens. Goed om te weten dat onze politie zo efficiënt is. Of moet ik zeggen, zo veel geluk heeft?'

Zijn stem was een lichte bariton en zo innemend als die van de presentator van een talkshow.

'Een beetje van allebei,' zei Denise. 'Dit is...'

'Rechercheur Summer Ziegler van de politie van Portland,' zei Dirk Merrit, en hij draaide zich met een snelle werveling van groene zijde om.

Summers eerste gedachte was dat het een op effect berekende beweging was, die hij vaak geoefend moest hebben. Haar tweede was dat hij een masker droeg. Toen glimlachte hij tegen haar en het was alsof een rode wond in zijn stijve, witte gezicht was opengegaan.

'U bent hier met de stiefvader van dat arme dode meisje. Ik hoop dat zijn zeer openbare misstap u geen problemen heeft bezorgd.'

'Daar komen we wel uit.'

Merrits gezicht was een en al vlakken en scherpe hoeken, als een schedel die in stukken was gevallen en niet helemaal goed weer in elkaar was gezet, of de mummie van een farao die weer tot leven was gebracht. De huid strekte zich doodsbleek over de richels in zijn voorhoofd en zijn hoge jukbeenderen. Zijn glimlach onthulde tot punten gevijlde tanden. Zijn ogen waren rood met pupillen als druppels bloed. Dit alles werd omgeven door de groene zijde van zijn opstaande kraag.

'U hebt de zaak gevolgd, meneer Merrit,' zei Denise. 'Had u daar een speciale reden voor?'

Dirk Merrit negeerde haar en zei met een glimlach tegen Summer: 'Dit is mijn trofeezaal. Souvenirs van gelukkige tijden, mijn favoriete wapens. Ik dacht dat u dat misschien interessant zou vinden.'

Summer zei: 'U hebt een heleboel dierenkoppen. Hebt u die allemaal zelf geschoten?'

Ze merkte dat ze best naar hem kon kijken. Het was niet al te erg, niet zo erg als naar het slachtoffer van een auto-ongeluk of een brand kijken, naar iets wat jou ook kon gebeuren als je pech had. Het hielp om te bedenken dat hij het zichzelf had aangedaan, zoals in een van die ouderwetse griezelshows. Ze vroeg zich af of ze naar de ontbrekende vleugels moest vragen.

'Natuurlijk heb ik ze zelf gedood,' zei hij. 'De meeste hier op het landgoed, maar ik moet bekennen dat ik voor zeldzaamheden als die poema daar verderop heb moeten gaan.'

Dirk Merrit wees. Hij had zwarte nagels. Nee, het waren meer klauwen.

'Die heb ik drie jaar geleden met een vergunning geschoten in Fremont National Forest. Ik vond een pas gedood hert en ik wist dat hij ernaar terug zou keren, dus maakte ik een schuilplek in een boom en wachtte af. Ik moest de hele nacht en het grootste deel van de volgende morgen wachten, in de sneeuw. Maar hij kwam terug en ik schoot hem recht in de borst. Hij was meteen dood.'

Summer speelde met hem mee. 'U moet wel veel van jagen houden, meneer.'

'We stammen allemaal af van jagers, rechercheur Ziegler. Dat maakt deel uit van onze natuur. Ongemanierde, onwetende en domme mensen proberen er wetten tegen uit te vaardigen, maar daar zullen ze nooit in slagen. Je kunt net zo goed proberen wetten te maken tegen liefde of haat.'

'Ik zie dat u ook wat zebrahuiden hebt.'

'Dat zijn souvenirs van een safari in Afrika. Ik denk erover om daar nog eens heen te gaan. Er is een plek in Namibië waar je op elk groot dier kunt jagen dat je maar wilt. Leeuwen, tijgers, neushoorns, gorilla's...'

'Tijgers in Afrika?'

'O, ze importeren allerlei dieren. Je kunt ze besluipen in de bush en elk wapen gebruiken dat je maar wilt. Ik neem het liefst een kruisboog voor groot wild. Wat is uw favoriete wapen, rechercheur Ziegler?'

Summer zei: 'Ik ben geen jager, maar is een kruisboog geen ongewoon wapen?'

'Het is een heel zuivere vorm van jagen. Je krijgt maar één kans om te schieten, dus je moet er absoluut zeker van zijn dat dat schot fataal is. U zegt dat u geen jager bent, maar is dat niet waarom u hier bent?'

Dirk Merrit amuseerde zich en leek te geloven dat hij alles in de hand had.

Summer zei: 'Misschien wilt u me die kruisboog eens laten zien. Die waarmee u de poema hebt gedood.'

Zowel Denise als Dirk Merrit keek haar aan. Toen draaide de man zich om en liep om de centrale open haard heen naar een stel hoge kasten met glazen deuren. Hij deed er een open, haalde er een kruisboog uit en nam hem mee naar de plek waar Summer en Denise stonden. Het ding was groter dan Summer had verwacht, modern en zeer beslist dodelijk, met een pistoolgreep en het geraamte van een kolf. Dirk Merrit liet hem op zijn onderarm rusten en legde uit dat de boog of boogstaaf was bevestigd aan het platform of de zuil, en dat zowel de boogstaaf als het platform waren gemaakt van een koolstofvezelcomposiet. Het wapen had een trekkracht van honderdvijftig pond en gaf een pijl van vijftig centimeter een snelheid van zestig meter per seconde.

'Je kunt er een telescoopvizier op zetten, maar dat gebruik ik nooit. Voor een dodelijk schot moet je op minder dan honderd meter afstand komen en ik schiet het liefst van zo dichtbij mogelijk. Ik geef toe dat ik een beetje een purist ben. Ik gebruik bijvoorbeeld een spanhaak in plaats van katrollen om de pees aan te spannen.'

Dirk Merrit legde uit dat de pijl niet dodelijk was doordat iemand in shock geraakte, maar door de enorme bloedingen die ontstonden. Daarom moest de schutter een goede kennis hebben van de anatomie van zijn prooi en moest hij in drie dimensies kunnen denken als hij zijn schot plaatste.

'Je zou kunnen zeggen dat het niet zozeer een schot is, maar een dodelijke incisie.'

Summer vroeg: 'Iemand?'

Dirk Merrit staarde haar aan en zij keek terug. De lucht tussen hen leek te gonzen. Op de tv achter hem hakte de *Mad Max*-strijder zich een weg door slingerplanten die min of meer dezelfde kleur hadden als Dirk Merrits bloedrode ogen.

'U zei "iemand" toen u het over de prooi had.'

'Hmmm. Wist u dat het bij pauselijk edict verboden is met een kruisboog op christenen te schieten?'

'Wilt u zeggen dat u alleen op moslims schiet, meneer Merrit?'
'Als ik dat deed, zou ik het u niet vertellen, of wel soms? Zelfs niet in het huidige politieke klimaat.'
De glimlach was weer aanwezig, maar hij leek op zijn hoede en niet meer helemaal meester van zijn domein.
Denise zei: 'Misschien kunt u me vertellen of u onlangs nog gejaagd hebt.'
'Eigenlijk ben ik net een trip aan het voorbereiden. Daarom heb ik helaas niet zo veel tijd voor u als ik wel zou willen.'
'We komen eigenlijk een paar vragen stellen over Joseph Kronenwetter,' zei Denise. 'U weet over wie ik het heb?'
'Natuurlijk. Dat is die arme gek die het meisje heeft ontvoerd dat helaas overleden is. Hij was net nog op de tv,' zei Dirk Merrit met een glimlach naar Summer. 'Net als u, rechercheur Ziegler. Te oordelen naar de manier waarop u die vent tegen de politiewagen gooide, bent u sterker dan u eruitziet.'
Denise zei: 'We moeten nog een paar dingen controleren en met mensen praten die hem kenden. Het zijn pure routinevragen om wat meer over hem te weten te komen.'
'Helaas kan ik niet zeggen dat ik hem kende.'
'U hebt samen op de middelbare school gezeten.'
'Ik heb met een heleboel mensen op de middelbare school gezeten. Mmmm, maar ik herinner me wel dat hij een soort sportheld was. Ik had zelf geen belangstelling voor dat soort dingen. Ik dacht zelfs toen al op de lange termijn. Sporthelden van de middelbare school zijn een paar minuten beroemd, maar daarna is het één lang afglijden naar de middelmatigheid. Ze eindigen op zijn best als autoverkopers of politieagenten. En in het slechtste geval als alcoholisten of junks of moordenaars.'
'Ik geloof ook dat Kronenwetter hier heeft gewerkt toen dit nog een vakantieoord was. Achttien, negentien jaar geleden.'
Dirk Merrit haalde zijn schouders op. 'Er hebben een heleboel mensen in het oude vakantieoord gewerkt, rechercheur Childers. U hebt me bij uw vorige bezoek zelfs verteld dat uw eigen ouders hier gewerkt hebben.'
'Inderdaad, in 1963. Joe Kronenwetter heeft hier veel recenter gewerkt, in de zomers van 1987 en 1988. Ik hoopte dat u zich hem nog zou herinneren omdat u allebei van dezelfde leeftijd was en op dezelfde school zat. Bent u nooit met hem opgetrokken?'
'Ik trok niet op met het personeel, rechercheur Childers.'
'Misschien mag ik u een foto van meneer Kronenwetter laten zien om uw geheugen op te frissen.'

'Zoals ik al zei heb ik de man op de tv gezien. Ik moet zeggen dat hij er gevaarlijk genoeg uitzag. Denkt u dat hij het meisje heeft verkracht?'

'Waarom interesseert het u wat hij met het meisje heeft uitgehaald?'

'Nou, hij had haar vastgehouden in die armzalige hut van hem en ze was naakt toen ze werd gevonden.'

Denise keek even naar Summer en zei: 'Ik weet niet wat jouw ervaring is, maar als ik een man in de verhoorkamer heb en hij probeert me te versieren, of hij gaat dubbelzinnige opmerkingen maken en commentaar geven op mijn uiterlijk, dan is hij óf een verkrachter of zo'n zielige gluurder of potloodventer.'

Dirk Merrit glimlachte nog steeds, maar niet meer zo breed. Het was moeilijk iets af te lezen aan dat stijve masker dat zijn gezicht was, maar Summer dacht dat de glimlach iets geforceerds had gekregen, alsof hij moeite had zich te beheersen terwijl hij een slim antwoord verzon.

Na een paar tellen zei hij: 'Ik veronderstel dat u als rechercheurs een beroepsmatige afstand moeten zien te bewaren. Maar u bent ook vrouwen en een misdaad als deze... Nou, die moet u toch extra aangrijpen.'

Denise zei: 'Hebt u een bijzondere interesse in verkrachting of aanranding, meneer Merrit?'

'We hebben het toch over dat arme meisje?'

'U bent begonnen over seksuele mishandeling, meneer Merrit. Ik vraag me af waarom.'

'Louter nieuwsgierigheid.' Zijn glimlach kwam terug. 'Mijn persoonlijke interesses liggen op een ietwat hoger niveau.'

'Zoals? Als u het tenminste niet erg vindt dat te delen met rechercheur Ziegler en mij.'

'O, zoals onsterfelijkheid. Hebt u er ooit bij stilgestaan dat er op dit moment mensen leven die misschien nooit dood hoeven te gaan?'

'Ik zal u die foto van Joe Kronenwetter laten zien om te kijken of het uw geheugen opfrist,' zei Denise, en ze stak haar hand in haar tas.

'Zoals ik al zei heb ik hem al op de tv gezien.'

'Deze is uit de tijd dat hij in het vakantieoord van uw ouders werkte,' zei Denise, en ze haalde een zwart-witfoto uit een grote envelop en gaf die aan Dirk Merrit. 'Hier zit hij bij het schoolhockeyteam. Hij staat helemaal links.'

Dirk Merrit bekeek de foto of deed alsof hij hem bekeek, en

schudde toen zijn hoofd. 'Ik ben bang dat het geen belletje doet rinkelen.'

'Kijkt u nog eens.'

'Hij ziet eruit als alle sportieve tieners. Niet een jongen die ik als vriend zou willen, toen niet en nu niet,' zei Dirk Merrit, en hij gaf de foto terug aan Denise.

Ze zei: 'U hebt onlangs nog een klacht tegen hem ingediend omdat hij zich op verboden terrein had begeven.'

'Echt waar? Dat zal ik moeten nakijken. Of eigenlijk kan ik het beter aan mijn advocaat vragen.'

'Het verbaast me dat u het niet meer weet. Het was maar anderhalf jaar geleden.'

'Ik heb in de herfst altijd last van jagers die op mijn landgoed komen. Ze zeggen altijd dat ze de bordjes langs de grens van mijn terrein hebben gemist.'

'Meneer Kronenwetter was inderdaad een jager. Denkt u dat hij ook op jonge vrouwen gejaagd kan hebben? Ik denk aan die film waar u het over had.'

'Het klinkt meer alsof hij een stroper was,' zei Dirk Merrit. Hij wendde zich af van Denise en Summer en tikte met zijn scherpe zwarte nagels tegen het tv-scherm. 'Ziet u die pelgrim? Dat is een jager, op zoek naar een schat die diep in de ruïnes van het postapocalyptische Los Angeles begraven ligt. Een jager zoals u, rechercheur Childers, of zoals u, rechercheur Ziegler.'

'Ik heb nooit gejaagd,' zei Summer.

Dirk Merrit draaide zich naar haar om. 'Natuurlijk wel. U jaagt op misdadigers. U besluipt ze en u vangt ze en dan zet u ze in een kooi. Ik veronderstel dat dat een bevrediging schenkt die ongeveer gelijk is aan die van een jager.'

Summer bekeek hem zo arrogant mogelijk en zei: 'Ik geloof niet dat u en ik ook maar iets gemeen hebben.'

'Volgens mij zou het een hele eer zijn om door u opgejaagd te worden, rechercheur,' zei Dirk Merrit. 'En het zou ook een eer zijn om op u te jagen.'

'Is dat een dreigement, meneer?'

'Het was bedoeld als een compliment. Nou, is er nog iets dat u me wilt vragen, dames? Het is al laat en ik moet morgen vroeg op.'

Toen de beide rechercheurs waren vertrokken, zei Dirk Merrit in de bibliotheek tegen Carl Kelley: 'Dat ging heel goed.'

'Je hebt inderdaad een mooie show opgevoerd. Het probleem is alleen dat ze niet kwamen om vermaakt te worden. En ook niet om een paar routinevragen te stellen.'

Carl had alles gezien via het interne videocircuit, hoe de man de twee vrouwen naar de mond had gepraat en hoe de vrouwen naar hem hadden gekeken met harde ogen die niets verrieden.

Dirk Merrit zei: 'Waarom zijn ze dan wel gekomen? Vertel jij dat dan eens.'

'Ze denken dat ze iets op het spoor zijn. Iets dat je gezegd hebt, iets dat ze gezien hebben... En ze komen terug. Ze laten het hier niet bij zitten.'

Dirk Merrit schudde zijn hoofd. 'Joseph Kronenwetter is gearresteerd en in staat van beschuldiging gesteld en over niet al te lange tijd wordt hij berecht en veroordeeld. Dit was een laatste poging van de kant van rechercheur Childers. Als ze me lastig blijft vallen, zorgt sheriff Worden wel dat ze daarmee ophoudt.'

'O, ja? En die meid uit Portland?'

'Dat was een felle, vond je niet? Ik meende trouwens wat ik zei over op haar jagen.'

'Nu we het toch over de jacht hebben,' zei Carl, die de gelegenheid niet voorbij liet gaan, 'ik denk dat je er echt over moet denken je pleziertje uit te stellen.'

'Onzin. Alles is geregeld en ik verheug me er echt op.'

'Misschien houdt de politie je wel in de gaten. Als ze ons volgen of de camper om een of andere reden aanhouden...'

'Ze hebben de man die het gedaan heeft, Carl. Het is voorbij.'

Dirk Merrit moest high zijn. Waarschijnlijk had Elias Silver hem een drankje of een pilletje gegeven.

Carl zei: 'Ze hebben de man die jij erin geluisd hebt. Dat is iets anders.'

Dirk Merrit negeerde de opmerking en zei: 'Ik verheug me echt op Nevada. De eerste keer dat we samenwerkten, was ook in Nevada, en nu gaan we terug. Net een reünie.'

Carl zei: 'De eerste keer was bij Wheeler Peak. De plek die ik deze keer heb gekozen, is bijna vijfhonderd kilometer verder naar het noorden en het westen.'

'Hoe dan ook. We doen het morgen en daarna zul je een nieuwe plek moeten zoeken,' zei Dirk Merrit, en hij klikte weer met zijn muis.

Aan de andere kant van de kamer werd de rij tv's rood. Ze vertoonden allemaal hetzelfde beeld: een man met een onwaarschijnlijke spieropbouw in een leren harnas en een kilt draafde door de puinhopen van een stad.

Dirk Merrit zei: 'Ken je hem nog?'

Carl kreeg een heel akelig voorgevoel. 'Dat is de partner van je laatste offer. Die knul in Brooklyn. Voor wie je volgens jou geen belangstelling had. Die het zou opgeven nadat hij alleen was overgebleven.'

'Omdat hij jonger was en minder ervaring had, ja. Maar hij heeft toch de ruïnes van Los Angeles weten te bereiken. Hij is drie keer teruggeslagen, maar hij houdt vol en hij is slim. Hij is een doorzetter. Als ik niets doe, geloof ik echt dat hij binnenkort het orakel zal bereiken. En als hij het wachtwoord heeft dat hem langs het orakel brengt, of als hij het kan raden, is hij nog maar één stap verwijderd van de bron van die kostbare kleinoden die meneer Hunter Smith zo graag verkoopt op eBay.'

'Stuur de *warewolven* achter hem aan,' zei Carl.

De warewolven waren een groepje spelers in een Roemeense *klikfarm*, die door Dirk Merrit werden betaald om de vallei van Los Angeles te verdedigen tegen indringers.

Op de tv-schermen rende de gespierde man langs een rij dode palmen. Hun verschrompelde bladeren stonden zwart afgetekend tegen een gezwollen rode zon.

Dirk Merrit zei: 'Zijn spelersprofiel suggereert dat hij de mindere partner was. Maar nu moet ik mijn mening bijstellen. Niet alleen om wat hij in zijn eentje heeft bereikt, ik heb ook de e-mails gelezen die hij met ons offer heeft uitgewisseld. Hij is een wonderkind.'

'Ik dacht dat je het had opgegeven om die laptop te kraken.'

Toen Carl zijn laatste pelgrim en diens vriendin had ontvoerd, had hij ook de laptop van de jongen meegenomen.

'Het was een heel slim stukje codering. Maar ik bleek toch slimmer te zijn,' zei Dirk Merrit zelfgenoegzaam. 'Ik heb alle e-mails van deze speler gelezen en hij is zijn partner gemakkelijk de baas. Dat betekent dat hij mijn aandacht evenzeer verdient.'

Jezus. Carl had op dat moment echt geen behoefte aan de afleiding of het risico om nog een jacht op poten te zetten. Zo lang hij het wachtwoord niet had dat toegang gaf tot het programma waarmee de abonneeservice van het spel werd gemanipuleerd, moest hij zorgen dat Dirk Merrit niets overkwam.

Hij zei: 'Je hebt een van de twee, en dit joch zit aan de andere kant van het continent...'

'Maak je geen zorgen, Carl, ik stuur je niet achter hem aan. Maar ik denk er serieus over hem langs de warewolven te laten komen en hem daarna per e-mail te feliciteren en hem een vliegticket te sturen.'

Carl voelde die zwarte bliksem weer even. 'Voordat ik kwam en de hele boel omgooide, deed je er twee na elkaar op precies dezelfde plek in de Alvordwoestijn.'

De Alvordwoestijn was een vlakke, winderige zoutpan in het oosten van Oregon, ideaal voor de sport die Dirk Merrit zo graag beoefende.

'En je zeurt er nog steeds over dat ik die op dezelfde plek heb gedaan, ook al hebben we er daarna twee in Californië gedaan.'

'Verschillende delen van Californië. En daartussen zat die in Alaska.'

'Mmm.' Dirk Merrit bewoog zijn tong in de natte rode grot die zijn mond was en genoot van de herinnering alsof het een mooie wijn was. 'Ik stortte neer en ze wist bijna weg te komen. Dat was echt leuk.'

'Het punt is,' zei Carl, wiens geduld bijna op was, 'dat je dezelfde plek in de Alvordwoestijn was blijven gebruiken tot je geluk op was geraakt als ik je niet was komen adviseren. Ik heb op goed geluk slachtoffers gekozen en verschillende plaatsen uitgezocht waar je met ze kon afrekenen. Ik heb ervoor gezorgd dat je veilig bent. En nu wil je niet één, maar twee kinderen doen die rechtstreeks met je in verband staan, terwijl je je eigenlijk koest zou moeten houden na wat er met dat meisje is gebeurd.'

'Het is heel goed mogelijk dat hij langs de warewolven weet te komen, en dan moet ik wel wat doen, of niet soms? Trouwens, zoals mijn lieve oude dode vader altijd zei, half werk is geen werk.'

10

Toen zijn moeder om halfeen in de nacht terugkwam van haar werk, was Daryl Weir nog helemaal verdiept in *Trans*. De tengere, atletische zwarte jongen, die er veel jonger uitzag dan zijn zestien jaar, zat in zijn T-shirt en boxershort in kleermakerszit op een corduroy zitzak, met zijn handen om zijn op maat gemaakte controller en zijn gezicht een centimeter of dertig van het computerscherm. Het scherm was de enige lichtbron in de kleine, benauwde slaapkamer. Er was een stevig gebouwde man op te zien in een leren kilt en een harnas, die behangen met allerlei uitrustingstukken en met een AK in zijn gespierde armen in een gestaag tempo door een straat vol ruïnes liep.

De man in de kilt was Daryls avatar, een gelukszoeker met de naam Seeker8. Daryl keek naar hem vanaf het gebruikelijke gezichtspunt van de speler, een paar meter achter zijn achterhoofd, en bestuurde hem met zijn linkerduim. De straat liep over een uitgedroogde vlakte met lage ruïnes, begroeid met bladerloze bosjes en enorme cactussen met kromme armen, die in een gebaar van overgave waren geheven tegen een felgekleurde zonsondergang. Toen hij zijn moeder zijn naam hoorde roepen aan de andere kant van de dichte kamerdeur, boog Daryl zich nog iets dichter naar het scherm toe. Hij had nu echt geen behoefte aan afleiding, niet nu Seeker8 nog een heel eind van het volgende *save point* was en de nacht snel inviel.

De voordeur van het flatje kwam rechtstreeks uit op de woonkamer, met aan de linkerkant de grote slaapkamer en de badkamer en aan de rechterkant de tweede slaapkamer, die van Daryl, en de keuken. Terwijl Seeker8 in een gestaag tempo over de straat marcheerde, langs de verroeste autowrakken, de lage hopen puin en de scheefstaande lantaarnpalen, hoorde Daryl door het dunne gipswandje de solide bons van de dichtslaande koelkast, en hij wist dat zijn moeder een glas chocolademelk voor zichzelf inschonk. Straks zou de tv aan gaan; als ze terugkwam van haar nachtwerk, bankkantoren schoonmaken in Manhattan, ontspande zijn moeder zich graag voor de tv met een troostend drankje, een White Russian of een glas koude chocolademelk met wodka, voordat ze naar bed ging. Maar in plaats van het plotselinge geluid van de tv klikte de deur achter Daryl open en zijn moeder zei: 'Ben je nog op, jongen?'

Daryl had een keer een grendel aan de binnenkant van zijn slaapkamerdeur gezet, maar toen had zijn moeder zo'n stennis geschopt dat hij hem de volgende dag weer had weggehaald. Hij zei zonder van het scherm op te kijken: 'Ik ben aan het werk. Ik spreek je straks wel, goed?'

Zijn moeder stapte de kamer binnen. 'Waar is je vriend? Had je niet een vriend bij je?'

'Hij zit niet meer in het spel.'

'Je had ook een kameel. Het leek tenminste een beetje op een kameel.'

'De kameel is dood. Gebeten door een slang.'

Dat was twee weken eerder gebeurd, niet lang nadat Daryl en zijn online partner Ratking zich door de talloze tests, puzzels en miniavonturen hadden geworsteld in het stoffige stadje dat de toegangspoort was tot de woestijn, en op zoek waren gegaan naar de schat die in de ruïnes van Los Angeles verstopt lag. Hij had Rat-kings avatar zes dagen en drie save points geleden achtergelaten. Daryl had op het gebruikelijke tijdstip ingelogd en had Ratkings lange, leerachtige avatar in zijn zwarte kamerjas zien staan met zijn geweer over zijn schouder. Hij wiegde licht heen en weer in wat een onverbrekelijke trance leek. Ratking had Daryls steeds drin-gender e-mails niet beantwoord en uiteindelijk had Daryl Seeker8 alleen de gevaren van de ruïnes van Los Angels tegemoet laten tre-den. Sinds die tijd was hij een heel eind in de richting van het Grif-fith Observatory gekomen, waar de schat verborgen zou liggen, maar Ratking had nog steeds niet gereageerd op die e-mails en Da-ryl begon bang te worden dat zijn partner hem op de een of an-dere manier beduveld had.

Achter hem zei zijn moeder: 'Blijf niet te lang doorspelen.'

'Mam, alsjeblieft. Ik moet me concentreren. Als ik niet voor zonsondergang bij dat save point ben, moet ik opnieuw beginnen.'

De avatar marcheerde verder in zijn gelijkmatige, niet-aflatende tempo. Hij vertraagde zijn pas alleen bij kruisingen, waar hij links en rechts keek voordat hij weer verder liep. Daryl hield elk deel van het scherm in de gaten om te zien of hij iets zag bewegen en schakelde af en toe over naar een overzicht waarbij hij Seeker8 van heel hoog door de straten van de vervallen stad kon zien lopen. Al die tijd hield Daryls duim de linker joystick iets naar voren en mar-cheerde Seeker8 onvermoeibaar voort. In de rechter bovenhoek van het scherm stonden gegevens over zijn gezondheid en zijn bewa-pening en in de linker benedenhoek liet een kleine inzet een kaart zien van zijn onmiddellijke omgeving. Recht voor hem uit, in het westen, lag het glanzende blauwe vierkant dat een save point aan-duidde. Hier en daar waren rode stippen te zien die de aanwezig-heid aangaven van andere spelers. Stuk voor stuk warewolven, de felle, waakzame verdedigers van dit deel van *Trans*.

'Ik snap niet waarom je geen vleugels voor hem koopt,' zei zijn moeder.

'Dan zou hij geen gelukszoeker meer zijn, maar een opperheer.'

Daryl had dat al een miljoen keer uitgelegd. Opperheren, de meer dan menselijke heersers van de postapocalyptische wereld van het spel, gebruikten een combinatie van politieke strategie, man-tegen-mangevechten en veldslagen tussen slavenlegers om hun territori-um uit te breiden. Ze konden grote fortuinen vergaren en allerlei schatten winnen, maar ze hadden niet de flexibiliteit van geluks-zoekers als Seeker8, die verbonden konden sluiten met praktisch elke andere speler en konden gaan en staan waar ze wilden, op zoek naar schatten en wapens en geheime wegen die iedereen in het spel nodig had of wilde hebben.

Zijn moeder zei: 'Als je poppetje vleugels had, kon hij gewoon wegvliegen.'

Af en toe probeerde ze belangstelling te tonen voor het spel, altijd op het slechtste moment.

Daryl zei: 'Overal vliegen bloedvleermuizen en van die monsteradelaars. Als hij probeerde te vliegen, zouden ze hem in stukken scheuren. En ik wil niet weg, weet je nog? Ik wil zien wat hier verborgen ligt.'

Aan de horizon rezen verwrongen vormen op – de puinhopen in het centrum van Los Angeles. Het volgende save point was onder het restant van de dichtstbijzijnde wolkenkrabber. Daryl moest er zijn voor de zon onderging en zwermen dodelijke woestijndieren uit de kelders en ondergrondse parkeergarages en riolen van de in puin liggende stad kwamen kruipen.

Zijn moeder zei: 'Je bent op jacht naar die schat die volgens jou zo veel waard is. Je denkt dat ik niet weet waar het allemaal om gaat, maar dat doe ik wel.'

'Ik weet niet precies wat het is of wat het waard is. Maar het is in ieder geval moeilijk te pakken te krijgen, dus moet het aardig kostbaar zijn,' zei Daryl.

Hij hoopte dat ze niet ging beginnen over een baantje na schooltijd in plaats van de hele dag hier spelletjes te zitten spelen. De vorige keer had hij haar verteld dat het vinden en verkopen van spullen in *Trans* een echte baan was waarmee hij echt geld verdiende en dat ze blij moest zijn dat hij niet ergens op een straathoek dope stond te verkopen, en toen had ze hem een klap in zijn gezicht gegeven. Ze waren er allebei enorm van geschrokken. Zijn broer, DeLeon, was drie jaar eerder op zo'n straathoek doodgeschoten.

Maar ze zei alleen maar: 'Blijf niet te lang op,' en toen liep ze de kamer weer uit. Even later begonnen tv-stemmen tegen elkaar te praten in de woonkamer.

Daryl kon nu de verwrongen balken en palen onderscheiden van wat er over was van de dichtstbijzijnde wolkenkrabber. Hij gaf de joystick een duwtje en zijn avatar begon te rennen en wierp een stofwolk op die tot zijn middel kwam. Rond de kapotte bovenkant van de wolkenkrabber, die afstak tegen het brandende wrak van de zonsondergang, zweefden lui dingen waarvan hij wist dat het geen vogels waren.

Hij boog voorover en de controller lag glad en glibberig en warm in zijn handen. Hij rende door een groot netwerk van schaduwen over de woestijn, ontweek hopen gevallen stenen en bosjes en zocht dekking. Toen er een schaduw over hem heen schoot, schakelde hij over op het overzichtsbeeld en hij zag de zwarte gedaanten van bloedvleermuizen, elk groot genoeg om een man naar hun nest van botten te voeren, waar ze hem leeg zouden zuigen. Ze scheerden over Seeker8 heen, draaiden en cirkelden en kwamen met elke bocht lager. Hij schakelde weer over op het achterhoofdsgezicht, keek links en rechts, zag twee stukken muur tegen elkaar aanleunen en een soort tent vormen en voerde de snelheid op. Een bloedvleermuis schoot op hem af en hij richtte zijn AK47 en schoot hem in tweeën. Toen was hij er weer vandoor, op weg naar de duisternis onder de tegen elkaar leunende stukken muur, maar op dat moment sloeg er iets tegen hem aan. Hij viel languit in het stof en er vielen dingen bovenop hem. Daryl koos zijn mes en zijn pistool en sneed en schoot er blindelings op los, maar er waren er te veel. Ze kwamen op hem zitten en aten van hem en de rode lijn van de gezondheidstoestand liep snel naar nul. Toen flitste het scherm en ging het uit en was hij dood.

Seeker8 was dood.

Die stomme moeder van hem ook altijd.

Daryl veegde zijn zweterige handen af aan zijn T-shirt en bewoog zijn hoofd van de ene kant naar de andere om de spieren in zijn nek te ontspannen. Daarna rolde hij met zijn schouders. Hij bleef een hele tijd zitten, suf van uitputting, terwijl de tv mompelde in de woonkamer en het dunne janken van een politiesirene klonk in de nacht buiten het open raam en ergens in Brooklyn tegen zichzelf bleef huilen. Uiteindelijk huiverde hij en kwam hij weer een beetje bij. Hij legde zijn hand op zijn muis en riep zijn inbox op. Misschien had Ratking zijn laatste e-mail beantwoord. Als hij dit allemaal nog eens moest doen, moest hij een afspraak maken met zijn goede vriend Bernard voor wat chemische ondersteuning.

11

Summer ging vroeg op de donderdagmorgen, net na zonsopgang, op weg naar het huis van Joseph Kronenwetter. Ze dacht dat ze ongeveer twintig minuten nodig zou hebben om erheen te rijden. Als ze zichzelf een uur gaf om rond te neuzen, kon ze nog ruim op tijd terug zijn in Cedar Falls voor de ontmoeting met Denise Childers en de pro-Deoadvocaat alvorens Randy Farrell werd voorgeleid.

Hoewel ze pas drie weken bij de afdeling Beroving zat, had Summer al aan genoeg onderzoeken meegewerkt om te weten dat de procedure meestal net zo eenvoudig was als het aftikken van de multiplechoicevragen op een arrestatierapport. Je verzamelde het beschikbare bewijs, praatte met de juiste mensen en ontdekte de fouten die je hopelijk rechtstreeks naar de dader zouden leiden. Uiteraard loste je alleen de allereenvoudigste zaken op als je niet het talent, het instinct en de ervaring had om een veelzeggende ongerijmdheid te zien, om uit de verwarring van een plaats delict die sporen te kiezen die de verdachte in verband brachten met andere misdaden en om erachter te komen of een getuige een leugenachtige schooier was die iets te verbergen had of alleen maar in de war was. Daarnaast moest je ook nog beschikken over enige basiskennis van forensische technieken, moet je bekend zijn met de databases waar de politie informatie vandaan haalde, moest je huiszoekingsbevelen en arrestatiebevelen kunnen schrijven en moest je het hoofd koel kunnen houden als je moest getuigen in de rechtbank en de advocaat niet alleen je getuigenis aan flarden scheurde, maar bovendien aan de jury wilde bewijzen dat je een incompetente en bijna zeker corrupte nietsnut was die nog geen aanwijzing zou herkennen als die van het dak van het gerechtsgebouw op zijn hoofd viel.

Maar bij elk onderzoek kwam het uiteindelijk aan op het geduldig en nauwkeurig vergaren van informatie, een vaardigheid die Summer in haar jaren in uniform had getraind en bijgeschaafd door rapporten te schrijven als de eerst aanwezige politiebeambte bij allerlei soorten misdaden, van botsingen met blikschade tot verdachte sterfgevallen. Nu had ze beloofd Denise Childers te helpen en na het bezoek aan het landgoed van Dirk Merrit besefte ze dat ze niet half zoveel over deze zaak wist als noodzakelijk was en al helemaal niets van de omstandigheden. Ze geloofde dat een blik op de plek waar Edie Collier was vastgehouden haar het een en ander zou bijbrengen en bovendien moest ze toegeven dat ze nieuwsgierig was naar waar en hoe Joseph Kronenwetter woonde.

Ze had haar aantekenboekje half onder haar bovenbeen geklemd, opengevouwen op de pagina waarop Denise had geschreven hoe ze moest rijden. De vierbaans-snelweg voerde door scherp geaccentueerde voetheuvels. Groene weiden, ranchachtige huizen en rode schuren, vierkante bosjes bomen die meedeinden op de contouren van de heuveltoppen. Tientallen campers in een groot

veld met eikenbomen eromheen. Paarden achter hekken van gespleten stammetjes. De snelweg versmalde naar twee rijbanen en
niet lang daarna nam Summer een landweg naar het zuiden en reed
ze door een kleine gemeenschap, Argyle, die uit niet meer bestond
dan een winkel en een handvol huizen langs de weg. Over een ap-
pelgroen geschilderde stalen brug in een donker stroomdal tussen
steile wanden. Aan de linkerkant stonden bomen langs de rand van
de weg, aan de rechterkant nog meer bomen, die afdaalden naar
de rivier. Summer draaide het raampje van de Taurus naar beneden en genoot van de koele, vage wind langs de auto. De rivier,
een zijstroom van de Umpqua, toonde lange strepen wit water waar
het snel over rotsblokken stroomde. Een paar vissers haalden hun
spullen uit de laadbak van een pick-up die naast de weg geparkeerd stond.

Meteen nadat een betonnen brug de weg over een bocht in de
rivier had geholpen ging Summer rechtsaf een grindpad op dat als
brandgang dienstdeed en reed ze in de diepe schaduw van douglassparren en witte pijnbomen langs een kampeerterrein. Het bos
werd dunner toen de weg begon te klimmen. Summer ving glim-
pen op van velden, een groepje huisjes en caravans en remde toen
ze de zwart met witte politiewagen dwars over het pad naar Kronenwetters huis zag staan.

Toen Summer achter het voertuig stopte, stapte de hulpsheriff
op zijn dooie gemak uit. De brede rand van zijn hoed stond laag
boven zijn ogen. Hij bekeek Summers penning, liet haar het logboek tekenen dat aan zijn klembord bevestigd zat en zei dat ze uit
de schuur moest blijven, omdat de mensen van de technische dienst
daar nog iets te doen hadden. Ze reed een oneffen pad vol stenen
af, met dicht opeen staande douglassparren op de steile helling aan
haar linkerkant en een boomgaard met kronkelige en ongesnoeide
appelbomen aan de rechterkant. En daar, achter de boomgaard,
stond een houten hut met een dak van teerpapier.

De hut stond op de stenen fundering van een veel groter huis en
werd omringd door een rij houten paaltjes die in de harde droge
grond waren geslagen en waaraan geel politielint was vastgemaakt.
Het bouwsel was eens blauw geweest, maar het grootste deel van
de verf was weg en wat er nog over was, bladderde van het zil-
vergrijs verweerde hout. Erachter stond een ouderwets gemak met
een halve maan in de ruwe deurplanken.

Summer stapte over het politielint en liep helemaal om de hut
heen. Ze tuurde door de smerige ramen, maar zag alleen scha-

duwen. Naast een stapel gespleten houtblokken vond ze een valdeur die was vastgemaakt met een hangslot zo groot als haar vuist. Ze ging op haar hurken zitten en bekeek het hangslot. Het was een American Standard, waarvan het chroom helemaal verweerd was. Ze vroeg zich af of het van Kronenwetter was. Of had de politie van Cedar Falls het erop gezet voor het geval journalisten in de kelder probeerden te komen? Dat moest ze aan Denise vragen.

Achter de hut liep het pad met een bocht langs een hoge berg zwart geworden afval, bekroond met onkruid. Op een hard stuk grond vol olievlekken stonden een oude Ford pick-up en een nog oudere John Deere tractor. In een hoekje van het achterraam van de pick-up zag ze een vlaggetje van de zuidelijke staten. Bij het stroompje was een stuk grond geëgaliseerd en omgeploegd. Rijen tomatenplanten en sla en snijbonen achter een tegen konijnen bestand hek van nylondraad, een slordige heg van maïsplanten, een waterpomp die op benzine werkte met een slang eraan die door een smalle strook essen en vlierbomen naar een ondiepe kreek slingerde. Achter de bomen en een stuk wei vol onkruid glinsterde iets wits in het frisse ochtendlicht, het dak van een huis.

Toen ze dat zag, wist Summer meteen dat Denise in één opzicht gelijk had gehad. Als Edie Collier was ontsnapt uit Joseph Kronenwetters kelder, was er geen enkele reden waarom ze door het dichte bos naar een plek zou zijn gelopen die vijftien kilometer verderop en tientallen meters hoger lag, niet als ze naar het buurhuis had kunnen lopen of de brandgang naar de snelweg had kunnen volgen. Als ze hier was vastgehouden, moest ze ergens anders heen zijn gebracht voordat ze ontsnapte. Misschien waren Dirk Merrits hints over de jacht op mensen toch niet zo vergezocht. Misschien wist hij iets over Kronenwetter en vond hij het leuk om die wetenschap stukje bij beetje aan de politie door te geven. Of misschien waren hij en Kronenwetter jachtmaatjes...

Summer liep terug naar de hut, bestudeerde het hangslot nog eens en zag iets dat ze de eerste keer gemist had; verse krassen op de plaat, rond het sleutelgat. Op haar hurken, met de zon op haar rug en het geluid van de ontwakende krekels om haar heen, dacht ze aan de geheimzinnige beller die de plaatselijke politie had gezegd dat ze eens in Joseph Kronenwetters kelder moest gaan kijken, en ze voelde een steekje van voorzichtig plezier, als een jager die in de modder bij een poel een hoefafdruk aantreft.

Joseph Kronenwetters buurvrouw was een weduwe die Rhonda

Cannon heette, een verstandige, praatzieke oude dame met scherpe ogen in een spijkerbroek en een mannenshirt. Ze had er geen
bezwaar tegen Summers vragen te beantwoorden en vertelde haar
dat ze Joe Kronenwetter al vanaf zijn geboorte kende en dat het
godgeklaagd was dat het zo ver met hem was gekomen.

'Hij was een leuk jongetje, met vlashaar en appelwangen. Als
tiener heeft hij een paar keer last gehad met de politie, maar dat
was niets ernstigs en hij raakte zijn wilde haren kwijt toen hij eenmaal in het leger was gegaan. Maar zijn vader dronk. Ze denken
dat daardoor het huis is afgebrand, omdat hij op een avond in slaap
viel met een brandende sigaret in zijn hand. Het was net na Kerstmis en midden in een sneeuwstorm. Mijn man, die leefde toen nog,
zag een flikkerend licht door de vallende sneeuw en besefte dat het
huis van de Kronenwetters in brand stond. Het duurde meer dan
een uur voor de brandweer arriveerde, maar ook al waren ze er
meteen geweest, dat had toch geen verschil gemaakt. Het huis stond
al helemaal in lichterlaaie toen mijn man de brand in de gaten
kreeg. Het was een van de vreemdste dingen die ik ooit heb gezien,
dat huis dat gele vlammen en zwarte rook de nacht in spuwde terwijl het al die tijd sneeuwde.'

'Joseph Kronenwetter zat op dat moment in het leger?'

'Ja, mevrouw, hij bereidde zich voor op de eerste oorlog in Irak.
Hij kreeg verlof omdat zijn ouders bij de brand waren omgekomen en stond bij de begrafenis heel recht en lang in zijn uniform
bij het graf van zijn ouders, maar daarna ging hij meteen terug
naar Koeweit om tegen Saddam te vechten. Hij is de enige die nog
over is van zijn familie. Hij had een oudere broer die is omgekomen bij een verkeersongeluk en er is nog een zuster die in Los Angeles is gaan wonen; niemand weet of die nog leeft of dat ze dood
is. In ieder geval heeft de dood van zijn ouders hem zwaar aangepakt of anders is er in Koeweit iets met hem gebeurd, want toen
hij uit het leger ging en weer thuiskwam, zag je meteen dat hij een
heel andere man was geworden. Hij was nooit erg spraakzaam geweest, maar toen hij terug was, groette hij je amper. Hij dronk veel,
hij liet zijn haar groeien en schuifelde rond in gerafelde kleren alsof hij een of andere zwerver was, en als hij iets zei, had hij het erover dat andere mensen het op hem gemunt hadden.'

'Welke mensen?'

Rhonda Cannon wendde haar blik af en haalde haar schouders
op. 'O, dat was allemaal onzin. Hij zei dat er mensen waren die
zich in het bos verstopten en hem in de gaten hielden of dergelijke onzin. Ik lette er eigenlijk niet echt op.'

Summer zei: 'Ik begrijp dat u geen kwaad wilt spreken over uw buurman, mevrouw. Maar alles wat u over hem weet kan ons laten begrijpen waarom dit is gebeurd. Het zou hem zelfs kunnen helpen.'

'Ik zie niet hoe. Jullie hebben hem toch al opgesloten.'

'Het kan ervoor zorgen dat hij de juiste behandeling krijgt.'

Na een korte stilte zei Rhonda Cannon: 'Het was echt onzin. Van die verhalen die je in die supermarktboekjes vindt, over hoe de regering en de Verenigde Naties over iedereen dossiers aanleggen, en over geheime boodschappen in tv-programma's en barcodes... Hij beweerde een keer dat de zwarten en de liberale media, de universiteiten en weet ik wat nog meer samenzwoeren tegen de Amerikaanse normen en waarden. Hij wilde me een boek geven waarin dat volgens hem allemaal werd uitgelegd, maar ik zei tegen hem dat ik het zou waarderen als hij dat soort onzinverhalen voor zich hield, en daarna is hij er nooit meer over begonnen. Ik geloof niet dat hij er echt iets van geloofde. Hij zocht alleen iets wat kon verklaren hoe hij zich voelde.'

'Weet u de titel van dat boek nog?'

Rhonda Cannon schudde haar hoofd. 'Zoals ik al tegen hem zei, wilde ik er niet eens naar kijken. Ik denk dat Joe wel dreigend overkwam als je hem niet kende, maar als je tegen hem in ging en zei dat hij niet zo raar moest doen, bond hij meestal wel in. Niet dat hij geen problemen had. Toen hij vorig jaar met de politie te maken kreeg, hoopte ik dat de gevangenis hem bij zinnen zou brengen. En hij was inderdaad een stuk rustiger toen hij weer thuiskwam, maar dat was blijkbaar niet blijvend.' Rhonda Cannon zweeg even, maar toen keek ze Summer recht aan en zei: 'Die arme meid, ik hoor dat hij ervan beschuldigd wordt dat hij haar ontvoerd heeft. Was zij de enige, of waren er nog andere? Ik vraag het omdat u helemaal uit Portland komt.'

'Voor zover ik weet was zij de enige.'

'Dat is in ieder geval iets, nietwaar, hoewel het erg genoeg is wat er met haar is gebeurd.'

'Kreeg meneer Kronenwetter vaak bezoek?'

'Niet dat ik weet.'

'Hebt u de laatste week niets ongewoons gezien? Voertuigen die bij zijn hut geparkeerd stonden of zo?'

'Ik ben het hele weekend bij mijn zus en haar gezin geweest, aan de kust bij Port Orford. Maar ik kan me niet herinneren dat ik voor of na die tijd iets opvallends gezien heb. Tot de politie arriveerde, tenminste.'

'En twee nachten geleden?'

'Dinsdagnacht? Nee, dat geloof ik niet.'

Summer wees naar de rij bomen aan de grens van Joseph Kronenwetters terrein. 'Hebt u daar lampen zien schijnen of een voertuig opgemerkt of zoiets?'

'Net nadat Joe was gearresteerd?' Rhonda Cannon dacht er even over na en zei: 'Ik geloof het niet. Ik ben voor de tv in slaap gevallen, wat de laatste tijd wel meer gebeurt, en ik ben om een uur of tien naar bed gegaan. Als er iets gebeurd is, heb ik het gemist. Maar gisteravond kwam er een auto vol tieners de weg op rijden, zo brutaal als de beul, maar de hulpsheriff die Joe's huis bewaakt heeft ze weggestuurd. Er zijn gisteren ook televisiemensen langs geweest, maar dat was toen de politie hier overal rondliep.'

'En verder zijn er geen problemen geweest? Geen andere bezoekers?'

'Voor zover ik weet niet.'

Summer bedankte de vrouw voor haar tijd toen het geluid van een overdreven gierende motor hen allebei deed omkijken. Een kersrode Dodge Ram kwam met een grote stofwolk erachter over het onverharde spoor naar het huis gereden.

Rhonda Cannon zei: 'Vriend van u?'

'Niet precies.'

Summer besefte dat de hulpsheriff haar bezoek gemeld moest hebben. De grote pick-up kwam slippend tot stilstand, het stof stoof alle kanten op en Jerry Hill sprong uit de cabine en kwam autoritair op hen toegelopen. Hij zei luid: 'Ik begrijp dat u hier wat hebt rondgesnuffeld, rechercheur Ziegler.'

'Ik heb de plaats delict niet verstoord, als u daarom helemaal hierheen bent gekomen.'

Jerry Hill keek haar over zijn zonnebril recht aan. 'Daar hoef ik me geen zorgen meer over te maken. De zaak is afgesloten.'

Summer zei: 'Wat komt u dan doen? Heeft Kronenwetter bekend?'

Jerry Hill glimlachte. 'Nog veel beter. Die gek heeft zichzelf vannacht opgehangen.'

Toen Summer Denise Childers trof in een café tegenover het gerechtsgebouw kreeg ze het verhaal van Joseph Kronenwetters zelfmoord nog eens helemaal te horen, min of meer zoals Jerry Hill het had verteld. Kronenwetter had lopen razen en tieren en lastig lopen doen, en hij was in een speciale cel gezet. De bewakers hadden met regelmatige tussenpozen bij hem gekeken. Om elf uur zag de bewaker hem niet door het kijkgaatje en toen had hij de deur opengemaakt en hem tegen de hoek van zijn bed zien zitten. Hij had de pijp van zijn overal in repen gescheurd, daar een lus van gemaakt, de lus aan het hoofdeind van het bed gebonden en zichzelf opgehangen door te gaan zitten. En hij had onhandig een boodschap in de muur van de cel gekrast.

Ik wou niet dat ze doodging.

Jerry Hill had Summer met enorm plezier over die boodschap verteld. En op de terugweg naar Cedar Falls had zijn Dodge Ram constant aan de bumper van haar Taurus gekleefd en had de brede, chromen grille haar hele achteruitkijkspiegel gevuld, ook al had ze verscheidene keren afgeremd om hem erlangs te laten.

'Het wordt gezien als de bekentenis van een stervende,' zei Denise Childers.

Ze droeg een zwart mantelpakje en een frisse witte blouse, en haar scherpe gezicht was zachter gemaakt met lippenstift, rouge en een klein beetje groene oogschaduw. Ze zou het snoepje voor het oog zijn, zoals zij het stelde, en naast Jerry Hill en sheriff Worden staan terwijl die uitlegden waarom iedereen weer rustig kon slapen.

Summer zat tegenover Denise met haar ondergoed van de vorige dag nog aan, met stoffige schoenen en graszaden op haar broekspijpen, en ze zei: 'Ben je nu anders over de zaak gaan denken?'

'Worden en de officier van justitie vinden dat we de zaak verder wel kunnen laten rusten. Aan de ene kant ben ik het met hen eens. De man heeft zelfmoord gepleegd en heeft uit oprechte wroeging die boodschap achtergelaten, en dat is dat. Maar aan de andere kant denk ik nog steeds dat hij bij iets groters betrokken was.'

'Ik zag dat het luik van de kelder onder zijn hut met een hangslot was afgesloten. Ik vroeg me af of het zijn hangslot was, of heeft iemand het erop gehangen nadat hij was gearresteerd?'

'Het luik buiten?'

'Ja. Ik ben niet binnen geweest.'

'Dat is zijn slot. En als je je soms afvraagt hoe Edie Collier kan zijn ontsnapt uit een kelder die van buitenaf was afgesloten, er is nog een luik in de hut. Waarschijnlijker is nog dat ze wist te ontkomen toen hij haar om een of andere reden naar een andere plek overbracht.'

'Er zitten krassen rond het sleutelgat van het hangslot. Alsof iemand geprobeerd heeft het open te steken.'

Denise bleef even heel stil zitten. 'Weet je het zeker?'

'Niet honderd procent. Maar de krassen zitten er nog niet lang op en ik denk niet dat ze met een sleutel zijn gemaakt.'

'Dus jij wil zeggen dat iemand eergisteravond naar binnen kan zijn geslopen? Heb je enig idee waarom?'

'Jerry Hill heeft Kronenwetter op dinsdagavond gearresteerd, maar de hut is pas de volgende morgen doorzocht.'

'Toen hadden we inmiddels de tip gekregen.'

'Dus als iemand Kronenwetter erin wilde luizen, kan die het belastende bewijs in zijn kelder hebben gelegd nadat hij was gearresteerd, de kelder weer op slot hebben gedaan en de volgende morgen gebeld hebben om jullie te vertellen dat jullie daar moesten gaan kijken.'

Toen ze de vorige avond op de terugweg geweest waren van het landhuis van Dirk Merrit had Summer Denise gevraagd of iemand een analyse had gemaakt van het bandje met de stem van de beruchte anonieme beller. 'Je zou hem kunnen vergelijken met een opname van Dirk Merrits stem.'

'Er is geen bandje, want het telefoontje kwam niet via het alarmnummer binnen,' had Denise gezegd. 'En het telefoontje is ook niet via de balie gelopen, maar rechtstreeks naar een van de telefoons in het kantoor. De secretaresse die het heeft aangenomen, zei dat het klonk als die Britse wetenschapper. Je weet wel, die in de rolstoel? Hij zat in *The Simpsons*.'

'Stephen Hawking?'

'Ja. Ik denk dat degene die gebeld heeft een vervormer heeft gebruikt om zijn stem onherkenbaar te maken.'

Nu dacht Denise even na, en toen glimlachte ze en zei: 'Wat ik kan doen, is een van de mensen van de technische dienst de hut nog eens laten onderzoeken en vooral dat hangslot beter laten bekijken. En misschien moet ik Dirk Merrit eens vragen waar hij op dinsdagavond was en wat hij toen deed.'

Ze waren weer terug bij haar krankzinnige miljonair.

Summer had bij de hut van Kronenwetter een ander scenario bedacht. Ze wilde zien wat Denise ervan vond en zei: 'Ik zag dat er een sticker op de achterruit van Kronenwetters pick-up zat met de vlag van de zuidelijke staten, en zijn buurvrouw zei dat hij het altijd had over een of andere samenzwering tussen Afro-Amerikanen en de liberale media. Het heeft misschien niets te betekenen, maar ik vraag me af of hij banden had met blanke racisten.'

Denises glimlach verdween. 'Waar wil je heen?'

'In de buurt van Portland zijn een heleboel mensen die zich bezighouden met de productie van speed, blanke racisten of motorrijders die graag de vlag van de zuidelijke staten voeren. Ik weet dat hier ook speed wordt vervaardigd, omdat je me hebt verteld over een superlab dat jullie een maand geleden hebben overvallen, dus vroeg ik me af of Kronenwetter connecties had met zulke mensen. Misschien is hij met ze in contact gekomen toen hij laatst in de gevangenis zat.'

'Er staat niets over speed in zijn dossier.'

'Je hebt me ook verteld dat er marihuanaplanten op zijn terrein gevonden zijn.'

'Een paar keer, maar er is nooit iets van gekomen. Als ik me goed herinner, stonden ze op open plekken in het bos. We konden niet bewijzen dat Joe er iets mee te maken had. Denk jij dat dit iets met drugs te maken heeft?'

'Ik denk dat het mogelijk is,' zei Summer. Ze had dit allemaal bedacht terwijl ze terugreed naar Cedar Falls. 'Stel dat de vriend van Edie Collier voor zaken hiernaartoe is gekomen, om marihuana of speed te kopen...'

'Van Joe Kronenwetter? Wat hij ook is, geen drugsdealer.'

'Van vrienden van hem. De vriend neemt Edie mee, maar op de een of andere manier nemen de zaken een verkeerde wending. Kronenwetters vrienden vermoorden de vriend, maar Edie ontsnapt.'

'En raakt ergens haar kleren kwijt.'

'Het is geen aangename gedachte, maar misschien wilden ze wat lol met haar hebben. De volgende dag wordt ze halfdood gevonden,' zei Summer. 'Ze probeert je te vertellen wat er met haar vriend is gebeurd, maar ze sterft voordat ze naar het ziekenhuis gebracht kan worden. Kronenwetter wordt gearresteerd omdat hij een geweer op Jerry Hill richt en de slechteriken besluiten bewijsstukken in zijn kelder te leggen om hem erbij te lappen en snel een einde te maken aan het onderzoek.'

'Waarom moeten het vrienden van Kronenwetter zijn?'

'Het moet iemand zijn die hem kent, die weet dat hij een kelder heeft.'

'Het idee dat iemand bewijsstukken in de kelder van Joe Kronenwetter heeft gelegd staat me wel aan, maar het kan net zo gemakkelijk Dirk Merrit zijn geweest als die hypothetische, in drugs handelende blanke racisten van jou. Merrit zegt dat hij Kronenwetter niet kent, maar ik weet zeker dat dat niet waar is. En Kronenwetter had het over een monster, niet over drugsdealers.'

'Als Edie Collier betrokken was bij een drugsdeal, zou dat verklaren hoe ze hier terecht is gekomen.'

'Daar kunnen miljoenen redenen voor zijn,' zei Denise. 'Misschien is die vriend hierheen gekomen om wat drugs van het platteland te kopen. Of misschien had Edie ruzie met hem, besloot ze de stad uit te gaan en kreeg ze een lift van de verkeerde persoon. Of misschien, en dat zou de boodschap verklaren die hij heeft achtergelaten, heeft Joe Kronenwetter haar ontvoerd en heeft hij haar aan Dirk Merrit gegeven, zodat de man eens op een echt mens kon jagen.'

Dat was een van de ideeën waar Summer en Denise de vorige avond over hadden gepraat op de terugweg na hun gesprek met Dirk Merrit.

'Het komt erop neer dat we niet genoeg weten,' zei Denise. 'Zo lang dat zo is, kunnen we allerlei dingen bedenken zonder ooit dichter bij de waarheid te komen.'

'Dus moet ik beslist met de vriend praten. Als hij er nog is.'

'Ik denk dat dat een goed idee is. Als jij probeert uit te zoeken waar die vriend mee bezig was, zal ik dat hangslot beter laten bekijken en ik zal ook proberen uit te vissen wat Joe Kronenwetter vorig jaar in de gevangenis heeft uitgespookt, voor het geval dat.' Denise keek op haar horloge. 'Maar nu moet ik weg. Sheriff Worden vilt me levend als ik die persconferentie mis. Ik zal je eerst aan Mark Kirkpatrick voorstellen. Neem die koffie maar mee als je wilt.'

Summer had haar beker maar half leeggedronken. Ze wist uit ervaring dat te veel koffie voor een rechtszitting ongewenste druk uitoefende op haar blaas. Ze duwde de beker weg en zei: 'Ik ben klaar.'

De pro-Deoadvocaat, Mark Kirkpatrick, was een lange, knappe man die niet veel ouder was dan Summer. Hij was bruin van de tennisbaan, had een hele rij blinkend witte tanden, droeg een duur zwart pak en beschikte over de nonchalante charme en het zelfvertrouwen dat alleen oud geld kan opleveren. Toen Summer naast hem op een bankje voor de rechtszaal zat en verslag deed van Randy Farrells poging om Joseph Kronenwetter aan te vallen, viel haar de gedachte in dat hij precies het soort advocaat was dat haar ex, Jeff Tuohy, had willen worden.

Toen ze klaar was met haar verhaal, bedankte Mark Kirkpatrick haar met de woorden: 'Dit is heel nuttig. Het klopt ongeveer met wat meneer Farrell me heeft verteld.'

'Heeft meneer Farrell het er ook nog over gehad dat hij kanker heeft?'

'Ik heb zijn dokter in Portland gebeld. Hij heeft een verklaring gefaxt, maar die wil ik alleen gebruiken als het ernaar uitziet dat hij een gevangenisstraf krijgt.'

'Is dat waarschijnlijk?'

'Niet zo lang hij het hoofd laat hangen en met passende dee-moedigheid zijn excuses maakt.'

'Ik wil met alle liefde getuigen van het goede karakter van meneer Farrell en zijn verdriet om zijn stiefdochter, als u denkt dat het zal helpen.'

'Ik hoop dat het karakter van meneer Farrell erbuiten kan blijven gezien zijn uitgebreide strafblad. Ik laat hem schuld bekennen en daarna vraag ik of ik de rechter even kan spreken. Rechter Foster is een redelijke vrouw, en eerlijk gezegd is het feit dat Joseph Kronenwetter zelfmoord heeft gepleegd een groot voordeel, ook al voel ik me een klootzak omdat ik het zeg. Iedereen in de stad wil deze akelige zaak zo snel mogelijk vergeten, dus ik betwijfel ten zeerste of meneer Farrell terecht zal moeten staan. Hij krijgt een boete en een voorwaardelijke invrijheidstelling en dan kunt u hem weer meenemen naar huis.' Mark Kirkpatrick trok zijn manchet omhoog en keek op zijn horloge, een roestvrijstalen Rolex. Daarna pakte hij zijn onberispelijke ossenleren koffertje op en ging staan. 'Bedankt voor uw tijd, rechercheur. Tussen twee haakjes, waar staat uw auto?'

Summer ging ook staan. 'Aan de overkant.'

'Ik zag een paar verslaggevers bij de voordeur rondhangen, dus misschien kunt u uw auto beter achter het gebouw zetten. De bewaker zal u laten zien waar u kunt parkeren. Op die manier kunt u wegkomen zonder lastiggevallen te worden als meneer Farrell aan u wordt overgedragen.'

De jongensachtige grijns van de advocaat liet bijna al zijn witte tanden zien. Summer vroeg zich af of ze geacht werd in zijn armen flauw te vallen en zei toen tegen zichzelf dat ze niet zo flauw moest doen. Het was niet zijn schuld dat hij haar aan Jeff deed denken, die toen ze hem voor het eerst ontmoette de gewoonte had gehad zijn versleten overhemdkragen bij te werken met correctievloeistof, maar zich waarschijnlijk gemakkelijk maatpakken kon veroorloven nu hij deel uitmaakte van de elite van Washington.

Ze ging achter in de met hout betimmerde rechtszaal zitten, waar alles ongeveer ging zoals Mark Kirkpatrick had voorspeld. Er schuifelde een rij geboeide gevangenen naar binnen, voor het merendeel vrouwenmishandelaars, kleine dieven en dronkelappen, allemaal in een oranje overal met de woorden 'Macabee County Correctional Facility' in zwarte letters op de borst en de rug. Randy Farrell liep tussen een piepende tiener en een waardige zwarte man met een kaalgeschoren hoofd. Toen hij zag dat Summer naar hem keek, verscheen er een harde trek op zijn gezicht en keek hij de andere kant uit.

De griffier, een kalende man met een oude colt in een versleten leren holster onder zijn dikke buik, gaf opdracht te gaan staan en de rechter kwam door een deur achter de rechtbank naar binnen als een figuurtje in een middeleeuwse klok. Randy Farrells zaak werd als eerste behandeld. Mark Kirkpatrick zei dat zijn cliënt schuldig pleitte en vroeg of hij naar voren mocht komen. Hij had een gefluisterd gesprekje met de rechter en stapte weer achteruit. De rechter richtte haar scherpe blik op Randy Farrell en vertelde hem dat mishandeling van een wetsdienaar een ernstige zaak was, maar dat ze gezien de omstandigheden en de recente tragische gebeurtenissen bereid was een lichtere straf op te leggen van vijfhonderd dollar boete en honderd dagen voorwaardelijk. De officier van justitie maakte geen bezwaar en de rechter sloeg met haar hamer en ging verder met de volgende zaak.

Daarna ging alles met de soepele snelheid van een goed geoefende executie. Randy Farrell werd overgedragen aan Summer en nadat hij in het toilet zijn eigen kleren weer had aangetrokken en zijn boete had betaald bij de kassier, reed Summer met hem de parkeerplaats af en door de eenrichtingverkeerstraatjes van Cedar Falls naar de I-5.

Hoewel ze niet gevolgd werden, had Summer het gevoel dat ze honderd jaar geleden met pek en veren zouden zijn ingesmeerd en de stad uit zouden zijn gejaagd. Ze liet Randy Farrell voorin zitten, maar hij zei bijna niets op de lange rit terug naar Portland.

12

De Black Rock Desert in Nevada. De zon was een vurige spijker, hoog in de weidse blauwe lucht getimmerd. Een warme wind blies vlagen zoutstof over de vlakte naar de kale bergen, die kronkelden achter glazige lagen trillende hitte.

Carl Kelley stond in een klein stukje schaduw aan de achterkant van de grote camper, met een honkbalpet op en in een niet dichtgeknoopt spijkershirt en een zwarte legerbroek. Hij dronk water uit een flesje en keek met nerveus en onkarakteristiek ongeduld hoe Merrits ultralight een paar kilometer verderop een duikvlucht maakte, draaide en weer klom. Het gezoem van de propeller van de ultralight klonk als een bij voor een raam en nam toe en af terwijl Merrit op zijn dooie gemak het offer over de droge bedding van het meer joeg.

De camper, een Coachman Cross Country SE met tien lagen met de hand ingewreven zwarte lak die van voor tot achter volgens Merrits specificaties was aangepast, was een ideale manier om offers naar afgelegen plekken te vervoeren, waar Dirk Merrit zijn fantasieën kon naspelen. Het offer kon gebonden en met een prop in zijn mond op het bed in de grootste slaapkamer worden vastgehouden; Dirk Merrit gaf er de voorkeur aan zijn onwaarschijnlijk lange lichaam uit te strekken op de aangepaste ligstoel achter de grote, comfortabele chauffeursstoel. En omdat mensen met campers daar vaak allerlei vakantiespullen aan hingen, keek niemand op van de terreinmotor die aan het achterrek hing of van de Cumulus *ultralight* die ingeklapt op zijn zes meter lange aanhanger lag.

Het volume van de walkietalkie aan Carls riem was helemaal zacht gezet, omdat hij het zat was de ademloze juichkreten van Dirk Merrit aan te horen, en hij nam ook niet de moeite het gebeuren te volgen met de Bushnell-verrekijker om zijn nek, omdat hij van alle vorige keren wist hoe het zou verlopen. Als het offer bleef staan, schoot Dirk Merrit eromheen tot hij het op een lopen zette, en als hij wegrende, joeg hij erachteraan en schoot hij bij duikvluchten tot het offer te moe was om nog verder te rennen, waarna hij landde en het met zijn kruisboog afmaakte.

Al met al was het een dure, gecompliceerde en gevaarlijke manier om klaar te komen en Carl had het er helemaal mee gehad. Bovendien was het elke keer als het lichte vliegtuigje een duikvlucht maakte alsof er zuur in zijn aderen werd gespoten. Dirk Merrit nam onnodige risico's omdat hij dacht dat hij slimmer was dan alle andere mensen en altijd zou blijven leven. Carl zou blij zijn als hij van de man af was, maar hij mocht nog niet dood. Binnenkort, maar nóg niet.

Carl was iets minder dan twee jaar eerder met Dirk Merrit in contact gekomen. Hij werkte op dat moment als gids voor een organisatie die safari's verzorgde in Namibië omdat hij zich gedeisd moest houden nadat hij door wat problemen in Oeganda onder de aandacht van het Internationale Oorlogstribunaal in Den Haag was gekomen. De baan als safarigids had niet veel voorgesteld; hij moest miljonairs en zakenlieden in de bush naar een arme zieke leeuw of olifant leiden die was gekocht van stropers of een malafide dierentuin en was verdoofd voordat hij was vrijgelaten, zodat ze het dier af konden schieten met de gloednieuwe, peperdure geweren die ze daarna waarschijnlijk nooit meer zouden gebruiken. Na slechts een halfjaar had Carl het bijltje erbij neer willen gooien en iets anders willen gaan doen. Hij had eraan gedacht onder een nieuwe naam dienst te nemen bij een particulier beveiligingsbedrijf in Afghanistan of Irak. Toen was Dirk Merrit op het toneel verschenen.

Hij was zo anders geweest dan de gebruikelijke klant: jonger, gekker, charismatischer. De avond nadat hij een artritische, halfblinde leeuw had afgeschoten, had hij aan Carl gevraagd of er enige kans was op echte actie. Stropen, bijvoorbeeld. En zo hadden Carl en een maatje uit de goede oude tijd Dirk Merrit tegen betaling van veertigduizend dollar meegenomen naar Botswana, waar ze een bende sluwe stropers hielpen een olifant te schieten. Naderhand had Dirk Merrit aan Carl gevraagd of hij ooit van *The Most Dangerous Game* had gehoord en had hij hem later op een draagbare dvd-speler een oude zwart-witfilm laten zien over een blanke jager en een meisje, die in de jungle werden opgejaagd door een krankzinnige miljonair tot ze erin slaagden de zaken om te keren. Carl had hem verteld dat je zoiets het best kon aanpakken door je slachtoffer een mes en een voorsprong te geven en hem te motiveren met het idee dat hij zou kunnen ontsnappen. Hij had hem ook een paar goed ingestudeerde verhalen verteld over de lol die hij in Oeganda had gehad, maar hij had er verder niet bij nagedacht; het was het soort onzin dat mensen elkaar in een bar vertelden als ze in het juiste gezelschap verkeerden en na het juiste soort plezier. Maar twee weken later had Dirk Merrit hem gebeld vanuit Amerika en hem een baan aangeboden.

Aanvankelijk had het heel goed gewerkt. Carl zag zichzelf niet als een werknemer. Het was meer iets van leraar en leerling, en Dirk Merrit was een slimme leerling geweest. Carl had met veel plezier heen en weer gereden over de 1-5 om geschikte offers te kiezen en te ontvoeren en ze klaar te maken voor Dirk Merrit. Maar de man was veranderd. Dat kwam niet alleen door de plastische chirurgie, hoewel die de laatste paar keer behoorlijk heftig was geweest. Hij werd ongeduldiger, meer paranoïde, impulsiever, hij nam risico's terwijl dat niet nodig was en tartte het lot. Bovendien raakte zijn geld op. Hij had te veel uitgegeven aan zijn huis, aan zichzelf, aan zijn obsessies. Nadat hij gedwongen was geweest zijn belang in het bedrijf dat zijn geliefde computerspel beheerde te verkopen, was hij gaan klagen dat hij de controle kwijtraakte, waarmee hij bedoelde dat hij de financiën niet meer had om te doen wat hij wilde. Als om dat te compenseren werden de perioden tussen jachtexpedities steeds korter en zelfs voor dat gedoe met het meisje en de ontdekking van die beveiligingsman die de spullen in de trofeezaal liep te bekijken had Carl al beseft dat de trein uit de rails liep. Vroeg of laat werd Dirk Merrit gepakt of gedood.

Carl kon niet gewoon weglopen; als de belastende video's en foto's die in de kluis van Dirk Merrits advocaat lagen in handen van de politie vielen, kwam hij op de FBI-lijst van de tien meest gezochte misdadigers te staan. Maar terwijl Carl nadacht over een veilige manier om te verdwijnen, was Erik Grow gelukkig gekomen met het eenvoudige idee om de laatste bron van inkomsten van hun baas af te tappen. Zodra alles op zijn plaats was gevallen en hij het geld in handen had, zou Carl afrekenen met Dirk Merrit, een andere naam aannemen en een afgelegen plek zoeken waar hij zich kon vestigen. Brazilië leek een goed land. Of Argentinië. Carl had gehoord dat je in Buenos Aires met een paar honderd Amerikaanse dollar per maand kon leven als een koning.

Toch had hij de vorige avond op het punt gestaan weg te lopen nadat Dirk Merrit niet alleen had geprobeerd de twee rechercheurs te slim af te zijn, maar bovendien zijn laatste krankzinnige plan uit de doeken had gedaan. Maar later die avond had Erik Grow gebeld en Carl verteld dat Dirk Merrit eindelijk het percentage had gewijzigd dat hij afroomde van de creditcardbetalingen voor het spel waarvan hij eens de eigenaar was geweest.

'Hij heeft het voor precies twee uur opgedreven naar één procent. Hij heeft een enorm risico genomen, laten zien wat hij in zijn schild voert, en dat heeft hem nog geen vijfduizend dollar opgeleverd.'

'Kun je het verbergen?'

'Dat wordt moeilijk...'

'Zoek een manier om het zo lang mogelijk te verbergen. Moet ik nu die *keystroke* recorder weghalen?'

'Waarom niet? Hij heeft het afroompercentage veranderd, dus moet hij in het programma zijn geweest. Als de keystroke recorder nog steeds in de computer zit en nog werkt, heeft hij het gebruikte wachtwoord opgeslagen.'

'Als het niet werkt, gaat de vent die me het ding verkocht heeft een heleboel medelijden met zichzelf krijgen.'

'Je moet het meteen doen. Ik kan zijn actie niet lang verborgen houden.'

'Ik kom over een paar dagen naar je toe. Houd de zaak tot dan geheim,' had Carl gezegd, en hij had de verbinding verbroken toen Erik Grow tegen begon te stribbelen.

Hij had in zijn kale kamertje plannen zitten maken. Alles ging sneller dan hij had verwacht. Eerst dat meisje, dan het wilde plan om de partner van het offer naar Portland te lokken, en nu dit. Dirk Merrit was helemaal losgeslagen. Misschien wílde hij gepakt worden. Intussen moest Carl een excuus verzinnen voor een volgende reis naar Los Angeles, iets wat geen argwaan zou wekken bij Dirk Merrit. In zijn huidige toestand was niet te voorspellen wat hij zou doen als hij vermoedde dat Carl iets in zijn schild voerde. Carl dacht er lang en ernstig over na. Misschien moest hij de man vertellen dat de creditcards die hij net had afgeleverd niet veilig waren en dat hij terug moest om orde op zaken te stellen. Of misschien was er een manier om gebruik te maken van dat akkefietje met Frank Wilson en Patrick Metcalf...

Veel later, om twee uur in de morgen, was Carl naar de bibliotheek geslopen, waar hij de kast van Dirk Merrits computer had openmaakt en de keystroke recorder eruit had gehaald. Het was een vierkant printplaatje dat vastzat aan een geheugenstick die alles had opgeslagen dat Dirk Merrit de laatste drie weken in de computer had ingetypt, een pakje dat niet veel groter was dan een .303 magazijn, netjes verpakt in zwart plakband. Carl had het op dat moment in de zak van zijn spijkershirt. Eén ding stond vast: zodra dit was afgehandeld en zodra hij meneer Patrick Metcalf had laten zien wat er gebeurde als je op het terrein van een ander kwam, was hij weg.

De ultralight zoemde over de vlakte en het geluid nam toe toen het vliegtuigje een steile duikvlucht maakte en zo laag over de droge bedding van het meer scheerde dat de propeller een lang stofspoor trok voor het weer omhoog ging en de flinterdunne witte vleugels het zonlicht recht in Carls ogen weerkaatsten. Als Merrit het offer niet gauw doodde, dacht Carl, bezweek het joch aan de hitte of een zonnesteek en was alle lol eraf.

Dat moest Dirk Merrit ook hebben beseft. De ultralight draaide, kwam in een rechte lijn terug en maakte een korte, hotsende landing. Carl bracht de verrekijker naar zijn ogen, zag de naakte gestalte van het offer wegrennen van het vliegtuigje. De gedaante beefde, viel uit elkaar en herstelde zich in de trillende luchtlagen boven de vlakte terwijl hij halsoverkop wegrende en toen leek hij te struikelen, te vallen en stil te blijven liggen. Dirk Merrits triomfantelijke kreet kwam zwak door over de radio en Carl zag hem tussen de creosootstruiken door naar de plek lopen waar het offer was gevallen.

Carl gaf de man tien minuten om van zijn triomf te genieten en toen pakte hij de plastic jerrycan, trapte de terreinmotor tot leven en reed naar hem toe. Dirk Merrit liep om het verminkte lichaam heen met een kleine digitale videocamera voor zijn gezicht. Het offer lag op zijn rug en het bloed werd opgenomen door het droge zand om hem heen. De ribbenkast was opengemaakt en het hart verwijderd; Dirk Merrit hield ervan een teug warm bloed te drinken zoals een toerist in Spanje uit een wijnzak drinkt, een barok gebaar dat Carl goedkoop en smakeloos vond.

De man lachte zijn rode lach naar Carl en schopte het lichaam op zijn zij, zodat de pijl te zien was die tot aan de zwarte veren in zijn lendestreek zat.

'Hij heeft flink gerend, hè? Hij probeerde zelfs nog weg te kruipen nadat ik hem had neergeschoten,' zei Dirk Merrit. Hij liet het lichaam terugvallen, trok een jachtmes uit de schede aan zijn riem en stak het Carl met het heft naar voren toe. 'Hij was een dappere jongen. Uit eerbied voor zijn moed wil ik graag zijn ogen hebben. Wat zit er in die jerrycan?'

'Vloeibaar wasmiddel en polystyreen met benzine.'

'Ik wil het moment niet bederven met iets zo laag-bij-de-gronds als een barbecue. En denk je niet dat een vuurtje de aandacht zou trekken, zelfs hier?'

'We moeten hem verbranden en de restanten begraven.'

'Hij is te nobel voor de wormen.' Dirk Merrit maakte een weids gebaar naar het noorden, waar een paar buizerds rondcirkelden met een trage gratie die geen menselijke piloot ooit zou kunnen evenaren. 'We laten hem liggen voor mijn vrienden als je me eenmaal het plezier hebt gedaan zijn ogen te verwijderen.'

'Misschien moet je zelf eens leren hoe je dat doet.'

'Maar dan zou jij kunnen vergeten dat we hier allebei deel van uitmaken.'

'Dat is niet erg waarschijnlijk.'

Carl weigerde het mes. Hij gebruikte zijn duimen.

Het kostte hen een uur om de ultralight uit elkaar te halen en op de aanhanger te zetten. Carl reed snel over Route 140 naar Oregon in het noorden. Het was een lijnrecht, goed aangelegd stuk weg, een goede plek om te kijken wat je auto aankon. Carl liet de snelheidsmeter oplopen tot honderdtwintig kilometer per uur en de krachtige dieselmotor brulde gestaag terwijl de camper het asfalt verslond. Achter hem was Dirk Merrit nog steeds bezig over de details van zijn triomf. Onbewust probeerde Carl het gepoch van de man te ontvluchten.

De wind was opgestoken. Hij liet het grote voertuig schudden terwijl het over de woestijn raasde en blies stofwolken en alsemballen over de tweebaansweg. Toen de camper tegen een van de rollende bosjes aanreed, barstte de alsem kapot in een wolk van fragmenten, die even zijn vorm behield voor de wind hem uit elkaar blies.

Carl zag de verspreiding in de grote zijspiegel en rilde van verwachting.

Nog twee dagen, drie op zijn hoogst, en dan kon hij dat gedoe met Merrit achter zich laten. Hij kon nauwelijks wachten.

13

Summer had vroeg op de vrijdagmorgen afgesproken met Hal Brockman, Edie Colliers reclasseringsambtenaar, voordat hij met zijn normale serie afspraken begon. Ze zaten aan weerszijden van zijn metalen bureau in zijn piepkleine kantoortje. Boven Summers linkerschouder hing een plank die was volgeladen met dossiers. Toen Summer had uitgelegd wat ze kwam doen, zei Hal Brockman: 'Ik heb op het nieuws gezien dat die engerd die het gedaan heeft, zelfmoord heeft gepleegd. Vertel me alsjeblieft niet dat de politie de verkeerde te pakken had.'

'Ik ben bezig achtergrondinformatie te verzamelen,' zei Summer. 'Hebt u een adres van juffrouw Collier?'

Randy Farrell had haar verteld dat zijn stiefdochter en haar vriend in een busje woonden. Maar Hal Brockman zei dat ze voor zover hij wist in een motel op Southwest Jefferson verbleef.

'Hebt u haar daar ooit opgezocht?'

Hal Brockman was een tengere Afro-Amerikaan van achter in de dertig met een kaalgeschoren hoofd en een geduldige, maar vastberaden manier van doen. 'Het werkt andersom, rechercheur. Zij moest bij mij komen.'

'Wanneer was haar laatste afspraak?'

'Ik heb haar drie weken geleden voor het laatst gezien. Ze kwam op tijd, zoals altijd, en niets wees erop dat ze in de problemen zat. Ze had vast werk en ze was van plan een secretaressecursus te gaan doen. Ik wou dat al mijn cliënten zo gemakkelijk waren. Ik had haar afgelopen vrijdag weer moeten zien. Toen ze niet kwam opdagen, heb ik haar mobiele telefoon gebeld, maar ik kreeg de melding dat die niet bereikbaar was. Ik heb ook haar werk gebeld, en ze zeiden dat ze daar ook niet was komen opdagen. Ik moet toegeven dat ik me zorgen maakte, omdat ze nog nooit een afspraak had gemist. Dus wat er is gebeurd, dat was een hele schok.'

'Was ze donderdag op het werk geweest?'

'Ik geloof van wel.'

'En waar werkte ze?'

'De Rite Spot. R-I-T-E. Het is een vrachtwagencafé langs Portland Highway, bij Maywood Park. Verschillende van onze cliënten werken daar.'

Summer schreef het adres op en eveneens het nummer van Edie Colliers mobiele telefoon.

Hal Brockman vroeg: 'Mag ik vragen waar het eigenlijk om gaat? De politie van Cedar Falls heeft me dezelfde vragen gesteld, en ik weet dat ze bij haar werk wilden informeren omdat ze het telefoonnummer van me gekregen hebben.'

'Zoals ik al zei, meneer, ik verzamel achtergrondinformatie. Edies stiefvader heeft me verteld dat ze samenwoonde met een jongeman, voornaam Billy, achternaam onbekend. Weet u daar iets van?'

'Ik heb meer dan honderd cliënten, rechercheur, waarvan er een heleboel verslaafd zijn en die bijna allemaal een instabiel, chaotisch leven leiden. Als ze me willen vertellen over hun persoonlijke zaken, luister ik. Als ze niets willen vertellen, vraag ik er ook niet naar. Eerlijk gezegd heb ik geen tijd om er diep op in te gaan, en bovendien liegen ze de helft van de tijd gewoon.'

'De helft van de tijd is niet slecht,' zei Summer.

Hal Brockman glimlachte. 'Er zijn er een paar die echt geholpen willen worden. Dat is ongeveer het enige dat dit werk de moeite waard maakt.'

'En Edie Collier was een van hen?'

Hal Brockmans blik verzachtte. 'Ze was een heel kwetsbaar meisje. Intelligent, maar naïef en naar mijn mening gemakkelijk te beïnvloeden. Een volgeling, geen leider. Ze verschool zich altijd achter haar haar en keek je nooit aan.'

'Bovenaards,' zei Summer, die het meisje voor zich zag in het kale kantoortje in de kelder van Meier and Frank. Met de gedichtenbundel in haar tas.

'Ik vroeg haar naar haar werk,' zei Hal Brockman. 'Of ze een beetje met haar collega's kon opschieten, of ze clean bleef, of ze haar oude vrienden nog wel eens zag. Ze had op de middelbare school verkeerde vrienden gekregen. Ik kreeg op zijn best eenlettergrepige antwoorden of anders haalde ze haar schouders op.'

'Ze vertelde niets uit zichzelf?'

'Het was geen kwestie van onbeschoftheid of drugs. Het was eerder alsof ze betere dingen had om over na te denken. Jij vraagt naar een vriendje. Ik heb nooit geweten dat ze er een had.' Hal Brockman zweeg even en zei toen: 'Dat vriendje. Is hij betrokken bij... wat er gebeurd is?'

'Dat moeten we in ieder geval onderzoeken.'

'O, ja. Nou, als hij verkeerde dingen uithaalde, zou het me niet verbazen als Edie daar gewoon in was meegegaan. Het is verdomde jammer,' zei Hal Brockman. 'Ze leek echt iets met haar leven te willen doen, en tussen ons gezegd is dat ook de reden waarom ik het niet meteen heb gemeld toen ze niet kwam opdagen. Ik hoopte dat ze nog langs zou komen en een smoesje zou ophangen voor het missen van onze afspraak, en dan zou ik het verder laten lopen. Het was een hele schok toen de politie van Cedar Falls belde met het slechte nieuws.'

In de korte stilte die tussen hen viel werd Summer zich bewust van het geluid van gesprekken in andere, identieke kantoortjes.

Ze zei: 'Hebt u een foto van haar in dat dossier? Dan zou ik die graag willen lenen.'

'Geen probleem,' zei Hal Brockman. Hij maakte een politiefoto los die recht van voren was genomen en schoof die over het bureau. 'Succes, rechercheur. Ik hoop dat u haar recht kunt doen.'

'Dank u, meneer Brockman. Ik hoop het ook.'

Summer kocht koffie bij een Starbucks in de buurt, ging ermee aan een tafeltje op het terras zitten en belde een van de secretaresses op de dertiende verdieping van het politiebureau. Ryland Nelsen had haar verzoek om een vrije dag slechts met veel aarzeling ingewilligd en ze dacht dat het een goed idee was om bij hem uit de buurt te blijven. Ze gaf de secretaresse het nummer van Edie Colliers mobiele telefoon en vroeg haar of ze de naam en het telefoonnummer van de provider kon opzoeken. De vrouw belde een paar minuten later terug met de gegevens en na enig geworstel met een automatische antwoordservice kreeg Summer een echte werknemer van de firma aan de lijn, die haar na wat heen en weer praten doorverbond met een manager, die haar op zijn beurt vertelde dat ze een gerechtelijk bevel nodig had om Edie Colliers belgegevens in te mogen zien.

'Het houdt verband met een moordonderzoek. Kunt u me tenminste vertellen wanneer ze haar telefoon voor het laatst heeft gebruikt?'

'Als u met een gerechtelijk bevel naar het kantoor komt, mevrouw, zullen we u alle medewerking verlenen.'

Dat kon ze wel vergeten. Summer werkte in haar vrije tijd aan de zaak van iemand anders en ze wist dat de meeste rechters in Portland heel goede redenen wilden horen voordat ze bevelen uitgaven om telefoongegevens vrij te geven of telefoons te laten aftappen. Ze belde Denise Childers, vertelde haar wat ze van Hal Brockman had gehoord en vroeg of zij een bevel kon krijgen voor de gegevens van Edie Colliers mobiele telefoon.

'Het zou onze beste kans kunnen zijn om het vriendje op te sporen.'

'Dat lukt me nooit,' zei Denise. 'Ik zou het aan een rechter moeten voorleggen met de handtekening van sheriff Worden eronder, en voor de sheriff is de zaak gesloten. Heb je geen andere aanwijzingen?'

Summer zei: 'Toen ik gisteren terugkwam, heb ik een gesprekje gehad met een van de jongens van de drugseenheid. Hij kent een dealer die Billy heet, maar die zit op het moment in de gevangenis. Hij zei dat hij eens rond zou vragen om te kijken of iemand op straat iets weet. Intussen ga ik naar het restaurant waar Edie werkte. En ik ga ook even langs bij het motel waar ze een kamer had om te zien of iemand zich iets herinnert.'

Denise zei dat zij ook niet veel verder was gekomen. 'Ik heb iemand van de technische recherche naar dat hangslot laten kijken. Hij zegt dat de krassen heel goed kunnen zijn gemaakt door iemand die het slot heeft opengestoken en dat ze vers zijn, niet meer dan een week oud. Dus je kunt gelijk hebben, het is mogelijk dat iemand ingebroken heeft in Kronenwetters kelder. Het probleem is dat het op zichzelf niets betekent.'

Summer voelde toch een zekere bevrediging. 'Heeft hij vingerafdrukken gevonden?'

'Hij heeft dat trucje uitgehaald met superlijm, maar als iemand met dat slot heeft geknoeid, en we weten niet zeker dat dat zo is, droeg hij handschoenen of heeft hij het naderhand schoongeveegd. Ik heb ook bij de gevangenis geïnformeerd naar Joe Kronenwetters doen en laten toen hij daar zat, maar dat leverde evenmin iets op. De bewaker die ik heb gesproken zei dat Joe een eenling was, nogal zielig voor zo'n grote kerel, en dat hij totaal niet wist hoe hij zich moest gedragen. Er is geen bewijs dat hij met iemand in het bijzonder omging, laat staan met blanke racisten. Als je me ervan wilt overtuigen dat dit iets met drugs te maken heeft, zul je met goede bewijzen moeten komen.'

Het motel aan Southwest Jefferson was zo'n goedkope gelegenheid waar de kamersleutels zonder vragen automatisch aan politieagenten met arrestatiebevelen werden overhandigd, omdat het gemakkelijker was om mee te werken dan om de sloten van de ingetrapte deuren te vervangen nadat de bewoners hadden geweigerd open te doen. Toen Summer haar penning liet zien en om het gastenboek vroeg, gaf de bediende achter het loket met gepantserd glas het meteen en ging toen weer verder met zijn kruiswoordpuzzel. Summer bladerde terug en zag op de volle pagina's dat Edie Collier op 8 februari een kamer had gehuurd en dat ze iets meer dan drie weken was gebleven. De bediende dacht dat hij haar herkende van de politiefoto die Summer van Hal Brockman had geleend, maar hij herinnerde zich geen vriend. Ze kon maar één bewoner vinden die al langere tijd in het motel verbleef, een vermoeide, jonge, Afro-Amerikaanse vrouw die in de deuropening van haar kamer stond met een baby in haar armen en twee kleine kinderen aan haar benen, en die herinnerde zich Edie Collier helemaal niet.

Summer had meer geluk in het restaurant waar Edie als serveerster had gewerkt. Er stonden vrachtwagens en trucks met oplegger op de grote parkeerplaats en voor de gevel van steen en glas stonden zelfs een stuk of tien motoren, waaronder twee Harley-Davidsons met alle toeters en bellen eraan en een vlotte driewieler met een stuur in de stijl van *Easy Rider*. Binnen waren de meeste tafeltjes in het midden en langs de ramen bezet en klonk het gekletter en geroezemoes van het drukke lunchuur.

De manager was een magere kerel met vet, over zijn hoofd gekamd haar, een dun snorretje en een prikkelbare, gehaaste manier van doen. Toen Summer hem vroeg wat voor werknemer Edie Collier was geweest, haalde hij zijn schouders op en zei: 'Ze kwam op tijd, ze brak niet te veel borden en schoffeerde niet te veel klanten, en ze was redelijk beleefd. Dat is zo ongeveer alles wat ik je kan vertellen.'

'Hebt u de laatste paar weken soms onbekende mensen zien rondhangen? Heeft Edie soms gezegd dat ze op reis ging en waarom?'

De manager schudde zijn hoofd.

'En haar vriend? Weet u daar iets van?'

'Hun privéleven kan me geen donder schelen, zo lang ze hun problemen maar niet meenemen naar het werk,' zei de manager.

Hij en Summer stonden naast een grote, roestvrijstalen koelkast aan het uiteinde van een smalle, lawaaiige keuken. Twee mannen waren aan het werk bij het dampende fornuis en een derde sneed groente, terwijl de serveersters aan de uitgiftebalie verschenen en weer verdwenen op bevel van het korte rinkelen van het belletje.

Summer zei: 'Wanneer hebt u haar voor het laatst gezien?'

'Eind vorige week. Ik ben er vrij zeker van dat het donderdag was. Ik weet dat ze me in het weekend heeft laten zitten,' zei de manager, en hij zei tegen de man bij de groente om de uien in godsnaam wat dunner te snijden.

'Ze heeft zich niet ziek gemeld of opgezegd?'

'Ben je gek? Ze is gewoon niet op komen dagen. Ja, de laatste dag dat ik haar heb gezien, was donderdag, ik weet het zeker. Ze is vrijdag niet eens langsgekomen om haar salaris op te halen.' De manager wierp een berekenende blik op Summer. 'Komt daar nog iemand om, denk je?'

Summer zei: 'Een van uw werknemers heeft haar loon niet opgehaald en daar denkt u verder niets van?'

'Moet ik eerlijk zijn? Ik dacht dat ze weer zo'n nietsnut was die constant in de gevangenis zit en geen vaste baan kan houden, dat is wat ik dacht.'

'Weet u of ze vrienden had?'

'Hoe moet ik dat weten? Dúnner, Harold. Mooi gelijkmatig en dun. Jezus christus, als ik bij je moet komen en je moet laten zien hoe het moet, zit je voor je het weet zonder baan en weer in de cel.' De manager keek Summer zuur aan. 'Zijn we klaar?'

'Nog niet helemaal, meneer. Was er niemand die achter stond te wachten om haar aan het eind van haar dienst op te pikken?'

'Als dat zo was, heb ik het niet gemerkt.'

'En is er afgelopen week niemand langs gekomen die naar haar vroeg?'

'Voor zover ik weet niet.'

'Ik zie dat u daar boven de kassa een videocameraatje hebt hangen.'

'Dat moest van de verzekering nadat we vorig jaar twee keer in een maand zijn overvallen. Evengoed ging de helft van mijn personeel er na de tweede keer vandoor. En jullie deden er twintig minuten over om hier te komen nadat er alarm was geslagen.'

'Het spijt me dat te horen, meneer. Is het mogelijk om de bandjes van die camera te bekijken? Het is mogelijk dat die vriend hier is geweest.'

'Dat is de enige camera. En het bandje loopt steeds door en duurt maar twaalf uur.'

'U bewaart geen bandjes?'

Summer had nog nooit iemand zien meesmuilen, maar dat was precies wat de manager nu deed. Hij zei: 'Kijk om je heen, meid. Dit is een snackbar, geen Blockbuster.'

'Werkt hier iemand met wie Edie bevriend was?'

'Ze was nogal op zichzelf.'

Summer kreeg genoeg van de man. Ze ging vierkant voor hem staan en zei: 'Als u me niemand in het bijzonder kunt aanwijzen, zal ik de tijd moeten nemen om uw personeel een voor een te verhoren.'

'Midden in de drukte van de lunch?'

'Waarom niet, nu ik hier toch ben?' zei Summer. Ze haalde haar aantekenboekje voor de dag en sloeg het open om te laten zien dat ze het meende.

'Jezus christus. Kijk, zie je dat meisje daar? Die blonde? Zij was bevriend met Edie, waarom ga je niet met haar praten? Maar hou het kort.'

De blonde serveerster, Janice, was een lange jonge vrouw met grote botten, acne in haar mondhoeken en te veel blauwe oogschaduw. Ze zei dat ze op het tv-journaal had gehoord wat er met Edie was gebeurd, iedereen was erdoor van slag. Ze bevestigde dat Edie vorige week donderdag voor het laatst had gewerkt en op vrijdag niet was komen opdagen. 'Het is een verdomde schande, wat er met haar gebeurd is, als u me niet kwalijk neemt dat ik het zeg. Ze was een echte schat. Iedereen mocht haar, behalve Sneaky Pete.'

'Sneaky Pete?'

'Meneer Schopf, de manager? U had zeker niet veel aan hem?'

Janice had een accent dat zo'n vijfduizend kilometer ten zuidoosten van Portland thuishoorde en waarin elke zin klonk als een vraag. Ze droeg een katoenen jurkje met zoete strepen en een witte schort met een ruche erlangs. Haar vuile blonde haar was met een elastiekje in een paardenstaart getrokken en achter haar oor zat een balpen.

Summer zei: 'Meneer Schopf dacht dat jij me zou kunnen helpen.'

'Dat weet ik niet, maar ik zal het proberen.'

Het meisje bracht haar gewicht over van de ene voet op de andere in haar afgetrapte, platte schoenen. Summer stelde voor aan een leeg tafeltje te gaan zitten. Toen ze zaten, zei ze: 'Kende je Edie alleen van het werk of ook daarbuiten?'

'Alleen van het werk. We praatten altijd met elkaar als we stiekem een sigaretje rookten achter. Ik weet dat ze voorwaardelijk vrij was, en ze wilde op het rechte pad blijven. Haar idee was om in een van die grote kantoren in het centrum te gaan werken. Neem me niet kwalijk.' Janice trok een zakdoek uit haar mouw, depte haar ooghoeken en zei met een klein stemmetje: 'Ik vond haar een schat, snapt u?'

Summer zei: 'Weet je of ze een vriend had?'

Janice snoot verrassend netjes haar neus. 'Die had ze zeker. Een heel aardige jongen. Hij heette Billy.'

Summer voelde de hoop oplaaien. 'Heb je die Billy ooit ontmoet?'

'Maar één keer. Hij kwam langs op Edies eerste dag. Ik denk dat hij wilde zien waar ze werkte.'

De spraakzame Janice met haar scherpe ogen was de droomgetuige van elke agent. Ze gaf Summer een beschrijving van Edie Colliers vriend: een meter drieëntachtig, bruine ogen en jukbeenderen om jaloers op te worden, zwart haar tot op zijn schouders, mager. Hij droeg Hi-Top sportschoenen, een spijkerbroek met gaten bij beide knieën en een versleten oud T-shirt. 'En hij miste een paar vingers van een van zijn handen.'

'Welke hand?'

'De rechter.'

'Kun je je herinneren welke vingers hij miste?'

'De pink en die daarnaast.' Janice trok haar neus op bij de herinnering. 'Ze waren bij de knokkel afgesneden. Hij hield zijn hand steeds achter zijn rug of in zijn zak, alsof hij zich ervoor schaamde, maar ik zag het toen hij een sigaret opstak.'

'Heeft Edie je ooit verteld hoe haar vriend die vingers is kwijtgeraakt? Bij een fabrieksongeluk bijvoorbeeld?'

'Nee.'

'En zijn achternaam?'

Janice keek even naar het plafond en dacht na. 'Ik geloof niet dat ik die ooit gehoord heb. Zoals ik al zei heb ik hem maar één keer ontmoet.'

'Heeft Edie wel eens gezegd wat hij deed voor de kost?'

'Ik geloof dat het iets met computers was. Hij speelde spelletjes in wedstrijdverband of zoiets. Ik weet dat hij zo'n laptoptas bij zich had toen hij hier kwam. Maar wat hij ook deed, het kan niet veel hebben opgeleverd. Ze woonden met zijn tweetjes in zijn busje.'

Dat was een bevestiging van wat Randy Farrell had gezegd. Summer dacht dat Edie meteen nadat ze van huis was weggelopen wel een kamer zou hebben genomen in het motel en dat ze daar was weggegaan nadat ze haar vriend had ontmoet, Billy zonder achternaam.

Ze zei: 'Weet je wat voor busje het was?'

'Een Ford, zo'n oude vierkante.'

'Een Econoline?'

'Ja. Mijn eerste man had er net zo een. Met hetzelfde raam in de zijkant, dat herkende ik meteen.'

Janice herinnerde zich dat de bus felrood was, maar heel slecht in de verf zat. Maar ze kon zich het kenteken niet herinneren. 'Het was een nummerbord uit Californië, dat weet ik wel. Oud, met gele letters op een blauwe achtergrond?' Ze had een aardige, open glimlach die haar hele gezicht deed oplichten en die haar tien jaar jonger maakte. 'Je herkent zo'n beetje alle kentekenplaten als je in een tent als deze werkt.'

'Is hij hier nog geweest nadat Edie vermist werd?'

'Niet tijdens mijn dienst. Maar ik kan het wel even vragen als u wilt.'

'Dat zou fijn zijn. Draaide Edie trouwens altijd dezelfde dienst?'

Janice knikte. 'Dezelfde als ik.'

'Als ik een politietekenaar zou vragen hierheen te komen, denk je dat je hem dan een idee zou kunnen geven van hoe Billy eruitzag?'

'Ik zou het wel kunnen proberen. Maar ik dacht dat jullie de schoft die het gedaan heeft al hadden gepakt.'

'We moeten Billy zien te vinden. We willen weten of alles goed met hem is.'

'Mijn god, denkt u dat hij misschien ook vermoord is?'

Summer zei: 'Ik wil hem vinden en met hem praten. Meer niet.'

'Ze waren verliefd,' zei Janice. 'Vorige week liet Edie me nog een leuke tatoeage zien die ze op haar schouder had laten zetten. Een rode roos met een soort banier met zijn naam erop. En ze zei dat Billy er net zo een had, maar dan met haar naam.'

Summer nam de beschrijving van de vriend en die van zijn busje nog eens met haar door en toen haalde ze de voorpagina van de *Macabee Bugle and Courier*, de plaatselijke krant van Cedar Falls, van de vorige dag tevoorschijn, die ze zo had gevouwen dat alleen de foto van Joseph Kronenwetter te zien was. 'Heb je deze man wel eens gezien? Hij reed waarschijnlijk in een aftandse oude pickup.'

Janice keek lang naar de foto, maar toen schudde ze haar hoofd en zei dat het haar speet, maar ze zou zich een gemeen uitziende schooier als die zeker herinnerd hebben.

'Het geeft niet,' zei Summer. Ze schreef het nummer van haar mobiele telefoon op de achterkant van een van haar kaartjes en zei tegen Janice dat ze haar moest bellen als er nog iets bij haar opkwam.

Janice beloofde dat te doen, aarzelde en vroeg toen: 'Heeft ze erg geleden?'

'Ik weet het niet,' zei Summer. 'Ik hoop van niet, maar ik weet het niet.'

De manager had hen van achter de kassa in de gaten gehouden. Summer liep naar hem toe en zei: 'Ik heb nog eens zitten denken over Edie Colliers loon, meneer Schopf. Ik denk dat het het beste is als u het aan mij geeft.'

'Kan dat wel? Ik bedoel, is dat wel volgens de wet?'

'Ik zal het doorgeven aan haar familie. En doet u maar meteen de twintig procent terug die u eraf heeft gehaald.'

Toen ze in haar auto voor de Rite Spot zat, belde Summer de afdeling Verkeer en vroeg aan een juffrouw Ada Simmons of een rode Ford Econoline het afgelopen jaar bekeuringen had gehad.

'Dat is niet gemakkelijk te controleren als u het kenteken niet heeft,' zei Ada Simmons.

'Ik probeer juist achter het kenteken te komen,' zei Summer. 'Er kunnen het afgelopen jaar niet veel bekeuringen zijn uitgedeeld aan rode Econoline-busjes.'

'Dat zou nu nog verbazen,' zei Ada Simmons. 'Ik zal een zoekopdracht geven en u de resultaten per e-mail toesturen. Zorg dat er genoeg papier in de printer zit als u de boel uitprint, rechercheur.'

14

Hoewel hij nog steeds niet het save point in de ruïnes van het centrum van Los Angeles had bereikt, was Daryl toch heel tevreden met zichzelf. Het bieden was afgelopen op de drie dingen die hij op eBay te koop had aangeboden uit zijn voorraad gadgets, kaarten en andere kostbaarheden die hij had verzameld bij de avonturen van Seeker8 in *Trans*, en zijn PayPal-rekening was iets meer dan vierhonderd dollar aangegroeid. Maar het mooiste was nog dat zijn partner, Ratking, eindelijk contact met hem had opgenomen en had uitgelegd dat hij dringende zaken in de gewone wereld had moeten afhandelen, maar dat hij zijn aandacht nu kon richten op de laatste etappe van de jacht op de schat.

>*Ik heb een nieuwe strategie ontwikkeld. Ik kan niet met je mee, maar ik zal over je waken. Ik ben je beschermengel.*

>*Vertel het maar*, typte Daryl.

Ze wisselden met Instant Messenger berichten uit tussen de oosten de westkust. In Brooklyn was het een uur in de nacht en Daryls laatste poging Seeker8 naar het save point te krijgen was net op niets uitgelopen.

>*Ik heb een code gekocht waarmee ik iedereen in het spel kan bekijken. Ik ben een gezichtspunt geworden, pelgrim. Ik ben de adelaar op de rots. Waar je ook gaat, ik zal bij je zijn. Ik ben de stem in het brandende braambos. Ik spreek je toe vanuit de wervelwind.*

Toen Daryl dit las, gebogen over het gloeiende scherm in zijn warme, donkere cel in Brooklyns slapeloze mierenheuvel, vroeg hij zich af wat er met zijn partner gebeurd was in de tijd dat hij niet met het spel bezig was geweest. Vroeger waren Ratkings berichten altijd kort, zakelijk en direct, maar nu leek hij helemaal vervuld van zijn eigen belangrijkheid en van bijbelse felheid.

Daryl dacht even na terwijl hij met de snelheid van een machinegeweer kauwgombellen liet knallen en ratelde toen het volgende antwoord:

>*Ik heb liever dat je me dekking geeft en me helpt met de warewolven.*

Strikt gesproken was Seeker8 dit keer afgemaakt door teerbaby's, maar hij was door een roedel warewolven de droge bedding van de Los Angeles River in gedreven met zijn rokende sintelhopen, velden gestolde lava en asfaltpoelen waaruit tientallen teerbaby's waren geklauterd die als gigantische, in de olie gedompelde teddyberen met roodgloeiende ogen, stijve benen en gespreide armen van alle kanten op hem af waren gekomen. Hij had er dertig of veertig gedood met lichtkogels en brandbommen voordat hij van achteren werd omhelsd, meegenomen en verdronken in een diepe poel vol olie en water. De avond daarvoor hadden warewolven hem huilend nagezeten tussen de ruïnes; ze hadden met hem gespeeld, naar zijn kuiten gehapt en hem met de precisie van een ballet opgejaagd tot ze hem eindelijk te grazen hadden genomen.

Elke poging het volgende save point te bereiken was moeilijker geweest dan de laatste. Het waren niet alleen de warewolven die voor problemen zorgden. Het spel zelf ontwikkelde zich voortdurend terwijl de spelers erin rondliepen en op elkaar reageerden, schatten vonden, geheimen en wapens uitwisselden, verbonden sloten en rijkjes oprichtten of vernietigden. Het spel leerde van de acties van de spelers, paste zich aan aan hun strategieën en verijdelde hun plannen met stormen en aardbevingen, bandieten en monsters. Daryl was bang dat hij in een hopeloze positie was geraakt waar hij nooit meer uit kon komen, hoe hij het ook probeerde. Maar nu was zijn partner terug met de belofte van nieuwe informatie en deze vreemde, mystieke manier van praten. Hij schreef Daryl:

>*De gier woont en vernacht op rotspunt en bergtop. Dat ben ik.*

Daryl masseerde met een hand zijn voorhoofd en drukte met de wijsvinger van de andere hand op de toets Caps Lock en op?.

>*Lees het Boek van Job, pelgrim. Intussen moet jij op dat save point zien te komen. Ik zal je wat suggesties aan de hand doen.*

Ratking mocht dan klinken als de predikant in de kerk waar Daryls moeder elke zondag onveranderlijk naartoe ging, zijn advies was net zo gedetailleerd en verstandig als altijd. Na enig heen en weer schrijven zei hij tegen Daryl dat hij tot de volgende avond moest wachten voor hij probeerde verder te gaan.

>*Dan zal ik toekijken. En als je bij het volgende save point bent, kijken we wel wat we verder moeten doen.*

Op vrijdagmorgen werd Daryl dus wakker vol optimisme en energie. Hij deed de afwas van de hele week, veegde de keukenvloer en sjouwde een zak met afval naar de stortkoker. Hij maakte het aanrecht schoon met een sopje en droogde alles met papieren handdoekjes. Hij schrobde met een stukje staalwol en Johnson's Force de zwarte plekken verbrand vet van de gietijzeren grill. Hij haalde met bleek koffievlekken uit het aanrecht, maakte het toilet en de wasbak in het piepkleine badkamertje schoon en in een soort extase van dolle energie ging hij met een tandenborstel de zwarte schimmel in de voegen van de douchehoek te lijf en schrobde ook nog de schimmel van de zoom van het douchegordijn, waarna hij alle troep wegspoelde.

Inmiddels hoorde hij zijn moeder ook. Daryl liet de ketel vollopen en zette hem op het vuur, zette de koffiekan en de filter klaar en deed er een ruime hoeveelheid koffie in. Hij goot kokend water op de koffie, zette de kan, twee kopjes, een kan melk en een kom suiker op het blad, liep met het blad de woonkamer door en klopte op de deur van zijn moeders slaapkamer.

Irene Weir zat rechtop in haar onordelijke bed. Ze zag er klein en broos uit in haar gevoerde badjas en met haar haar in vlecht-jes. Haar gezicht was een paar tinten donkerder dan dat van Da-ryl. De plank boven het bed stond vol poppen in allerlei nationa-le klederdrachten, met twee sporttrofeeën van Daryl aan de uiteinden. Hij had ze weggedaan toen hij van school was gegaan, kort nadat DeLeon was vermoord, maar zij had ze uit de afvalbak gehaald en gezegd dat ze trots was op wat hij had bereikt en ze niet wilde weggooien, en bovendien zou hij ze op een dag terug willen. Daryl was daar niet zo zeker van. Wat hem betrof was dat deel van zijn leven voorbij, en de trofeeën riepen pijnlijke herin-neringen op aan DeLeon die hem aanmoedigde onder de felle lich-ten van de sportzaal. Zijn grote broer was er altijd voor hem ge-weest en had in zijn gewatteerde jack, zijn wijde spijkerbroek en zijn Timberlands op de bovenste rij van de tribune gezeten om bo-ven het geluid van de menigte uit te schreeuwen: 'Goed zo, Daryl!'

Terwijl Daryl de koffie inschonk en er melk en suiker in deed, vroeg zijn moeder wat al dat lawaai was geweest dat ze gehoord had. 'Al dat gebonk en gedoe, en het is nog geen tien uur.'

'Ik was aan het schoonmaken, mam.'

'Dat wilde ik dit weekend doen.'

'Ik vind het niet erg. Je hoeft zeker niet te werken vandaag, dat je zo laat op bent.'

'Alleen bij meneer Campbell. En hij heeft niet graag dat ik 's mor-gens al kom, want dan moet hij schrijven.'

Irene Weir was het grootste deel van haar particuliere klanten kwijtgeraakt nadat ze het jaar daarvoor in het ziekenhuis was be-land met een ontstoken nier. Ze had een hele tijd nodig gehad om te herstellen van de operatie, waarbij die nier was verwijderd, en daarna had ze niet meer de energie gehad om twaalf of veertien uur per dag te werken en een hele rij woonhuizen schoon te ma-ken voordat ze bij de bank aan de slag ging.

Daryl zei: 'Moet ik even naar de winkel lopen? Dan haal ik een van die kaneelmuffins die je zo lekker vindt.'

Zijn moeder keek hem argwanend aan. 'Ik ben vandaag niet ja-rig, dus ik wil weten waar ik al die moeite aan te danken heb.'

Daryl ging op het voeteneind van haar bed zitten en vertelde van de transacties op eBay.

'Dat is mooi, schat, maar wanneer ga je nou eens een echte baan zoeken?'

Dat zei ze zo'n beetje elke keer als Daryl goed nieuws had. Hij werd er niet eens meer boos om.

'Drink je koffie nou maar op, mam. Ik ga die muffin halen.'

Later ging hij met de beroete, warme en lawaaiige metro naar het centrum, waar hij een zak White Castle-burgers kocht en een blikje fris en zichzelf trakteerde op een late lunch in Washington Square Park. Hij zat vlak bij de fonteinen en keek naar de eindeloze optocht van studenten en professoren, skateboarders, bedelaars, toeristen, drugsdealers en travestieten. Voor zover hij wist konden er wel buitenaardse wezens tussen lopen die zich hadden verkleed in menselijke huiden. Daarna wandelde hij naar Broadway, waar zijn vriend Bernard verkoper was in de elektronicawinkel van twee Iraanse broers.

Bernard Parrish woonde in hetzelfde gebouw als Daryl en zijn moeder. Hij was maar drie jaar ouder dan Daryl, maar hij had zijn eigen flatje, een gehavende Datsun en een vaste vriendin. Bernard had Daryl een mooie korting gegeven op zijn laatste computer en had hem laten zien hoe hij hem moest overklokken en hoe hij de zware koeling moest installeren die de processor koel moest houden terwijl die op tweemaal de normale snelheid werkte. Hij was ook de man die Daryl voorzag van amfetamine van het soort dat de soldaten in Irak gebruikten.

Dat laatste regelden ze eerst in de voorraadkamer achter de winkel. Vijftig dollar voor tien kleine, felgele pilletjes in een stukje plastic folie.

'Je mag er niet meer dan één per dag nemen,' zei Bernard tegen Daryl. 'Dus je hoeft niet terug te komen voor er minstens twee weken voorbij zijn. Ik ben niet van plan een junk van je te maken.'

'Ik heb gewoon een paar dagen wat extra's nodig.'

'Ben je nog steeds met dat stomme spel bezig? Verdomme,' zei Bernard, en hij duwde zijn lippen naar buiten om zijn afkeer duidelijk te maken. Hij zat op een grote doos met een breedbeeld-tv. Bernard was lang en mager, een en al ellebogen en knieën. Op de borstzak van zijn witte overhemd zat een groot, rood embleem met het opschrift: *Ik ben Bernard. Wat kan ik voor u doen?* Hij wees naar Daryl en zei: 'Hoe lang ga jij je leven nog verspillen aan dat spel?'

Daryl zei: 'Het geld dat ik je net heb gegeven komt van dat spel. Ik heb vierhonderddertig dollar verdiend met de verkoop van een kaart en een paar energiegeweren.'

'Aan rijke blanke kinderen in een of andere buitenwijk in Midden-Amerika met meer geld dan gezond verstand, die hun zakgeld uitgeven aan spullen die ze zelf zouden moeten verdienen, wed ik.'

'Dat kan me niet schelen zolang ik mijn geld krijg. Man, waarom doe je zo moeilijk? Ik zou bijna gaan denken dat jij en mijn moeder elkaar gesproken hebben.'

'Het punt is dat het voor die rijke kinderen een spelletje is. Amusement. Iets wat ze voor de lol doen. Maar voor jou is het je leven, je inkomen.'

'Als je me gaat vertellen dat het niet echt is, zeg ik je nog eens dat ik je net met echt geld betaald heb en dat ik dat geld met het spel verdiend heb.'

'Je verdient een inkomentje van het zakgeld van blanke jongens, maar waar ga je heen?'

'Ik ben dicht bij iets dat een stuk meer waard is dan zakgeld,' zei Daryl.

Bernard maakte een afwijzend gebaar. 'Niets wat je in dat spel doet, geen van je vaardigheden, niets van de troep die je wint en zelfs je reputatie niet als keigoede speler telt in de echte wereld. Ik wil maar zeggen, wat ga je doen als het afgelopen is?'

'Het loopt niet...'

'Jongen, je weet dat niets lang duurt als het om computers gaat. Hoe lang heeft het oudste van die online spelletjes gedraaid? Vijf jaar? Tien jaar? Denk jij dat *Trans* over tien jaar nog steeds het einde is?'

'Wat maakt het uit? Er komt wel iets beters.'

'Ja, en dan moet je weer helemaal bij het begin beginnen, als slaaf of zo. Want wat je in *Trans* doet, alle respect en vaardigheden die je hebt verdiend, die tellen alleen in *Trans*. Snap je wat ik wil zeggen? Het is niet als in de echte wereld, waar wat je doet echt iets betekent.'

'Je wilt zeker weer dat ik voor je kom werken, hè?'

Bernard was al een jaar aan het sparen en geld bijeen aan het schrapen om een winkel te kunnen huren en zijn bijbaantje als computerreparateur in een eigen zaak om te zetten. Hij zei tegen Daryl: 'Jij kunt computers repareren, zowel de hardware als de software. Je weet het verschil tussen het BIOS en de boot. Over dat soort dingen heb ik het. Zulke dingen betekenen iets in de echte wereld.'

'Ik zal erover nadenken,' zei Daryl. Dat zei hij altijd als Bernard erover begon. Maar eigenlijk kreeg hij het gevoel dat hij stikte als hij er alleen maar over dacht om in de achterkamer van een winkeltje recalcitrante programma's weer in orde te maken en harddrives en videokaarten te installeren. Hij kon een gewoon leven leiden, dat was zeker, maar wat stelde dat voor in vergelijking met de gevaren en de glorie van *Trans*? In *Trans* was hij een held die heldhaftige daden verrichtte. In de echte wereld was hij een nerd in een flat in Brooklyn, de enige overgebleven zoon van een schoonmaakster, met een dode broer, en een vader die hij nooit had gekend.

Bernard zei: 'Als die grote schat is wat jij zegt dat het is en als je hem weet te bereiken, wil ik dat je ernstig nadenkt over wat je daarna gaat doen. Je weet dat je samen met mij die zaak kunt beginnen. Daar hebben we het al vaak genoeg over gehad. Misschien wordt het tijd om er werk van te maken.'

'O, dus nu staat het geld je wel aan.'

'Laat me je iets vragen, jongen. Wat is echter, je eigen leven of je zogenaamde avatar?'

'Ik ben er bijna. Na het volgende save point hoeven we alleen nog uit te dokteren hoe we bij het observatorium kunnen komen en dan is het gepiept.'

'Zo lang die Ratking je niet belazert.'

'We zijn partners. Ik heb de spieren en de vaardigheden. Hij heeft de hersens, de geheime kennis. Samen zijn we een volmaakt team.'

'Je hebt hem nooit ontmoet.'

'Ja, hoor.'

'In het spel.'

'Nou en?'

Bernard zei overdreven geduldig: 'Jongen, je kunt een heleboel schatjes van veertien met strakke lijfjes horen smeken om hete seks in de chatrooms op het internet, maar ze zijn stuk voor stuk van de politie of hartstikke pervers. Snap je wat ik bedoel?'

'We hebben een overeenkomst, eerlijk delen,' zei Daryl koppig. 'En vertrouwen moet van beide kanten komen. Op dit moment is mijn partner zo'n beetje onstoffelijk. Ik zit in het spel en hij zweeft erboven om me advies te geven. Wat we ook vinden, ik ben degene die het moet pakken en ermee weg moet zien te komen.'

Bernard schudde zijn hoofd. 'Man, jij bent zo naïef dat het een wonder is dat je de straat over kunt steken zonder beroofd te worden. We hebben het hier over een computerspel. Jij zit achter een computer en bent via het internet verbonden met de server van het spel. Die Ratking zit achter een andere computer, duizenden kilometers van je vandaan. Hij kan een paar codes intypen en de schat op zijn harddisk laten zetten en je zou hem nooit meer kunnen vinden. Heb je daar ooit aan gedacht?'

15

Nu de zoektocht naar Edie Colliers vriend in gang was gezet en meer dan de helft van de eerste van de drie dagen die ze zichzelf had gegeven om hem te vinden al om was, besloot Summer dat ze zo snel mogelijk de rapporten van de verkeersdienst over rode Econoline busjes moest bekijken. Ze kon er niet omheen, ze moest voor het eind van de dienst een bezoek brengen aan de dertiende verdieping en het risico nemen dat ze Ryland Nelsen tegenkwam.

Toen ze de open ruimte van de afdeling Beroving op kwam, zag ze wel tien vergrote fotokopieën van een *verlaat de gevangenis*-kaartje uit het monopoly op haar bureau liggen. Zoals ze al verwacht had, wist iedereen inmiddels hoe ze in Cedar Falls de fout in was gegaan en Randy Farrell de ruimte had gegeven betrokken te raken bij een vechtpartij, waardoor hij in de cel was beland.

Ze bedankte iedereen in de buurt voor hun medewerking en zei: 'Het enige probleem is dat ik er niets meer aan heb. De man in kwestie is alweer op vrije voeten.'

'Bewaar ze voor de volgende keer,' zei Jesse Little. Hij was de grapjas van de afdeling, een slungelige kerel met kort zwart haar en een lang bleek gezicht. 'Als je wilt, kan ik ook wel een mooi visitekaartje voor je maken.'

Summer zette haar computer aan. 'Ik heb al een kaartje.'

Jesse Little knipoogde tegen Jim Jacklet, die aan het bureau zat dat tegen het zijne aan stond. 'Ze denkt dat we het nog niet weten.'

'Ze onderschat onze speurdersvaardigheden,' zei Jim Jacklet, en hij lachte breed onder zijn bandietensnor. 'Je bent erbij, Ziegler. We weten er alles van.'

'Dat zal best. Waar is Andy trouwens?'

'Weer in de rechtszaal. Over die Britse toerist die voor een bar is neergestoken toen hij zijn portefeuille niet wilde afgeven,' zei Jesse Little. 'En probeer maar niet van onderwerp te veranderen. Kijk jij wel eens naar misdaadseries op de tv?'

Summer zette haar e-mail aan en zei voorzichtig, bang dat ze in de maling werd genomen: 'Ik kijk nooit tv.'

'Onzin. Iedereen kijkt tv,' zei Jesse Little. 'Zelfs Searle als hij 's avonds eindelijk de telefoon neerlegt.'

Dick Searle legde zijn hand over het mondstuk van zijn telefoon. 'Laat mij er alsjeblieft buiten,' zei hij, en hij wendde zich af en pakte een pen en een bloknoot.

Summer wiste drie e-mails van verslaggevers en zag dat die goede trouwe Ada Simmons haar honderdtweeëntwintig rapporten had gestuurd over incidenten met Econoline-busjes in Portland in de laatste twaalf maanden.

Jesse Little zei: 'Ik vind die serie leuk met die kerel die een dwangneurose heeft. *Monk.* Heb je dat wel eens gezien, Jacklet?'

'Nee.'

'Moet je eens kijken, is leuk. Gek en vreemd, net als het echte leven. Een van zijn problemen is dat hij iets heeft met netheid. Hij raakt helemaal van slag als alles niet precies in orde is. Elke keer als hij een plaats delict ontdekt, moet hij enorm zijn best doen om er niet te gaan lopen opruimen.'

'Ik snap wat je bedoelt,' zei Jim Jacklet. 'Ik kwam eens bij een nachtwinkel waar de bediende was neergeschoten. En toen zat de agent die op de melding was afgekomen in de stoel van de bediende zijn stripboekje te lezen.'

'Dat is niet precies wat ik bedoelde,' zei Jesse Little.

'Het is een grappig verhaal, is dat niet het punt?'

'Het punt is dat die Monk een eigenaardige vent is,' zei Jesse Little. 'We hebben allemaal onze eigenaardigheden, vind je ook niet, Ziegler?'

Summer probeerde zo snel mogelijk de rapporten door te kijken. 'O ja? Wie dan?'

'Ze doet nog steeds alsof wij van niets weten,' zei Jesse Little tegen Jim Jacklet.

'Maar we weten het wel,' zei Jacklet. Hij richtte zijn wijsvinger op Summer en kromde zijn duim.

'O, ja?'

'Die vrije dagen van je,' zei Jim Jacklet. 'De lange ritten die je maakt naar het platteland. Je bent aan het bijklussen, Ziegler.'

'Als privédetective,' zei Jesse Little. 'Maar zie je, bij een privédetective gaat het niet alleen om het oplossen van misdaden. Als je vooruit wilt komen, als je op wilt vallen, moet je een vreemde hebbelijkheid hebben. Je zou het een uniek voordeel kunnen noemen dat je onderscheidt van alle andere privédetectives. Wat ik voor jou kan doen, Ziegler, een speciale Jesse Little-actie van twee voor de prijs van een, is een goede hebbelijkheid bedenken én een mooi visitekaartje ontwerpen. Wat dacht je daarvan?'

'Nee, dank je. Ten eerste heeft dit niets te maken met een privéonderzoek. En ik heb al gezien hoe goed je bent met Photoshop.'

Na Ryland Nelsens grapje over lycra op Summers eerste dag bij de eenheid had Jesse Little Summers gezicht op een foto van He-

len Slater in haar Supergirl-kostuum geplakt en de foto op het prik-
bord geprikt.

'Als je er niet bijklust, wat ben je dan aan het doen?' vroeg Jim
Jacklet.

'Je kunt het ons wel vertellen,' zei Jesse Little.

'Je móét het ons vertellen,' zei Jim Jacklet. 'Een nieuweling als
jij hoort geen geheimen te hebben voor doorgewinterde rechercheurs als wij. Dat is tegen de regels. Zeg het dus maar.'

'Wat ik aan het doen ben? Ik help de politie met haar onderzoek,' zei Summer. Met een muisklik stuurde ze de verkeersrap-
porten naar de laserprinter en daarna stond ze op.

'Als je hulp nodig hebt,' riep Jesse Little haar na, 'dan weet je
me te vinden. En mijn tarieven zijn heel redelijk.'

Summer stond toe te kijken hoe de bladzijden een voor een uit
de laserprinter kwamen toen Ryland Nelsen aan kwam lopen met
een kop koffie in zijn hand en een bepaalde glans in zijn ogen.

'Ik dacht dat jij een dag vrij had genomen,' zei hij.

'Dat klopt ook, meneer.'

Hij haalde een van de bladzijden van de printer en bekeek hem
terwijl Summer wachtte tot het zwaard zou vallen. Omdat ze wist
dat ze de grenzen opzocht van wat mogelijk was op het politiebureau had ze Denise gevraagd hun afspraak min of meer officieel te
maken door Ryland Nelsen te bellen en hem te zeggen hoe ze het
waardeerde dat Summer vrijwillig had aangeboden te helpen bij
het onderzoek naar de ontvoering van de wederrechtelijke dood
van Edie Collier. Nu besefte ze dat Ryland Nelsen er met één telefoontje naar het sheriffkantoor van Cedar Falls achter kon zijn gekomen dat Denises onderzoek gesloten was.

Maar toen hij de bladzijde eindelijk aan haar teruggaf, zei hij
alleen: 'Ik kan me niet herinneren dat je overplaatsing hebt gevraagd naar de verkeerspolitie, rechercheur Ziegler.'

'Nee, meneer. Ik probeer de vriend van Edie Collier te vinden.
Hij heeft een rood Econoline-busje en ik vroeg me af of hij ooit
betrokken was geweest bij een botsing of een parkeerboete had gekregen.'

'Ik heb gehoord dat de plaatselijke politie de dader te pakken
heeft,' zei Ryland Nelsen. Hij keek Summer recht aan, maar van
zijn gezicht was niets af te lezen.

Summer zei rechtstreeks, van agent tot agent: 'Ja, meneer. Maar
er zijn wat losse eindjes.'

'Ik heb ook gehoord dat die engerd de kleren en het identiteitsbewijs van dat meisje in zijn kelder had. Hij heeft zich in zijn cel

verhangen, nietwaar? En een soort bekentenis achtergelaten.'

'Zoals ik al zei, meneer, er zijn wat losse eindjes. Daarom moet ik de vriend van Edie Collier zien te vinden, om te kijken wat hij te zeggen heeft over de omstandigheden van haar verdwijning. Maar als ik aan het eind van het weekend nog geen succes heb geboekt, gooi ik de hele zaak in een la en vergeet ik het verder.'

Ryland Nelsen schudde zijn hoofd. 'Nee, dat doe je niet. Weet je waarom niet?'

'Nee, meneer, maar ik denk dat u me dat gaat vertellen.'

'Ik zal dat laten passeren, rechercheur Ziegler, omdat ik medelijden met je heb. Omdat je een hongerige blik in je ogen hebt die me vertelt dat je dit niet gaat vergeten als de maandag eenmaal is aangebroken. O, je zult het misschien wel proberen, maar het zal aan je blijven knagen, en het zal niet lang duren voor je er elke minuut van je vrije tijd mee bezig zult zijn. Je zult 's nachts overwerken, je zult elk weekend besteden aan het volgen van sporen. En als je niet oppast, gaat het vreten aan je ziel. Dan ben je straks net als Jake Lee bij de afdeling Moordzaken. Ken je Jake Lee?'

'Ik heb de naam wel eens gehoord.'

'Hij is een goede politieman en heeft het meeste succes op zijn afdeling, maar hij heeft alleen zijn werk. Hij is een eenling en in mijn familie op de afdeling Beroving is geen plaats voor eenlingen of superhelden.'

'Ik beloof u dat ik geen draad lycra aan mijn lijf heb, meneer. Als ik die vriend aan het eind van het weekend niet heb gevonden, houd ik ermee op, dat zweer ik.'

'Ik kan je niet bevelen de zaak te vergeten,' zei Ryland Nelsen. 'Ik ga niet eens iets zeggen over het misbruik van de beperkte middelen van het bureau. Maar ik hou je in de gaten, rechercheur Ziegler. Als ik merk dat je hieraan werkt terwijl je voor mij zou moeten werken, zit je weer in een patrouillewagen. Begrepen?'

'Ja, meneer.'

Summer vond dat ze er gemakkelijk af kwam. Bij het Mexicaanse kraampje op de parkeerplaats tegenover de achterkant van het politiebureau kocht ze een taco met kaas en zwarte bonen en een blikje fris voor een late lunch en werkte de stapel rapporten door die Ada Simmons haar had gestuurd. Ze begon bij de meest recente rapporten en vond bijna meteen iets wat haar aandacht trok: een melding over een brandend busje op een braakliggend terrein bij het vliegveld, afgelopen donderdag om half elf 's avonds. De dag daarvoor was Edie Collier niet bij de Rite Spot verschenen om te werken. Er werd in het korte rapport niets gezegd over het kenteken of de kleur van het busje, maar het tijdstip klopte precies, dat was zeker.

De agent die er het eerst bij was geweest, had geen dienst. Summer sprak een boodschap in op zijn voicemail en belde daarna de brandweercommandant die een rapport had geschreven over de zaak.

Hij vertelde haar dat degene die het busje in brand had gestoken had geweten wat hij deed. 'Bendeleden en autodieven doen meestal niet veel meer dan wat benzine over de voorstoelen gieten als ze hun voertuig in brand willen steken, maar deze bus was vakkundig aangestoken. Ik heb achterin de overblijfselen gevonden van een plastic jerrycan en een eenvoudige ontsteking met een wekker. Gaschromatografie van het residu heeft aangetoond dat er een mengsel is gebruikt van ongelode benzine, polystyreen en wasmiddel. In wezen zelfgemaakte napalm. Er ontstaat een vuurbal als je dat aansteekt en het brandende polystyreen blijft kleven waar het op terechtkomt.'

'Dan was de binnenkant zeker wel zo'n beetje verbrand.'

'Wat er over is van dat busje staat op de autosloperij te wachten tot het naar de schroothoop kan. U kunt gerust komen kijken, maar als u iets bijzonders hoopt te vinden, vrees ik dat u pech hebt. Maar behalve de vakkundige manier waarop het busje was aangestoken, was er nog iets dat mijn belangstelling wekte. Hij had een set gekloonde nummerborden.'

'Gekloonde nummerborden?'

'Ja. Weet u hoe ze dat doen?'

'Misschien moet u me dat nog eens vertellen.'

'Het is heel eenvoudig. Je zoekt in een commerciële database als Car Data Check de details van een voertuig dat identiek is aan dat van jou en dan ga je naar een louche garage of handelaar die een set valse nummerplaten voor je maakt. Deze nummerplaten hoorden inderdaad bij een rode Econoline van hetzelfde jaar en hetzelfde model als het in brand gestoken busje, maar de eigenaar woont in San Francisco en ze heeft het busje nog steeds.'

'Dus de bus kan gestolen zijn,' zei Summer. Dat paste bij haar idee dat Edie Colliers vriendje zich bezig had gehouden met illegale zaken.

'Gelukkig is degene die de nummerborden heeft verwisseld niet op het idee gekomen om het identificatienummer van het voertuig te verwijderen,' zei de brandweercommandant. 'De sticker op de deurpost was verbrand of eraf getrokken, maar het metalen plaatje dat ze aan de bestuurderskant in het dashboard zetten stak uit een stuk gesmolten plastic. Ik maakte het schoon en voerde het nummer in in AutoTrack, maar het heeft volgens mij niet veel opgeleverd.'

AutoTrack, een database die werd beheerd door een particulier bedrijf, werd door de politie, door verzekeringsmaatschappijen en door deurwaarders gebruikt om het adres en andere persoonlijke gegevens van mensen te achterhalen en te weten te komen wie er als eigenaar van een voertuig geregistreerd stond.

Summer zei: 'Alles wat u me kunt vertellen, kan nuttig zijn. Ik heb momenteel helemaal niets om op af te gaan.'

De commandant zei dat Summer even moest blijven hangen terwijl hij het dossier opzocht, en toen hij weer aan de lijn kwam, zei hij: 'Het identificatienummer behoorde bij een Ford Econoline model E350 uit 1989, op naam van ene Bruce Smith, laatst bekende adres flat 6, 1090 East Spruce Street, Denver.'

'Bruce Smith?' zei Summer terwijl ze dit allemaal opschreef. 'Niet Billy?'

'Nu komt het interessante,' zei de commandant. 'Ik heb Bruce Smith nagetrokken in de databases. Hij is niet alleen veroordeeld wegens winkeldiefstal, maar zijn vingerafdrukken horen bij iemand die William Gundersen heet en die een jaar eerder in Los Angeles een paar keer veroordeeld is voor dezelfde overtreding. Denkt u dat hij de man is die u zoekt?'

'Miste die meneer Smith een paar vingers van zijn rechterhand?'

'Even op de kaart kijken... Verdomd, de ringvinger en de pink.'

Bingo. William Gundersen, alias Bruce Smith, moest Billy zonder achternaam zijn, de vriend van Edie Collier.

De brandweercommandant vroeg waarom ze naar hem op zoek was en ze gaf een kort verslag van de ontvoering en de dood van Edie Collier.

'U denkt dat deze man er iets mee te maken had?'

'Ik weet dat ik hem moet spreken.'

'Nou, dan wens ik u veel geluk. Ik heb geprobeerd hem te traceren, maar hij is vorig jaar vertrokken van zijn laatst bekende adres, dat in Denver. Niemand daar weet waar hij gebleven is en verder ben ik er niet op in gegaan. Hij heeft niets ernstigs op zijn strafblad staan en hij wordt op dit moment nergens voor gezocht, dus ik denk dat hij om de een of andere reden zijn bus kwijt wilde en hem in brand heeft gestoken, en dat is dat.'

'Heeft u toevallig een telefoonnummer van zijn laatste adres?'

Toen Summer het nummer belde, werd er opgenomen door een jonge vrouw die zei dat ze post kreeg voor Bruce Smith, maar dat ze geen idee had wie hij was.

'Er wonen voornamelijk studenten in het gebouw. Ik denk dat hij afgestudeerd of verhuisd is of zo.'

Summer zei: 'Heb je nog wat van zijn post bewaard?'

'Ik geef het aan de oude man die het huis beheert.'

'Kun je me zijn telefoonnummer geven?'

'Dat weet ik niet, maar hij woont maar twee deuren verderop.'

'Het probleem is dat ik niet zelf op zijn deur kan gaan kloppen,' zei Summer.

'Pardon?'

'Ik bedoel, wil je me een groot plezier doen? Kun je even bij de beheerder aankloppen, zijn telefoonnummer vragen en dat dan aan mij doorgeven?'

Drie minuten later zat Summer te praten met de beheerder van de flat, die haar vertelde dat Bruce Smith het jaar daarvoor was vertrokken met een huurschuld van twee maanden en zonder nieuw adres achter te laten.

'Hij krijgt nog steeds brieven van een incassobureau. Ik heb ze verteld dat hij allang verhuisd is, maar ze blijven ze sturen. Als u daar iets aan kunt doen, zou ik het zeer waarderen,' zei de beheerder.

'Ik zal mijn best doen, meneer. Miste meneer Smith een paar vingers aan zijn rechterhand?'

'Ja, mevrouw. Hij hield die hand altijd in zijn zak, net als die ouwe Franse kerel. Napoleon.'

'Heeft hij u ooit verteld hoe hij die vingers is kwijtgeraakt?'

'Niet dat ik me kan herinneren.'

Summer wist nog een beschrijving van Bruce Smith los te krijgen van de beheerder. Blank, voor in de twintig. Bruine ogen, mager, kort bruin haar dat hij sinds die tijd kon hebben laten groeien en geverfd kon hebben. Misschien een meter tachtig, wat zo dicht bij de een meter drieëntachtig van Janice lag dat het geen verschil maakte.

Summer zei: 'Weet u wat hij voor de kost deed?'

'Ik geloof dat het iets te maken had met de universiteit, maar ik weet niet meer wat het was.'

'Wat voor auto had hij?'

'Een busje, een oud geval.'

'Een rode Ford Econoline?'

'Niet rood, maar het was wel een Econoline. Wit, als je de moeite nam door het vuil heen te kijken. Volgens mij waste hij hem nooit. Hebt u hem gevonden?'

'Nog niet, meneer. Daar gaat het juist om.'

'Als u hem vindt, kunt u hem er misschien aan herinneren dat hij een huurschuld heeft van achttienhonderd dollar, plus nog vijfhonderd dollar voor het schoonmaken van de flat. Hij heeft de koelkast open laten staan en de stekker eruit getrokken terwijl er nog een pond garnalen in lag. Het heeft me een week gekost om de stank kwijt te raken.'

'Wanneer is hij vertrokken, meneer?'

'Vorig jaar, ik geloof in september. Gelukkig begon het herfstsemester net en kon ik de flat meteen nadat hij was schoongemaakt weer verhuren.'

'En wanneer is hij erin getrokken?'

'Even kijken... Ik geloof dat het ongeveer zes maanden eerder was. Zes maanden of daaromtrent. Als u wilt, kan ik het in mijn boeken nakijken.'

'Betaalde hij de huur contant of met een cheque?'

'Met een cheque. De laatste die hij me gegeven heeft, kon niet geïnd worden.'

'Hebt u die cheque toevallig bewaard?'

'Ik maak altijd fotokopieën van de cheques die ik van mijn huurders krijg, zodat er geen problemen ontstaan over zoekgeraakt papierwerk. Het zou u verbazen hoe vaak ze dat trucje nog proberen uit te halen. Wilt u dat ik het opzoek? Dat kan een paar minuten duren. Ik ben een beetje achter met opruimen.'

'Ik blijf aan de telefoon,' zei Summer.

Ze wachtte tien volle minuten terwijl de beheerder zijn fotokopieën van Bruce Smiths cheques opzocht, schreef de naam van de bank en het rekeningnummer op en vroeg de beheerder toen of hij nog iets van Bruce Smiths post had bewaard.

'Wilt u dat ik dat aan u doorstuur?'

'Als u een van de brieven van dat incassobureau open wilt maken, kan ik er misschien voor zorgen dat ze ze niet meer sturen.'

Summer voelde een harde, strakke opwinding, maar ze geloofde dat ze die wel onder controle had. Na haar gesprek met de beheerder belde ze de autosloperij, hoorde dat de bus er nog stond en liet de voorman beloven dat hij niet onder de pers zou gaan voordat zij de kans had gehad ernaar te kijken. Ze belde Bruce Smiths bank in Denver en vernam dat hij de rekening vorig jaar maart had geopend, in dezelfde maand waarin hij zijn flat had gehuurd. In juni had hij zo'n vijfhonderd dollar rood gestaan. In juli was de rekening bevroren en was de bank achter hem aan gegaan vanwege de schuld. De bankbediende vertelde Summer dat ze zonder gerechtelijk bevel geen kopieën van Bruce Smiths bank-afschriften kon verschaffen, maar bij het incassobureau van de cre-ditcardmaatschappij waren ze behulpzamer en vertelden ze Sum-mer dat Bruce Smith zijn kredietlimiet met meer dan vierduizend dollar had overschreden voordat hij was verdwenen. Summer be-loofde dat ze hen ervan op de hoogte zou stellen zodra ze meneer Smith had gevonden, en de man die ze aan de lijn had stemde er-mee in haar de details van Bruce Smiths creditcardafrekeningen te sturen zodra hij had bevestigd gekregen dat ze voor de politie in Portland werkte.

Summer ging terug naar de dertiende verdieping, typte de na-men Bruce Smith en William Gundersen in in NCIC, de National Crime Index Computer, en printte zijn strafblad uit. Toen belde ze het archief van de politie van Denver en vroeg hun haar een kopie van zijn arrestatierapport te sturen. Ze bleef bij de laserprinter staan terwijl het papier uit de machine rolde. Er stonden foto's op van een heel gewone jonge man, van voren, van rechts en van links. Ze zag ook de kaart met zijn vingerafdrukken, met lege plekken voor de laatste twee vingers van zijn rechterhand en een gekrab-belde opmerking dat de vingers ontbraken.

'Hebbes,' zei Summer.

De autosloperij die de verlaten, tot wrak verklaarde en onveilige voertuigen die door de politie in beslag waren genomen moest ver-werken, lag aan de Willametterivier ten noorden van de haven, vier hectare troosteloze, door de meeuwen bezochte, roestende kar-kassen in lange rijen. De uitgebrande bus van Bruce Smith/William Gundersen stond in een verre hoek op zijn velgen. De voorruit was weg en de verf was weggebrand van metaal dat al vol oranje roest-plekken zat.

Summer pakte een paar latex handschoenen uit haar tas en trok ze aan. Ze was vastbesloten om dit volgens de regeltjes te doen.

Het portier aan de bestuurderskant piepte open op onwillige scharnieren, en er kwam een sterke geur van verbrand plastic naar buiten. De stoelen waren verbrand tot op het metalen frame en de veren. Aan het gevlochten staaldraad van het stuur hingen stuk-ken gesmolten plastic. Er lag niets dan roet in het gapende gat waar het dashboardkastje had gezeten en alleen maar korrelige as onder de stoelen. Het slot van de achterdeuren was kapot; iemand had ijzerdraad om de handgrepen gedaan om ze dicht te houden. Summer maakte het ijzerdraad voorzichtig los, waarbij ze zorg-vuldig vermeed de handgrepen aan te raken, klikte haar zaklan-

taarn aan en liet de straal spelen over de geblakerde overblijfselen van wat eens een goedkope matras was geweest. Vlokken as
trilden in de luchtstroming. Een enkele, verschroeide schoen lag
op zijn zij.

Summer klom zo voorzichtig mogelijk naar binnen. De zure
stank prikte in haar neus en keel toen ze onder de randen van de
verbrande matras voelde en alle hoeken inspecteerde. Ze vond
zwartgeblakerde muntstukken tussen de splinters van een jampot.
Ze zag een riemgesp en een goedkope zilveren ketting, verkleurd
door de hitte. Ze vond verschillende verbrande blokken die eens
paperbacks waren geweest en maakte ze voorzichtig een voor een
open om de geschroeide, maar niet volledig verbrande bladzijden
te bekijken. Een van de boeken was een exemplaar van *Nine Horses*
van Billy Collins.

Ze trok haar handschoenen uit en deed haar best om de as van
haar knieën en de zomen van haar broek te slaan. Daarna pakte
ze de rol plakband uit de kofferbak van haar Accura en maakte
daarmee plastic zakken vast over de portierkrukken van het busje. Als er vingerafdrukken waren overgebleven na de brand, waren die waarschijnlijk weggeveegd door brandweerlieden en werknemers van de sloperij, maar ze wilde ze toch even laten bekijken
door de technische recherche, gewoon voor het geval dat.

Toen Summer in haar auto stapte, ving ze een glimp op van haar
gezicht in de achteruitkijkspiegel en ze was een paar minuten in de
weer met zakdoekjes en een flesje water om de vegen van haar gezicht te halen. Ze reed door het drukke spitsverkeer naar het politiebureau. De creditcardmaatschappij had kopieën gefaxt van
Bruce Smiths afschriften. Ze deed ze in een envelop en belde Denise Childers om haar het goede nieuws te vertellen.

Later die avond zei Summers moeder: 'Dus na al dat werk weet je
nog steeds niet of die jongen leeft of dood is.'

Summer zei: 'Edie Collier vroeg naar hem toen ze gevonden
werd. Dus moet zij gedacht hebben dat hij nog leefde.'

Haar moeder zei: 'Ze was zwaargewond en had een klap op haar
hoofd gehad. Ze moet veel pijn hebben gehad en misschien was ze
in de war. De eenvoudigste verklaring is dat hij is vermoord en zij
is ontvoerd, en dat de mensen die het gedaan hebben het busje in
brand hebben gestoken om hun sporen uit te wissen.'

Ze zaten aan de keukentafel. Summer at weer een afhaalmaal-
tijd van de plaatselijke Italiaan. Een pizza met een dunne bodem
en een saus van verse tomaten en oregano, buffelmozzarella, groe-

ne paprika en pepperoni. Ze dronk er een groot glas rode wijn bij.

Ze zei: 'Of hij nu leeft of dood is, de vriend zat in ieder geval in de problemen. Hij had onder een valse naam schulden gemaakt bij een bank en een creditcardmaatschappij, hij was nog achterstallige huur verschuldigd en er was een aanklacht tegen hem ingediend wegens winkeldiefstal. Dus is hij hierheen verhuisd en heeft hij zijn busje overgeschilderd en er andere kentekenplaten op gezet. Hij leidde een zwervend bestaan... Ik denk dat hij geprobeerd heeft snel geld te verdienen en dat hij daarbij de verkeerde mensen kwaad heeft gemaakt, en die hebben hem achterhaald.'

Dat was het scenario dat Summer en Denise Childers het meest had aangestaan. Mensen die niets goeds in de zin hadden, waren de vriend komen zoeken, en of ze hem nu gevonden hadden of niet, Edie Collier hadden ze in ieder geval wel aangetroffen.

'Als die Billy Gundersen dood is, ligt hij niet op het terrein van Joe Kronenwetter begraven,' had Denise gezegd. 'We hebben niets gevonden toen we er hebben gezocht met honden en een methaansonde voor het geval Kronenwetter nog andere meisjes heeft ontvoerd waarvan wij niets weten. Maar er is daar een heleboel bos. Zijn lichaam kan overal liggen. Misschien struikelt een wandelaar of een jager erover, maar ik zou er niet te veel op hopen.'

'Ik heb navraag gedaan bij het mortuarium van Multnomah County. Geen van de lichamen van jonge blanke mannen die de laatste week zijn binnengebracht miste twee vingers van de rechterhand.'

'Ik denk dat ik meneer Gundersen maar als vermist moet opgeven. Dan stuur ik het rapport naar elk politiebureau en sheriffkantoor dat ik kan bedenken.'

'Zo lang je er maar geen problemen mee krijgt,' had Summer gezegd, en ze had geprobeerd haar opluchting te verbergen. Ze wist dat het melden van een vermissing de logische volgende stap was, maar ze wist ook dat Denise die stap moest maken, omdat Denise de leiding had over de zaak.

Denise had gezegd: 'We moeten erachter zien te komen wat er met Edie Colliers vriend gebeurd is, want zijn verdwijning kan in verband staan met haar ontvoering en dood. Wie kan daar iets tegen inbrengen?'

Geen van hen had de naam van Dirk Merrit genoemd, maar Summer wist dat Denise het idee dat de miljonair iets te maken had met Edie Colliers dood, met of zonder de hulp van Joseph Kronenwetter, niet zou opgeven. Op dat moment probeerde Denise waarschijnlijk een verband te zoeken tussen Dirk Merrit en Edies vriend.

Haar moeder zei: 'Ik heb nog een ander idee. Edie Collier en haar vriend zijn allebei ontvoerd en ze wisten allebei te ontsnappen, maar toen zijn ze elkaar kwijtgeraakt. Misschien loopt hij nog wel in dat bos rond. Eet je dat laatste stuk nog op?'

'Ga je gang.'

'Ik zou het niet moeten doen, maar ik kan nooit weerstand bieden aan Carlo's pizza's,' zei haar moeder, en ze beet netjes de afhangende punt van het stuk.

Summer zei: 'Ik weet hoe de vriend heet, ik weet dat hij aan creditcardfraude en aan winkeldiefstal deed en ik weet dat hij valse kentekenplaten op zijn bus heeft gezet en hem heeft overgeschilderd. Maar je hebt gelijk, ik moet nog een heleboel zien te achterhalen. Ik moet bijvoorbeeld weten of Joseph Kronenwetter of iemand die Kronenwetter kende de bus in brand heeft gestoken en Edie Collier heeft ontvoerd, of iemand uit het verleden van het vriendje. Iemand die hij in Denver of zelfs in Los Angeles tegen zich in het harnas heeft gejaagd.'

Haar moeder zei: 'Ik denk niet dat het meneer Kronenwetter was. Waarom zou hij helemaal naar Portland komen om een onbekend meisje te ontvoeren? En waarom zou hij de bus van haar vriend in brand steken?'

'Precies. Degene die dat deed, was voorbereid. Hij had zelfgemaakte napalm bij zich. Hij had een plan.'

'Wat ga je nu doen?'

'We hebben geen bewijs dat de vriend vermoord is, dus ik denk dat ik gewoon naar hem blijf zoeken.'

'Vergeet ons etentje morgenavond niet,' zei haar moeder.

'Ik heb morgen een hoop te doen. Ik zal proberen op tijd te zijn, maar...'

'Ik heb onze gasten gezegd dat ze na zevenen welkom zijn,' zei haar moeder. 'Een beetje hulp in de keuken voor die tijd zou fijn zijn.'

16

Frank Wilson woonde op een caravanpark in Central Point, een gehucht op vijfentwintig kilometer van het landgoed van Dirk Merrit. Zijn dienst was pas over een paar uur voorbij en er scheen geen licht door de ramen van zijn caravan, maar voor het geval de man samenwoonde met een vriend of een of andere meid klopte Carl op de deur en wachtte hij een hele minuut voordat hij het slot openmaakte met een dunne metalen strip. In de keuken/woonkamer hing een muffe geur en heerste de nonchalante wanorde van een alleenwonende man. Een kort gangetje leidde langs een smerige badkamer met een vouwdeur naar de slaapkamer. Een boxspringmatras op het versleten grijze vloerkleed, aan een muur foto's van vrouwen, de een nog bloter dan de andere, verschillende sets kleren aan haakjes die aan elkaar waren vastgemaakt. Broeken en shirts, een leren jasje en een spijkerbroek, een pak in de plastic hoes van een stomerij. Carl vond een Beretta M9 met een vol magazijn en een reservemagazijn onder de matras. In de binnenzak van het pak zat een cassettebandje.

Hij schoof de Beretta achter de band van zijn legerbroek en nam de cassette mee naar het woongedeelte, waar hij een goedkope radiocassetterecorder naast de gloednieuwe tv had zien staan. Het kostte hem niet meer dan twee minuten om te luisteren wat er op het bandje stond. Hij speelde de rest van die kant versneld af, haalde het bandje uit de recorder, draaide het om en speelde de andere kant ook versneld af. Toen hij er zeker van was dat er niets anders op het bandje stond dan het gedempte gesprek, deed hij het in zijn zak. Toen deed hij zijn rugzak af, haalde er een groot stuk plastic uit en legde dat voor de deur, waarna hij in het donker in een vettige leunstoel ging zitten.

Hij dacht na over wat er op het bandje stond en hoe hij dat het beste kon gebruiken. Een ding was zeker: het was een uitweg. Als hij Pat Metcalf zo ver kon krijgen dat hij alles bekende, had hij een volmaakte smoes om naar Los Angeles te gaan. Hij zou Dirk Merrit natuurlijk moeten vertellen wat er aan de hand was, maar hij was er vrij zeker van dat hij wist hoe de man zou reageren en dat hij zou willen dat zijn trouwe soldaat iets aan het probleem zou doen. Carl bekeek het van alle kanten tot hij er zeker van was dat hij wist hoe hij het moest spelen. Toen dacht hij na over de zelfmoord van Joseph Kronenwetter en Dirk Merrits absolute ontkenning dat hij er iets mee te maken had. Carl geloofde geen moment dat het gewoon een van die dingen was die gebeuren als het geluk met je is, zoals Merrit had beweerd. De vraag was hoe Dirk Merrit Kronenwetter te pakken had gekregen terwijl die in een cel op de vierde verdieping van het politiebureau in Cedar Falls zat. Het moest door iemand binnen het bureau zijn gedaan, dacht Carl, een van de bewakers of een van de gevangenen. Waarschijnlijk een van de bewakers. Nog afgezien van de vraag hoe Dirk Merrit een gevangenisbewaker kende, moest hij met hem hebben gepraat om uit te leggen wat er gedaan moest worden en moest hij geld hebben overhandigd...

Toen hij het voor de zesde of zevende keer had overdacht, zag Carl nog niet hoe het anders kon zijn gegaan.

Dirk Merrit en zijn enorme ego, zijn idiote overtuiging dat hij een nieuw soort mens was, slimmer dan alle anderen op de wereld.

Maar voor zover het de plaatselijke politie betrof, leek het geluk van de man stand te houden. Volgens het plaatselijke tv-nieuws geloofden ze dat Kronenwetter uit wroeging zelfmoord had gepleegd en wilden ze hem en het dode meisje zo snel mogelijk vergeten. Aan de andere kant dachten die rechercheur uit Portland en haar vriendin van het sheriffkantoor duidelijk dat er iets met Dirk Merrit niet in de haak was, en de persoon die Dirk Merrit had betaald om Kronenwetter te vermoorden zou terugkomen voor meer geld, dat stond wel vast. Bovendien kon Carl met geen mogelijkheid weten wat voor stomme stunt de man nu weer zou uithalen.

Nou, hij kon de pot op. Carl had zijn eigen geluk, het geluk dat hij zelf creëerde. Hij had het bandje, hij had Pat Metcalf in het vizier, zijn werk hier was bijna gedaan. Hij hoefde alleen nog de keystroke recorder af te leveren bij Erik Grow, het abonneegeld van *Trans* te stelen en te verdwijnen. Hij had het valse paspoort nog dat hij had gebruikt om Amerika binnen te komen. Hij zou een vlucht nemen naar zomaar ergens in Zuid-Amerika, een nieuwe identiteit kopen en als de politie Dirk Merrit dan nog steeds niet verdacht, zou hij ze een berichtje sturen om ze te laten weten waar alle lijken begraven lagen...

Carl glimlachte in het donker. Alles verliep prima. Hij kon het zich veroorloven zich een beetje te ontspannen terwijl hij op Frank Wilson wachtte en zijn gedachten gingen naar het verleden, een kerker vol bloed en gegil, verlicht door zwarte bliksemflitsen, scènes waarin hij zijn dekmantel had laten vallen en zijn ware aard had getoond...

Hij schrok wakker toen hij een auto hoorde. Het licht van de koplampen scheen door het ondoorzichtige glas van de caravandeur en ging toen uit. Een sleutel schraapte in het slot. De deur ging open. Het licht in de caravan ging aan.

Frank Wilson stond in de deuropening in zijn goedkope blauwe overhemd en zwarte broek. Hij staarde Carl aan, wilde iets zeggen en toen hief Carl zijn .22 colt Woodsman en schoot hij hem tweemaal in de borst. Carl had een zelfgemaakte geluiddemper op het pistool gezet, een stuk van de paal van een tv-antenne vol staalwol. De schoten klonken niet luider dan knallende feestballonnen. Hij kwam bliksemsnel uit de leunstoel, ving de in elkaar zakkende Wilson op en legde hem op het stuk plastic. Hij zei zachtjes in het oor van de dode: 'Was het zo genoeg, jongen?'

Toen naar buiten om snel om zich heen te kijken. Wilsons Blazer stond vlakbij in de warme duisternis. In een caravan aan de overkant stond luid een tv aan, en hier en daar scheen licht door de sprieterige eucalyptusbomen die de eigenaar van het park had geplant in een mislukte poging het geheel een beter aanzien te geven, maar er was niemand op de been. Carl controleerde Wilsons lichaam op uittredewonden, maar kon er geen vinden; hij had een lichte lading gebruikt en kogels die bij inslag uit elkaar spatten. Hij pakte de twee hulzen die de colt had uitgeworpen en de sleutels die Wilson had laten vallen, wikkelde het lijk in het stuk plastic en sleepte het naar de Blazer. Daarna reed hij net onder de snelheidslimiet naar het oude houthakkerspad waar hij zijn pick-up had neergezet. Hij gooide het lijk in de laadbak van de pick-up, bedekte het met stukken hout en reed weg. Hij had de sleutels van de Blazer in het contact laten zitten. Misschien nam iemand hem mee, misschien ook niet. Het maakte niet veel uit. Tegen de tijd dat de politie erachter was dat de eigenaar vermist werd, was Frank Wilson van de aardbodem verdwenen.

Het kostte Carl meer dan een uur om oude kettingen om het lijk te wikkelen, om het meer heen te rijden naar het botenhuis, het lijk in de Zodiac te laden, naar het midden van het meer te varen en het pakket overboord te gooien. Spetter, spat, weg. Zwaar werk, maar noodzakelijk.

Het was iets na tweeën toen Carl langs de rand van het meer terugliep naar het huis, genietend van de rust en het donker en met een hand in de zak van zijn legerbroek, over het zakje met het souvenir dat hij had meegenomen. In zijn spartaanse kamer boven in de half voltooide toren nam hij een douche, ging op zijn smalle bed liggen, zette het alarm van zijn polshorloge op vier uur later en viel in slaap terwijl hij nadacht over het gesprek dat hij binnenkort met Patrick Metcalf zou hebben.

Carl was van plan Metcalf onderweg naar zijn werk te ontvoeren en hem mee te nemen naar een rustige plek, waar ze zich konden concentreren op de te bespreken zaken. Op zaterdagmorgen zat Carl net voor negenen in zijn pick-up tegenover het Californische huis – rood pannendak, wit gestuukte muren en een halfdode yucca in de met grint verharde voortuin – van Metcalf in een nieuwe wijk in de heuvels ten oosten van Cedar Falls toen zijn telefoon ging.

'Ik moet je meteen spreken,' zei Dirk Merrit.

'Ik kom zo snel ik kan,' zei Carl. 'Ik ben even bezig.'

'Begrijp je het woord "meteen" niet? Ik ben in het solarium,' zei Dirk Merrit, en hij hing op.

Even dacht Carl erover terug te bellen en Dirk Merrit te zeggen wat hij met zijn bevelen kon doen, maar hij wist dat hij de man te vriend moest houden en moest doen of hij een trouwe soldaat was tot het verrukkelijke, langverwachte moment waarop hij Powered By Lightning een poot uitdraaide.

Toen Carl zijn telefoon dichtklapte ging de voordeur van Metcalfs huis open en stormde er een Duitse herder naar buiten. Metcalf verscheen in de deuropening, stak zijn vingers in zijn mondhoeken en floot scherp. De hond sprong blaffend en kwispelend op hem af en achter Metcalf verscheen een vrouw met een olijfkleurige huid, een beetje mollig maar niet al te erg, met blote benen in een groot T-shirt en haar zwarte haar los om haar schouders. Carl keek vanuit zijn pick-up toe hoe Metcalf de hond aaide en de vrouw gedag kuste en zag hem in zijn Range Rover stappen terwijl de vrouw bij de deur de hond bij zijn halsband vasthield. De Range Rover reed achteruit de korte oprit af en verdween in de stille straat in de buitenwijk.

Het zou zo gemakkelijk zijn bij een stoplicht naast de Range Rover te stoppen, het raampje naar beneden te doen en Pat Metcalf toe te lachen vanachter een afgezaagd geweer voordat hij zijn kop eraf knalde... Het probleem was dat Carl eerst wat informatie van de man moest hebben.

'Binnenkort,' zei hij, en hij wachtte tot de vrouw de Duitse herder mee naar binnen had genomen voordat hij de pick-up startte.

17

Toen haar moeder op zaterdagmorgen boodschappen ging doen, zat Summer aan de verweerde cederhouten tafel op het houten terras dat haar vader in de achtertuin had aangelegd kopieën van William Gundersens creditcardafschriften te bekijken. Het was al warm en de hemel was strakblauw achter de bomen en daken. De vogels zongen, kinderen riepen naar elkaar in de verte en de buurt kwam tot leven.

Summer hield van het grote, oude victoriaanse huis met zijn lange veranda en ruime achtertuin, zijn sprookjesachtige toren en de rijk versierde gevelspitsen, waarin elke kamer vol versleten, comfortabele meubels, boeken, kunst en curiosa stond. Ze hield ook van de buurt, de diepe schaduw van de lommerrijke straten, de gezinshuizen met hun steile voortuintjes vol hosta's en varens, de aanplakbiljetten over garageverkopen of vermiste katten aan de elektriciteitspalen, het braakliggende terrein waar ze als kind gespeeld had... Toen ze hier was teruggekomen nadat ze met Jeff had gebroken, was het alsof ze zich op een oude, vertrouwde bank had laten vallen, maar ze moest nu echt eigen woonruimte gaan zoeken en verdergaan met haar leven. Volgende week zou ze de huizenadvertenties in de *Oregonian* eens bekijken om een idee te krijgen hoe de markt was en zich inschrijven bij woningcorporaties. Er adverteerden ook een paar makelaars die vroeger bij de politie waren geweest in de *Rap Sheet*, de nieuwsbrief van de Portland Police Association. Misschien zouden die haar kunnen helpen.

Intussen moest ze proberen uit te vogelen wat de vriend van Edie Collier allemaal had uitgespookt. Ze dacht dat ze genoeg had om op af te gaan. Haar moeder had haar eens verteld dat Sherlock Holmes een indruk van een man kon krijgen aan de hand van de as van zijn sigaar. Billy Gundersen, alias Bruce Smith, had veel meer achtergelaten.

Hij had zijn creditcard vorig jaar maart gekregen, net nadat hij in zijn nieuwe flat was getrokken, en had hem onmiddellijk gebruikt om tweeduizend dollar uit te geven in een winkel in Denver die Abe's Bytes and Bits heette. In de maanden daarop had hij verschillende minder dure aankopen gedaan in dezelfde winkel, meer dan vijfhonderd dollar uitgegeven in Apple's online muziekwinkel en abonnementen genomen op verschillende online computerspelletjes.

Een van die spelletjes was *Trans*, het spel dat Dirk Merrit had ontwikkeld. Denise zou smullen van dat detail.

Toen Billy Gundersen in juni rood was komen te staan, begonnen er kleine aankopen in nachtwinkels en benzinestations op zijn creditcardafschriften te verschijnen, tien dollar hier, twintig dollar daar. Tegen de tijd dat zijn creditcard werd geblokkeerd, had hij een schuld van meer dan zesduizend dollar aan onbetaalde rekeningen en oplopende rente.

Summer belde naar Abe's Bytes and Bits en na vijf minuten aandringen wist de norse bediende die ze aan de telefoon had gekregen de bon van Billy Gundersens eerste aankoop te vinden: een volledig uitgeruste Toshiba-laptop met een WiFi-compatible netwerkkaart, extra geheugen en een tas. Onder de latere aankopen bevonden zich een iPod, verschillende modellen joysticks, losse speakers en een upgrade van de geluidskaart van zijn laptop. Deze aankopen en de abonnementen zeiden Summer dat Billy Gundersen verzot was op computerspelletjes die je speelde via het internet. Misschien was daar een verband met Dirk Merrit en misschien ook niet, maar het gaf haar in ieder geval een idee waar ze hem moest zoeken. Met de WiFi-kaart in zijn laptop kon hij overal waar een draadloos netwerk was op het internet komen, en Summer wilde wedden dat iemand die in zijn bus woonde gebruik zou hebben gemaakt van plaatsen die gratis toegang tot het internet boden.

Ze ging naar de voorkamer, die dienstdeed als kantoor, en startte de computer op. Die stond op de schragentafel in een van de erkers, naast een hoge stapel uitgeprinte bladzijden – het zwaar van aantekeningen voorziene manuscript van de twintigste of dertigste versie van haar moeders roman. Achter in de grote kamer met zijn witgeschilderde vloerplanken en metalen rekken vol boeken stonden niet ingelijste schilderijen van elk formaat langs de muur, samen met een beeldhouwwerk van een stierenkop, gemaakt van aan elkaar gelaste buizen op een voet van ruw beton, een ezel met een half afgemaakt schilderij en het gehavende metalen bureau van haar vader, dat nog steeds vol lag met zijn papieren en gereedschappen...

Nog een reden om te verhuizen. Overal in het huis bevonden zich dingen die van Summers vader waren geweest of die hij had gemaakt, kleine herinneringen aan zijn aanwezigheid die bij alles wat ze deed als doornen in haar ziel bleven steken.

Na slechts een paar minuten op het internet besefte ze dat het moeilijker zou zijn om Billy Gundersen op te sporen dan ze aanvankelijk had gedacht, omdat Portland voorop liep als het ging om gratis WiFi-punten. Er waren meer dan honderd cafés, bars, hotels en restaurants waar je een draadloze laptop of ander apparaat kon gebruiken om op het internet te komen. Openbare bibliotheken en universiteitsbibliotheken hadden ook hun eigen WiFi-netwerk, evenals het Portland International Airport...

Na enig nadenken besloot Summer dat bibliotheken en cafés de beste kansen boden. Als je krap bij kas zat, kon je voor de prijs van een klein kopje koffie zo lang in een café blijven zitten als je maar wilde, en de bibliotheken waren niet alleen gratis, maar Summer herinnerde zich ook dat Edie Collier een lezerskaart had van de Multnomah County Central Library. Die was met haar kleren en andere bezittingen in de kelder van Joseph Kronenwetter gevonden.

Summer wilde net weggaan toen haar moeder thuiskwam. Ze hielp de zakken met boodschappen van de auto naar de keuken dragen en zei tegen haar moeder dat ze de rest van de dag waarschijnlijk weg zou zijn, maar dat ze zou zorgen dat ze op tijd voor het diner terug was.

'Zo lang je maar voor zeven uur thuis bent,' zei haar moeder.

'Ik doe mijn best.'

Haar moeder deed de koelkast open en begon de ingrediënten voor een salade in de groentela te doen. Ze droeg een spijkerbroek en een geel T-shirt en haar haar was losjes ingevlochten. Haar heupen waren wat aan de brede kant, maar ze was nog slank... Summer hoopte dat ze er half zo goed zou uitzien als ze zo oud was als haar moeder. Ze zei: 'Hoe lang heb je je haar al zo?'

'Het lijkt wel of ik het altijd zo heb gedragen. Hoezo?'

'Ik dacht dat je het misschien eens anders moest laten knippen. Korter en in laagjes. Dat zou goed bij je gezicht passen.'

'Ik zou eruitzien als een lesbische bibliothecaresse.'

Summer deed alsof ze geschokt was.

'Dat is wat de mannen zouden denken,' zei haar moeder opgewekt.

'Denk je er soms over weer uit te gaan?'

'Ik denk erover, maar ik doe er nog niets mee.' Haar moeder draaide zich om van de koelkast met een fles bronwater in haar hand. 'Jij hebt zeker aanwijzingen waar die vriend zit, omdat je uitgaat?'

'Ik weet dat hij zich bezighield met computers en online computerspelletjes.'

'Bedoel je MMO's?'

'Wat?'

'MMO's. *Massively Multiplayer Online games*. Dan speel je tegen andere spelers in plaats van tegen door de computer bestuur-de tegenstanders. *Trans* is eigenlijk een MMORPG, een *Massively Mul-tiplayer Online Role Playing Game*, omdat iedere speler een eigen personage neemt voordat hij begint te spelen.'

'Hoe weet jij dat?'

'Tony is er dol op.'

'Dat wist ik niet.'

Tony Otaka was de assistent in opleiding van haar moeder.

'Ik weet zeker dat hij je met alle liefde wil helpen,' zei haar moe-der. 'De spelers praten voortdurend met andere spelers. In het spel uiteraard, en op prikborden waar ze tips en trucjes en roddeltjes uitwisselen. Eigenlijk zijn MMO's meer online gemeenschappen dan spelletjes. Als die vriend die je zoekt een actieve speler was, maak-te hij deel uit van die wereld. Misschien kent Tony hem, of mis-schien weet hij in ieder geval iets over hem.'

Summer keek op haar aantekeningen. 'Het vriendje speelde *Everquest, Trans* en *World of Warcraft*. In ieder geval heeft hij vo-rig jaar abonnementen op die spelletjes genomen, maar ik weet niet of die zijn voortgezet.'

'Ik weet zeker dat Tony wel weet hoe je daarachter kunt ko-men.'

'Goed, maar vertel hem niet dat ik het wil weten omdat ik ie-mand zoek die betrokken is bij een moord.'

'Tony weet wanneer hij zijn mond moet houden.'

'Dat zal best. Maar ik had jou hier al niets over mogen vertel-len, laat staan iemand anders.'

Haar moeder nam een slokje bronwater. 'Oké. Ik verzin wel een smoesje.'

'Als het maar een beetje geloofwaardig is,' zei Summer. 'Dit is geen detectiveverhaal.'

18

Het solarium was een kleine koepel aan het eind van een breed ter-ras achter de drie torens van het huis, waarin zich een bubbelbad bevond en een woestijntuin met zand, rotsblokken en cactussen. De meeste cactussen waren genetisch gemanipuleerd: felrode cac-tussen, cactussen met witte of gele vlekken, cactussen met bosjes haar in plaats van naalden. Midden in deze tuin vol curiosa lag

Dirk Merrit naakt op een zwartleren bank naast het bubbelbad, met zijn kin op zijn armen, terwijl de masseur die eens per week langskwam zijn schouders onder handen nam. Elias Silver zat naast hem op een vouwstoel en wees iets aan op het scherm van zijn laptop.

'Moet je horen,' zei Dirk Merrit tegen Carl. 'Een nieuwe doorbraak in de gentechnologie. Heel opwindend.'

Elias Silver klikte door de PowerPointpresentatie op zijn laptop en praatte over enzymen die zink bevatten en die specifieke genen los konden maken van het chromosoom en deze konden vervangen door gemodificeerde versies. Hij hing een heel verhaal op dat erop neerkwam dat deze techniek niet alleen gebruikt kon worden om defecte genen te vervangen door normale exemplaren, maar ook om genen in te brengen met nieuwe karakteristieken, en dat deze nieuwe techniek betekende dat genetische modificatie niet langer beperkt hoefde te blijven tot wat hij de geslachtscellen noemde, sperma of eitjes, maar dat er genen konden worden ingebracht in elke soort cel van elk levend wezen.

'Stel je voor dat je een virus hebt dat slechts één soort lichaamscel aanvalt. De epidermale cel bijvoorbeeld die hoofdhaar doet groeien. Het virus draagt dit enzym met zich mee en het enzym voegt een gemodificeerd gen toe aan elke cel die door het virus wordt aangevallen. Dat zou je kunnen gebruiken voor iets triviaals als het wijzigen van de haarkleur, maar je zou ook grotere veranderingen kunnen aanbrengen. De groei van schubben, bijvoorbeeld, of veren.'

Carl ging op een rotsblok zitten en wachtte ongeduldig, zwetend in de hitte in de koepel, terwijl Dirk Merrit en Elias Silver nog een paar minuten onzin bleven verkopen. Dirk Merrit was gek op dergelijke onzinnige en onwaarschijnlijke sciencefiction. Hij had een enorme belangstelling voor persoonlijke onsterfelijkheid en had een groot deel van zijn fortuin verkwanseld aan charlatans die verschillende levensverlengende behandelingen, verhoging van het IQ, bescherming tegen kanker en de symptomen van het ouder worden en radicale nieuwe ontwerpen in het menselijk lichaam beloofden. In een interview met *Wired* had hij eens gezegd dat het niet uitmaakte of hij aan zijn laatste dollar toe was, zo lang hij zijn geld maar had gebruikt om eeuwig leven mee te kopen. Want als je eeuwig kon blijven leven, kon je gewoon een dollar op de bank zetten en zou die dollar in een relatieve oogwenk – zeg tienduizend jaar – door de rente op rente miljarden worden. Als je nog even langer wachtte, zou je alles op de aarde bezitten. En dat was maar een begin. Als je de eeuwigheid had om mee te spelen, was er niets dat je niet kon doen.

En terwijl hij had zitten wachten tot een van zijn beschermelingen het ei van Columbus vond, had hij niet alleen zijn lichaam laten aanpassen met de allernieuwste chirurgische technieken, maar had hij bovendien gespeeld met verschillende secundaire projecten, zoals zijn genetisch gemodificeerde cactussen of de kromme appelboom in de kleine kas bovenop de grote toren. Monsters van Dirk Merrits DNA waren in stukjes gehakt en in willekeurige reeksen in de chromosomen van appelcellen ingebracht, en een van die cellen was uitgegroeid tot de boom. Hij zei altijd dat iemand die een appel van die boom at zijn vlees tot zich nam. In de verre toekomst zouden gentechnologen volgens hem zijn genoom uit de boom of uit een boom die uit deze voortkwam halen en het gebruiken om klonen van hem te kweken.

Eindelijk ging Dirk Merrit overeind zitten en stuurde hij Elias Silver en de masseur weg. Omdat de rest van zijn lichaam zulke uitgebreide veranderingen had ondergaan, was het altijd een schok om te zien dat hij verder normaal was toegerust. Hij was lang, maar de proporties klopten niet helemaal; er waren stukken titanium in zijn bovenbenen gezet. Hij was ook mager; zijn ribben, schouderbladen en schaambeen waren allemaal duidelijk zichtbaar onder de poederwitte huid. Zijn schedel was volkomen kaal, zijn lippen waren blauwwit als de lippen van een lijk en zijn oren, die lange lellen hadden waarin zilveren ringen hingen, waren net vreemde, bleke paddestoelen. Alleen zijn ogen hadden kleur. Dirk Merrit had tientallen paren contactlenzen en liet zijn keuze bepalen door zijn stemming. Vandaag waren zijn ogen donkergoud, met spleetvormige pupillen. De ogen van een slang of een roofvogel.

Deze griezelige ogen staarden Carl aan; Carl staarde terug. Toen Elias Silver en de masseur hen alleen hadden gelaten in de warme, droge tuin zei Dirk Merrit: 'Zit jou iets dwars?'

'Niet echt.'

'Je lijkt er niet helemaal bij.'

Carl haalde zijn schouders op. Hij was niet van plan te vragen waarom Dirk Merrit hem had willen spreken. Laat de man het maar uitleggen als hij vindt dat de tijd gekomen is.

Dirk Merrit deed zijn zijden kimono aan en liet Carl de chrysant op de rug zien, rood tegen het verbleekte groen, toen hij naar de rand van de koepel liep. Hij staarde door een van de grote zeshoekige ruiten naar de witte rotsblokken in de droge kreek onder in de vallei, diep onder hen, en zei eindelijk: 'Heb je vanmorgen het nieuws gezien?'

'Ik was weg.'

'Voor een van je geheimzinnige bezigheden.'

Carl zei niets.

'Het was op alle plaatselijke zenders,' zei Dirk Merrit. 'CNN heeft het ook opgepikt.'

Carl wachtte af.

'De staatspolitie van Nevada is over het lijk van onze laatste pelgrim gestruikeld,' zei Dirk Merrit, en hij draaide zich om met een plotselinge werveling van groene zijde. 'En ze hebben hem geïdentificeerd ook. Ze weten dat hij de vriend van het meisje was.'

Even kwam Carl in de verleiding de man te vermoorden. De kolf van zijn .22 stak onder het spijkerjasje in zijn rug. Hij kon de man nu meteen doodmaken, grijpen wat hij kon pakken en het op een lopen zetten. Hij liet de impuls door zich heen rollen en wegsterven en luisterde goed toen Dirk Merrit hem vertelde dat de plaatselijke politie het lichaam had geïdentificeerd aan de hand van de vingerafdrukken, die bleken te kloppen met die op een aangifte wegens vermissing die was ingediend door iemand van de politie in Cedar Falls, en dat de FBI erbij betrokken was geraakt...

En op dat moment viel Carl in wat hij moest doen. Een reden om naar Los Angeles te gaan en een manier om Dirk Merrit uit handen van de politie te houden tot hij Powered By Lightning beentje had gelicht, pasten in elkaar als de pennen van een goed geolied slot.

Dirk Merrit zei: 'Ik vind het allemaal enorm opwindend. Ik ben een jager, maar nu wordt er plotseling op mij gejaagd. Het voegt een heel nieuwe dimensie toe aan het spelletje.'

'De bewaker die je hebt omgekocht om de kerel te vermoorden die we de schuld voor de dood van het meisje in de schoenen hebben geschoven, hoe houdt die zich?'

Er viel een stilte. Eindelijk zei Dirk Merrit: 'Dus daar ben je achter gekomen? Of was het een goede gok?'

'Ik ben zelf tot die conclusie gekomen. Dat was niet moeilijk. De politie zal er ook niet veel moeite mee hebben.'

Dirk Merrit haalde zijn schouders op. 'Nou, maak je daar maar geen zorgen over. Wat er ook gebeurt, het is nooit tot mij te herleiden. Alles is op afstand en via de telefoon geregeld.'

'Het zal niet lang duren voor de politie erachter is dat de man die het meisje ontvoerd zou hebben in de cel zat toen haar vriend werd vermoord. En als ze dat weten, kun je erop rekenen dat ze nog eens goed zullen kijken naar die zogenaamde zelfmoord, en op dat moment komt die bewaker terug en vraagt meer geld. Veel meer geld. En dat niet alleen, hij zal zich waarschijnlijk gaan afvragen of hij geen deal kan sluiten. Hij zal zich gaan afvragen of hij jou kan verlinken in ruil voor ontslag van strafvervolging.'

'Dus moet ik hem uit de weg ruimen voordat hij mij erbij kan lappen,' zei Dirk Merrit, en het idee stond hem duidelijk wel aan.

'We kunnen het doen als ik terug ben,' zei Carl.

Dirk Merrit zei: 'Als je terug bent? Jij gaat nergens heen, Carl. Ik heb je hier nodig. Je moet me helpen de situatie in de hand te houden en je moet de volgende jacht voorbereiden...'

'Allereerst moet ik de FBI afleiden,' zei Carl, en hij stond zichzelf een glimlach toe omdat hij de man te pakken had, hij had hem in zijn handpalm. 'Ik moet hun aandacht afleiden van Cedar Falls voordat ze gaan nadenken over het meisje en hoe dat hier terecht is gekomen. Ik moet ze iets anders geven om over te piekeren. En ik weet precies hoe ik dat moet doen.'

Dirk Merrit keek hem nauwlettend aan en zei: 'Ik luister.'

'Laten we beginnen met een van je bewakers, Frank Wilson, en waar ik hem een paar dagen geleden op betrapt heb.'

19

Summer ging met een goed gevoel op zoek naar de vriend van Edie Collier, maar halverwege de middag had ze Billy Gundersens politiefoto bij elke openbare bibliotheek en universiteitsbibliotheek laten zien en had het nog niet meer opgeleverd dan schouderophalende, hoofdschuddende en zich verontschuldigende medewerkers. Ze nam even pauze in de grote Starbucks op de hoek van Pioneer Courthouse Square en liep daarna een paar uur de plekken in het centrum af waar de jonge weglopertjes en de armen zich ophielden. Ze liep een rondje over sw Broadway naar het zuiden en over sw Fourth Avenue weer naar het noorden en liet de foto's van Billy Gundersen en Edie Collier zien aan het personeel van ieder café met WiFi en alle kunstenaars in de tattooshops. Laat in de middag, bij de vijfde tattooshop op haar lijst, had ze eindelijk geluk. De eigenaar van de zaak herkende het paar en zei dat ze drie weken geleden een paar gelijke tatoeages bij hen had aangebracht. Ze was een stevige vrouw van middelbare leeftijd met kort, felrood geverfd haar, in een spijkervest waaruit armen staken die van schouder tot pols waren versierd met glanzende, veelkleurige ontwerpen, en ze vertelde Summer dat de jongen voor zover zij kon zien geen andere tatoeages had, maar ze herinnerde zich zijn verminkte rechterhand en ze wist ook nog dat hij een laptop bij zich had gehad.

'Waar moet je ze eigenlijk voor hebben?'

Summer geloofde dat de vrouw een oprecht mens was en besloot meteen te zeggen waar het op stond. 'Helaas is het meisje dood, mevrouw.'

De vrouw knipperde met haar ogen en zei: 'Dat vind ik erg. En die vriend?'

Summer zei: 'Nou, daarom ben ik eigenlijk hier. We moeten hem vinden en kijken of alles goed met hem is. Kunt u zich herinneren waar ze het over hadden terwijl u met ze bezig was? Mensen die ze kenden, plekken waar ze kwamen, wat dan ook.'

'Het meisje was nogal stil. Dat zie je vaak bij mensen die voor het eerst komen. Zie je, een goede tatoeëerder doet zijn klanten zelden pijn,' zei de vrouw. 'Ze voelen natuurlijk wat geprik en getintel, maar het is lang niet zo erg als de gemiddelde injectie. Maar mensen die voor het eerst komen, verwachten soms dat het pijn doet en dan vallen ze stil en worden ze gespannen. Zo was het met het meisje ook.'

Summer dacht aan de rustige, onbekommerde wereldvreemdheid van Edie Collier nadat ze was gearresteerd wegens winkeldiefstal. 'En haar vriend?'

'Eén ding kan ik je wel vertellen, hij heeft haar niet vermoord.'

'Dat is ook niet de reden waarom ik hem zoek.'

'Het waren leuke kinderen. Heel lief voor elkaar. Ze wilden bij elkaar passende tatoeages met een roos en een banier met elkaars naam op hun schouders. Nogal banaal, maar dat is wat ze wilden en dat is wat ik ze gegeven heb, met wat heel mooie schaduwwerking bij de rozen. Bij zo'n standaardontwerp maakt de schaduw het verschil. Hij hield haar hand vast terwijl ik met haar bezig was en daarna hield zij zijn hand vast.'

'Hebt u nog met de vriend gepraat terwijl u hem behandelde?'

De vrouw dacht even na en streelde de grote, blauwgroene karper met de lange snorharen die zich om haar linkerarm kronkelde. 'We hadden het over sciencefiction. Ja, en computerspelletjes. Hij vertelde me over een spel dat hij via het internet speelde en dat hij iets op het spoor was waardoor hij rijk en beroemd zou worden.'

'Zei hij nog hoe dat spel heette?'

De vrouw dacht nog eens na en zei: 'Als hij dat al gedaan heeft, kan ik het me niet herinneren.'

'Was het soms *Everquest, World of Warcraft* of *Trans?*'

De vrouw haalde haar schouders op.

'Heeft hij precies gezegd wat hij zocht in dat spel, wat het was dat hem rijk zou maken?'

'Een of andere schat. Nu ik er over nadenk, was hij er nogal vaag over. Misschien dacht hij dat ik hem zou belazeren. Ik weet niet waarom, het is maar een spel, maar hij nam het heel serieus.'

Ze praatten nog een paar minuten verder. Summer gaf de vrouw haar kaartje en zei dat ze moest bellen als ze zich nog iets herinnerde.

Het was niet veel voor een dag werken, maar Summer had in ieder geval bevestigd dat Billy Gundersen de vriend van Edie Collier was geweest, dat hij nog steeds een laptop gebruikte en dat hij nog steeds computerspelletjes speelde. Ze was op de terugweg naar het huis van haar moeder en reed over Burnside Bridge toen haar mobiele telefoon ging. Het was Denise Childers en ze kwam met-een terzake.

'De FBI heeft onze zaak overgenomen.'

Summer voelde een spier verkrampen in haar middenrif. 'Hoe is die erbij betrokken geraakt?'

'Ze hebben het lichaam van Edie Colliers vriend gevonden.'

Summer was bijna aan het eind van de brug. Ze zei tegen De-nise dat ze even moest wachten, reed over de kruising met 1st Avenue, parkeerde de auto voor een rij haveloze winkeltjes en pakte de telefoon weer op. 'Nog even van voren af aan.'

Denise legde uit dat de staatspolitie de vorige dag een anonie-me tip had gekregen over een lijk in de bedding van een droogge-vallen meer in het noordoosten van Nevada. 'Het was hetzelfde als met de tip die we kregen over Joe Kronenwetters kelder. Er is ge-beld naar het toestel van een secretaresse en de stem was elektro-nisch vervormd.'

Ze zei dat de FBI het onderzoek had overgenomen omdat er ge-lijkenissen waren met twee andere recente en nog onopgeloste moorden: die op Ben Ridden, een achtentwintigjarige verzekerings-agent wiens skelet zes maanden nadat hij voor het laatst was ge-zien was gevonden in de Mojave Desert en die op een Duitse toe-rist, Tomas Stahl, wiens halfvergane lijk zes weken nadat hij was verdwenen uit zijn motelkamer in Redding was gevonden in Christ-mas Lake Valley in Oregon, zo'n honderddertig kilometer ten zuiden van Yreka. Billy Gundersen, Ben Ridden en de Duitse toerist waren allemaal neergeschoten met een kruisboog en vermoord door een genadeschot in het hoofd. Bij Billy Gundersen en de Duitse toerist was het hart verwijderd en beschadigingen op Ben Riddens ribben deden vermoeden dat zijn borstkas geopend was.

Summer dacht aan de kruisboog die Dirk Merrit hen had laten zien en wachtte tot Denise erover zou beginnen.

In plaats daarvan zei Denise: 'De vingerafdrukken van het lijk blijken overeen te komen met die op het AFIS-rapport van Gundersen. Toen ontdekte de FBI dat ik hem als vermist heb opgegeven en stuurden ze een paar agenten naar me toe om met me te praten. Ik zou je eerder hebben gebeld, maar ik ben net pas met ze klaar. Ik zit nu te wachten op iemand van hun forensische dienst. Hij wil het lichaam van Edie zien.'

Summer zei: 'Hebben ze enig idee wanneer Billy Gundersen is vermoord?'

'Ergens tussen donderdag aan het eind van de dag en vrijdag halverwege de dag.'

'Is hij vermoord op de plek waar hij is gevonden, of is hij ergens anders vermoord en daarna gedumpt?'

'Het ziet ernaar uit dat hij ter plekke is vermoord. En te oordelen naar de voetafdrukken en sporen op de plaats delict hebben ze hem een hele tijd nagezeten voordat hij is vermoord.'

'Als Billy Gundersen donderdag of vrijdag in Nevada is vermoord...'

Denise zei: 'Ik weet het. Het betekent dat Joe Kronenwetter hem met geen mogelijkheid vermoord kan hebben, want Kronenwetter is op dinsdag gearresteerd en heeft de volgende dag in zijn cel zelfmoord gepleegd.'

Summer nam even de tijd om alles op een rijtje te zetten. 'De bus van Billy Gundersen is vrijdagmorgen vroeg hier in Portland in brand gestoken. Edie Collier kwam vrijdag niet opdagen op haar werk en is niet meer gezien tot ze de dinsdag daarop in het bos bij Cedar Falls is gevonden, en haar vriend heeft niet gemeld dat ze vermist werd. Het is mogelijk dat hij ergens bij betrokken was waardoor hij niet naar de politie kon gaan, maar het is waarschijnlijker dat hij tegelijk met haar is ontvoerd.'

Denise zei: 'En dat betekent dat hij ergens anders dan in Kronenwetters hut is vastgehouden en dat hij door iemand anders is meegenomen naar de woestijn en daar is vermoord. De FBI heeft me niet alles verteld, maar ze lieten zich wel ontglippen dat er sporen waren gevonden van een camper.'

'Joe Kronenwetter had hier dus niets mee te maken of hij had een handlanger.'

Denise zei: 'De FBI gaat uit van de theorie dat Kronenwetter goed bevriend was met een of andere handelsreiziger die hij in het leger, vorig jaar tijdens Kronenwetters verblijf in de gevangenis of zelfs bij een wapenshow kan hebben ontmoet. Ze ontvoerden de twee tieners, Kronenwetter kreeg het meisje en zijn vriend de handelsreiziger kreeg de jongen. Ze gingen ieder huns weegs, leefden zich ieder op hun eigen manier uit en toen lapte de handelsreiziger Kronenwetter erbij. Ze komen waarschijnlijk nog wel met je praten. Maar verwacht niet dat het interessant wordt. Als die jongens een zaak overnemen, sluiten ze alle anderen uit.'

'Wie heeft de leiding?'

'Sectiehoofd Harry Malone, afdeling Gedragswetenschappen. Mij werd door de twee die ik gesproken heb te verstaan gegeven dat hij een goede man is, heel ervaren en heel nauwgezet.'

'Ik moet je nog iets zeggen,' zei Summer, en ze vertelde over de creditcardafrekeningen die bewezen dat Billy Gundersen graag online computerspelletjes speelde. 'Hij had een abonnement op drie verschillende spellen. Een daarvan was *Trans*.' Toen Denise niets zei, voegde ze eraan toe: 'Het is een mogelijk verband met Dirk Merrit. Ik moet toegeven dat ik na ons eerste gesprek en onze eerste ontmoeting met hem niet overtuigd was dat hij iets met Edie van doen had. Maar ik geloof dat ik van gedachten ben veranderd.'

Nog een stilte. Summer hoorde kinderen lachen en water spetteren en vermoedde dat Denise vanuit haar achtertuin belde.

Summer zei: 'Ik heb de hele morgen allerlei plekken hier in Portland afgelopen met een WiFi-verbinding, dus waar je gratis het internet op kunt. Dat heeft niets opgeleverd, maar ik heb wel de vrouw gevonden die bij Edie Collier en Billy Gundersen bij elkaar passende tatoeages heeft aangebracht. Ze herinnerde zich dat Billy Gundersen een laptop bij zich had en dat hij haar had verteld dat hij op zoek was naar een of andere schat of iets kostbaars in een online spel. Dus volgens mij is het zeker de moeite waard Dirk Merrit in het vizier te houden en naar die computerspelletjes te kijken.'

Denise zei: 'Mag ik je een eerlijke vraag stellen? Wil je het opgeven nu de FBI zich met de zaak bemoeit?'

Summer zat in haar auto met de telefoon in haar zweterige hand terwijl het verkeer langs raasde en wist dat ze op een kruispunt was gekomen en dat geen van de mogelijkheden erg veelbelovend was. Als ze de FBI hielp, nam die alles wat ze had en sloot haar verder buiten. En als zij en Denise hun onofficiële onderzoek voortzetten, kon de FBI wel eens heel moeilijk gaan doen...

Ze zei: 'Ik weet maar een ding zeker. Edie Collier heeft het niet verdiend om zo dood te gaan. Iemand moet dat rechtzetten.'

Denise zei: 'Daar hoef je bij de FBI niet op te rekenen. Ze hebben me gezegd dat ze wat er met Edie is gebeurd zagen als, en ik citeer, nevenschade.'

'Aardig gezegd.'

'Vind je ook niet? Ze hebben Kronenwetters buren ondervraagd en de handelsreizigers met wie hij zaken deed. Daar zullen ze veel aan hebben. Joe Kronenwetter praatte bijna met niemand, behalve als hij tekeer kon gaan over een of andere ingebeelde grief. Ze zijn over zijn hele terrein gedenderd, hebben alles uit zijn schuur gehaald en hebben zijn pick-up en zijn kapotte tractor meegenomen. Als hij ooit een bibliotheekkaart had gehad, hadden ze volgens mij elk boek dat hij ooit had geleend weggehaald voor het geval hij er iets belastends in had geschreven. Zoals ik al zei, zit ik op dit moment te wachten op iemand van hun forensische dienst. Hij wil Edies lichaam zien en ik moet hem voorstellen aan onze lijkschouwer. Maar ze zijn niet zo actief omdat ze belangstelling hebben voor Edie, maar omdat ze hopen dat Kronenwetters goede vriend de handelsreiziger sporen heeft nagelaten toen hij Kronenwetter een bezoek bracht.'

'En Dirk Merrit?'

'Ik heb ze over hem verteld. Ze zeiden dat ze ernaar zouden kijken, maar het was duidelijk dat ze er niet veel belangstelling voor hadden.'

'Ze richten zich helemaal op die handelsreiziger.'

'Precies. Nou, blijf jij meedoen?'

Summer zei: 'Ik kan hier nog één dag aan werken, dan moet ik terug naar de afdeling Beroving. Volgens mij moeten we ons op Dirk Merrit richten en erachter zien te komen waar hij was toen Edie werd ontvoerd, en toen haar vriend werd vermoord. Zijn beveiligingsmensen moeten iets weten over zijn doen en laten, we moeten met hen gaan praten. En we moeten meer te weten zien te komen over dat spel van hem, *Trans*. Misschien kan ik daar wel iets aan doen.'

Denise zei: 'De FBI heeft alles wat we in Kronenwetters kelder hebben gevonden meegenomen om in hun lab in Quantico te onderzoeken. Kun jij iets te pakken krijgen dat Edie gedragen heeft?'

'Ik ben er vrij zeker van dat Randy Farrell alles heeft bewaard dat ze heeft achtergelaten toen ze van huis wegliep. Wat moet je hebben?'

'Een jas of een sjaal. Een schoen of een sportschoen, iets dat niet gewassen is.'

'Je hebt een idee, nietwaar? Iets met DNA?'

'We moeten elkaar persoonlijk spreken. Als je iets loskrijgt van Edies stiefvader, kun je het dan morgen hierheen brengen?'

20

Als hij Pat Metcalf al zijn zonden zo snel mogelijk wilde laten opbiechten, moest Carl de man meteen heel bang maken, hem bang en uit zijn evenwicht houden, hem ervan overtuigen dat zijn geliefden ervoor zouden boeten als hij niet opbiechtte en ervoor zorgen dat hij geen kans kreeg het gezag te doen gelden dat hij volgens hem van God had gekregen. Toen hij de man eenmaal thuis had gezien, was het niet moeilijk een manier te bedenken om dat te doen.

Iets na zessen in de avond stond Carl toe te kijken toen Metcalf en een te zware jonge vrouw in een bloemetjesjurk uit het kantoor van de beveiligingsfirma kwamen. De jonge vrouw, waarschijnlijk de receptioniste, stapte in een oude Buick en reed weg, en Metcalf trok het stalen luik voor de deur en een etalageruit naar beneden en deed het met een hangslot dicht.

Het kantoor bevond zich in een klein winkelcentrum langs de snelweg ten noorden van het stadscentrum. De andere bedrijven – Cedar Falls enige internetcafé, een stomerij, twee advocatenkantoren en een bloemist – waren al gesloten. Niemand zag Carl achter de afvalcontainer vandaan komen en naar Metcalf toe lopen terwijl die zijn Range Rover openmaakte. Carl liet de man Frank Wilsons Beretta zien en zei dat ze een praatje gingen maken.

'Dat dacht ik niet,' zei Metcalf, die niet naar het pistool keek, maar naar Carl.

Carl duwde de Beretta tegen Metcalfs gezicht, haalde de hamer naar achteren en zei: 'Denk je dat ik dit niet zal doen als het moet?'

Metcalf hield het hoofd koel. 'Jongen, je hebt je net een heleboel problemen op de hals gehaald.'

'Je bent niet meer bij de politie. Je staat aan de andere kant, net als ik,' zei Carl. 'Draai je om en leg je handen op je hoofd. Ik weet zeker dat je weet hoe het moet.'

Carl schopte de voeten van de man uit elkaar, greep met zijn ene hand de ineengevlochten vingers en fouilleerde hem met de andere. Hij haalde een zwarte colt .45 uit een leren holster op zijn rug, een knuppel uit een van de zakken van zijn sportjasje en een mobiele telefoon uit de andere zak. Hij pakte Metcalf ook zijn autosleutels af en zei tegen de man dat hij aan de passagierskant in de Range Rover moest stappen. Daarna liet hij hem achter het stuur klimmen en zijn handen op het dashboard leggen. Toen stapte hij zelf in en gooide een stel handboeien op Metcalfs schoot.

'Doe om. Een om je linkerpols, de ander om het stuur.'

Metcalf probeerde de zaak te bespreken. 'Wat je hier doet, is ontvoering. Dat is een federale misdaad en je wilt de FBI niet achter je aan hebben. Die gaat er hard tegenaan, legt zware straffen op en stopt de mensen weg in zwaarbeveiligde gevangenissen.'

Carl glimlachte tegen Metcalf en liet hem iets zien van de persoon die hij meestal verborgen hield. 'Doe die verdomde handboeien om.'

'Ik moet eerst mijn gordel omdoen.'

'Nee, laat die maar af. Maar ik doe de mijne wel om, dan weten we wie er slechter af komt als je toevallig de macht over het stuur kwijtraakt.'

Nadat Metcalf zich aan het stuur had vastgemaakt, gaf Carl hem de sleutels van de Range Rover en zei dat hij naar het oosten moest rijden. Hij zat met zijn rug tegen de deur en met de Beretta op zijn gevangene gericht, maar de man reed rustig en gehoorzaamde Carls aanwijzingen zonder vragen. Metcalf remde af toen ze de poort naar Dirk Merrits landgoed naderden en Carl zei dat hij door moest rijden en na anderhalve meter een door bomen overschaduwd grindpad moest nemen.

Metcalf remde weer af toen ze bij het hek over het pad kwamen. Carl zei dat het niet op slot was. 'Duw het gewoon open en rijd meteen door.'

Twee minuten later stopte de Range Rover naast de ruïne van een bungalowtje dat vroeger het huis was geweest van de beheerder en de klusjesman van het vakantieverblijf en de kampeerterreinen. Aan de andere kant van het erf stond een nieuwe schuur, een groot, vierkant gebouw met ongeschilderde aluminium muren, als een kleine fabriek die in het bos was afgeworpen.

Carl zei tegen Metcalf dat hij de sleutels uit het contact moest halen en ze uit het raam moest laten vallen, en toen stapte hij uit, liep om de Range Rover heen, deed het portier aan Metcalfs kant open en gooide hem de sleutel van de handboeien toe. Metcalf maakte zichzelf los, stapte uit en keek om zich heen.

'Dit is een mooie rustige plek,' zei Carl, en hij nam de man door de achterdeur van het vervallen huis mee naar de keuken.

Door de platen hout die tegen de ramen waren gespijkerd was het er zo donker als in een grot. Binnengedrongen tieners hadden elke vierkante centimeter van de afbrokkelende pleisterwanden voorzien van opschriften en obsceniteiten. Overal lagen in elkaar gedrukte bierblikjes en sigarettenpeuken. In een hoek lag een slaapzak vol vlekken. Eerder op de dag had Carl de stevige grenen tafel schoongemaakt en midden in de ruimte gezet. Hij zei Metcalf op de keukenstoel voor de tafel te gaan zitten en ging achter hem staan, genietend van zijn macht over de man. Hij glimlachte toen Metcalf vroeg wat er nu allemaal aan de hand was.

'Buig naar voren,' zei Carl, 'en steek je linkerarm recht naar achteren.'

Carl maakte de pols van de man met de handboeien vast aan de achterpoot van de stoel. Toen liep hij naar de andere kant van de tafel en stak de twee dikke kerkkaarsen op de ijzeren spieskandelaars aan die hij in de christelijke boekwinkel van Cedar Falls had gekocht. Ze stonden aan weerszijden van een lange bundel in geel oliedoek, waarop een paar dikke, zwarte vliegen zaten. Voor de bundel stonden een kleine taperecorder van geborsteld aluminium en een ingelijste foto van Metcalfs dochtertje. Carl had de foto die middag uit Metcalfs huis gestolen. Hij hield de aandacht van de man vast en maakte hem bang en boos, en Metcalf vroeg op hoge toon wat er verdomme aan de hand was. Carl drukte op een knop van de taperecorder en keek naar de verandering op Metcalfs gezicht toen hij zijn eigen stem tegen Frank Wilson hoorde zeggen dat de armband hem toegang gaf tot de grote toren van het huis en dat de videocamera's een halfuur uit zouden staan, wat meer dan lang genoeg was om alles te bekijken.

Carl zette de recorder weer uit en zei: 'Je vriendje heeft een van jullie besprekingen opgenomen. Hij vertrouwde je zeker niet, of anders werkte hij voor de politie. Niet dat het nu nog iets uitmaakt.'

Metcalf ontkende er iets mee te maken te hebben.

'Ik heb de mobiele telefoon van Wilson. Je hebt hem vandaag twee keer gebeld. Waarom?'

Metcalf gaf geen antwoord. Zijn gezicht glom van het zweet in het flikkerende kaarslicht.

'Ik heb ook een paar souvenirs,' zei Carl, en hij liet Frank Wilsons rijbewijs en het zakje met Frank Wilsons wijsvinger op het gele oliedoek vallen. De vliegen vlogen op en gingen weer zitten.

Metcalf kwam iets omhoog van zijn stoel, maar werd tegengehouden door de handboei die in zijn pols beet. Carl zei dat hij weer moest gaan zitten en zei: 'Zo lang je meewerkt, zal ik je niet vermoorden.'

'Je hebt Wilson vermoord. Of je wilt dat ik dat denk.'

Carl pakte het zakje en zwaaide het heen en weer. 'Je mag gerust de vingerafdruk nemen als we hier klaar zijn. Je zult zien dat hij past bij de rechter wijsvinger van de set vingerafdrukken in Wilsons politiedossier.'

'Als je me niet nu meteen laat gaan, zit je zo diep in de problemen dat je er nooit meer uitkomt.'

Carl spoelde het bandje door met een oogje op de teller en drukte weer op PLAY.

Nogmaals Metcalfs stem, halverwege een zin. '... niets om je zorgen over te maken. Helemaal niets. Ten eerste is het beveiligingssysteem zo geprogrammeerd dat het je zal negeren. Ten tweede staan de camera's uit en dat zal gewoon een storing lijken. Je kunt zo naar binnen lopen en een lijst maken van alles dat de moeite waard is om te stelen. Hij heeft al een heleboel verkocht omdat hij min of meer platzak is, hij heeft de laatste tijd moeite zijn rekeningen te betalen. Maar ik denk dat hij wat favoriete stukken heeft achtergehouden, oude Japanse dingen en zo, en daar heb ik jou voor nodig, Frank, want jij weet daar alles van. Maak een lijst van de dingen die de moeite waard zijn, dan kun je de volgende keer dat je naar binnen gaat elk stuk op die lijst meenemen. Het systeem zal zo zijn bijgesteld dat het die alarmchips negeert. Je kunt ze oppakken en gewoon naar buiten lopen, net alsof je onzichtbaar bent.'

Frank Wilson vroeg wat er zou gebeuren als Merrit in de gaten kreeg dat er dingen weg waren.

'Maak je over hem maar geen zorgen. Hij is zo van de wereld dat hij amper weet welk jaar het is. Hij zal waarschijnlijk denken dat hij het al verkocht heeft.'

Carl drukte op STOP. 'Wat mij verbaast is dat iemand als jij weet hoe hij beveiligingscamera's kan manipuleren en de computer die de RFID-labels in de gaten houdt, wat jij alarmchips noemt.'

'Ik weet niet hoe je hieraan komt,' zei Metcalf, 'maar het moet nep zijn.'

Carl liet de band terugspoelen en drukte weer op PLAY. Metcalfs stem gaf weer uitleg over het alarmsysteem en de alarmchips en de lijst. Carl drukte op STOP.

Metcalf bleef hem koppig aankijken.

'Je zult praten,' zei Carl, en hij speelde wat met de rand van het oliedoek, zodat de vliegen om hem heen zoemden. 'Weet je waarom?' vroeg hij met een glimlach.

'Ik heb twintig jaar bij de politie van Los Angeles gewerkt, man. Ik heb alles al gezien, dus probeer maar niet mij bang te maken. En waag het ook niet mijn gezin te bedreigen. Vertel me gewoon wat je wilt, oké? Dan zien we wel of we eruit kunnen komen.'

'Als Wilson eenmaal de beste stukken had gekozen, wilde je de RFID-labels uitschakelen zodat hij ze kon stelen. Doe maar geen moeite het te ontkennen. Vertel me alleen wie de beveiligingscomputer voor je zou herprogrammeren.'

'Je wilt mijn baan, nietwaar? Daar gaat het allemaal om. Nou, je kunt de pot op, jongen. Hij is niet vrij.'

'Je kunt zelf de pot op.'

Carl vermaakte zich enorm. Alles ging precies volgens plan. Hij voelde zich net een acteur die het podium beheerste voor een verrukt publiek. Alsof hij kon doen wat hij wilde.

Metcalf schudde zijn hoofd. Hij had zich van de eerste schok hersteld en probeerde een uitweg te vinden. 'Waarom houden we niet op met die spelletjes? Zeg me wat je wilt, dan zal ik zien wat ik kan doen. Beter kan ik het niet maken.'

'Ik zit hier niet om met jou te onderhandelen,' zei Carl. Hij pakte de twee hoeken van de oliedoek en trok het snel weg, zodat hij als een goochelaar het lijk van de Duitse herder onthulde. Het dode dier rolde naar de rand van de tafel. Er zat een keurig gat tussen zijn ogen. Zijn snuit zal vol opgedroogd bloed. Metcalf kwam overeind en trok de stoel mee omhoog. Carl zei dat hij moest gaan zitten, hij zei dat wat er met zijn hond was gebeurd ook gemakkelijk met zijn vriendin kon gebeuren of met zijn mooie jonge dochter in Los Angeles, als hij zich niet koest hield.

Metcalf kwam nog eens omhoog en zwaaide de stoel voor zich als een leeuwentemmer in het circus. Carl moest hem twee keer zeggen te gaan zitten en moest even tot rust komen toen de man deed wat hij zei. Metcalfs angst en boosheid brachten hem in vervoering.

De vliegen zoemden om hen heen in het dansende kaarslicht en gingen weer op de dode hond zitten, op het bloed op zijn snuit en het gat tussen zijn ogen.

'Als je je niet gedraagt,' zei Carl, 'haal ik je vriendin en neuk ik haar waar je bij zit.'

Hij had de vriendin die middag bij de achterdeur van haar huis zien staan, terwijl ze met een hoge, zangerige stem de hond riep. 'Bella! Bella, waar zit je toch? Bella!'

Bella had dood aan Carls voeten gelegen. Hij had de hond naar zich toe gelokt met een stukje lever en hem gedood met het penschietpistool. Later, toen de vriendin het had opgegeven en weggereden was, had Carl ingebroken en de foto van Metcalfs dochter meegenomen. Het had hem nog geen minuut gekost.

'Oké, oké.' Metcalfs gezicht was bleek en glansde in het kaarslicht. 'Zeg nou maar wat je wilt.'

'Om te beginnen wil ik dat je me vertelt waarom je Wilson in de trofeezaal hebt gelaten. Hij zocht naar kostbare voorwerpen, nietwaar?'

Het duurde even, maar toen knikte Metcalf schokkerig.

'Je wilde de opbrengst met hem delen.'

Weer een knikje.

'Waarom heb je dat geld nodig?'

'Ik heb... schulden.'

'Bij wie?'

'Dat maakt niet uit. Ik moet gewoon wat contanten hebben. Dit...'

'Bij wie heb je schulden?'

Metcalfs hoofd kwam omhoog. 'Die verdomde Cardinals hebben de laatste twee wedstrijden verknald, oké?'

'Je hebt schulden bij een bookmaker.'

'Een sportbookmaker.'

'Met een vergunning? In Las Vegas of zoiets?'

Metcalf schudde zijn hoofd. 'Ergens in Florida. Marathon.'

'Hoeveel ben je hem schuldig?'

'Dat gaat je niets aan.'

'Hoeveel?'

'Een heleboel, oké?'

'Bedreigen ze je?'

Metcalf keek Carl aan met ogen die donker waren van woede. 'Ik kreeg de waarschuwing dat mijn cliënten op de hoogte zouden worden gebracht van mijn schulden. Ik zei dat ik ze helemaal niet terug zou kunnen betalen als ik mijn cliënten kwijtraakte.'

'Je hebt beloofd ze terug te betalen.'

'Aan het eind van de maand.'

'Werkt Wilson voor hen?'

'Nee.'

'Dus je had Wilson al in gedachten toen je die belofte deed.'

'Ik had verschillende mensen in gedachten. Hij was beschikbaar.'

'Het was jouw idee om meneer Merrit te beroven.'

Metcalf haalde zijn schouders op

'Die bookmakers weten niet hoe je het geld bij elkaar wilt krijgen om ze terug te betalen. Ze weten niets over Frank Wilson en ze weten ook niet dat je meneer Merrit wilde beroven.'

'Ik heb gezegd dat ik ze terug zou betalen, verder kan het ze niet schelen. Merrit heeft troep zat. Wilson heeft een paar stukken gezien die me erbovenop zouden helpen en dan zou ik nog zat overhouden, en ik wed dat Merrit ze niet eens zou missen,' zei Metcalf, die probeerde een vriendschappelijke toon aan te slaan. 'Als je wilt, kun je ook een deel krijgen. Ik zou je kunnen geven wat Wilson zou krijgen.'

'Als het gelijk verdeeld werd, zou dat een derde zijn, nietwaar?' Toen Metcalf niets zei, voegde Carl eraan toe: 'Je zit hier omdat ik wil weten wie hier nog meer aan meedeed.'

'Alleen ik en Wilson.'

'Dus jij hebt het camerasysteem en het RFID-systeem helemaal zelf gehackt?'

'Waarom niet?'

'Waarom niet? Omdat je een failliete ex-agent bent die zijn carrière om zeep heeft geholpen omdat hij zijn lul achterna wilde lopen. Omdat je de voorkant van een computer niet van de achterkant kunt onderscheiden, daarom niet. Ik wil dat je ergens over nadenkt, Metcalf. Ik wil dat je bedenkt wie belangrijker voor je is. De man die je heeft geholpen met het beveiligingssysteem of je dochter?'

Metcalfs ogen stonden vol haat. 'Laat je me gaan als ik hem erbij lap?'

Carl legde de loop van de Beretta tegen zijn lippen en ademde de kalmerende geur van geweerolie in. 'Frank Wilson is dood, je hond is dood... Het is niet meer dan logisch dat je je afvraagt wie de volgende is. Nou, dat zal ik je vertellen. Het is niemand die jij kent zo lang jij me vertelt wie het beveiligingssysteem zou uitschakelen.'

Metcalf zei: 'Het is een computernerd die Erik Grow heet. Hij woont in Los Angeles. Hij is...'

'Ik weet wie Erik is. Heel goed, meneer Metcalf. Nu hoef je alleen nog je bekentenis op de band te zetten,' zei Carl. Hij haalde het bandje uit het apparaat en deed er een nieuw exemplaar in. 'Hij hoeft niet lang of uitgebreid te zijn. Gewoon de feiten. Geef het op, red je vriendin en je dochter.'

Metcalf vloekte uitgebreid en met aanzienlijke fantasie.

'Heb je nog een momentje nodig om te bedenken wat je gaat

zeggen? Nee? Goed dan,' zei Carl, en hij drukte op PLAY en RE-
CORD. Metcalf vertelde alles in een stuk of zes zinnen. Carl druk-
te op STOP, stak de Beretta in de band van zijn spijkerbroek en zei:
'Je mag binnenkomen.'

Dirk Merrit stapte de keuken in in zijn camouflagekleding en
zei: 'Hallo, Pat. Dat had je zeker niet verwacht?'

Patrick Metcalfs hoofd kwam met een schok omhoog en zijn
ogen rolden toen hij een glimp van de man probeerde op te vangen, maar hij bleef heel stil zitten toen Dirk Merrit de loop van
zijn wapen tegen de zachte plek boven op zijn hoofd drukte.

'Er is maar één probleem met jouw plannetje,' zei Dirk Merrit.
'Carl en ik zijn veel slimmer dan jij, en we hebben al een tijdje
enorme lol. Carl heeft je bekentenis gehoord en nu kom ik het oor-
deel uitspreken. Nog een laatste verzoek?'

Metcalf zei snel: 'Luister naar me, man. Luister. Ik wed dat er
een heleboel dingen zijn die jullie niet weten over Erik Grow. Ik
zal jullie alles vertellen, dat beloof ik, maar dan zullen jullie ook
iets moeten beloven. Je moet me je woord geven dat je dat beest
weghoudt bij mijn dochter. Dat dit iets is tussen jou en mij...'

Het penschietpistool klikte scherp. Metcalf rilde, schokte en
sloeg voorover. Er welde bloed uit het nette gaatje boven op zijn
hoofd, dat over zijn gezicht liep en op de tafel drupte, donker en
glanzend in het kaarslicht.

Dirk Merrit lachte tegen Carl. 'Zo heeft je nieuwe speeltje toch
nog nut, nietwaar? Goed gedaan, Carl. Heel goed gedaan. Ik neem
aan dat jij meneer Grow voor je rekening neemt als je toch in Los
Angeles bent?'

'Ik maak alles in orde,' zei Carl. Hij deed de taperecorder in zijn
zak en nam een paar foto's van het lijk met een digitale camera ter
grootte van een pakje sigaretten, die fel en plotseling flitste in de
vervallen keuken. 'We gooien het lijk in het meer voordat ik vertrek,' zei hij tegen Dirk Merrit. 'Maar eerst moet ik een souvenir
hebben.'

21

Niemand kwam aan de deur van de vervallen bungalow toen Summer bij de Farrells aanbelde. Ze hoorde het statische gelach en applaus van de tv, leunde nog eens tegen de bel en bonsde daarna

met de zijkant van haar hand tegen de deur en riep haar naam.

'U weet dat ik niet wegga, meneer Farrell. Waarom maakt u het niet wat gemakkelijker voor ons allebei en doet u open?'

Eindelijk ging het licht aan achter de drie oplopende ruitjes in de deur. Randy Farrell deed de deur op een kier open en keek woedend door de spleet naar buiten. 'We hebben elkaar niets meer te zeggen.'

Summer gaf hem de envelop die ze van de manager van de Rite Spot had losgepeuterd. 'Dit is het salaris van Edie. Ik vond dat u het moest hebben. Ik heb ook nog nieuws.'

Ze begon te vertellen dat het lichaam van de vriend van zijn stiefdochter was gevonden, maar Randy Farrell onderbrak haar met de woorden dat hij het al op het journaal had gezien en begon de deur dicht te doen.

'Wacht even, meneer Farrell,' zei Summer. 'Ik moet u iets vragen. Kunt u me een kledingstuk van Edie lenen?'

'Werk je samen met die schoft die me erin geluisd heeft?'

'Denkt u dat echt?'

Randy Farrell zei niets, maar hij deed ook de deur niet dicht.

'Hoor eens, meneer Farrell, ik ben het met u eens dat het een vuile streek was, maar u had u moeten beheersen.'

'O, ja? Wat zou jij hebben gedaan als je in mijn schoenen had gestaan?'

'U bedoelt als ik net zo getreiterd was als u en mezelf niet meer onder controle had? Dan zou ik eerder op rechercheur Hill zijn afgegaan dan op Joseph Kronenwetter. Ik zou nog steeds gearresteerd zijn, maar ik zou in ieder geval die stomme grijns van zijn gezicht hebben geveegd.'

'Ja, dat zou ik ook graag gewild hebben.'

'Wilt u een kledingstuk van Edie pakken, meneer Farrell? Help me een beetje.'

'Ze hebben de klootzak die het gedaan heeft gepakt en hij heeft zelfmoord gepleegd. Wat moet je dan nog?'

'Joseph Kronenwetter kan Edies vriend niet hebben vermoord. Het tijdstip klopt helemaal niet. De vriend is op donderdag of vrijdag vermoord, nadat Kronenwetter was gearresteerd. En omdat we denken dat de vriend tegelijk met Edie is ontvoerd, betekent dit dat er nog iemand anders bij betrokken was. We willen weten wie.'

Summer zag Randy Farrell nadenken. Zijn bleke gezicht was gelig en er zaten leverkleurige wallen onder zijn ogen, alsof hij niet geslapen had sinds ze hem voor het laatst had gezien. Uiteindelijk zei hij: 'Wat moet u precies hebben?'

'Iets dat niet meer gewassen is sinds Edie het voor het laatst heeft gedragen.'

'Wacht hier,' zei Randy Farrell en hij deed de deur dicht.

Summer wachtte vijf minuten. Ze wilde net weer aanbellen toen Randy Farrell de deur weer opendeed, dit keer zonder de ketting erop te laten. Hij gaf haar een paar Converse-gympen, rood, met groene veters, en zei: 'Je gaat me zeker niet vertellen wat je hiermee gaat doen?'

'Heeft Edie u ooit verteld wat haar vriend voor de kost deed?'

'Nee, en ik heb het ook niet gevraagd.'

'Heeft ze niets gezegd over computers of computerspelletjes?'

'Ik heb je al eerder verteld dat we elkaar maar één keer gesproken hebben nadat ze was weggelopen en toen hebben we het er vooral over gehad hoe het met haar ging en wat haar plannen waren. Ik hoefde niets te weten over haar vriend en zij praatte er niet over. Ik heb wel gevraagd of hij haar behoorlijk behandelde. Nou ja, het was eigenlijk meer een dreigement. Ik zei dat ik die schooier zo'n pak rammel zou geven dat hij van voren niet meer wist of hij van achteren nog leefde als hij haar niet goed behandelde. Ze zei dat hij slecht bij kas had gezeten, maar dat het nu weer goed ging. Ik weet wel dat ze amper genoeg geld hadden, zelfs met Edies inkomen. Ze woonden in de bus en parkeerden die steeds op andere plekken. Ik heb gezegd dat dat geen leven was en dat ze naar huis moest komen, maar daar wilde ze niets van weten.'

'Toen u en Edie elkaar hebben gesproken, heeft ze het toen nog over andere mensen gehad dan haar vriend? Vrienden van haar en haar vriend, mensen met wie ze optrokken?'

'Ze zei iets over de mensen bij het restaurant... Ze had zo'n manier om mensen te beschrijven, wat ze zeiden en hoe ze het zeiden. Dat gaf je het idee dat je ze voor je kon zien. Ze was ook grappig, maar niet ten koste van de mensen over wie ze praatte. Ze had helemaal niets gemeens,' zei Randy Farrell met een verloren blik in zijn ogen.

Summer voelde met hem mee. Toen haar vader was overleden, had ze snel geleerd hoe bitterzoet het is om de doden te gedenken. Zelfs de gelukkigste herinnering wordt gekleurd door verdriet en spijt omdat die herinnering alles is wat je nog van ze hebt.

Ze zei: 'Ik ben u dankbaar voor uw hulp, meneer Farrell. Ik zal deze gympen terugbrengen zodra ik ermee klaar ben en dan vertel ik u wat ervan geworden is.'

Randy Farrell aarzelde even, maar toen boog hij zich naar haar toe en zei: 'Volgens mij is er nog iets waar we over moeten praten.'

'Prima.'

'Die ochtend dat die schoft dood gevonden werd, zat ik te wachten tot ik voor de rechtbank moest verschijnen. Toen heb ik horen zeggen dat hij misschien geen zelfmoord had gepleegd.'

Summer probeerde niet terug te deinzen voor de smerige adem van Randy Farrell. 'Als hij geen zelfmoord heeft gepleegd, wie heeft hem dan vermoord? Een van de andere gevangenen?'

Ze kon best geloven dat sheriff Worden bang was geworden voor de potentiële afname van zijn populariteit en het feit dat een van zijn voornaamste gevangenen in zijn cel vermoord was dus onder de pet had gehouden, maar waarom had Denise Childers daar dan niets over gehoord? En als ze het wel gehoord had, waarom had ze er dan niets over gezegd?

Randy Farrell schudde zijn hoofd en zei: 'Nee, zo zat het niet, hoewel er heus wel mensen zaten die gek genoeg waren om je te vermoorden, gewoon omdat ze daar zin in hadden. Het zat er vol met junks, lijmsnuivers, amfetamineslikkers, noem maar op. Er was een vent die vastzat omdat hij een geit had verkracht. Echt waar, ik lieg het niet. Maar Kronenwetter zat in zijn eigen cel. Je weet wel, een van die isoleercellen. Als je wilt weten wat er gebeurd is, moet je volgens mij eens gaan praten met de mensen die in de cellen bij hem in de buurt hebben gezeten.'

'U moet er niet zo omheen draaien, meneer Farrell, en me alles vertellen wat u weet. Ik ga mijn tijd niet verspillen met het najagen van gevangenisgeruchten als ik niet precies weet wat die inhouden.'

'Komt niemand te weten dat je dit van mij hebt?'

'U weet dat ik dat niet kan beloven. Als ik erachter kom dat er enige waarheid in dit gerucht zit en als het onderzoek uitloopt op strafvervolging, zal ik moeten uitleggen hoe ik erover gehoord heb.'

'En dan gooien ze mij misschien weer in de gevangenis.'

'Dat is een andere kwestie, meneer Farrell. Ik kan u beloven dat ze dat niet zullen doen. Kom op, vertel me wat u weet. Gooi het eruit.'

Er viel een lange stilte. Eindelijk zei Randy Farrell: 'Je moet goed begrijpen dat ik zelf niets gezien heb. Ik weet alleen dat Kronenwetter jankte als een baby toen hij die avond naar de cel werd gebracht. Hij liep te schreeuwend en te gillen en hij riep rare dreigementen... Hij was behoorlijk luidruchtig. Als iemand herrie maakt in de gevangenis, staat meteen de hele boel op zijn kop. De mannen in de cellen sloegen op de tralies en op buizen, ze riepen en moedigden die arme sukkel aan en maakten allerlei geluiden. Toen kwamen de bewakers en die ratelden met hun knuppels langs de tralies en schreeuwden dat iedereen stil moest zijn, maar ze maakten het lawaai alleen maar erger. Ik zat aan de andere kant van het blok, maar ik hoorde er toch het een en ander van.'

'Dat wil ik wel geloven,' zei Summer, en ze dacht eraan hoe Joseph Kronenwetter eraan toe was geweest aan het eind van die harde sessie met Jerry Hill, met zijn verwrongen gezicht en zijn ogen en wangen nat van de tranen van angst en zelfmedelijden. 'Goed, wat is er toen gebeurd?'

'De bewakers stopten Kronenwetter in een van de speciale cellen voor zieke mensen,' zei Randy Farrell. 'Je weet wel, afkickende junks, travestieten, gekken... Nou, en gek was hij. Ze sloten hem op en kregen de boel weer rustig, maar de mannen in de cellen vlak bij Kronenwetter waren helemaal opgefokt en konden niet slapen. De gewone cellen zijn niet meer dan kooien, tralies aan de voorkant, muren van cement, je weet wel wat ik bedoel. En in elke cel vier of zes kooien. Maar die speciale cellen zijn een eindje verderop en ze hebben stalen deuren en maar een kooi per cel...'

'Ik snap wat u zeggen wilt. Dus Kronenwetter werd in zijn eentje in een van die speciale cellen gezet. En toen?'

'Hij maakte nog steeds herrie en dat hield in ieder geval een van de mannen in de cellen daarnaast wakker. Ik heb de volgende dag horen vertellen dat hij gehoord heeft dat de deur van Kronenwetters cel open werd gemaakt en daarna werd het heel stil. Hij keek door een kier in het luik waar ze het eten door schuiven en zag iemand weggaan. Hij dacht eerst dat een van de bewakers had besloten Kronenwetter een paar klappen te geven. Dat doen ze soms als iemand moeilijk doet. In ieder geval kwam er een bewaker naar buiten en ongeveer tien minuten later treft een andere bewaker Kronenwetter dood aan en slaat alarm. Dat weet ik uit eigen ervaring. Iedereen in het blok merkte het. Er ging een sirene af alsof de derde wereldoorlog was uitgebroken, en alle lampen gingen aan.'

'Dat is een ernstige beschuldiging, wat u nu zegt, meneer Farrell.'

'Ik beschuldig niemand. Ik vertel alleen wat ik gehoord heb.'

'U zegt dat een van de bewakers iets te maken gehad kan hebben met de dood van Joseph Kronenwetter.'

Randy Farrell haalde zijn schouders op in zijn wijde shirt. 'Ik weet alleen wat ik gehoord heb. En nu heb ik jou alles verteld wat ik weet. Wat je ermee doet, moet je zelf weten.'

'Weet u de naam van de gevangene die de bewaker Kronenwetters cel binnen heeft zien gaan? Weet u of hij hem kan identificeren?'

'Ik heb alleen gehoord dat iemand iemand anders Kronenwetters cel binnen heeft zien gaan, net voordat hij dood gevonden werd. Ik heb het verhaal uit de tweede of derde hand. Je weet wel, de een zegt dat hij het van iemand anders gehoord heeft. Geen namen of zo. Als ik een naam had, zou ik je die meteen vertellen, want degene die Edie heeft ontvoerd moet boeten voor wat hij gedaan heeft,' zei Randy Farrell. Hij was helemaal buiten adem, als een marathonloper bij de finish. Door de perkamenten huid over zijn kaak brandden felrode vlekken. 'Als Kronenwetter haar dat heeft aangedaan en niemand anders, prima dan, die klootzak is dood en dat is genoeg voor mij. Maar jij zei dat je dacht dat er iemand anders bij betrokken was en nu denk ik toch dat ze Kronenwetter misschien ook te grazen hebben genomen om te voorkomen dat hij ging praten.'

Dat was precies wat Summer ook dacht. Ze zei: 'Voordat ik hier iets mee kan doen, moet ik de naam van die bewaker hebben of in ieder geval een beschrijving. En ik moet ook weten wie beweert dit allemaal gezien te hebben.'

'Als ik een naam had, zou ik je die geven. Jezus christus, er moet toch ergens opgeschreven staan wie er in de speciale cellen zat en welke bewakers er dienst hadden. Jij bent bij de politie, je moet er gemakkelijk achter kunnen komen.'

Ze namen het nog een paar keer door, maar Randy Farrell hield vol dat hij Summer alles had verteld wat hij wist. Uiteindelijk zei ze: 'Ik zal zien wat ik te weten kan komen, maar ik kan niets beloven. En ik wil dat u hier ook goed over nadenkt en dat u me belt als u zich nog iets herinnert. Goed?'

'Oké,' zei Randy Farrell. Maar hij keek haar niet aan.

Ze zei: 'Hebt u hier nog met Lucinda over gepraat?'

'Ja, maar ik geloof niet dat het tot haar is doorgedrongen.' Randy Farrell zweeg even en toen voegde hij eraan toe: 'Ik weet dat jij haar een harteloze teef vindt, maar ik maak me zorgen om haar. Als dit lang gaat duren... Ik bedoel, als ik er niet meer ben als je alles hebt uitgezocht, wil je het dan aan Lucinda vertellen? Dat zal haar rust geven.'

Toen Summer weer in haar auto zat, belde ze Denise Childers om haar te vertellen dat ze een paar gympjes van Edie Collier te pakken had gekregen. 'Je gaat speurhonden inzetten, is het niet? Je wilt proberen haar pad te volgen door het bos om te zien waar ze vandaan kwam.'

'Dat waren we al die tijd al van plan,' zei Denise. 'Maar toen kregen we die tip over Joe Kronenwetter en leek het niet meer nodig. Doe je morgen nog mee?'

'Nou en of.'

'Neem wandelschoenen mee, als je die hebt. We zullen een heel eind moeten lopen.'

'We moeten praten over iets dat Randy Farrell me net heeft verteld,' zei Summer, en ze startte haar auto. 'Maar het moet even onder het rijden. Het is al lang zeven uur geweest en ik ben al te laat.'

22

Op zondagmorgen om halftwee bereikte Daryl Weir het laatste save point. Ratking had hem verteld dat hij het moest zoeken onder een van de viaducten over de dichtbegroeide geul van de Hollywood Freeway en dat was precies waar hij hem gevonden had: het icoontje van een ouderwetse computerdisk had traag in de lucht om zijn as gedraaid onder twee steunpilaren. Daryl liet Seeker8 de ronddraaiende schijf in lopen en het scherm werd zwart en gaf hem toen de keuze om het spel op te slaan, ja of nee? Hij koos voor ja en liet zich langzaam achteroverrollen tot handstand, bleef zo even staan en sprong toen weer op zijn voeten, duizelig, moe en helemaal gelukkig.

Voordat Daryl aan dit laatste stuk was begonnen, had Ratking hem naar een tankauto gestuurd die bij een vervallen tankstation geparkeerd stond. Seeker8 had de tankauto recht naar het hol van de teerbaby's in de drooggevallen Los Angelesrivier gestuurd, was op het laatste moment uit de cabine gesprongen en was alweer op weg naar het noorden toen de eerste van verscheidene enorme explosies de hemel deden oplichten. Hij volgde een route die hem om de rondzwervende roedels warewolven heen voerde. Nu hij het save point op de Hollywood Freeway had bereikt, hoefde hij nooit meer de lange, gevaarlijke tocht over Wilshire Boulevard naar de snelweg te maken. Nu was hij klaar voor de laatste aanval op de jungle van Griffith Park en de zoektocht naar de tunnel onder het observatorium, die naar de schat zou leiden. Nog één sessie en dan was het allemaal voorbij. Hij stuurde Ratking een e-mail en besloot een stuk van de pizza van gisteravond op te warmen. Hij was vijf uur verdiept geweest in *Trans*. Een flinke portie vet en koolhydraten zou hem kalmeren.

Zijn moeder lag met open mond te snurken op de bank, haar gezicht felverlicht door het flikkerende licht van de tv, die steeds opnieuw een oude aflevering van *Friends* vertoonde. Bij haar voeten lag een glas op zijn kant en het ijswater en de melkachtige restanten van een White Russian drongen door in het vloerkleed.

Daryl wist dat het geen zin had haar wakker te maken. Hij gooide een deken uit haar slaapkamer over haar heen, zette de tv uit, pakte het glas op en zette het op het aanrecht, en maakte het laatste stuk pizza warm in de oven. Hij zat achter zijn computer een verdwaald stuk ansjovis uit de gesmolten kaas te peuteren (zijn moeder was dol op ansjovis en hij vond het smerig) toen zijn computer piepte.

Het was Ratking, die hem vroeg Instant Messenger aan te zetten.

>*Nu je bij het laatste save point bent, moeten we nog scherper spelen.*

>*Oké.*

>*Het volgende stuk lijkt totaal niet op wat je hiervoor hebt gedaan.*

>*Ik ben er klaar voor.*

>*Nee, dat ben je niet. We moeten een afspraak maken. We moeten elkaar persoonlijk spreken.*

Daryl viel even stil. Dit was zo ongewoon dat hij het niet had zien aankomen. Hij typte een vraagteken en drukte op *Enter*.

>*Ik ben hier eerder geweest. Ik weet wat ons te wachten staat. Het is moeilijk en gevaarlijk. We kunnen alleen winnen als we samenwerken en elkaar bijstaan. Ik zal meteen moeten reageren op wat er in het spel gebeurt en jij zult mijn instructies onmiddellijk op moeten volgen. E-mail en Instant Messenger zijn te langzaam.*

>*Wat staat ons te wachten?*

>*Zoiets heb je nog niet meegemaakt. We hebben maar één kans om ons doel te bereiken. Als dat niet lukt, gaan onze avatars dood en zullen we weer als slaven van voren af aan moeten beginnen.*

>*Ik ga dood, bedoel je. Ik ben degene die het risico neemt.*

>*Mijn huidige goddelijke gezichtspunt betekent niet dat ik immuun ben. Als jij doodgaat, ga ik ook dood.*

>*Stel dat ik hiermee instem. Hoe gaan we het dan doen? Kom jij naar New York? Of woon je hier soms?*

>*Ik boek wel een vlucht voor je.*

>*Moet ik naar jou toe komen?*

>Ik betaal alle kosten, maak je daar maar geen zorgen over. Ik moet een ijskoude moordenaar als jij naast me hebben, en de roem en glorie die we samen zullen behalen wegen ruimschoots op tegen de beperkte kosten van een vliegticket.

Daryl dacht erover na. Eén ding was zeker: Ratking was geen jongen uit een achterstandswijk. Hij was een serieuze speler met een massa geld, waarschijnlijk een rijke yup die helemaal opging in de fantasiewereld van *Trans* en uit was op roem. Daryl had mensen als hij gezien bij *gaming*-evenementen. Ze sponsorden de beste spelers en betaalden die om hun bedrijf of hun product te promoten. Hij dacht aan Bernard en zijn sneer dat alles wat je bereikte in *Trans* niets waard was in de echte wereld. Hij dacht aan zijn broer DeLeon, die op zijn negentiende op zijn straathoek was doodgeschoten vanuit een auto. Hij dacht aan zijn moeder, die uitgeteld op de bank lag, zo arm als een rat en uitgeput na een week werken. Als je je dromen niet najaagt, zei ze altijd, zul je nooit weten of je ze waar kunt maken. Met het gevoel dat hij een sprong in het diepe waagde typte hij:

>*Wat moet ik doen?*

>*Om te beginnen moet je me je echte naam vertellen, dan zeg ik de mijne. Dan kun je me natrekken via Google en daarna zien we wel verder. Oké?*

Beslist een blanke jongen, dacht Daryl, en hij typte een enkel woord.

>*Oké.*

23

Carl had bij de eerste kennismaking al gemerkt dat Erik Grow zichzelf graag zag als een zware jongen. Erik wilde graag geloven dat hij op het scherp van de snede leefde en had altijd een heleboel te zeggen over alle gevaarlijke mensen die hij kende en alle connecties die hij had. Hij herhaalde onzinnige roddels over deze of gene grote slag en wie het gemaakt had in de onderwereld van Los Angeles en wie zijn tijd gehad had, maar hij had niet het lef om ernstiger zaken aan te pakken dan het klonen van creditcards en een beetje bedrijfsspionage. Hij had een hele stapel boeken over seriemoordenaars, een van die afschuwelijke clownschilderijen van John Wayne Gacey, een scanner die altijd afgestemd was op de politiezender en een kleine verzameling vuurwapens en messen, maar dat was allemaal voor de show. Hij had buiten de schietbaan waarschijnlijk nog nooit een vuurwapen afgeschoten en nog nooit in woede een mes gebruikt.

Dit was Erik Grow ten voeten uit: de eerste keer dat Carl hem had ontmoet, in een café op de boulevard in Venice, had Erik een opmerking gemaakt over een passerende schoonheid in een bikinibovenstukje en een superkort broekje, met namaaktieten en eindeloze benen, en Carl had hem gevraagd waarom hij haar niet probeerde te versieren als hij haar zo mooi vond.

Erik had gezegd: 'Het heeft geen zin, man. Zulke meiden gaan voor uiterlijk, niet voor hersens.'

'Er zijn manieren genoeg om iemand te laten doen wat je wilt. Als charme niet werkt, kun je altijd een mes pakken,' had Carl gezegd. 'Je snijdt er een beetje in om te laten zien dat je het meent en daarna doen ze wat je maar wilt.'

Erik had hem met knipperende ogen van achter zijn bril aangekeken. Toen was die gemaakte glimlach teruggekomen en had hij gezegd: 'Je maakt een grapje, hè? Man, ik trapte er bijna in.'

Carl had geen grapje gemaakt. Als je iets wilde, zorgde je dat je het kreeg, zo simpel was het. En als iemand probeerde je iets af te pakken, zorgde je ervoor dat ze dat nooit meer in hun hoofd zouden halen. Zo werkte het in de echte wereld, maar dat begreep Erik niet. Veel geschreeuw en weinig wol.

Erik Grow was niet alleen Dirk Merrits mol bij Powered By Lightning, hij had ook toegang tot gekloonde creditcards van hoge kwaliteit. Carls werk hield onder meer in dat hij elke twee of drie maanden naar Los Angeles moest rijden om een nieuwe voorraad kaarten bij Erik af te halen. Wat hem betrof, was Erik Grow een nuttige idioot, die te veel praatte maar verder onschadelijk was. Een toerist. Maar een paar maanden geleden had Erik hem plotseling gevraagd of Dirk Merrit zijn salaris nog wel betaalde.

'Dat gaat jou helemaal niets aan, jochie.'

'Vind je? De man heeft me niet betaald voor de laatste zending kaarten, laat staan voor alle sappige stukjes nuttige informatie die ik hem de laatste maanden heb toegespeeld. Hij is me geld schuldig. En jou ook, wil ik wedden.'

'Als je een probleem hebt met meneer Merrit, Erik, moet je dat met hem bespreken.'

'Jij en ik hebben een soort relatie, toch? Ik bedoel, je kunt ons denk ik geen vrienden noemen, maar we doen zaken met elkaar. We zijn elkaar de laatste paar jaar gaan vertrouwen.'

Carl vertrouwde het Erik nog niet toe om een krant te gaan kopen en het juiste wisselgeld mee terug te brengen. 'Wat wil je nou eigenlijk zeggen?'

'Misschien weet je het nog niet, maar meneer Merrit heeft een ernstig gebrek aan contanten. Wist je dat hij de Bank of America meer dan een miljoen schuldig is? Wist je dat ze zich opmaken om beslag te leggen op zijn bezittingen? Als dat gebeurt, zit je niet alleen zonder werk, maar heb je ook geen dak meer boven je hoofd. Dus hebben we allebei ongeveer hetzelfde probleem met hem, of niet soms?'

Erik Grow leunde achterover in zijn stoel een glimlachte, een bleke, zenuwachtige jongen van zesentwintig in een wijde korte broek en een verbleekt Foo Fighters t-shirt, die helemaal vol was van de geheimen die hij dolgraag wilde doorvertellen. Hij en Carl zaten op het terras van een café op Santa Monica's drukke wandelstraat Third Street. Het was Eriks idee geweest om hem in het café te ontmoeten in plaats van in zijn appartement en Carl besefte nu waarom dat was. Het joch wilde hem een zakelijk voorstel doen en voelde zich veiliger op een openbare plek. Die grote kerel die een paar tafeltjes verderop zat en zoveel moeite deed te doen alsof hij hen niet in de gaten hield, moest Erik een extra veilig gevoel geven.

Toch duurde het nog een tijdje eer Erik terzake kwam. Hij praatte nog tien minuten aan een stuk over de clandestiene verkoop van bezittingen waarvan Carl niet eens wist dat Merrit ze had gehad en vertelde Carl over een lege bv die de man had gebruikt om waardevolle dingen te verkopen aan de spelers van *Trans* – wapens, gadgets, onroerend goed en allerlei onzin die buiten het spel niet bestond. Eindelijk zweeg hij even, keek naar links en naar rechts alsof hij wilde controleren of de mensen aan de tafeltjes om hen heen niet meeluisterden, boog zich naar voren en zei: 'Weet jij wie Don Beebe was?'

'De zakenpartner van meneer Merrit.'

'Zijn voormalige zakenpartner en zijn beste vriend. De man is een paar jaar terug overleden. Of liever gezegd, vermoord,' zei Erik Grow, en hij keek Carl nerveus aan, zijn lichtblauwe ogen vergroot door de dikke ronde lenzen van zijn bril.

Carl zei niets en keek Erik recht aan tot het joch zijn hoofd boog, een snelle bik wierp op de grote kerel een eindje verderop en in één adem zei: 'Don Beebe heeft de basiscodes van *Trans* geschreven. Zonder hem had het spel niet bestaan. En nu blijkt dat de enige vaste bron van inkomsten die Merrit nog heeft afkomstig is van iets wat Don Beebe een paar jaar geleden heeft opgezet. En daar wilde ik met je over praten.'

De bril van Erik Grow gleed naar beneden. Hij duwde hem omhoog, veegde zijn handen af aan zijn T-shirt en zei: 'Voordat we hiermee verdergaan, moet ik weten of dit tussen ons blijft, oké?'

'Als je bang bent dat ik je zal verraden, Erik, heb je al te veel gezegd.'

'Maar je gaat me niet verraden, of wel soms? Ik bedoel, ik weet dat je het zou moeten doen, het zou je werk zijn om Merrits belangen te beschermen. Maar je doet het niet omdat je in de huidige situatie, nu Merrit financieel aan de grond zit en zijn schuldeisers op het punt staan in actie te komen, ook aan je eigen belang moet denken.'

'Zeg het nou maar, Erik.'

Erik Grow haalde diep adem. 'Toen Merrits financiële situatie hachelijk werd en hij gedwongen was zijn meerderheidsbelang in *Trans* aan Powered By Lightning te verkopen, heeft Don Beebe hem geholpen een systeem op te zetten om de nieuwe eigenaren af te zetten. Beebe heeft een subroutine ingebracht in het betalingssysteem dat de maandelijkse contributie afhandelt die spelers moeten betalen om toegang te krijgen tot het spel. Een heel mooi programmaatje dat een tiende cent van elke betaalde dollar haalt en het geld naar een buitenlandse bankrekening stuurt, en dat het verlies in inkomen verbergt door het aantal abonnees te veranderen. Het is eigenlijk veel eenvoudiger dan het klinkt,' zei Erik. 'Het is alsof je er twee boekhoudingen op na houdt. Een voor de man van de belastingen, een andere om bij te houden wat je echt verdient.'

'Hoe weet je dat allemaal?'

'Ik ben toch de mol? Ik werk voor de afdeling Financiën van Powered By Lightning omdat hij me daar heeft neergezet. Het is mijn werk om op kantoor rond te snuffelen en nuttige informatie te verzamelen, waar of niet? Nou, dit is een van de dingen die ik ontdekt heb. Maar het wordt nog mooier,' zei Erik Grow, die meer zelfvertrouwen kreeg nu hij over de drempel heen was en hij niet meer terug kon. 'Zodra het programma in werking was gesteld, werden Don Beebe en zijn vrouw vermoord. De politie denkt dat het iets met homo's te maken had, dat Beebe is vermoord door een mannelijke prostitué in een appartement dat hij gebruikte om er te kunnen neuken, en dat de prostitué met Beebes sleutels zijn huis in is gegaan, werd overlopen door Beebes vrouw en haar heeft vermoord. Dat is een keurig verhaaltje, alleen ken ik iemand die deze Beebe nog van de universiteit kende, en hij vertelde me dat de man niet alleen beslist geen homo was, maar dat hij eigenlijk helemaal geen belangstelling had voor seks. Hij is alleen met zijn vrouw getrouwd omdat ze een keiharde, op geld beluste teef was die beweerde dat ze zwanger was, maar na de grote dag bleek ze opeens niet meer zwanger te zijn. Gezien de timing denk ik dus dat het heel goed mogelijk is dat Merrit Beebe heeft vermoord of heeft laten vermoorden voordat hij de politie over dat geheime programmaatje kon vertellen.'

Terwijl hij naar dit verhaal luisterde, had Carl het soort berekening gemaakt dat hij vroeger in Afrika minstens een keer per dag maakte tijdens de gevechten, een berekening waardoor in één scherp, intens moment de rest van je leven wordt bepaald. Ook voor dat gedoe met Billy Gundersen en zijn vriendin had Carl al geweten dat zijn relatie met Dirk Merrit op zijn eind liep. De man werd steeds onberekenbaarder en was er duidelijk van overtuigd dat hij een supermens was die nooit gepakt kon worden. Carl wist ook dat hij er niet jonger op werd en dat hij niet zijn hele leven als huurling kon werken. Hij droomde er al een tijdje van een eigen huis te bezitten en zich ergens te vestigen, en van daaruit tochtjes te ondernemen als hij behoefte had aan een beetje lol. Dus was het niet moeilijk om te besluiten hoe hij hiermee om moest gaan. Voor het eerst in maanden werd hij vervuld van gretige spanning; hij boog zich over het cafétafeltje en glimlachte Erik Grow toe.

Hij zei: 'Ik weet dat hij Beebe heeft vermoord. Hij heeft me er zelfs alles over verteld.'

Dat was na hun eerste gezamenlijke jacht geweest. Dirk Merrit had op de ligstoel in de camper gelegen, high van de adrenaline en een paar snuifjes methamfetamine. Hij had honderduit gepraat en Carl verteld hoe hij Don Beebe, die graag hardliep, was gevolgd in de bergen van San Bernadino. Hij had Beebe gedood met een enkel schot van zijn Winchester Custom Sharpshooter en zijn bewegende doel van een afstand van zo'n vierhonderd meter een speciale, ronde 118-kogel in zijn rechterlong gejaagd. Hij had Beebes hart meegenomen als trofee en had het lijk in een appartement gelegd dat hij een maand eerder op Beebes naam had gehuurd. Later, diezelfde dag, had hij Beebes vrouw in haar huis doodgeschoten en ervoor gezorgd dat het eruit zag als een fout afgelopen inbraak. De sensatiebladen en de plaatselijke nieuwszenders hadden gesmuld van de details van de ontdekking van Beebes verminkte, ontbindende lichaam tussen louche leren spullen en pornografische homoblaadjes. Iedereen was van mening dat een van de jongens die Don Beebe op Pico Boulevard had opgepikt hem had doodgeschoten en vervolgens zijn vrouw had vermoord terwijl hij geld en sieraden zocht in hun huis in West Hollywood.

'Ik heb hem gevraagd wat hij met het hart had gedaan. Hij zei dat het verschrompelde als een appel die te lang in de zon had gelegen en dat hij het weg had moeten gooien,' zei Carl. 'Wat hij me niet vertelde, was dat hij Beebe vermoord heeft omdat die geld stal van het spel. Maar wat wilde jij hiermee doen, Erik? Hem chanteren of zo?'

Hij moest het joch nageven dat hij meteen had gezegd: 'Dat was mijn eerste ingeving, maar het afromen van het abonnementsgeld is zo'n beetje de enige bron van inkomsten die de man heeft, behalve wat hij krijgt via het verkopen van allerlei troep aan spelers. En als ik probeerde hem een oor aan te naaien, zou hij jou waarschijnlijk achter me aan sturen.'

'Waarschijnlijk wel.'

'Toen dacht ik, hij heeft het programma gehackt om geld van de abonnees van *Trans* naar zijn eigen bankrekening te sluizen. Waarom zou ik zijn subprogramma niet hacken en het geld ergens anders heen laten sturen?'

'Waarom heb je dat dan niet gedaan?'

Erik glimlachte. 'Daar wil ik juist met jou over praten.'

Hij vertelde Carl dat hij niet in het programma van Don Beebe kon komen omdat het beschermd werd door een wachtwoord – dat konden alleen de systeemadministrateuren van de computercluster van *Trans* – en dat hij ook niet in staat was geweest in Dirk Merrits persoonlijke computer te komen omdat die te goed beschermd werd. Dus moest hij een mol hebben. Carl. Carl hoefde alleen maar een eenvoudig apparaatje te installeren dat alles zou opslaan dat in Dirk Merrits computer werd ingetypt. Dirk Merrit had onlangs geknoeid met de parameters van Beebes programma en had het percentage dat hij van het abonneegeld stal heel kort verhoogd. Zo had Erik in de gaten gekregen wat gebeurde.

'Er was opeens een sterke daling van het aantal abonnees en een dag later was alles weer normaal. Ik heb de cijfers eens goed bekeken en toen merkte ik dat het aantal abonnees steeds kleiner was dan het aantal betalingen, en toen ontdekte ik dat programmaatje dat in de codering verstopt zat en ben ik erachter gekomen waar hij het geld naartoe stuurde.'

Als de keystroke recorder eenmaal geplaatst was, zou Erik de inkomsten van de abonnees van *Trans* constant in de gaten houden. Zodra er iets veranderde in het percentage dat naar Dirk Merrits buitenlandse rekening werd gesluisd, kon Carl de keystroke recorder weer verwijderen en bij Erik brengen, die de precieze tijd waarop de verandering was aangebracht zou gebruiken om het wachtwoord van Beebes programma te achterhalen.

'En daarna kun je met behulp van het wachtwoord het geld ergens anders naartoe sturen,' zei Carl om te laten zien dat hij alles gevolgd had.

'Dat is een mogelijkheid, maar het zou een tijdje duren voor daar iets nuttigs uit komt. Zie je, *Trans* heeft ongeveer tweehonderdduizend spelers en elke speler betaalt per maand dertig dollar aan abonnementsgeld. Als je een tiende van elke dollarcent afroomt, wat de normale setting is, levert dat ongeveer tweehonderd dollar per dag en tweeënzeventigduizend dollar per jaar op. Dat is niet slecht...'

'Maar we moeten het geld delen, en het kost in ieder geval een jaar.'

'Nou, over de verdeling hebben we het zo nog wel even. Maar inderdaad, het grote probleem is dat het normale percentage heel laag is. Het zou lang duren voor je echt iets bij elkaar had.'

'Hoeveel zou je kunnen afromen als je het wachtwoord had?'

'Alles,' zei Erik Grow. 'Ik werk bij de boekhouding, dus ik weet dat ik het abonneegeld van minstens twee dagen kan pakken voordat iemand het merkt, als ik het in het weekend doe. Dat is minimaal het lieve sommetje van tweehonderdduizend dollar. Je moet alleen bij Merrits computer zien te komen. Je maakt de kast open, zet dat apparaatje tussen de input van het toetsenbord en de CPU en klaar is kees. Daar doe je ongeveer vijf minuten over en je hebt nog eens vijf minuten nodig om het weg te halen als het ogenblik is aangebroken. Tien minuten werk, en ik geef je twintig procent van de opbrengst.

'Nee,' zei Carl. 'De verdeling wordt fiftyfifty. En voor je nog iets zegt, wil ik dat je vriend daar opdondert.'

Erik Grow begon te protesteren, maar Carl stond op en liep naar het tafeltje waar de grote man in het mouwloze spijkerjasje al een halfuur deed alsof hij een bepaalde pagina van de *L.A. Weekly* las. Toen Carl hem voorstelde te vertrekken, schudde de man een grote bos blond haar naar achteren, lachte zodat zijn ontbrekende tanden te zien waren en zei tegen Carl dat hij zich koest moest houden en zijn zaken met meneer Grow moest afhandelen, dan gebeurde er verder niets.

'Dat had je gedacht,' zei Carl. Hij pakte de pink van de man en draaide er hard aan. De man kwam omhoog en Carl schopte hem onder zijn rechter knieschijf, deed een stap naar voren om een wilde uithaal te ontwijken en op zijn schouder op te vangen en sloeg zijn voorhoofd tegen de neusbrug van zijn opponent. Toen de man viel en twee tafeltjes meesleurde, schopte Carl hem op de punt van zijn kin, zodat hij bewusteloos raakte. Toen pakte hij Erik Grow vast, marcheerde met hem de straat op, voerde hem mee door de menigte winkelende mensen en bracht hem naar een steegje dat naar een van de parkeergarages voerde, waar hij het joch tegen de zijkant van een busje sloeg.

Hij zei: 'Als we het doen, doen we het op mijn manier. We krijgen ieder de helft en ik zoek iemand die me zo'n keystroke recorder kan verkopen.'

Carl was niet van plan iets op Dirk Merrits computer aan te sluiten dat hij van Erik Grow had gekregen; hij had zo het idee dat het apparaatje dan alle informatie die het verzamelde via het internet recht naar Erik Grow zou sturen. Hij vertelde het joch hoe ze het gingen doen en Erik, die bleek en geschokt zag, stemde overal mee in.

Ze spraken alles nog eens door, tot Carl zeker wist dat hij het goed in zijn hoofd had. Toen ze klaar waren, had Erik Grow zich hersteld en hij zei tegen Carl: 'Ik hou goed in de gaten waar het geld heen gaat. We kunnen in actie komen zodra hij het wachtwoord gebruikt en met het programma gaat knoeien. Bel mijn mobiel als je me moet spreken. En doe geen moeite me op het oude adres op te zoeken. Ik ben net verhuisd.'

'Voor het geval dat, zeker?'

Erik Grow glimlachte zowaar. 'Zo lang we een gezond gevoel van wederzijds wantrouwen behouden, kunnen we prima met elkaar overweg.'

Carl betaalde een man in Seattle vijfduizend dollar contant voor een keystroke recorder en precieze instructies voor het gebruik ervan. Het ding aansluiten was een fluitje van een cent; Dirk Merrit vermoedde helemaal niets. En nu was Carl onderweg naar Los Angeles met het apparaat in zijn zak, waarop alles stond dat de man de laatste zes weken in zijn computer had ingevoerd, inclusief het wachtwoord waarmee twee dagen eerder een kleine, tijdelijke bijstelling van het programma was uitgevoerd met betrekking tot het bedrag dat van het abonneegeld van *Trans* werd afgeroomd. De informatie die Erik Grow nodig had om het programma van Don Beebe zelf te kunnen gebruiken en voor hen allebei een leuk sommetje te bemachtigen.

Het probleem was dat Erik Grow niet de moeite had gedaan Carl te vertellen dat hij nog ook nog een plannetje had uitgebroed met Pat Metcalf. Carl had dat onderkruipsel terecht niet vertrouwd en nu moest hij besluiten wat hij met hem ging doen. En dan was er nog het kleine detail dat hij Dirk Merrit uit de klauwen van de FBI moest houden tot de buit binnen was.

Zoals zijn eerste baas in Londen altijd zei, kwam een ongeluk nooit alleen.

Carl reed meestal rechtstreeks over de I-5 naar Los Angeles. Dit keer maakte hij een omweg door Nevada, naar Reno. Hij was er pas om één uur in de morgen, maar in de casino's en hotels langs Virginia Street was het nog druk. Hij liet de Range Rover van Pat Metcalf achter op een parkeerplaats, liep honderd meter verder naar een hotel en ging achter in de lobby staan. Niemand lette op hem. Hij droeg een honkbalpet, een blauw spijkerjasje en een geel-bruine broek. Op een paar uitgelezen voorwerpen in zijn zakken na kon hij een toerist van overal in Amerika zijn. Hij liet twee liften gaan, waarvan de eerste bezet werd door een ouder echtpaar en de tweede door een luidruchtige groep studenten, en volgde een eenzame man die in de derde stapte.

De man glimlachte vaag tegen Carl, zijn ogen glazig van de drank, en drukte op de knop van de vierde verdieping. Carl stapte tegelijk met hem uit, sloeg links af toen hij rechtsaf ging en liep terug terwijl hij een paar vinyl handschoenen aantrok. Zijn slachtoffer stak onhandig zijn sleutelkaart in de gleuf in zijn kamerdeur. Hij keek niet op toen Carl langsliep en zag de knuppel niet die een korte boog maakte en toen op zijn hoofd terechtkwam.

Carl ving de man op toen hij in elkaar zakte en duwde hem de deur door en een kille kamer in, die werd verlicht door een oranje gloed door het raam, waarvoor de gordijnen niet dicht waren. Hij liet de man op het bed vallen, legde een kussen over zijn gezicht en schoot hem met de colt Woodsman met geluiddemper door het hoofd. Een zachte knal, een korte flits en wat ronddwarrelende veren, meer was het niet.

Drie stuks in vierentwintig uur. Geen record, maar niet slecht.

Carl bleef in het donker bij de deur staan tot hij er zeker van was dat het schot de gedempte rust in het hotel niet had verstoord. Toen deed hij de lamp naast het bed aan, kleedde zich helemaal uit, pakte zijn mes en ging aan het werk.

Een half uur later was Carl weer aangekleed en pakte hij met natte haren van de douche Pat Metcalfs rechterhand uit het zakje in zijn jaszak, drukte de vingers op het kaartje met de woorden SCHOONMAKEN AUB, hing het kaartje aan de deurknop en verliet het hotel met zijn trofeeën in een plastic waszak die hij in de kast had gevonden. Hij reed over de I-80 naar het westen, in de richting van de bergen en Californië. Vijftien kilometer na Reno ging het raampje van zijn auto naar beneden. Er vloog een witte zak uit, die over het grint en de glasscherven naast de weg stuiterde.

De coyotes mochten de ogen en het hart van de man hebben. De rest, in de hotelkamer, was voor de FBI.

24

Op de vroege zondagmorgen maakte Denise Childers een stapel boterhammen met pindakaas en banaan en deed ze samen met een waterdicht jasje, twee flessen bronwater, kaarten en een kompas, haar Glock 17, haar penning en handboeien en een zaklantaarn met vijf batterijen in haar rugzak. Ze zorgde ervoor dat haar dochter alles had wat ze die dag nodig had en bracht haar naar het huis van haar beste vriendin, Susie Thompson, sloeg de daar aangeboden koffie zo beleefd mogelijk af, gaf Becca een zoen, wenste haar een fijne dag en reed Cedar Falls in, waar ze een afspraak had met een lijk.

Ze kwam tien minuten te laat bij het mortuarium aan. De forensische rechercheur van de FBI, Gary Delgatto, stond op haar te wachten op de parkeerplaats. Hij was een alarmerend jonge, tengere man met een bos zwart haar en hij leunde in zijn geruite overhemd, spijkerbroek en gele Caterpillar-schoenen tegen zijn gehuurde witte Lincoln Town Car, het stereotype van een stadsjongen die een trektocht gaat maken.

Denise verontschuldigde zich ervoor dat ze zo laat was en bedankte hem omdat hij haar wilde helpen. Hij zei dat het genoegen geheel aan zijn kant was en dat hij ernaar uitkeek zijn techniek in het veld uit te proberen.

'Nou, laten we maar beginnen,' zei Denise.

Ze zochten de lijkschouwer, dokter Alan Sandage, op in zijn volle kantoortje. De lijkschouwer gedroeg zich bruusk en agressief. Hij was er niet gelukkig mee geweest toen Gary Delgatto de vorige dag Edie Collier nog eens had onderzocht en hij was nu ook niet blij, ondanks alle sussende woorden die Denise de vorige avond tegen hem gesproken had toen ze hem had verteld dat de forensische rechercheur van de FBI ook een blik op Joseph Kronenwetter wilde werpen.

'Ik heb hem zelf opengesneden,' zei hij tegen Gary Delgatto. 'Het gezicht was bleek boven een ondiepe groef in de vorm van een omgekeerde v en er zat een haarscheurtje in het tongbeen. Vroege sporen van lijkbleekheid in de benen en onderarmen toonden aan dat hij is gestorven in de positie waarin hij was gevonden. Zittend, licht voorovergebogen, ondersteund door de lus. Alles geheel in overeenkomst met een dood door verhanging.'

Gary Delgatto bestudeerde het sectierapport en zei: 'Hebt u zijn bloed laten analyseren?'

'Waarom zou ik?'

Gary Delgatto trok een snelle glimlach waardoor hij veertien leek. 'Goed punt. U dacht dat u te maken had met een eenvoudige dood door verhanging, dus waarom zou u tijd en geld verspillen door naar giftige stoffen te zoeken?'

Denise zei: 'Maar nu moeten we alles van een ander gezichtspunt bekijken.'

Dokter Sandage, die al meer dan dertig jaar de lijkschouwer was van het district, zei: 'Ik geloof dat ik wel kan beoordelen of iemand door verhanging om het leven is gekomen. Dit is een kleine plaats, maar we hebben evengoed wel eens te maken met een gewelddadige dood of een dood door ongeluk, en we krijgen meer dan genoeg zelfmoorden. Vooral op het platteland, onder de boeren. Als u niet tevreden bent met het rapport, wilt u misschien de video van de sectie zien. We hebben vorig jaar een videosysteem gekregen.'

Gary Delgatto zei: 'Ik ben ervan overtuigd dat het een dood door verhanging is, dokter Sandage. De vraag is alleen, heeft hij zichzelf verhangen of is hij een handje geholpen?'

'Wat mij betreft moet de vraag luiden of u geloof wilt hechten aan gevangenisgeruchten,' zei dokter Sandage.

Denise probeerde het met nog meer sussende woorden. 'Ik ben ervan overtuigd dat u begrijpt waarom we dit moeten controleren, dokter. Ik wou dat we het binnenskamers hadden kunnen houden, maar het is nu een zaak van de FBI. Het goede nieuws is dat ze alle noodzakelijke laboratoriumproeven versneld kunnen laten uitvoeren.'

Gary Delgatto zei: 'Ik heb alleen een paar monsters nodig en dan ben ik weer weg.'

Dokter Sandage keek naar hem en zei: 'U wilt hem onderzoeken op giftige stoffen. Hebt u genoeg aan bloed en de lever?'

'Nou en of. Plus wat hersenweefsel, als het niet te veel moeite is.'

'Ik heb geen naaldenprikken aangetroffen toen ik hem onderzocht. Als hij is verdoofd, is dat met een gasvormig middel gedaan of is er iets in zijn eten of drinken gestopt. U kunt zijn maaginhoud dus ook maar beter bekijken.'

'Goed idee.'

'Heel goed, jongeman. Laten we opschieten.'

Denise had meer secties bijgewoond dan ze zich wilde herinneren en ze had ze stuk voor stuk verschrikkelijk gevonden. Het was al erg genoeg om te moeten zien hoe iets wat eens een mens was geweest ontleed werd, maar de geluiden en de geuren waren nog erger. De eerste paar keer had ze overgegeven, maar ze had zichzelf altijd gedwongen terug te gaan en tot het eind te blijven kijken. Ze had nu ook het gebruikelijke weeë gevoel in haar maag terwijl Gary Delgatto en dokter Sandage groene schorten voordeden, plastic handschoenen aantrokken, hun haar bedekten, de vierkante stalen deur van de inloopvrieskast optrokken waarin de niet opgeëiste doden werden bewaard en Kronenwetters met een laken bedekte lichaam op een brancard naar buiten reden, maar ze voelde ook een felle opwinding in haar hart. Nadat Summer Ziegler haar de vorige avond het verhaal van Randy Farrell had verteld over de onbekende bezoeker van Kronenwetter en Gary Delgatto had uitgelegd waarom hij dacht dat Edie Collie en Billy Gundersen op dezelfde plek waren vastgehouden, had Denise niet kunnen slapen omdat ze al deze nieuwe informatie probeerde in te passen in wat ze al wist. Ze was er inmiddels van overtuigd dat Joe Kronenwetter niets te maken had met de dood van Edie Collie en Billy Gundersen, en dat betekende dat hij zelfmoord had gepleegd omdat hij krankzinnig was geweest of dat iemand anders hem had vermoord en die woorden op de muur had gekrast om de indruk te wekken dat hij zelfmoord had gepleegd uit wroeging. Ze geloofde dat een tweede sectie daar duidelijkheid over zou geven.

De twee mannen zetten de wielen van de brancard op de rem en rolden Kronenwetters lichaam op de stalen snijtafel. Hij leek groter nu hij dood was en zijn lichaam niet bedekt werd door kleren. Zijn baard was ruwweg afgeknipt tot aan de kaaklijn. Hij was gebruind als een boer: behalve zijn gezicht, handen en onderarmen was zijn lichaam net zo wit als de vloertegels. Hier en daar stond er zwart haar op. De rode Y van de incisie, twee sneden van de schouders naar zijn buik en een verder naar zijn schaamstreek, was netjes dichtgenaaid met groene draad.

Gary Delgatto zette zijn aluminium koffer op een werkblad, klikte hem open en rommelde erin. Dokter Sandage deed de lampen boven het lichaam aan, stelde de videocamera scherp en zette de video- en audiorecorders aan. Het licht glansde op de roze huid onder zijn dunne, witte haar en in zijn brillenglazen.

'Laten we eerst maar bloed afnemen,' zei hij.

Hij zette een plastic spuit op een lange, dikke naald, betastte de binnenkant van het bovenbeen van het lijk, stak de naald er diep in en trok bloed uit de beenader, dat zo dik en donkerrood oogde dat het bijna zwart was. Hij gaf de spuit aan Gary Delgatto en begon de hechtingen door te snijden die de snede in de buik van het lichaam dicht hielden.

'Ik heb de lever uitgenomen,' zei hij, 'genoteerd dat die ietwat gezwollen was en tekenen vertoonde van beginnende cirrose en hem teruggelegd in de lichaamsholte. De hersenen liggen er ook in. Ik stop de schedel meestal vol met papier nadat ik de hersenen voor onderzoek heb uitgenomen. Dat geeft minder kans op lekkage en dan is de begrafenisondernemer ook weer blij.'

Het geluid van de zware schaar die het hechtdraad doorknipte bezorgde Denise een ongemakkelijk gevoel. De truc was om dat wat op de tafel lag te zien als bewijsmateriaal in plaats van de overblijfselen van een menselijk wezen, maar ze had er moeite mee omdat ze in de loop der jaren verschillende aanvaringen had gehad met Joe Kronenwetter en omdat ze pas vier dagen geleden nog met hem in de verhoorkamer had gezeten. Toch dwong ze zichzelf toe te kijken toen dokter Sandage in de lichaamsholte bezig was en monsters nam van de lever en de hersenen, die in afzonderlijke buisjes gingen die door Gary Delgatto verzegeld en van een etiket voorzien werden.

Dokter Sandage zei: 'Ik heb monsters van de inhoud van maag en ingewanden in de vriezer staan. Hij heeft ongeveer zes uur voor zijn overlijden een maaltijd gehad van chili met rijst, met een banaan toe. En chocolademelk. Hij heeft in zijn cel gegeten, dus is het mogelijk dat iemand iets in zijn eten heeft gedaan. Een barbituraat, zou ik denken.'

'Ik ook,' zei Gary Delgatto. 'Voordat we hem weer wegbrengen wil ik graag even zijn handen zien.'

De brillenglazen van dokter Sandage flitsten toen hij opkeek. 'Als je hoopt huidfragmenten of bloedsporen onder zijn nagels te zien, die waren er niet.'

'Dat had ik ook niet verwacht. Ik ben het met u eens dat er geen worsteling kan hebben plaatsgevonden als iemand hem heeft geholpen. En ik heb gezien dat er ook geen krassen om de afdruk van de lus zitten.'

'Hij heeft zich niet bedacht, als u dat soms bedoelt.'

'Maar hoe zit het met zijn handen? In welke positie lagen ze toen u hem doodverklaarde?'

'Ze lagen naast zijn lichaam. Ze zaten niet in zijn zak en ze waren niet vastgebonden. Hij zat er ook niet op.' Dokter Sandage keek naar Denise en zei: 'Veel mensen die zichzelf ophangen maken op een of andere manier hun handen vast, zodat ze zichzelf niet op het laatste moment kunnen bevrijden. Dat was hier niet het geval.'

Gary Delgatto haalde een kleine digitale camera uit zijn koffer en zei: 'Als u me toestaat...'

Dokter Sandage zei dat hij zijn gang kon gaan. 'Voor u het vraagt, ik heb geen zakken om de handen gedaan omdat hij is gevonden in een afgesloten cel en niets erop wees dat hij was mishandeld of anderszins met iemand in gevecht was geweest.'

'Was hij links- of rechtshandig?'

'Rechtshandig,' zei dokter Sandage. 'Er zit in ieder geval een eeltplek van het schrijven op de wijsvinger van zijn rechterhand.'

'Asjemenou,' zei Gary Delgatto. Hij nam een paar foto's van de rechterhand van het lijk en bukte zich toen om de vingers te bekijken, waarbij hij opmerkte dat de nagels brokkelig en onregelmatig waren en dat er gruis onder zat.

'Van de vloer van de cel. Hij heeft het waarschijnlijk onder zijn nagels gekregen toen hij een spasme kreeg,' zei dokter Sandage, die zijn eigen hand in de met bloed bevlekte handschoen tot een klauw trok.

'U hebt waarschijnlijk gelijk,' zei Gary Delgatto. 'Ik denk dat ik hier maar een monster van moet nemen voor het geval hij iets nuttigs heeft opgepikt. Help eens even een handje, Denise. Neem me de woordspeling niet kwalijk.'

Hij bevochtigde wattenstaafjes met gedestilleerd water en haalde die onder elke vingernagel door, waarna hij elk wattenstaafje in een apart buisje deed, waar Denise etiketten op had geplakt. Toen trok hij de mond van de dode open, veegde met een droog watje langs de binnenkant van zijn wang en deed ook dat in een buisje.

'Dat is het,' zei hij. Hij trok zijn handschoenen uit en gooide ze in de afvalbak onder de stalen tafel. 'Bedankt voor uw hulp, dokter Sandage. Ik waardeer het zeer. Kunt u me vertellen waar ik wat droog ijs kan vinden? Ik wil deze monsters meteen wegsturen.'

Toen het pakje eenmaal in orde was gemaakt, ze dokter Sandage nog eens hadden bedankt en buiten stonden zei Denise tegen Gary Delgatto: 'Wat was dat nou met die vingernagels? Je hebt iets gezien, nietwaar?'

'Het is meer een kwestie van wat ik niet gezien heb,' zei Gary Delgatto.

Denise zei zo geduldig alsof ze het tegen haar dochter had: 'En wat heb je dan niet gezien?'

'Vezels,' zei Gary Delgatto. 'Kronenwetter is opgehangen met repen die van zijn kleren waren gescheurd. Als iemand kleren in stukken scheurt, krijgt hij meestal vezels onder zijn nagels, vooral als die nagels zo rafelig zijn als die van hem. Maar er waren geen vezels. Bovendien zat er gruis onder de vingernagels van zijn rechterhand, maar niets onder de vingernagels van de linkerhand. Kronenwetter was rechts, dus dat is de arm die hij zou willen bevrijden als hij werd vastgehouden.'

'Dat zul je me moeten uitleggen. Ik dacht dat hij verdoofd was voordat hij werd opgehangen.'

'Het is mogelijk dat hij verdoofd is, maar niet helemaal bewusteloos was. In dat geval kan hij zijn rechterarm hebben losgetrokken en geprobeerd hebben zich omhoog te duwen om het gewicht van zijn lichaam op te vangen en te voorkomen dat hij gewurgd werd.'

'Het klinkt niet als iets wat je voor de rechter zou kunnen gebruiken.'

'Misschien niet,' zei Gary Delgatto. 'Maar er is ook nog de kwestie van het tongbeen. Weet je wat dat is, het tongbeen?'

'Dat zit in de keel. Als het gebroken is, duidt dat op verwurging. We mogen hier dan op het platteland zitten, we weten het meeste dat jullie in de stad ook weten.'

'Daar twijfel ik niet aan. Het punt is dat het tongbeen meestal niet gescheurd of gebroken is bij iemand die zich heeft verhangen door te gaan zitten. Er wordt niet genoeg kracht gebruikt. Geen val.'

Denise probeerde het zich voor te stellen. 'Kronenwetter begon bij te komen en probeerde omhoog te komen. Dus duwde zijn moordenaar hem naar beneden om het karwei af te maken en daardoor is het tongbeen gescheurd.'

Gary Delgatto glimlachte even. 'Precies.'

'Het is een mooi verhaal, maar elke competente advocaat zou het ongefundeerde gissingen noemen. Hoe zit het met die monsters? Hoe lang duurt het voordat het lab daarmee klaar is?'

'Een goede vriend van mij zal het bloed en de monsters zo snel mogelijk onderzoeken. Ik zou de resultaten morgenochtend moeten hebben. Ze zal ook zoeken naar vreemd DNA in de schraapsels die ik van onder de vingernagels heb genomen, maar ik moet je waarschuwen dat dat een paar weken kan duren. Er was behalve het gruis wel geen zichtbaar materiaal onder de nagels te zien, maar het goede nieuws is dat we maar een paar huidcellen nodig hebben. We kunnen het DNA vermeerderen via PCR om het te identificeren.'

'Hij kan van alles hebben opgepikt van de vloer van een cel.'

'Dat klopt. Maar als je een verdachte hebt en zijn DNA wordt onder Kronenwetters vingernagels aangetroffen...'

'Ik zal eraan denken als we een verdachte hebben.' Denise keek op haar horloge. 'Drink je koffie?'

'Wie niet? Maar ik heb hier tot dusver alleen substanties aangetroffen die op koffie leken.'

'Als het geen zondag was, nam ik je mee naar een café waar de politie altijd komt. Maar nu kan ik je trakteren op een mok heerlijke opgewarmde koffie van Denny's terwijl we op Summer Ziegler wachten. Bovendien wil ik jullie aan iemand voorstellen die een heel interessant verhaal te vertellen heeft over de schooltijd van Joe Kronenwetter.'

25

Met een donkere zonnebril en een ver over zijn ogen getrokken honkbalpet op reed Carl Kelley in een gedeukte, rode Honda met meer dan honderdzestigduizend kilometer op de teller, een barst in de ruit en de neiging naar links te trekken weg van het vliegveld van Los Angeles. De eigenaar, Julia Taylor, een drieënveertigjarige stewardess die voor een kleine maatschappij werkte die toeristen heen en weer vloog tussen Los Angeles en vakantieoorden langs de Californische kust van de Golf van Mexico, lag in de achterbak.

Carl had het grootste deel van de nacht gereden, via de I-5 recht de centrale vallei van Californië in, over de snelweg naar San Diego door Los Angeles tot aan het vliegveld, waar hij gemakkelijk een prooi zou kunnen vinden. Hij had de Range Rover van Pat Metcalf achtergelaten op de parkeerplaats voor langparkeerders en rondgehangen tussen de rijen voertuigen in een van de parkeergarages tegenover de aankomsthal tot hij Julia Taylor haar koffertje met wieltjes naar haar Honda had zien trekken. Carl was achter haar gaan staan toen ze de koffer in haar kofferbak tilde en had haar vermoord met een goedgeplaatste messteek, waarmee hij haar ruggenmerg tussen de derde en vierde nekwervel had doorgesneden.

De airconditioning van de Honda spuwde warm water op zijn handen toen hij zich tussen het drukke ochtendverkeer op de snelweg naar San Diego voegde. Hij had een paar uur slaap gepakt op een rustplaats even buiten Stockton en had daarna een paar amfetaminepillen genomen om scherp te blijven. Behalve wat geflikker aan de rand van zijn gezichtsveld en kramp in zijn kaakspieren voelde hij zich prima; hij kon een week doorwerken op korte hazenslaapjes en wat speed.

Hij zat vast in de file en het warme zonlicht glinsterde op de honderden stilstaande voertuigen om hem heen en achter hem toen zijn telefoon ging. Het was Dirk Merrit.

'Ik verwacht binnenkort weer een pakje. Dat moet ik ergens kunnen opbergen.'

Het duurde even voor Carl besefte dat de man het over dat joch uit Brooklyn had, die kampioensgamer. Jezus, de man ging gewoon door met zijn idiote plan. 'Dat is niet iets wat we nu kunnen bespreken.'

'Misschien arriveert het voordat je terug bent. Wanneer ben je trouwens terug?'

'Binnenkort. Ik weet het nog niet precies.' Dit was niet het moment om de man te vertellen dat hij nooit meer terug wilde komen, nog niet helemaal, maar over een paar dagen zou hij hem bellen van het vliegveld net voordat hij in zijn vliegtuig stapte... De gedachte vrolijkte Carl op. 'Ik heb het momenteel druk. Ik bel je wel terug als ik klaar ben.'

'Je klinkt opgewekt,' zei Dirk Merrit. 'Alles gaat zeker goed.'

Er werd getoeterd achter Carl. Er was ongeveer twee meter ruimte ontstaan tussen de Honda en de auto daarvoor.

'Dat merk je snel genoeg. Ik moet ophangen,' zei Carl. Hij verbrak de verbinding en liet de Honda naar voren rollen.

Hoewel Erik Grow zo voorzichtig was geweest om uit zijn oude appartement te trekken voor het geval het plan om Dirk Merrit te bedonderen niet zou slagen, had een door Carl ingehuurde speurder binnen een dag ontdekt wat zijn nieuwe adres was. Het was in Palms, een haveloos stuk tussen Westwood en Culver City, populair bij studenten die als onderzoeker aan de UCLA werkten, in een onopvallend flatgebouw van twee verdiepingen in een kort straatje vlakbij de snelweg naar Santa Monica. Carl zette zijn auto achter het gebouw en gebruikte zijn inbrekersgereedschap om het slot van het smeedijzeren hek naar de binnenplaats open te steken, waar de gebruikelijke verbleekte ligstoelen en potten met paradijsvogelbloemen naast een zwembad stonden met een regenboogkleurig laagje erop van de zonnebrandolie. De flat van Erik Grow was op de begane grond in een hoek. Carl zette zich af en schopte hard tegen de deur, net onder het goedkope slot, zodat de slotplaat uit het hout sprong en hij de L-vormige woonkamer in kon stormen.

Er zaten jaloezieën voor het raam en het stonk in de schemerige kamer naar verschaalde marihuanarook. Tegenover een breedbeeld-tv stond een bank met vlekken, langs een muur waren een aantal kartonnen dozen opgestapeld en Erik Grow stond met open mond en grote ogen bij de goedkope grenenhouten eettafel, waar hij achter zijn laptop had zitten werken, met alleen zijn bril op en een boxershort aan. Carl zei dat hij weer moest gaan zitten, liep de slaapkamer uit, die op een matras en stapels kleren na leeg was, en kwam weer naar buiten terwijl hij zei: 'Doe niet zo stom, Erik. Ik kom het wachtwoord afleveren. Dat gaat niet als je me doodschiet.'

Erik Grow stond nu midden in de kamer en richtte een pistool op Carl. Het pistool was matzwart, een Chinese of Oost-Europese nabootsing van een Sig-Sauer. Erik zei met een klein stemmetje van angst: 'Er is iets misgegaan. Vertel me wat er mis is.'

'Alles is prima in orde,' zei Carl, die recht in het bleke gezicht van het joch keek, wiens blauwe ogen zwommen achter de dikke brillenglazen.

'Als alles prima is, waarom heb je me dan niet gebeld om ergens af te spreken?'

'Mijn auto staat achter de flat. Er ligt iets in wat je moet zien,' zei Carl, en hij liep het gebouw uit en door de smeedijzeren poort naar het parkeerplaatsje.

Erik Grow kwam twee minuten later, in een T-shirt en een verbleekte bandplooibroek. Carl maakte de kofferbak van Julia Taylors Honda open, tilde de klep op en wenkte Erik. Die schoof een hand onder de zoom van zijn T-shirt toen hij een stap naar de auto deed om te kijken, en deinsde angstig piepend achteruit toen hij Julia Taylor op haar zij in de kofferbak zag liggen. Carl greep Eriks rechterpols, trok die op zijn rug, haalde de nep-Sig uit de band van zijn broek en schopte het wapen onder de Honda. Toen zei hij in het oor van het joch: 'Ik ken haar niet. Ik had haar tot voor een uur geleden nog nooit gezien en ik heb haar vermoord omdat ik haar auto nodig had. Ik heb haar snel gedood, maar bij jou, Erik, doe ik het zo langzaam dat je me zult bedanken als ik het karwei afmaak, tenzij jij me nu meteen de waarheid zegt.'

Erik Grow viel op zijn achterste toen Carl hem wegduwde. Hij kwam langzaam overeind, vouwde zijn armen over elkaar over zijn magere borst en probeerde stoer te kijken. 'We zijn partners, man. Natuurlijk vertel ik je de waarheid. Wat wil je weten?'

'Wat was jouw aandeel?'

Erik Grow probeerde een glimlach. 'Ik weet niet wat je bedoelt.'

'De afspraak die je met Pat Metcalf had,' zei Carl. 'Wat was jouw aandeel?'

Erik Grow schrok; Carl draaide zich om en zag een Afro-Amerikaanse vrouw door het hek komen met een mand wasgoed op haar heup, gevolgd door een jongetje in een blauw T-shirt dat tot zijn knieën reikte.

'Doe dicht voordat iemand het ziet,' zei Erik Grow met een woedend gefluister. Zijn blik schoot van het lijk in de kofferbak van de Honda naar Carl en van daar naar de vrouw en haar kind en toen weer terug naar de kofferbak. 'Ik bedoel, ik snap waar je heen wilt, oké?'

'Is dat zo, Erik? Dat vraag ik me af.' Carl voelde zich verheven door zijn enorme rust, als een surfer op de ultieme golf. 'Jij houdt zoveel van spelletjes dat je denkt dat alles een spelletje is. Jij denkt dat je van alles kunt uithalen zonder dat het gevolgen voor je heeft.'

'Ik heb geen...'

'O jawel, Erik. Ik weet dat jij een afspraak met Pat Metcalf had omdat die me er alles van verteld heeft. We hadden een heel pittig gesprek. Als je wilt, kan ik het bandje met zijn bekentenis wel even voor je afspelen, maar het zou beter voor je zijn als je eieren voor je geld koos en alles nu meteen opbiechtte.'

Het jongetje draaide zich om voor een laatste blik op Carl Kelley en Erik Grow en liep toen achter zijn moeder aan de hoek van het gebouw om naar de wasruimte.

Erik vroeg: 'Waar is hij?'

'Pat Metcalf? Over hem hoef je je niet druk maken, Erik. Zorg jij maar voor jezelf.'

'Je hebt hem vermoord, waar of niet?'

'Natuurlijk heb ik hem vermoord.'

'O, Jezus.'

'Wiens idee was het, van jou of van hem?'

189

'Van hem. Hij wilde dat ik inbrak in het bewakingssysteem en in de RIFD-catalogus.'

'Waarom jij?'

'Hij kende me uit de tijd dat ik problemen had bij de UCLA.'

'De tijd dus waarin je je fijne baantje op de afdeling Informatietechnologie kwijtraakte omdat je pornosites runde via het computersysteem.'

'Hij had niets te maken met mijn zaak, maar hij had ervan gehoord. Hij stelde me voor aan Dirk Merrit toen Merrit op het punt stond zijn belang in Powered By Lightning te verkopen. Merrit wilde een mol in het bedrijf, iemand die echt iets wist van computers...'

'Iemand die niet al te eerlijk was, zoals jij. Wij zouden samenwerken, Erik. Wij zouden partners zijn. En dan kom ik erachter dat je ook met Pat Metcalf rotzooit. Wat voer je nog meer in je schild?'

'Niets. Echt niet. Luister nou. Metcalf dreigde me te verklikken. Hij dreigde Powered By Lightning te vertellen dat ik daar onder valse voorwendselen werkte. Ik moest doen wat hij vroeg om ons plan door te kunnen laten gaan.'

'Wist Metcalf van "ons plan"?'

'Ik vroeg of hij in Dirk Merrits persoonlijke computer kon komen en hij zei van niet. Verder is het niet gegaan. Luister nou,' zei Erik. 'Het was niet mijn idee om die troep te stelen. Echt niet. Hij kwam ermee.'

'Waarom heb je me dit niet verteld, Erik? Een gedeeld probleem is een opgelost probleem. Ik had je ermee kunnen helpen.'

'Ik dacht dat ik het opgelost had, oké? Hoor eens, ik zal je precies vertellen wat hij wilde dat ik deed, maar doe in godsnaam die kofferbak dicht. Wil je soms dat iemand haar ziet en de politie belt?'

'Je hebt me nog steeds niet verteld hoeveel jij kreeg.'

'Pardon?'

'Welk percentage van de opbrengst heeft Metcalf je beloofd, Erik?'

'O, dat. Vijftien.'

'Vijftien procent.'

Erik Grow knikte schokkerig. Hij had zijn armen om zich heen geslagen en zijn ogen schoten heen en weer achter zijn grote bril.

Carl zei: 'Vijftien procent van wat hij kreeg als hij het spul verkocht. Dat is een klein bedrag om mij te verraden, Erik. Ik voel me beledigd.'

'Ik ging erin mee om ons plan te beschermen. Nu zeg jij dat die vent dood is. Oké, prima, probleem opgelost. Maar hoe moet dat nu met Merrit?'

Carl moest de jongen nageven dat hij zich snel herstelde; hij probeerde nu al de zaak van alle kanten te bekijken. Hij staarde Erik aan en liet de stilte duren. Aan een van de elektriciteitspalen zoemde een transformator, amper luider dan het geluid van het verkeer op de naburige snelweg. De bladeren van een palmboom die over de muur van de parkeerplaats hingen, ritselden in de warme wind.

Erik keek alle kanten uit, behalve naar Carl toen hij zei: 'Ik heb je beledigd. Hoor eens, het spijt me, misschien heb ik het verkeerd aangepakt. Misschien had ik het je moeten vertellen. Maar nu je alles weet, moet je inzien dat het helemaal niets te maken heeft met ons plan. Ik zweer je dat ik hem daar geen woord over heb gezegd.'

'Jij hebt je hele leven in Los Angeles gewoond. Ik denk dat je het vrij goed kent.'

'Zeker.'

'Hoe kom ik van hier in de San Gabrielbergen?'

'Hoezo?'

'Ik denk dat ik haar maar naar de San Gabrielbergen breng. Ik wed dat daar zat plaatsen zijn waar je een lijk kunt achterlaten.'

'Ben je gek? Het is weekend, man.'

'En wat dan nog?'

'Er zijn vast veel mensen op de been, daarom. Wandelaars, fietsers, mensen die gaan picknicken of zo. Waarom laat je de auto niet gewoon ergens in de stad achter?'

'De San Gabrielbergen,' zei Carl en hij keek Erik strak aan.

'Oké dan. Nou, ik denk dat je de 10 door het centrum en San Bernadino zou kunnen nemen en dan over de 39 naar het noorden. Daar zijn een heleboel kleine weggetjes.'

'Instappen.'

'Wat?'

'Als je dat nog een keer zegt, laat ik wel even zien wat wat is. Stap in de kofferbak.'

'O, nee.' Erik Grow schudde zijn hoofd.

Carl bracht zijn hand naar zijn rug, haalde zijn Colt Woodsman voor de dag en zei: 'Als ik je wilde vermoorden, Erik, zou ik dat hebben gedaan toen je dat pistool op me richtte in jouw appartement. Maar zoals je zei, we hebben ons plannetje nog. Ik heb je nodig, net zoals Metcalf je nodig had.'

Hij schoof de grendel naar achteren en richtte het pistool op de rechterknie van het joch.

Hij zei: 'Ik ga je niet vermoorden, Erik, maar ik kan je verzekeren dat ik je een heleboel pijn ga doen als je niet nu meteen in de kofferbak stapt.'

26

Het was zo vroeg op de zondagmorgen koel en vochtig in Portland. Er hing een lage bewolking over de stad en korte buien verfristen de lucht. Summer rolde het raampje van haar Accura naar beneden toen ze de 205 naar het noordwesten nam. Tegen de tijd dat ze zich in de verkeersstroom had gevoegd die in zuidelijke richting over de I-5 reed, had de luchtstroom haar hoofdpijn weggeblazen.

Ze had de vorige avond een beetje te veel wijn gedronken, maar het etentje was bij lange na niet zo erg geweest als ze had gevreesd. Haar moeder had zich laten vermurwen door de bos witte rozen die ze bij het tankstation had gekocht om goed te maken dat ze te laat was geweest om met de voorbereidingen te helpen. En ze had het krankzinnige idee van haar moeder dat ze voor Ed Vara zou kunnen gaan werken afgehandeld door de jurist recht in zijn gezicht te vertellen dat ze had gehoord dat hij een rechercheur zocht.

'Ik heb al een paar goede kandidaten,' zei hij met een glimlach die Summer meteen duidelijk maakte dat hij op de hoogte was van de bemoeienissen van haar moeder. 'Maar ik zal je graag op de lijst zetten.'

'Ik wed dat uw kandidaten veel meer ervaring hebben dan ik, raadsman. Ik weet dat ik geen kans maak, maar het is toch vleiend om gevraagd te worden.'

Toen dat eenmaal was opgelost, kon Summer zich ontspannen met een paar glazen Chileense Shiraz, genieten van de beroemde tajine van lam met pruimen van haar moeder en met de andere gasten praten – Ed Vara's vrouw, David en Cindy Gerace, architecten die zich gespecialiseerd hadden in huizen die op piepkleine en vreemd gevormde stadspercelen pasten en die Summers vader hadden geholpen met de plannen voor zijn huis in het stroomdal van de Columbia, en een Britse archeoloog en zijn broze vriendin met haar porseleinbleke huid – over universiteitsgelden, grasweeftradities van verschillende indianenstammen, het hergebruik van materialen in de bouw, de vriendin van prins William en de beste cafés in Portland. Summer vertelde een paar uitgelezen oorlogsverhalen uit haar dagen in uniform en beloofde voor de archeoloog te regelen dat hij een keer mee kon rijden in een patrouillewagen.

Het was een mooie avond geworden. Aan het eind, nadat de gasten waren vertrokken en Summer de borden en het zilver en de glazen afwaste en de vaatwasser inruimde, had haar moeder gezegd dat ze interessante informatie had over William Gundersen.

'Dus je hebt Tony Otaka gesproken?'

Haar moeder glimlachte. 'Eigenlijk heb ik iets gedaan waar je zelf aan had moeten denken.'

'Ga je het me vertellen of moet ik het eruit trekken?'

'Er is niets om eruit te trekken. Ik heb alleen eens gegoogled op de naam van meneer Gundersen,' zei haar moeder, en toen vertelde ze Summer dat ze gelijk had gehad met haar idee dat William Gundersen zich bezighield met computerspelletjes. De zoekmachine had haar op een heel interessant verhaal gewezen in het archief van de *Los Angeles Times*. 'Het schijnt dat hij meedeed aan toernooien tegen andere spelers waarin je geldprijzen kon winnen. Blijkbaar was hij goed, maar hij behoorde niet tot de top, hij won nooit een grote prijs. Dus verdiende hij de kost door dingen te verkopen die hij in online spelletjes verdiende.'

'Wacht even. Eens zien of ik dit allemaal nog kan volgen,' zei Summer terwijl ze de deur van de vaatwasser dicht deed en het apparaat aanzette. 'Betalen mensen echt geld voor dingen die alleen in een computer bestaan?'

'Het is net als elke ontastbare bezitting, zoals copyright of een andere vorm van intellectueel eigendom,' zei haar moeder. 'Of geld. Hoeveel is een dollarbiljet echt waard?'

'Zo te horen geen dollar.'

'Het is waard wat we overeenkomen dat het waard is. Als puntje bij paaltje komt, is geld niet meer dan een serie nullen en enen in de database van de bank. Het heeft alleen waarde omdat iedereen heeft afgesproken dat het waarde heeft. Zo is het ook met het virtuele geld in die spelletjes of met virtuele wapens en magische drankjes en betoveringen. Dat zijn ook enen en nullen in databases, en ze hebben waarde omdat mensen het erover eens zijn dat ze iets waard zijn.'

Terwijl haar moeder uitlegde dat elke speler een eigen personage had dat avonturen beleefde en allerlei dingen verdiende – wa pens, geld, magische krachten en zelfs land – en met ieder ander in het spel handel kon drijven met gebruik van het virtuele geld van het spel of de dingen die hij won buiten het spel om op eBay of elders te koop kon zetten voor echt geld, besloot Summer haar derde glas wijn toch maar niet leeg te drinken en schonk ze een glas water voor zichzelf in. Ze had de hele dag door Portland gesjouwd en daarna was ook nog het diner gevolgd, ze was doodmoe en behoorlijk aangeschoten, en ze had het gevoel dat ze goed moest luisteren naar wat haar moeder allemaal zei over de virtuele economie in die online spelletjes. Toen haar moeder was uitgesproken, zei ze: 'Het komt erop neer dat Billy Gundersen dingen won en die voor echt geld aan andere spelers verkocht. Hoe is hij dan in de krant terechtgekomen?'

'Hij heeft wat mensen beroofd van iets wat ze samen in een spelletje hadden gewonnen. Blijkbaar had hij met drie andere spelers een verbond gesloten om eigenaar te worden van een of ander kasteel en om de mijnrechten te krijgen van het land eromheen. Vervolgens heeft hij die rechten via een online veiling verkocht en al het geld in zijn zak gestoken.'

'Ik wed dat het iets te maken had met een spel dat *Trans* heet.'

'Inderdaad. Hoe wist je dat?'

'Billy Gundersen had er een abonnement op.' Summer besloot dat dit niet het moment was om iets over Dirk Merrit te zeggen.

Haar moeder zei: 'Volgens het artikel in de krant hebben de drie spelers die hem hadden geholpen het kasteel te veroveren hem opgespoord en hebben ze twee van zijn vingers afgeknipt met een snoeischaar. Een heel symbolische straf, vind je ook niet? Een soort ontmanning, vooral voor iemand die de kost verdient achter een toetsenbord.'

'Is er een rechtszaak van gekomen?' Summer vroeg zich af waarom ze dit gemist had toen ze William Gundersens strafblad had opgevraagd.

Haar moeder schudde haar hoofd. 'Ze waren geen van allen volwassen, hun ouders konden zich goede advocaten veroorloven en William Gundersen stemde ermee in de aanklacht te laten vallen in ruil voor een regeling buiten de rechtbank om. Ik weet niet of het je helpt met je onderzoek, maar zo liggen de zaken.'

Summer dacht hardop na toen ze zei: 'Wat Gundersen ook voor schikking heeft getroffen, het geld moet op zijn geweest tegen de tijd dat hij naar Denver verhuisde, want hij is toen bijna meteen begonnen met winkeldiefstal en creditcardfraude. En toen hij hierheen kwam, zat hij zo krap bij kas dat hij in zijn busje woonde. Ik denk dat hij wanhopig verlegen zat om geld en dat hij betrokken is geraakt bij iets wat de dood van hem en zijn vriendin is geworden. Aanvankelijk dacht ik aan drugs. Maar nu ben ik ervan overtuigd dat het iets te maken heeft met dat online spel, *Trans*. Hij zocht een soort schat en ik denk dat hij die op eBay wilde verkopen... Tony Otaka kan er zeker niet achter komen wat die schat is?'

Haar moeder glimlachte. 'Eigenlijk dacht ik erover Tony te vragen of hij of zijn vrienden ooit van Gundersen gehoord hebben.'

Summer glimlachte ook. 'Ed Vara kan die twee goede kandidaten die hij heeft voor de positie van rechercheur net zo goed vergeten en in plaats daarvan jou in dienst nemen.'

Toen Summer eenmaal op de I-5 reed, kostte het haar nog ruim drie uur om in Cedar Falls te komen. Denise Childers en een rechercheur van het sheriffkantoor, Jay Sexton, zaten haar op te wachten in de Denny's tegenover de Travelodge waar ze de nacht na Randy Farrells arrestatie had gelogeerd. Ze waren samen met een van de forensische onderzoekers van de FBI, Gary Delgatto.

Summer zei: 'Wat doet hij hier? Ik dacht dat de FBI geen belangstelling had.'

Ze had het vervelende gevoel dat ze achter de feiten aan liep, dat haar niet alles werd verteld. Ze was rood van woede en stond op het punt om op te stappen als Denise of iemand anders aan tafel iets verkeerds zei.

'Ik ben hier min of meer onofficieel,' zei Gary Delgatto.

'Min of meer onofficieel?'

'Rustig nou maar,' zei Denise. 'We hebben het er zo wel over. Eerst heeft Jay een verhaal dat jij en Gary moeten horen en hij kan niet lang blijven, hij moet naar de kerk.'

'En daarna ga je uitleggen wat er allemaal aan de hand is.'

Denise keek recht in Summers boze ogen. 'Absoluut. Ga je gang, Jay. Vertel hen wat je mij hebt verteld.'

'Het stelt niet veel voor,' zei Jay Sexton. Hij was een lange, onhandige kerel met zandkleurig, terugwijkend haar en hij was niet veel ouder dan Summer. Hij sloeg zijn grote handen om zijn koffiemok en legde uit dat zijn broer in de jaren tachtig met Joe Kronenwetter en Dirk Merrit op de middelbare school had gezeten.

'Kronenwetter zat in het footballteam, een echte sportman, en Merrit was een echte nerd. Slim, maar slecht in sport en absoluut niet sociaal. Mijn broer zei dat zelfs de andere nerds hem niet mochten. In ieder geval in hun laatste jaar op school waren Merrit en

Kronenwetter net kat en hond. Kronenwetter moest Merrit altijd hebben met zijn stomme trucjes, zoals zijn blad uit zijn handen slaan in de kantine, zijn hoofd in de wc steken en die doortrekken, en op een keer heeft hij zijn kleren uit de kleedkamer gehaald en hem tussen een groep twaalfjarigen geschoven. Allemaal zulke dingen.'

'Ik weet wat je denkt: we gaan die vent niet pakken omdat hij vroeger op school gepest werd,' zei Denise tegen Summer. 'Maar het mooie komt nog.'

'Het is eigenlijk wel ziek,' zei Jay Sexton. 'Kronenwetter had zo'n grote oude hond, een kruising tussen een Duitse herder en een Ierse setter. Hij hield zoveel van die hond dat het beest altijd naast hem zat toen hij eenmaal een eigen auto had. Als iemand met hem mee wilde rijden, moest hij achterin. In ieder geval, in de laatste schoolweek, net voor de diploma-uitreiking, was die hond opeens weg en de volgende dag bleek hij in Kronenwetters kluisje te liggen. Iemand had hem vermoord en allerlei akelige dingen uitgehaald met het lichaam. Het gerucht ging dat Merrit het gedaan had, maar hoewel Kronenwetter een poging deed de waarheid eruit te slaan, zei Merrit niets.'

Denise zei: 'Dat was in 1988. Joe Kronenwetter is meteen na de middelbare school bij het leger gegaan en ongeveer een halfjaar later zijn zijn ouders rond Kerstmis omgekomen bij een brand in hun huis.'

Summer voelde een huivering over haar ruggengraat gaan en dacht eraan dat Kronenwetters buurvrouw. Rhonda Cameron, haar had verteld dat het huis midden in een sneeuwstorm was afgebrand.

Jay Sexton zei: 'Officieel werd de brand toegeschreven aan een ongeluk. Kronenwetters vader dronk behoorlijk en zijn lichaam werd gevonden in een stoel vlak bij de plek waar het vuur was begonnen, dus concludeerde de brandweercommandant dat hij in slaap was gevallen met een brandende sigaret in zijn hand. Maar volgens mijn broer... Ik heb dit van horen zeggen, en ik zou het fijn vinden als hij hierbuiten bleef...'

'Dat hebben we afgesproken,' zei Denise met een blik op Gary Delgatto.

'Het is jouw onderzoek,' zei Gary Delgatto. 'Ik houd mijn mond.'

Denise zei: 'Dit is allemaal slechts achtergrondinformatie, Jay. Ik schrijf het niet eens op.'

Jay Sexton knikte en zei: 'Nou, zo lang jullie maar in gedachten houden dat dit niet meer is dan het gepraat van kinderen onder elkaar. Het verhaal ging dat Dirk Merrit de brand had aangestoken.

Dat het net als Kronenwetters hond deel uitmaakte van een of ander ziek plan om wraak te nemen. En als dat waar is, nou, dan kreeg Merrit precies wat hij wilde. Kronenwetter ging in het leger en was in Koeweit tijdens de Eerste Golfoorlog. Hij zag die weg vol uitgebrande voertuigen tussen Koeweit-Stad en Basra, stortte in en werd uit het leger ontslagen, en toen kwam hij hier terug en werd een soort kluizenaar.'

'Hij had het over een monster toen ik hem verhoorde,' zei Denise. 'Het kan zijn dat Merrit hem af en toe nog treiterde nadat Joe Kronenwetter thuis was gekomen.'

Gary Delgatto zei: 'Denk je dat die toestanden op de middelbare school voor Merrit reden zijn geweest om Kronenwetter te laten opdraaien voor de ontvoering van dat meisje? Ik moet zeggen dat ik dat wel vergezocht vind.'

'Ik ook,' zei Summer.

Denise zei: 'Ik vind het ook niet veel als motivatie. Maar één ding weet ik wel: als ik Merrit was en ik zocht iemand die ik ergens voor wilde laten opdraaien, dan zou Joe Kronenwetter de eerste zijn aan wie ik dacht.'

'Nou, ik weet niet of ik geholpen heb,' zei Jay Sexton. 'Maar ik moet nu echt weg als ik op tijd in de kerk wil zijn.'

Toen de jonge rechercheur was vertrokken zei Denise tegen Summer en Gary Delgatto dat ze op moesten schieten, want ze hadden een afspraak met een vriend van haar, J.D. Sawyer, in het bos waar Edie Collier was gevonden. 'J.D. heeft een van de beste speurhonden van de staat. De meeste honden kunnen de ene persoon niet van de andere onderscheiden, maar Duke, J.D.'s hond, kan dat wel. Als Duke eenmaal die gympjes geroken heeft die jij hebt meegenomen,' zei Denise tegen Summer, 'volgt hij alleen nog Edies spoor.'

'En dat zou ons naar het terrein van Merrit moeten leiden,' zei Gary Delgatto.

Denise glimlachte strak. 'Nou, laten we het hopen.'

Summer zei: 'We hebben het gisteravond over meneer Sawyer en zijn speurhond gehad en ik heb daar geen problemen mee. Maar voor we ergens heen gaan, wil je misschien even uitleggen wat meneer Delgatto ermee te maken heeft.'

De eerste woede was bekoeld, maar ze voelde zich nog steeds een beetje onzeker. Ze was zich met de zaak blijven bezighouden nadat Kronenwetter zelfmoord had gepleegd omdat zij en Denise het erover eens waren dat er meer achter de dood van Edie Collier zat dan alleen de willekeurige, gewelddadige impuls van een krankzinnige eenling. En ze was vandaag hierheen gekomen omdat ze allebei vonden dat de FBI in de verkeerde richting zocht. Nu werd ze opeens in de rug aangevallen. Denise was ouder dan zij, ze had meer ervaring en dit was haar terrein, maar Summer vond dat ze in dit geval gelijken waren. Ze had het gevoel dat ze zich moest laten gelden en duidelijk moest maken dat ze zich niet op een zijspoor liet zetten.

'Gary heeft ermee ingestemd ons een handje te helpen,' zei Denise. 'Ik heb gisteren met hem gepraat toen hij het lichaam van Edie Collier kwam onderzoeken en hij had een interessant idee over hoe we haar in verband zouden kunnen brengen met Dirk Merrit.'

Summer vroeg: 'Is zijn baas het ermee eens dat hij ons helpt?'

Gary Delgatto zei: 'Ik werk niet direct voor het team van meneer Malone. Na elf september zijn er bij elk onderzoek dat iets te maken heeft met veiligheid of terrorisme altijd handen tekort. Mij is gevraagd of ik tijdelijk in kon vallen, en hier ben ik.'

Summer zei: 'Maar u werkt wel voor de FBI. Alles wat we ontdekken, gaat rechtstreeks naar hen toe.'

Denise zei: 'Je bent boos omdat ik het je niet verteld heb. Nou, daar is niets aan te doen. Ik heb alles heel plotseling moeten organiseren.'

'Ik had begrepen dat we hierbij samenwerkten.'

'Ik had begrepen dat ik nog steeds de leiding heb.'

'Niet nu je baas je onderzoek heeft gesloten,' zei Summer.

Ze staarden elkaar over de tafel heen aan – de ene agent tegen de andere.

Na een moment zei Denise: 'Dat was onder de gordel, maar je hebt een punt. Misschien ben ik deze keer wat te eigengerechtig bezig geweest.'

Gary Delgatto zei: 'Ik wil jullie graag helpen waar ik maar kan, maar als het een probleem wordt...'

Summer zei, terwijl ze Denise nog steeds strak aankeek: 'Het probleem is dat ik tot op dit moment niet wist dat we samenwerkten met de FBI. Maar als jij denkt dat het ons zal helpen Edie recht te doen, zal het wel goed zijn.'

'Daarom zijn we hier,' zei Denise. 'Dokter Delgatto kan het forensische deel bespoedigen en zo lang hij met ons meedoet, gaan we officieel niet buiten Malone om.'

'Goed dan,' zei Summer.

Gary Delgatto zei: 'Het is heel vleiend om voor dokter te worden aangezien, maar dat ben ik nog niet helemaal.'

Summer zei, iets scherper dan de bedoeling was geweest: 'Wat ben je dan?'

Gary Delgatto zei: 'Ik doe in mijn vrije tijd onderzoek om af te studeren, maar intussen ben ik ook een gekwalificeerd forensisch onderzoeker.'

Denise keek op haar horloge en zei: 'We kunnen dit in de auto wel verder bespreken. Ik wil J.D. niet laten wachten.'

'Prima,' zei Summer. 'Als je maar niet met nog meer verrassingen komt.'

27

Terwijl ze in Gary Delgatto's gehuurde Lincoln Town Car in oostelijke richting naar de steile heuvels en dalen van het Umpqua National Forest reden, vertelde Denise aan Summer dat ze niet had kunnen achterhalen wie de gevangene was die beweerde dat hij iemand Joe Kronenwetters cel had zien ingaan vlak voordat die dood werd aangetroffen.

'Er zaten die avond maar twee andere mensen in de speciale cellen. De een was een zwerver die was opgepikt omdat hij voor een restaurant bij de klanten bedelde. Hij kreeg de volgende dag een boete en het bevel uit de stad te vertrekken, dus die is niet meer te vinden. De ander is een plaatselijke dronkelap. Ik heb hem opgespoord en met hem gepraat, maar hij herinnert zich niet eens meer dat hij is opgesloten.'

'Dus we hebben geen getuige,' zei Summer.

'Ik heb een opsporingsbevel uitgevaardigd voor de zwerver. En ik verzin nog wel een smoesje om de banden van de beveiligingscamera's te bekijken. Ik zal ook het register inkijken om te zien wie er die avond in het cellenblok is geweest. Iedereen die naar binnen gaat, of hij nu bij de politie hoort of jurist is, moet het logboek tekenen, zijn papieren laten zien en zijn duim laten scannen. Wil Randy Farrell getuigen, als het erop aankomt?'

'Ik denk van wel, als het tot een veroordeling zou leiden. Maar hij heeft alles van horen zeggen.' Summer vond het niet prettig om in het bijzijn van Gary Delgatto over Randy Farrell te praten en voegde eraan toe: 'Hij is erg ziek. Het laatste waar hij behoefte aan heeft, is op de huid gezeten te worden door de FBI.'

Denise zei: 'Ik neem zijn verhaal serieus, en ik ga alle sporen volgen. Vooral nu Gary bewijs heeft gevonden dat Joe Kronenwetter zichzelf niet verhangen heeft.'

'Het is meer wat ik níét heb gevonden,' zei Gary Delgatto met een blik op Summer via de achteruitkijkspiegel. 'Als meneer Kronenwetter die lus had gemaakt, zou hij vezels onder zijn nagels hebben gekregen bij het in repen scheuren van de pijp van zijn overal. Die heb ik niet aangetroffen.'

'Dus het is mogelijk dat hij de lus niet zelf heeft gemaakt,' zei Denise. Ze zat zijdelings op de passagiersstoel.

'Het ontbreken van bewijs is geen bewijs dat iets er niet is,' zei Summer. Dat zei haar moeder soms als ze het over archeologie had.

'Bovendien heeft Gary vastgesteld dat Joe's tongbeen was gescheurd,' zei Denise. 'Dat betekent dat er een worsteling kan hebben plaatsgevonden, dat iemand hem naar beneden heeft gedrukt om ervoor te zorgen dat hij gewurgd werd door de lus. Gary heeft een bloedmonster genomen om te kijken of Joe verdoofd was en hij heeft ook monsters genomen van onder zijn vingernagels. Misschien kunnen we de schoft die hem vermoord heeft via zijn DNA te pakken krijgen.'

'Als hij vermoord is,' zei Gary Delgatto.

'We moeten Summer van alles op de hoogte brengen,' zei Denise. 'Vertel haar waarom je denkt dat Edie Collier en Billy Gundersen op dezelfde plek zijn vastgehouden.'

'In een kelder of grot op een hoogte van meer dan zeshonderd meter, om precies te zijn in een vallei of op een naar het westen gekeerde helling,' zei Gary Delgatto, en hij glimlachte nog eens via de achteruitkijkspiegel naar Summer.

Hij legde uit dat hij een techniek had ontwikkeld om deeltjes uit de longen van onlangs overleden personen te halen. Met elke ademhaling, vertelde hij, komen er microscopische deeltjes in de longen – stof en roet, bacteriën en schimmelsporen, pollen – die blijven steken in het slijm dat voortdurend wordt geproduceerd door met haartjes bezette epitheelcellen in onze neusholtes, luchtpijp en longen. Mensen die in de stad leven, hebben een hogere concentratie van het soort roetdeeltjes dat wordt uitgestoten door dieselvoertuigen dan mensen die op het platteland wonen. Metaalarbeiders, timmerlui, bouwvakkers, fabrieksmedewerkers, boeren en bibliothecarissen ademen deeltjes in die uniek zijn voor hun beroep en werkplek. Gary Delgatto was ervan overtuigd dat de analyse van deze deeltjes gebruikt kon worden om na te gaan wat de overledene voor zijn dood gedaan had. Vooral pollen waren nuttig, omdat aan de hand van de vorm en de doornen, horens, uitsteeksels en andere kenmerken van de hoogst resistente buitenlaag van pollen kon worden achterhaald van wat voor plant ze afkomstig waren en omdat verschillende soorten of soortgroepen op specifieke locaties konden wijzen.

Met dat in zijn achterhoofd had hij monsters genomen van de longen van zowel Edie Collier als Billy Gundersen, die hij had gespoeld met zoutzuur om slijm en weefselrestanten te verwijderen. Beide monsters hadden sporen bevat van een donkere schimmel die vooral voorkwam op vochtige plekken, en ook van verschillende soorten pollen van coniferen. De schimmelsporen wezen erop dat ze gevangen waren gehouden in een vochtige kelder of iets wat daarop leek en hij had microfoto's van de pollen naar een specialist in de Missouri Botanical Garden gestuurd, die ze had herkend als zijnde afkomstig van een aantal boomsoorten, waaronder de *Pinus lambertiana*, de lariks en de Amerikaanse zilverspar.

'Er waren ook pollen van andere planten, maar mijn deskundige zegt dat pollen van die drie boomsoorten het nuttigst zijn bij het bepalen van een specifieke locatie,' zei Gary Delgatto. 'De *Pinus lambertiana* en de lariks worden aangetroffen in een vochtige omgeving, zoals dalen en hellingen op het westen, waar de neerslag het hoogst is, terwijl de lariks en de Amerikaanse zilverden in deze streken boven de zeshonderd meter voorkomen.'

Summer zei: 'Je zei dat je bezig was met je afstudeerscriptie. Dus ik neem aan dat je dit geen algemeen aanvaarde onderzoeksmethode zou kunnen noemen.'

'Nog niet, nee. Het duurt lang om de waarde van een nieuwe forensische techniek te bewijzen. Er moeten uitgebreide proeven gedaan worden in het veld en in het laboratorium, ze moet standhouden bij een gerechtelijk onderzoek... Het komt erop neer dat de methode nog in ontwikkeling is, maar ik hoop binnenkort een proefschrift te publiceren. Mijn begeleider is enthousiast.'

Denise onderbrak hem en zei: 'De pollen en de schimmel tonen aan dat Edie Collier en Billy Gundersen op dezelfde plek zijn vastgehouden en dat was niet de kelder van Joe Kronenwetter. En dat betekent weer dat Kronenwetter hulp heeft gehad bij de ontvoering of er helemaal niets mee te maken had. En als hij er niets mee te maken had, is hij er door iemand ingeluisd.'

'Door Dirk Merrit,' zei Summer.

'Hij en Kronenwetter hebben een voorgeschiedenis,' zei Denise. 'En Merrits landgoed ligt op de juiste hoogte, het is dicht bij de plek waar Edie Collier is gevonden en haar vriend deed niet alleen aan computerspelletjes, maar stal daarbij spullen.'

Intussen reden ze over een lange rechte weg die tussen steile hellingen vol douglassparren naar boven klom. Ze waren bijna bovenaan toen Gary Delgatto's telefoon ging. Hij zette de auto op de grintstrook langs de weg, klapte de telefoon open en luisterde, waarbij hij een paar keer ja en nee zei en ten slotte verklaarde dat hij er meteen heen reed. Toen klapte hij de telefoon weer dicht en zei tegen Summer en Denise: 'Het spijt me, dames, maar ik ben bang dat ik terug moet naar Cedar Falls. Op het vliegveld staat een vliegtuig van de National Guard te wachten dat me rechtstreeks naar Reno zal brengen. Het lijkt erop dat de handelsreiziger weer heeft toegeslagen. Een uur geleden is er een lijk zonder hart en ogen aangetroffen in een hotelkamer.'

28

Erik Grow had duidelijk genoeg uitgelegd hoe hij in de San Gabriel bergen moest komen, maar toen Carl het centrum naderde, kwam hij in een hectische drukte terecht. Hij miste bijna de afslag waar de Santa Monica Freeway naar het noorden en vervolgens naar het westen afboog en uitkwam op de San Bernadino Freeway en kon zich pas ontspannen toen hij via een steile, bochtige tweebaans asfaltweg de bergen en het bos in reed. Ze hadden hier een soort omgekeerde boomgrens, die hoog op de berghelling begon in plaats van eindigde.

Langs de weg en ook bij de picknickplaatsen, waar gezinnen in de schaduw van de dennen aan het barbecuen waren, stonden allemaal voertuigen geparkeerd, maar eindelijk vond Carl een verlaten pad dat langs een boswachtershut liep, nog achthonderd meter verder ging en uitkwam bij een steile helling met uitzicht over een canyon en een rug van kale rotsen.

Toen Carl de kofferbak van de Honda opendeed, kwam Erik Grow er met een bleek gezicht en paniekerig uit, en hij viel meteen op zijn knieën om te braken. Carl vond een fles mineraalwater en een doos tissues in het dashboardkastje en zei tegen Erik dat hij zich op moest frissen. Daarna speelde hij het bandje met de bekentenis af en liet hij Erik de foto's van Pat Metcalfs lijk zien. 'Metcalf is dood. Frank Wilson, de man die de spullen zou stelen, is ook dood. Voor meneer Merrit is het einde nabij. Hij is betrokken bij ernstige zaken en dat kan niet lang meer goed gaan. Dus we moeten nu in actie komen. Ik kan niet langer wachten.'

Erik was een beetje gekalmeerd, maar hij was nog steeds bleek en trillerig. 'Ik weet dat ik de fout in ben gegaan en dat spijt me. Echt. Maar ik wil het goedmaken. Ik ben er klaar voor.'

'We doen het zodra we terug zijn in je appartement. We zetten Powered By Lightning voor een zo groot mogelijk bedrag af en dan gaan we allebei onze eigen weg. Als ik je nooit meer zie, is het nog te vroeg. Oké?'

'Ja. Ik bedoel, natuurlijk. Absoluut.'

Erik kon Carl niet aankijken.

'Mooi. Help me nu even met die vrouw,' zei Carl. 'Ik snij haar hart eruit, maar voordat ik dat doe, wil ik dat jij de ogen eruit haalt.'

'Dat meen je niet.'

'Zie ik eruit alsof ik het niet meen?'

'Nee, nee. Natuurlijk niet. Ik bedoel alleen maar, waarom zou je dat willen? Neem me niet kwalijk dat ik het zeg, maar het is gestoord.'

'Toen ik je vertelde dat ik haar had vermoord omdat ik haar auto nodig had, was dat maar ten dele waar. Ik had ook een lijk nodig en het moet gevonden worden zonder hart en zonder ogen.' Carl staarde Erik aan en het joch vertrok zijn gezicht en keek de andere kant uit. 'Zie het als een test. Je bent geen toerist meer, Erik. Je hoort nu bij de inboorlingen.'

Halverwege het uitsteken van het eerste oog moest het joch weer braken. Hij huilde en rilde en kreeg overal bloed aan, maar uiteindelijk lukte het hem.

Carl zei dat hij in de auto moest gaan zitten en maakte de borstkas open met de vaardigheid van een dokter op de afdeling Eerste Hulp. Hij was bezig het hart uit te snijden toen hij ergens achter zich iets voelde bewegen. Hij gooide zich naar links, rolde om en kwam op één knie overeind. Erik Grow kwam met een wilde kreet op hem afrennen, met een bandenlichter als een bijl boven zijn hoofd. Hij moest hem in de kofferbak van de Honda hebben gevonden. Carl kwam omhoog onder Eriks wilde uithaal en stompte het joch met zijn rechterhand tegen zijn keel, de hand waarin hij zijn Spyderco-mes hield.

Er schoot een straaltje bloed door de lucht toen Carl het getande lemmet lostrok; hij had een van Eriks halsslagaders doorgesneden. Erik liet de bandenlichter vallen, ging zitten en greep naar zijn keel. Het bloed liep tussen zijn vingers door over de voorkant van zijn T-shirt. Hij keek door zijn scheefgeslagen bril naar Carl, maar toen werd zijn blik wazig en viel hij opzij.

Verdomme.

Even dacht Carl erover het idee om Powered By Lightning af te zetten meteen maar op te geven; zonder Erik Grow was de keystroke recorder een nutteloos stuk elektronisch afval. Hij kon tegen de nacht in Mexico zijn en ten zuiden van de grens was altijd genoeg werk als lijfwacht en dat soort dingen. Toen dacht hij eraan dat er nog een manier was om het wachtwoord te bemachtigen, ook al betekende het dat hij terug moest naar het huis van Dirk Merrit...

Carl droeg het lichaam van Erik Grow naar de rand van de afgrond en gooide het naar beneden. Het viel slap in de diepte, sloeg tien meter lager tegen een rotsblok, rolde in een kleine stofwolk sneller en sneller over de steile helling vol struikgewas, schoot over een rand, vloog met benen en armen wijd de lucht in en was weg. Carl zette het lichaam van de vrouw tegen een boomstam vlak bij de boswachterhut en reed over de tweebaans-asfaltweg terug naar Los Angeles. Tegen de tijd dat hij weer bij het appartement in Palm was, had hij precies bedacht wat hij moest doen.

Hij nam een douche om het bloed van Erik Grow van zijn armen en borst te wassen en belde Dirk Merrit om te vertellen dat hij terugkwam.

'Dat werd tijd. Ik neem aan dat alles goed is gegaan.'

'Min of meer. Wil je nog steeds dat ik een nieuwe locatie zoek?'

'Nou en of.'

Carl aarzelde en vroeg zich af of zijn volgende vraag te veel zou verraden. Wat kon het hem verdommen. 'Wanneer verwacht je je bezoeker?'

'Woensdagmorgen. Snelheid is van groot belang, Carl.'

Carl voelde iets diep in zijn lichaam ontspannen, als een spier die verkrampt was geweest. Hij kon nog net bij Dirk Merrit zijn voordat Dirk Merrit het joch in handen kreeg; de timing was precies goed. Hij zei: 'Ik ben dinsdag terug, tenzij je me ergens anders voor nodig hebt.'

'Dinsdag is prima. Neem de tijd, Carl. Kies een goede plek.'

Carl veegde alles af dat hij aangeraakt zou kunnen hebben, nam Erik Grows laptop mee en op de parkeerplaats achter het flatgebouw doopte hij de vingers van Pat Metcalfs hand in bloed uit Julia Taylors hart en liet een goede afdruk achter op de greep van de kofferbak van de Honda. Daarna liep hij een paar straten naar een supermarkt met wat andere winkels eromheen, gooide de hand en Julia Taylors hart en ogen in een container, stal een Dodge Neon en reed naar het noorden.

29

Tien minuten nadat Gary Delgatto Summer en Denise had achtergelaten op een parkeerplaatsje langs de weg pikte J.D. Sawyer
hen op in zijn oude, maar smetteloze Ford Ranger. Zijn speurhond, een gretige, jonge zwarte labrador die Duke heette, was
vastgelegd aan de kist op de laadruimte en keek nieuwsgierig op
toen Summer in de cabine stapte. Denise kroop naast haar op de
voorbank.

'Jij bent zeker de rechercheur die helemaal uit Portland is gekomen,' zei J.D. Sawyer.

'Jawel, meneer. Summer Ziegler.'

'Leuk je te ontmoeten, Summer.'

Ze schudden elkaar de hand. J.D. Sawyers greep was stevig en
droog. Hij was een magere, verweerde man van achter in de veertig met grijze stekels en scherpe blauwe ogen. Hij droeg een canvas jachtvest en een groengeruit shirt, waarvan de mouwen tot de
ellebogen waren opgerold. Op zijn linker onderarm stond een tatoeage van het Marine Corps, een adelaar met geheven vleugels in
verbleekte blauwe inkt. Summer mocht hem meteen. Hij deed haar
een beetje denken aan haar vader.

Hij maakte een nette draai en vroeg Summer wat ze had meegebracht om Duke op het goede spoor te brengen.

'Ik heb een paar gympjes van het slachtoffer,' zei Summer.

'Verzegeld in een zak?'

'In een plastic zak.'

'Hou ze daarin. Op die manier raakt Duke niet in de war voordat we op de plek komen waar jullie willen beginnen.'

Toen ze door het rivierdal reden, hoorde Summer dat J.D. Sawyer voor een firma werkte die mensen begeleidde die met pijl en
boog of ouderwetse voorladers allerlei soorten herten en elanden,
berggeiten en wilde zwijnen schoten. Hij zei dat de wilde zwijnen
het lastigst waren; ze waren slim en snel en aarzelden niet je aan
te vallen als ze in de hoek werden gedreven. Hij nam ook wel cliënten mee om fazanten te schieten en om dieren te fotograferen. Hij
had honden gebruikt om op poema's te jagen tot dat verboden was
in Oregon en nu voerde hij campagne voor een wet die het mogelijk moest maken honden in te zetten om gewonde herten op te
sporen.

'Als je op een hert jaagt en het dier weg weet te komen, heb je
de verantwoordelijkheid om het karwei af te maken. Je doet je

hond een halsband met een zendertje om, de hond vindt het hert en jij vindt de hond.'

Hij zei dat hij en Duke ongeveer tien keer per jaar werden ingezet om toeristen te zoeken die waren verdwaald in het bos. Hij had Dukes vader gekocht uit het nest van een teef die eigendom was van een vriend uit het leger, die in Centraal-Amerika met speurhonden had gezocht naar cocaïneplantages die verborgen lagen in de beboste heuvels. Eigenlijk, zei J.D. Sawyer, stamde Duke af van de bloedlijn waar ook de honden vanaf stamden die het Australische leger had gebruikt om boobytraps en vijandelijke soldaten te zoeken in de jungle van Vietnam.

'Van de honden die daar werden ingezet, is er geen een thuisgekomen, maar de oorspronkelijke bloedlijn werd in Australië voortgezet en onze regering heeft in de jaren tachtig een paar van die honden overgenomen om ze in Centraal-Amerika te kunnen gebruiken, toen we problemen hadden met de sandinisten.'

Summer vroeg: 'Bent u daarbij geweest? Hebt u zij aan zij gevochten met de contra's?'

'Nee, hoor. Ik was bij de mariniers. De mariniers hielden van een eerlijk gevecht. De enige actie die ik in dat deel van de wereld heb meegemaakt, was tijdens mijn eerste uitzending in Panama-Stad.'

'Toen we besloten de dictator te lozen die we hadden gesteund tot hij te inhalig werd,' zei Summer. Ze was nog steeds een beetje nijdig op Denise en dat zette haar aan tot een duivelse poging deze droge, onverstoorbare man kwaad te maken, om hem zijn kalmte te laten verliezen.

'Ze komt uit Portland, J.D.,' zei Denise. 'Daar denken ze anders.'

'Ik weet niets van politiek,' zei J.D. Sawyer vriendelijk. 'Ik weet wel welke muziek ze gebruikten om Noriega uit de ambassade te krijgen waar hij zich had verschanst. Je kon het in de hele stad horen en het gejank over de daken maakte ons nerveus als we op patrouille waren, vooral 's nachts. Ze zeiden dat de man corrupt was, maar hij had ook een sterke wil. Hij hield het allemachtig lang uit ondanks die muziek.'

Ze verlieten de weg en reden over een spoor tussen hoge bomen door naar een kleine kampeerplek met een gat in de grond en een paar barbecues. Daar lieten ze de pick-up staan en ze liepen over een goed gemarkeerd pad dat stroomopwaarts langs de kreek liep. Langs de rand van de kreek groeiden populieren en esdoorns tussen de rotsblokken. De hellingen aan weerszijden waren dicht bezet met douglassparren.

Op de plek waar de twee vissers Edie Collier hadden gevonden, bevond zich een reeks poelen en krachtige stroomversnellingen tussen de grijze vulkanische rots, die in vrij vierkante blokken was gespleten. De voetafdrukken van de politie, de boswachters en de bemanning van de helikopter waren nog zichtbaar in een brede laag grint langs de rand van de grootste poel.

J.D. Sawyer zei tegen Summer en Denise dat ze hun lunch nu moesten opeten als ze die hadden meegebracht. Als Duke het spoor eenmaal had opgepikt, stopte hij niet tot hij het helemaal tot het eind had gevolgd. Terwijl ze op een vierkant rotsblok een van Denises boterhammen met pindakaas en banaan zat te eten, probeerde Summer zich voor te stellen hoe Edie Collier bleek en naakt over de ongelijke blokken aan de rand van de kreek was gestrompeld. Leunend op een versplinterde tak, met zware inwendige verwondingen, vastbesloten om de weg uit het bos te vinden. Ze moest even zijn gaan zitten om te rusten en was toen tot de ontdekking gekomen dat ze niet meer de kracht had op te staan en verder te lopen. Summer vroeg zich af hoe ver Edie gekomen was door het nachtelijke bos en ze zag haar gezicht weer voor zich met die uitdrukking van serene onverschilligheid toen ze in het bedompte kantoor van het warenhuis was geconfronteerd met het bewijs dat ze gestolen had. Verbazingwekkend waartoe mensen in staat waren als het erop aankwam.

Denise zat het apparaat te bekijken dat Gary Delgatto haar bij het afscheid had gegeven. Het was bedoeld om microscopische deeltjes uit de lucht op te zuigen en zag eruit als een broodtrommel met zwart plakband eromheen. Uit een gat in de hoek stak een aan/uitschakelaar. Aan de ene kant zat een opening met een koperen passtuk waaraan een plastic buis kon worden vastgemaakt en aan de andere kant was een uitlaat. Gary Delgatto had tegen Denise gezegd dat ze het apparaat een minuut of tien moest aanzetten als de hond van haar vriend hen naar een interessante plek had geleid. Als ze geluk hadden, zou het pollen opzuigen die gelijk waren aan de monsters die hij in de longen van Edie Collier en William Gundersen had aangetroffen.

Toen Denise zag dat Summer naar haar keek, zei ze: 'Het is redelijk betrouwbaar. Het werkt ongeveer hetzelfde als een stofzuiger.'

Summer zei: 'Het kan geen kwaad om het uit te proberen.'

'Ik krijg het gevoel dat je geen hoge pet op hebt van Gary's techniek.'

'Hij lijkt te weten waar hij over praat en hij weet het overtuigend te brengen.'

'En hij is leuk om te zien, nietwaar? Ontken het maar niet, ik zag hoe je naar hem keek.'

'Hij lacht leuk.'

'En dan die donkere ogen,' zei Denise, terwijl ze met de plastic buis van het apparaat zwaaide.

'Ik wil niet negatief overkomen, maar stel dat je pollen weet te verzamelen die overeenkomen met de monsters die hij uit de longen van Edie Collie en Billy Gundersen heeft gehaald, wat bewijst dat dan? Er kunnen wel duizend plekken zijn waar je hetzelfde spul in de lucht vindt.'

'Persoonlijk heb ik niet veel vertrouwen in geavanceerde forensische technieken. En ik moet toegeven dat Gary jong en gretig is, dat hij naam wil maken met dat pollending van hem en dat we waarschijnlijk niet veel zullen hebben aan wat dat apparaat van hem vindt. Maar desondanks geloofde ik hem toen hij zei dat Edie Collier en Billy Gundersen op dezelfde plek moesten zijn vastgehouden omdat ze precies hetzelfde spul in hun longen hadden.'

'Geloof je ook dat het bewijst dat ze ergens boven de zeshonderd meter zijn vastgehouden?'

Denise glimlachte. 'Dat zei de botanist, niet Gary.'

Summer glimlachte ook. 'Zelfs als het waar is, betekent dat nog niet dat die plek zich ergens op Dirk Merrits landgoed moet bevinden.'

'Op zichzelf niet, nee. Maar als jij een andere verdachte heb, wil ik er graag alles van horen.'

'Die heb ik niet. Maar – en nogmaals, ik wil niet negatief klinken – ik zie niet hoe de moord op een of andere vent in Reno past bij wat we over hem weten.'

'Als de man in Reno is gedood met een kruisboog, is het geen probleem,' zei Denise. 'En als J.D.'s speurhond het spoor van Edie Collier kan volgen en het naar Merrits terrein leidt, heeft hij in ieder geval iets uit te leggen.'

'En als dat niet zo is?'

'We zijn toch in de buurt, dus ik denk dat we in ieder geval even langs moeten gaan. Je weet hoe graag hij zichzelf hoort praten. Misschien laat hij iets glippen waar we iets aan hebben.'

'We zoeken de grenzen een beetje op.'

'O, ik denk dat we die allang overschreden hebben.'

J.D. Sawyer maakte Duke vast aan een lange jachtriem. Hij liet hem aan de gympen snuffelen die Summer had meegebracht, gaf hem een hondenkoekje en liep met hem heen en weer om de hond overal te laten snuffelen. Het duurde even. Duke raakte in de war door de geuren van alle mensen die op de plek waren geweest en sloeg een aantal keer het pad in naar de kampeerplek. J.D. Sawyer knielde naast hem en fluisterde tegen hem om hem te kalmeren, waarna hij hem nog eens aan de gympen liet snuffelen voordat hij hem weer losliet. Uiteindelijk klauterde de labrador omhoog via een geul met varens en rotsblokken naast de stroomversnelling en bleef hij met een voorpoot omhoog en zijn kop naar voren bij de eerste bomen staan. J.D. Sawyer gaf hem nog een hondenkoekje en Summer en Denise liepen achter hen aan langs de stroomversnelling en klauterden omhoog tussen de bomen en de rotsblokken naast de kreek.

Het kanaal dat de kreek in de lagen oude puimsteen en lava had uitgesleten, werd steeds dieper en smaller en het water sloeg op de natte, zwarte rotsen onder aan de stroomversnelling. Het spoor slingerde tussen de bomen en uitstekende rotsen door. Het was een lastige klim, en het kostte hen twee uur om drie kilometer te lopen. Summer deed haar jas uit en bond die om haar middel. Ze naderden nog een serie stroomversnellingen met een dicht beboste helling aan de andere kant, en daar raakte Duke het spoor kwijt.

Terwijl J.D. Sawyer en zijn hond heen en weer liepen tussen de platte rotsen naast de stroomversnelling in een poging het spoor weer op te pikken, vouwde Denise een kaart open en liet ze Summer zien dat Kronenwetters huis een heel eind naar het noordwesten stond en dat ze zich niet ver van de rand van Dirk Merrits landgoed bevonden. Na een tijdje kwam J.D. Sawyer naar hen toe en zei dat hij geloofde dat het spoor koud was geworden.

'Duke wordt moe en we moeten terug zijn voor het donker wordt. Ik geloof dat we het maar op moeten geven.'

'Laten we het daarboven proberen,' zei Denise, en ze wees naar de helling boven hen.

Ze moesten een grote omweg maken voordat ze een houthakkersspoor vonden dat tegen de helling opliep en uitkwam aan de rand van een lange, ruwe wei langs de top van een heuvelkam, met bomen aan beide uiteinden. Iemand had heel recent een brede strook in het midden van de wei gemaaid. Het afgesneden gras was blijven liggen en het was nog groen.

J.D. Sawyer friste Dukes geheugen op door hem nog eens aan Edie Colliers gympen te laten ruiken en volgde de labrador tot Duke een plek halverwege de heuvelkam aanwees. Toen Summer en Denise erheen liepen, zat Duke alweer op een hondenkoekje te kauwen. J.D. Sawyer schopte tegen een stalen ring die vastzat aan een stalen spies in de grond.

'Ik kan niet zeggen dat ik weet wat ik hiervan moet denken, maar Duke is er weg van.'

Denise deed haar rugzak af en haalde er een kleine digitale camera uit. Ze nam een foto, keek naar het schermpje van de camera en liet hem aan Summer zien. 'Goed genoeg, denk ik. Als ik niet beter wist, zou ik zeggen dat iemand hier iets heeft vastgezet. Een dier of misschien een mens.'

'Jij hebt een akelige verbeelding,' zei J.D. Sawyer.

'Ik weet het, en ik wou dat het niet zo was,' zei Denise. 'Hoe gaat het met Duke?'

'We zullen het nog een keer proberen,' zei J.D. Sawyer.

Hij en de hond liepen de randen van de wei af. Duke ging steeds terug naar een bosje berken tussen een groep struiken aan het uiteinde van de wei, maar hij leek onzeker, wilde twee keer aangeven, maar bedacht zich hoofdschuddend en zocht verder. Een eindje voorbij die plek was een smal pad, een spoor met een strook gras ertussen, dat tussen de bomen doorliep.

'Misschien is ze hierlangs gekomen, maar misschien ook niet,' zei J.D. Sawyer, en hij beschutte zijn ogen met zijn onderarm terwijl hij langs het spoor tuurde.

Denise ontdekte een bandenspoor aan de rand van een opgedroogde plas, haalde haar camera voor de dag en nam een paar foto's.

Summer vroeg: 'Denk je dat iemand haar hierheen heeft gereden?'

'Het is mogelijk.'

J.D. Sawyer zei: 'Als die arme meid hier in een auto naartoe is gebracht, kan Duke niet bepalen waar ze vandaan is gekomen.'

'Hij heeft ons al enorm geholpen,' zei Denise. 'Ik sta diep bij je in het krijt, J.D. Ik denk dat iemand haar hierheen heeft gebracht en haar om een of andere reden aan die staak heeft vastgezet, maar dat ze zich los heeft weten te maken en is weggerend en zo bij de kreek terecht is gekomen. Ze volgde de kreek heuvelafwaarts zo ver ze kon, en als ze niet zo zwaar gewond was geweest of als ze gewoon was blijven lopen tot ze bij de weg was, had ze ons misschien precies kunnen vertellen wat hier gebeurd is.'

Denise leek heel tevreden te zijn met hoe het gegaan was. Ze had een blos op haar wangen en op haar neusbrug was een streep sproeten te zien. Haar kastanjebruine haar zat in een slordige paardenstaart en de losse lokken bewogen om haar gezicht in het frisse briesje. Ze glimlachte tegen Summer en zei: 'Voor je het vraagt, dit hoort bij het terrein van Dirk Merrit. In ieder geval tot hij het vorig jaar verkocht. Zijn huis is anderhalve kilometer verderop. We hoeven alleen maar dit spoor te volgen.'

30

Denise had een eenvoudig plan: terwijl zij en Summer een bezoek brachten aan Dirk Merrit, moest J.D. Sawyer door het bos teruglopen naar de kampeerplek waar hij zijn pick-up had laten staan, naar de ingang aan de westkant van het landgoed rijden en daar op hen wachten.

'Als we er om zes uur nog niet zijn, bel je mijn mobiel,' zei Denise tegen J.D. Sawyer. 'En in het onwaarschijnlijke geval dat ik niet opneem, zou je erover kunnen denken de sheriff te bellen.'

J.D. Sawyer dacht even na en toen zei hij: 'Als je denkt dat meneer Merrit problemen zal veroorzaken, kunnen jullie ook mee terug lopen en dan rijd ik jullie naar de voordeur van dat huis van hem. Ik moet toegeven dat ik er wel nieuwsgierig naar ben. Ik heb er foto's van gezien, maar ik heb nooit een gelegenheid gehad om het in het echt te bekijken.'

'Bedankt voor het aanbod,' zei Denise, 'maar ik denk dat we meer kans hebben hem te verrassen als we via de achteringang komen. We leggen hem gewoon uit hoe we daar komen en dan kijken we wat hij te zeggen heeft.'

Dus liep J.D. Sawyer terug naar de kampeerplek en gingen Denise en Summer de andere kant uit. Ze bespraken hoe ze Dirk Merrit zouden aanpakken als ze hem te spreken kregen en volgden intussen het pad dat heuvelafwaarts liep in de diepe schaduw van oude douglassparren. Het kwam uit op een t-splitsing met een grindweg, waar ze naar het oosten afsloegen en al snel bij een poort kwamen van gietijzeren staven in een vervallen muur van losliggende stenen. Aan het hek hing een waarschuwing over gewapende bewakers en hondenpatrouilles. De weg erachter verdween met een bocht tussen de donkere bomen.

Summer huiverde even van gespannen verwachting toen ze achter Denise aan over het hek klom. Ze verwachtte half en half dat er schijnwerpers aan zouden gaan en sirenes zouden klinken...

Er gebeurde niets. De stilte onder de bomen was zo diep dat

Summer het bloed in haar oren hoorde ruisen terwijl zij en Denise verder liepen. Het aantal bomen aan weerszijden van de weg werd minder en de bomen maakten plaats voor struikgewas waaruit metershoge plastic buizen staken die de tere stengels van jonge aanplant moesten beschermen tegen de herten. Het pad maakte een scherpe bocht en kwam uit op een breed stuk aangestampte klei met een laag, half vervallen stenen huis aan de ene kant en een grote, zakelijk uitziende loods aan de andere.

'Daar woonde vroeger de beheerder van de kampeerterreinen,' zei Denise, en ze wees naar het huis. 'Die loods ken ik niet. Die ziet er nieuw uit.'

Het gebouw bestond uit panelen van geperst staal op een betonnen fundering. De muren en het dak waren bruinrood geschilderd. Toen Summer en Denise dichterbij kwamen, ging er een lamp aan boven de grote schuifdeur boven aan een korte oprit. Denise rammelde aan de deur, maar die zat dicht met een ketting en een hangslot. Ze haalde haar zaklamp uit haar rugzak, richtte hem door het gat waar de ketting door liep en zei dat ze een groot voertuig kon zien. Het leek wel een camper.

'Hij staat pal voor de deur, ik zie verder niets. Ik had eraan moeten denken een draadschaar mee te nemen.'

'Dat meen je niet.'

'De FBI heeft sporen van een camper bij het lijk van Billy Gundersen gevonden.'

Denise had een ernstige en vastberaden trek op haar gezicht toen ze door het gat tuurde en haar zaklamp alle kanten uit liet schijnen.

Summer zei: 'Misschien is dit een goed moment om dat apparaat van Gary aan te zetten.'

Denise knipte de zaklamp uit en stopte hem weg. 'Nog niet. Als Merrit die kinderen ontvoerd heeft, zou hij ze dicht bij zijn huis hebben vastgehouden. En omdat we daar toch heen gaan...'

'Kom mee, dan.'

'Kop op. Het ergste dat er kan gebeuren, is dat hij weigert met ons te praten.'

Ze beklommen de lage heuvelrug achter het huis, doorkruisten een stuk terrein met verspreide dennen en kwamen toen boven het uiteinde van een meer uit dat in een lange v onder de late middaghemel lag en aan de noordkant werd begrensd door een dam, een korte, witte streep tussen rotsblokken en bomen. Denise wees op de overblijfselen van vakantiehuisjes aan de andere kant van het water en een houten boothuis.

'Het hotel stond boven aan de heuvelkam,' zei ze. 'Zie je die inkeping in de bomenlijn? Het bood aan de ene kant uitzicht op het meer en aan de andere kant op de bergen. Mijn moeder en vader werkten daar toen ze verkering kregen. Zij was kamermeisje en hij kelner in het restaurant. Ze konden een heleboel verhalen vertellen over dat hotel.'

Een spoor liep ongeveer achthonderd meter langs de oever van het meer en boog toen af door de bomen, maakte een bocht om een massief rotsblok heen en eindigde bij een betonnen trap die naast de hoge wig van de dam naar beneden voerde. Achter de dam liep de smalle vallei verder en halverwege de overkant stonden de drie torens van Dirk Merrits landhuis, dat er meer dan ooit uitzag als een sprookjeskasteel. Denise zei dat dit een goede plaats was om Gary's apparaat te proberen en ze stond in haar rugzak te rommelen toen Summer twee mannen de trap op zag komen. Het waren beveiligingsmannen in blauwe overhemden en zwarte broeken, de een kalend en met een dikke buik, de ander een mager joch met hevige acne. Tegen de tijd dat ze boven waren, had Denise de lange slang aan het filterapparaat bevestigd en had ze het aangezet.

'Ik denk dat u dat beter niet kunt doen,' zei de magere jongen.

'Politiezaken,' zei Denise, die de slang van het apparaatje op hem richtte. In de plastic doos maakte de ventilator een zoemend geluid terwijl hij lucht door de .22-micron filter zoog.

'U zult met ons mee moeten komen,' zei de kalende bewaker. 'Meneer Merrit wil u spreken.'

Denise liet het apparaat aan en bewoog de slang van links naar rechts om de lucht te stofzuigen terwijl zij en Summer achter de twee bewakers aan de trap af liepen naar een soort Japanse tuin vol bamboe, rododendron en witte rotsblokken. Summer vroeg aan de bewakers of meneer Merrit de laatste tijd nog op reis was geweest, maar de kalende man zei tegen haar dat wat meneer Merrit deed hem niets aanging.

Via een aantal stapstenen staken ze het stroompje over dat uit de met rotsblokken omringde poel aan de voet van de dam liep, en toen moesten ze nog een trap op aan de andere kant van de vallei. Toen de kalende bewaker halverwege bleef staan om op adem te komen, zette Denise de filter uit en stopte ze hem in haar rugzak. Ze staken een breed terras over, langs een koepelvormige kas met zand en rotsen en vreemd gekleurde cactussen, en liepen om de grootste van de drie torens heen naar de weg en de kasteeldeur. De deur zwaaide open toen ze naderden en Summer en Denise volgden de twee bewakers door de hal naar de trofeezaal.

Net als de vorige keer stond Dirk Merrit hen voor het grote tv-scherm op te wachten. Dit keer droeg hij een camouflagebroek en een bijpassend jasje over een zwart t-shirt. Hij zag er in die militaire kledij nog vreemder uit dan in zijn kimono. Hij was zo lang en mager als een model, zijn ogen waren zwarte gaten in zijn witte schedel, er zaten strepen zwarte camouflageverf onder zijn ogen en zijn lippen waren zwart geschilderd. Summer besefte dat hij contactlenzen moest dragen die de hele oogbal bedekten, maar dat maakte zijn blik niet minder spookachtig. Zijn gezicht was net een primitief masker uit de *National Geographic* of een weerspiegeling van Marilyn Manson in een gebarsten spiegel.

Summer veronderstelde dat het beeld op de tv uit het spel *Trans* kwam. Het skelet van een man lag tussen allerlei puin onder een bloedrode lucht. Op kapotte stukken muur en balken die omhoogstaken uit de puinhopen zaten hier en daar afschuwelijke wezens die leken op verwrongen gieren uit een stripverhaal, met schubbige nekken die veel te lang waren, gloeiende ogen en kromme snavels.

Dirk Merrit stuurde de bewakers weg en zei toen tegen Denise: 'Waar was dat apparaat voor? Dat ding met die slang dat je net weer in je rugzak deed? O, doe maar niet zo verbaasd. Ik heb een uitgebreid beveiligingssysteem. Jullie worden al in de gaten gehouden sinds het moment waarop jullie de lamp aan lieten gaan bij de schuur. Ik geloof niet dat dat apparaat tot de standaard politie-uitrusting behoort.'

Denise liet zich niet overrompelen. 'Het is van een vriend van mij, meneer. Een forensisch rechercheur die voor de FBI werkt.'

Dirk Merrit glimlachte en zijn scherpe witte tanden schemerden tussen de zwarte lippen door. 'Mmmm. Ik had al gehoord dat de FBI uw zaak heeft overgenomen, het mysterie van het meisje in het bos. Word ik verdacht, rechercheur? Probeert u me te intimideren?'

'Helemaal niet, meneer. We zijn gewoon bezig met wat naspeuringen, en dat bracht ons toevallig naar de zuidkant van uw landgoed.'

'En toen besloot u me een bezoekje te brengen, is dat het? Nou, het was niet nodig geweest mijn terrein binnen te dringen, rechercheur. Ik had best de poort voor u open willen doen.' Toen Denise geen antwoord gaf, zei Dirk Merrit: 'Hebt u trouwens nog wat belangwekkends gezien in de schuur? Ik zag dat u een hele tijd door de deur stond te turen.'

Denise zei: 'Ik geloof dat ik daar een camper zag staan.'

'Dat klopt. Die gebruik ik voor mijn jachtreisjes.'

'Hebt u onlangs nog gejaagd, meneer Merrit?'

'Ik heb inderdaad vorige week nog een tochtje gemaakt. Ik geloof dat ik u daarover heb verteld toen we elkaar het laatst spraken.'

Denise vroeg: 'Was dat soms in Nevada? In de woestijn daar?'

'Nevada? Ik kan niet bedenken waarop ik in Nevada zou willen jagen. Nee, het was hier in Oregon, in de Cascades. Ik heb een vergunning, als u die soms wilt zien.'

'Dat is niet nodig. Hebt u nog wat geschoten?'

'Helaas niet. Maar het is altijd fijn om buiten bezig te zijn, vindt u ook niet?'

'Is er iemand met u mee geweest?'

'Mijn chauffeur. Die gaat altijd mee. Maar ik ben bang dat hij er nu niet is. Als u hem wilt spreken, zult u een andere keer terug moeten komen.'

'Waar was u gisteravond, meneer?'

'Gisteravond? Toen heb ik hier wat bouwplannen zitten bekijken. Ik denk erover mijn huis radicaal te verbouwen.'

'Kan iemand dat bevestigen?'

'Mijn kok en mijn persoonlijke dokter. Wilt u die spreken?'

'Is dat nodig, denkt u?'

'Misschien kunt u me vertellen, rechercheur Childers, wat u en uw vriendin rechercheur Ziegler van de politie in Portland hier doen. Is dit een officieel bezoek of komt u gewoon een beetje vissen?'

'Daar hebben we het straks nog wel over,' zei Denise, en ze raakte haar oor aan, het van tevoren afgesproken signaal dat Summer het moest overnemen.

Summer zei: 'De FBI is bij de zaak betrokken geraakt omdat het lichaam van Edie Colliers vriend in Nevada is gevonden. Hij heet William Gundersen. Zeg die naam u iets?'

'Niet dat ik weet.'

'En Bruce Smith?'

'Bent u ook aan het vissen, rechercheur Ziegler?'

'Ik vraag het omdat William Gundersen, ook bekend als Bruce Smith, een enthousiast speler van *Trans* was.'

'Net als tweehonderdduizend andere mensen. En ik heb mijn belang in het spel twee jaar geleden verkocht.'

Summer zei: 'Maar u speelt het nog wel, nietwaar? Dat is een scène uit het spel, daar op uw tv.'

Dirk Merrit zei: 'Ik kijk ernaar. Ik speel niet.'

Op het scherm achter hem hopte een gier op de rug van het skelet en begon te trekken aan een stuk huid dat aan het bot van een arm vastzat.

Summer zei: 'William Gundersen zocht een soort schat die in het spel verborgen zit.'

'Dat zal best. Er zijn allerlei schatten en wonderen verborgen in het spel. Dat maakt het zo mooi.'

'De schat die William Gundersen probeerde te vinden, ligt ergens tussen de ruïnes van Los Angeles. En misschien is het slechts toeval, meneer Merrit, maar de laatste keer dat we hier waren, was op uw tv een scène te zien die zich tussen die ruïnes afspeelde, een jager op zoek naar een of andere schat.'

Dirk Merrit staarde Summer aan, maar aan de zwarte gaten van zijn ogen en het witte masker van zijn gezicht was niets af te lezen. Haar bloed ruiste.

Ze zei: 'Ik vraag me af of die dode man daar op de tv de jager is die we eerder hebben gezien.'

Dirk Merrit draaide zich om naar de tv. Om tijd te winnen en een antwoord te bedenken, dacht Summer. De vorige keer had hij met ze gespeeld, had hij plagerige hints gegeven, en nu had ze een zenuw geraakt door naar een van die hints terug te verwijzen.

Hij zei: 'Weet u, ik weet niet precies wie of waar dat is. Maar het ziet ernaar uit dat die pelgrim wel heel erge pech heeft gehad, nietwaar?'

Hij draaide zich weer om en zijn glimlach was weer op volle sterkte aanwezig.

Summer keek hem aan en zei: 'Dezelfde pech die William Gundersen heeft gehad, dat staat wel vast.'

'U verwart het spel met de echte wereld, rechercheur Ziegler.'

'Ik geloof dat ik niet de enige ben.'

Daar gaf Dirk Merrit geen antwoord op.

Denise zei: 'De reden dat we hier zijn, is dat we het spoor van Edie Collier hebben laten volgen door een speurhond. U zult zich herinneren dat ze een paar kilometer ten zuiden van uw landgoed is gevonden, naast een kreek. Het blijkt dat ze die kreek stroomafwaarts is gevolgd vanaf een punt dat hier niet ver vandaan ligt. Een heel aardige wei op een heuvelkam, misschien kent u die wel.'

'Nee, dat geloof ik niet.'

Denise zei: 'Het verbaast me dat u zich die wei niet herinnert. Hij maakt deel uit van het land dat u vorig jaar verkocht hebt. Wij vroegen ons af hoe ze daar terecht is gekomen. Ze is er niet heen gelopen, want dan zou de speurhond haar geur hebben opgepikt, dus ik denk dat iemand haar erheen heeft gereden. We vonden verse bandensporen op een pad door het bos, we hebben dat pad gevolgd en zo zijn we hier terechtgekomen. Enig idee hoe dat kan?'

'Misschien zou u dat aan meneer Kronenwetter moeten vragen. O, maar die is dood, niet? Hij heeft zelfmoord gepleegd en een boodschap achtergelaten waarin hij schreef hoe het hem speet wat er met dat meisje was gebeurd.'

'Nu we het toch over Joe Kronenwetter hebben,' zei Denise. 'Na ons laatste gesprek heb ik gehoord dat u nogal problemen met hem had toen u samen op school zat. Ik vind het vreemd dat u niet verteld heeft dat hij u op school pestte. U zei zelfs dat u zich hem niet herinnerde.'

'Ik kijk liever vooruit, rechercheur. Ik blijf niet staan bij het verleden.'

'Hij vernederde u bij elke gelegenheid die zich voordeed, nietwaar? Hij duwde u met uw hoofd in de wc en ik geloof dat hij een keer uw kleren heeft gestolen en u naakt een gymzaal vol kleine kinderen in heeft geduwd. Ik weet niet hoe het met u zit, meneer, maar ik zou me zoiets beslist herinneren als het mij was gebeurd.'

'Ik heb een succes gemaakt van mijn leven, rechercheur, en wat is er van hem geworden? Hij was een eenzame gek, een verkrachter en een moordenaar, die liever zelfmoord pleegde dan verantwoording af te leggen voor wat hij heeft gedaan.'

'Hij heeft u ook een keer behoorlijk in elkaar geslagen,' zei Denise. 'Dat had iets te maken met zijn hond, nietwaar?'

'Ik herinner me inderdaad dat er iets met zijn hond was. Heeft iemand het beest niet vermoord?'

'Hij werd ernstig verminkt in zijn schoolkluisje achtergelaten.'

'O, ja. Hij jankte als een baby toen hij hem had gevonden.'

Summer zag dat de frontale aanval van de koppige Denise niets opleverde. Dirk Merrit was te slim, te bijdehand. Maar Denise was niet van plan het op te geven en zei: 'Joe Kronenwetter was ervan overtuigd dat u zijn hond had vermoord. Daarom sloeg hij u in elkaar.'

'Hij vierde zijn woede bot op mij en brak mijn kaak op verschillende plaatsen. Hij werd van school gestuurd en ik maakte voor het eerst kennis met de wonderen van de plastische chirurgie. Als u denkt dat ik daarom een wrok tegen hem koesterde, rechercheur, hebt u het mis. Als je het goed bekijkt, heeft hij me zelfs een gunst bewezen.'

'Misschien koestert u geen wrok tegen hem omdat u weet dat u dat pak slaag verdiend had.'

'Omdat ik die hond heb vermoord? Denkt u dat?'

'Andere mensen denken dat,' zei Denise.

'Joe Kronenwetter was een bullebak, rechercheur, en ik was niet zijn enige slachtoffer. Er waren in die tijd zat andere mensen die reden hadden hem te haten. Zelfs een paar van zijn zogenaamde vrienden. Vraag dat bijvoorbeeld maar eens aan Charley Phelps.'

'Charley Phelps?'

Summer zag dat de naam Denise iets zei.

'Twee weken voor dat incident met de hond begon Joe Kronenwetter uit te gaan met de vriendin van Charley Phelps. Hoewel, "uitgaan" is niet precies het goede woord. Ze neukten, meestal in Joe's auto. Op een avond betrapte Charley hen en gingen Joe en hij met elkaar op de vuist, en Joe was hem de baas. Als u me niet gelooft, moet u het maar eens aan Charley vragen, of aan zijn voormalige vriendinnetje. Jenny Zirkle, geboren Mackee.'

'Misschien doe ik dat wel,' zei Denise.

'Dit is de tweede keer dat u en rechercheur Ziegler bij me komen om impertinente vragen te stellen en allerlei wilde en ongegronde beschuldigingen te uiten. Ik begin bijna te geloven dat u een persoonlijke vete tegen me uitvecht.'

'Ik probeer alleen wat losse eindjes vast te knopen, meneer.'

'In wiens opdracht? Die van sheriff Worden of die van de FBI?'

'Ik heb de leiding in het onderzoek naar de dood van Edie Collier.'

'Ik heb mijn goede vriend sheriff Worden op tv zien verkondigen dat die zaak gesloten is. En de FBI onderzoekt de moord op haar vriend. Dus u hebt hier niets meer te zoeken, of wel soms?'

'Zoals ik al zei, zijn er wat losse eindjes...'

Dirk Merrit stak zijn handen omhoog met de polsen tegen elkaar. 'Waarom arresteert u me niet? Waarom neemt u me niet mee voor verhoor? O, maar dan zou sheriff Worden erachter komen, hè? Misschien moet ik hem even bellen en vragen of hij weet dat u me lastigvalt.'

'Dat moet u zelf weten,' zei Denise. Ze liep rood aan en haar kaakspieren verstrakten. 'En dan kunt u misschien ook uitleggen waarom het spoor van Edie Collier terugloopt naar uw terrein.'

'Dat is mijn terrein niet meer.'

'En misschien kunt u ook verklaren waarom haar vriend is gevonden met verwondingen die erop wijzen dat hij is neergeschoten met een kruisboog, slechts een paar dagen nadat u ons vol trots verteld heeft dat u een kruisboog gebruikt bij de jacht.'

'Ik hoef helemaal niets te verklaren,' zei Dirk Merrit. Zijn zwarte ogen keken langs Summer en Denise en zijn glimlach werd breder. 'Rechercheur Hill. Dank u dat u zo snel bent gekomen.'

Toen Jerry Hill met Denise en Summer de hoofdingang van het landgoed uit reed, zei Denise: 'Laat ons er hier maar uit.'

'O, nee,' zei Jerry Hill, en hij draaide met piepende banden linksaf de snelweg op.

'Het kan me niet schelen wat Merrit je gezegd heeft te doen, je kunt ons er hier wel uit laten.'

'Dit heeft niets te maken met Merrit, Denise. Worden wil jullie allebei spreken en ik ben niet van plan hem te laten wachten.'

'We rijden al met iemand anders mee.'

'Met J.D. Sawyer, wed ik. Ik zag een eindje verderop langs de weg een pick-up staan met die speurhond van hem achterin. Wil je me vertellen wat jij en je vriendin hebben uitgespookt?'

'We werken aan de zaak.'

'Het is jouw zaak niet meer,' zei Jerry Hill. 'Dat zou je moeten weten. Je hebt gisteren bijna de hele dag met de FBI zitten praten, net als ik.'

Summer, die op de achterbank van de Dodge Ram zat, zei: 'Rechercheur Hill? Er zit me sinds de laatste keer dat we elkaar spraken nog iets dwars. Ik weet dat u die confrontatie met Randy Farrell en Joe Kronenwetter heeft gearrangeerd, maar hoe hebt u het voor elkaar gekregen dat die tv-ploeg erbij was?'

31

Summers moeder zei: 'Dat zal hij wel niet goed opgevat hebben.'

Summer antwoordde: 'Hij lachte erom en zei dat ik een levendige verbeelding had die ik moest leren beheersen als ik ooit carrière wilde maken als rechercheur. Hij is niet zo stom als hij de mensen wil laten geloven. In ieder geval reed hij ons rechtstreeks naar het sheriffkantoor in Cedar Falls, waar de sheriff er tien minuten over deed om uit te leggen hoe weinig hij ophad met politiemensen uit Portland die zijn stadje in kwamen paraderen en problemen veroorzaakten. Het was niet het mooiste moment in mijn carrière.'

Op maandag zaten Summer en haar moeder om halfeen in een van de met hout betimmerde kamers van Jake's Famous Crawfish.

Kelners in witte jasjes liepen haastig heen en weer tussen de tafeltjes om de lunchmenigte te bedienen. Summer had rivierkreeft op zijn Creools en haar moeder rivierkreeft in een cajunstoofpot met rijst.

Haar moeder vroeg: 'Zei hij echt "paraderen"?'

'Echt waar. Ik had hem wel willen vertellen dat er een heleboel goede redenen waren waarom iemand problemen moest maken over de dood van Edie Collier, maar ik slaagde erin de woorden binnen te houden. Uiteindelijk liet hij me door twee hulpsheriffs het gebouw uit brengen – dat waren trouwens aardige kerels, die zich verontschuldigden – en naar de districtsgrens begeleiden.'

'Hij maakte duidelijk dat het zijn stad was.'

'Nou, de hulpsheriffs deden niet hun zwaailichten aan, maar verder klopt het wel.'

Summers moeder nam een slokje witte wijn. Ze droeg een boterbloemgeel jasje en een witte coltrui. Haar grijze haar was achterovergeborsteld en werd vastgehouden door een speld van hout en leer. Ze keek Summer over de rand van haar glas heen aan en zei: 'Ik hoorde je om een uur of een binnenkomen, en je ging al vroeg weer weg.'

'Ik wilde met Ryland Nelsen praten voordat hij van iemand anders over mijn avonturen hoorde. Hij was eigenlijk heel aardig. Hij ging met me koffiedrinken en luisterde naar het hele verhaal. Hij zei dat ik in mijn vrije tijd aan de zaak had gewerkt en dat het dus op zijn ergst de vraag was of ik de goede naam van de politie van Portland geschaad had. Ik verontschuldigde me omdat ik hem zoveel problemen bezorgde nadat hij me op stel en sprong een dag vrij had gegeven, en hij zei dat hij het aan zichzelf te danken had omdat hij niet had gecontroleerd of ik lycra droeg, maar hij was wel zo vriendelijk eraan toe te voegen dat hij dacht dat mijn hart op de juiste plaats zat.'

'Lycra?'

'Een lang verhaal over een dom grapje. Daarna moest ik natuurlijk naar inspecteur Powers, want die was gebeld door sheriff Worden. De inspecteur liet me in de houding staan terwijl ze me vertelde dat ik geluk had dat sheriff Worden geen officiële klacht had ingediend en me eraan herinnerde dat ik deel uitmaakte van de politiefamilie hier in Portland en dat elke verkeerde beoordeling van mijn kant alle anderen in een kwaad daglicht stelde, en toen stuurde ze me weg. Ik ben er eigenlijk wel gemakkelijk vanaf gekomen.'

'Je meerdere zal er wel niet erg blij mee zijn geweest dat een of andere zelfingenomen politieman uit een ander deel van de staat haar wilde vertellen wat ze moest doen,' zei haar moeder, en ze nam een hapje stoofpot.

'Het goede aan deze knoeiboel is dat de anderen op de afdeling Beroving ineens een stuk vriendelijker zijn. Meerdere mensen hebben gevraagd of ik mee ging lunchen omdat ze er alles van wilden weten, tot op het kleinste ellendige detail. Gelukkig had ik al een afspraak met jou.'

'En je vriendin?'

'Denise is geschorst tot de zaak onderzocht is. Ik hoorde het van Dirk Merrit, hij heeft het nummer van mijn mobiele telefoon achterhaald en belde me om zich te verkneukelen. Ik heb opgehangen. Toen belde Denise. Niet om te klagen over het feit dat ze geschorst is, hoewel ik kon merken dat ze er woedend over was. Ze wilde me vertellen dat Dirk Merrit sheriff Worden heeft uitgenodigd zijn landgoed te bekijken.'

June Ziegler dacht even na. 'Slimme zet.'

'Het wordt nog beter. Hij heeft ook een televisieploeg uitgenodigd en een toespraakje gehouden met de strekking dat hij geen wrok koestert over het feit dat hij volgens hem door de politie is lastiggevallen. Hij zei ongeveer dat hij een zekere mate van vijandigheid kon verwachten omdat hij het voortouw heeft genomen bij experimenten met nieuwe vormen van menselijke levensstijl, maar dat hij de kritiek altijd graag het hoofd wilde bieden.'

'Hij probeert zich mooi voor te doen.'

'Dat zei Denise ook al. Nou, ze zei eigenlijk dat hij zichzelf tot martelaar wilde uitroepen, maar dat is ongeveer hetzelfde, volgens mij. Ze vertelde me dat sheriff Worden achter hem stond door te verklaren dat hij een aantal plaatselijke goede doelen steunde en een grote bijdrage leverde aan het gemeenschapsleven in het district. De sheriff zei ook nog dat hij slechts met tegenzin de uitnodiging had aangenomen om het huis van de heer Merrit te doorzoeken, maar dat hij het zijn plicht vond om, en ik citeer, "de lucht te zuiveren". Hij zei dat hij persoonlijk toezicht had gehouden op het onderzoek en niets verdachts had gevonden. Denise zei dat het nogal logisch was dat hij niets gevonden had, want hij had maar een stuk of zes agenten bij zich en ze waren binnen een uur klaar.'

'Die meneer Merrit houdt wel van een spelletje, nietwaar?'

'Hij vindt het leuk om mensen te manipuleren en naar zijn hand te zetten. Al die tijd dat hij met Denise en mij aan het praten was, wist hij dat Jerry Hill onderweg was. Hij moet hem hebben gebeld zodra zijn beveiligingscamera's ons aan de rand van zijn terrein hadden gezien.'

'Denk je dat die man voor Merrit werkt?'

'Waarom niet? Merrit mag een vreemde vogel zijn, hij is ook een rijke nazaat van een oude familie in een klein stadje. Hij heeft een heleboel invloed. Denise heeft me verteld dat sheriff Worden in het bestuur zit van de plaatselijke bibliotheek en dat Merrit een paar jaar geleden een aanzienlijke schenking aan de bibliotheek heeft gedaan voor de installatie van twaalf computers en een breedband-internetverbinding. En ze kennen elkaar van liefdadigheidsbals en zo... Merrit organiseert elk jaar een picknick bij het meer voor een instelling voor kinderen met aangeboren afwijkingen in het gezicht of die uitgebreide plastische chirurgie hebben ondergaan.'

Toen Denise Childers haar over de picknick had verteld, had Summer voor zich gezien hoe de lange Dirk Merrit met zijn uitgeteerde gezicht en gekleed in het zwart als een striptekening van de dood tussen de gezinnen op een zonnige met gras begroeide helling doorliep. Ze zag dat beeld nu weer voor zich, huiverde even en zei: 'De eerste keer dat ik hem ontmoette, was ik er niet van overtuigd dat Merrit in staat was tot moord. Nu weet ik zeker dat hij dat wel is.'

Haar moeder zei: 'Waarom heb ik het gevoel dat dit een persoonlijke kruistocht aan het worden is? Dat je je niet zult terugtrekken en die man aan de FBI zult overlaten?'

'In de ogen van de FBI hebben we slechts indirect bewijs dat Merrit in verband brengt met wat er met Edie Collier en Billy Gundersen is gebeurd. En er zitten een heleboel gaten in het verhaal. We weten bijvoorbeeld niet waarom ze eigenlijk ontvoerd zijn, hoewel ik het sterke gevoel heb dat het iets te maken heeft met *Trans*. Billy Gundersen speelde het spel en Dirk Merrit heeft het helpen ontwikkelen. Hij is misschien niet meer de eigenaar, maar hij heeft er beslist nog grote belangstelling voor, want hij had het beide keren dat Denise en ik bij hem waren aanstaan op zijn tv. Daarom vraag ik me af of je me hebt uitgenodigd voor de lunch omdat je student iets interessants heeft ontdekt.'

Summers moeder nam een slokje wijn en zei: 'Ik besefte laatst dat ik sinds de dood van je vader niet meer in zijn huis ben geweest. Jij en je broers zijn er afgelopen herfst naartoe geweest om te zorgen dat het de winter goed zou doorstaan en ik weet dat jij er daarna ook nog een paar keer geweest bent...'

'Ik vind het daar fijn. Het is een heerlijke plek om bij te komen en na te denken. Als je wilt, kunnen we dit weekend wel gaan.'

'Ik vraag me de laatste tijd af of ik het niet moet verkopen.'

'Dat zou ik erg vinden.'

Het huis was nog niet half klaar. Het was weinig meer dan een strenge, betonnen bunker en amper bewoonbaar, maar het stond op een vlak stuk rots boven een stroomversnelling, met bos erachter en een fantastisch uitzicht op Mount Hood. Een van Summers laatste herinneringen aan haar vader, een heel goede herinnering, was toen ze eind juli van het voorgaande jaar in een opwelling naar het huis toe was gereden, een paar weken voordat hij zijn hartaanval had gekregen. Ze wist nog dat haar vader bij haar aankomst op blote voeten en in een met verf bespatte spijkerbroek en een verbleekt zwart T-shirt op de met flagstones geplaveide patio met zijn kettingzaag steunen had staan zagen voor het bochtige aanrecht dat hij had ontworpen. Hij had opgekeken toen ze riep en naar haar gezwaaid. Zijn randloze bril had het zonlicht weerkaatst en zijn lach was breed en verwelkomend geweest.

Even zag Summer hem scherp voor zich en het beeld ging haar door merg en been.

Ze zei: 'We moeten er eens heen. Ik kan je laten zien hoe het de winter heeft doorstaan. Laten we voor die tijd niets besluiten.'

Haar moeder stak een sigaret op. Ze nam er de tijd voor, schudde de lucifer uit en legde die in de asbak voor ze zei: 'Sinds je vader is overleden, maak ik me zorgen om dingen waar ik me nooit druk over heb gemaakt. Dat de bladeren uit de dakgoten moeten worden gehaald, dat ik een boomchirurg moet zoeken om de kersenboom in de achtertuin te snoeien... En nu zie ik mijn dochter 's morgens vroeg eerst de huizenadvertenties in de krant lezen.'

'Toen ik weer bij je introk wist je dat het een tijdelijke oplossing was. Ik moet vroeg of laat op mezelf gaan wonen, maar ik blijf in Portland. We kunnen zo vaak als je maar wilt samen lunchen. Zoals ik al zei, ben ik vandaag niet met die kerels van mijn werk gaan lunchen omdat ik liever met mijn moeder ging.'

'Om te kijken of ik informatie had.'

Summer glimlachte. 'Dat zijn wel erg harde woorden.'

Haar moeder zei: 'We hebben het over wat je allemaal doet, maar ik heb soms het gevoel dat je in een andere wereld leeft. Een wereld met zijn eigen regels en zijn eigen taal, die alleen jij en de misdadigers echt begrijpen.'

'Alsof ik politieagentje speel? Je weet dat het zo niet is.'

'Je speelt een spel met Dirk Merrit, of niet soms?'

'Hij probeert met mij te spelen. Als je soms bang bent dat het persoonlijk is geworden, dat ik hem wil pakken omdat hij me in de problemen heeft gebracht met sheriff Worden, dan moet je weten dat ik alleen wil dat hij verantwoording aflegt voor zijn daden. En daarom moet ik erachter zien te komen of er een verband is tussen hem en Billy Gundersen.'

'Je zit hier omdat je wilt weten wat ik van Tony gehoord heb.'

'Ik ben vooral gekomen om met je te lunchen. Maar als Tony echt iets ontdekt heeft...'

June Ziegler drukte haar half opgerookte sigaret uit. 'Je weet dat de meeste assistenten in opleiding heel slecht betaald krijgen. Ze moeten hun inkomen aanvullen door bijles te geven en met allerlei andere bijbaantjes... Een van mijn collega's heeft een aio die op bestelling schilderijen maakt van walvissen. Tony doet aan virtuele handel, maar daarvoor hield hij zich bezig met *grinden*.'

'Dat zul je me moeten uitleggen.'

'In de meeste van die computerspelletjes begint je avatar met een heel klein beetje geld en weinig vaardigheden. Je moet hard werken om naar het volgende level te komen en dat betekent dat je steeds weer hetzelfde moet doen. Dat noemen de spelers grinden en sommige spelers zijn bereid iemand anders te betalen om het voor hen te doen. Ze kopen een kant-en-klare avatar of ze betalen om hun eigen avatar naar een opwindender level van het spel te laten brengen.'

'En dat doet Tony?'

'Dat deed hij vroeger, in *Trans*. Hij heeft me verteld dat het zich afspeelt in een postapocalyptische versie van de Verenigde Staten, waar genetisch verbeterde opperheren elkaar bevechten om territorium. De spelers beginnen als slaven en moeten een heleboel lichamelijk werk verrichten om fitnesspunten, vaardigheden, geld en genetische verbeteringen van hun lichaam te krijgen. Een grinder is constant bezig vrije burgers van slaven te maken en die te verkopen aan andere spelers.'

'Dat lijkt op vals spelen. Net als bodybuilders die steroïden slikken.'

'Tony zegt dat er klikfarms zijn in Oost-Europa en Azië waar kinderen de hele dag werken om goede avatars te ontwikkelen voor de verkoop. Ze verdienen ook nog virtueel geld in het spel en ruilen dat via het internet in voor echte dollars. Of ze winnen allerlei virtuele bezittingen, zoals Tony, en verkopen die aan andere spelers.'

'Zoals het kasteel dat Billy Gundersen twee van zijn vingers heeft gekost.'

'Tony kent mensen die voor een klikfarm hier in Portland werken. Hij heeft de gegevens voor me opgeschreven,' zei June Ziegler. Ze zocht in haar tas en gaf Summer een blaadje uit een aantekenboek.

Daarop stond een adres in Portland in het nette, achteroverhellende handschrift van haar moeder en een naam: Okay Soucek.

Summer zei: 'Dus Tony denkt dat deze man iets zou kunnen weten over Billy Gundersen?'

'Nog beter,' zei haar moeder. 'Toen ik Tony de politiefoto's liet zien die je me hebt gegeven, zei hij dat Billy Gundersen voor meneer Soucek gewerkt heeft.'

32

Iedereen in het sheriffkantoor van Macabee County wist dat Jerry Hill soms wat te kort door de bocht ging. De man maakte geen geheim van zijn slechte gedrag, maar ging er prat op, en hij vertelde bijna elke avond met veel schwung sterke verhalen in de Hanging Drop, de bar waar politiemannen en juristen na het werk iets gingen drinken. Het meeste was niet echt ernstig – het intimideren van verdachten en getuigen, het roken van weed die hij tieners en toeristen had afgenomen, het aannemen van gunsten – maar Denise begon te vermoeden dat hij echt bij iets smerigs betrokken was toen Summer Ziegler haar had verteld over het gerucht dat iemand Joe Kronenwetters cel binnen was geglipt net voordat die dood was aangetroffen. Haar argwaan werd zekerheid toen Gary Delgatto belde en haar de resultaten gaf van de tests met Kronenwetters bloed en weefsels.

Er was iets dat Denise Summer noch Gary had verteld: Charley Phelps, de man die op de middelbare school zijn vriendinnetje was kwijtgeraakt aan Joe Kronenwetter, was bewaker in het cellenblok op de vierde verdieping van het gerechtsgebouw en hij was bovendien de halfbroer van Jerry Hill.

Denise was niet het intellectuele type. Ze loste zaken op door onderzoek op de plaats delict en door met alle mogelijke middelen ieder spoortje van bewijs veilig te stellen, en daarna verhoorde ze getuigen en viel ze mogelijke verdachten lastig, op zoek naar iets wat ongewoon of niet op zijn plaats was. Zo probeerde ze erachter te komen wie de gelegenheid had gehad, wie ontwijkend of nerveus was, wie haar zonder noodzaak een regelrechte leugen vertelde. Ze vertrouwde op haar instinct, op een goede kennis van de misdadige types in Macabee County en op haar straatervaring. Gelukkig waren de meeste misdadigers zo stom als het achtereind van een koe, onderpresterende schoolverlaters met een chaotisch leven die geen echte, eerlijke baan van negen tot vijf aankonden. De meesten waren zo stom dat ze niet eens wisten hoe stom ze eigenlijk waren. Ze geloofden dat ze sluwe, handige kerels waren die de politie te slim af waren met hun grote woorden, maar het was een feit dat Denises twaalfjarige dochter veel slimmer was en veel beter in het bedenken van verhalen en smoesjes dan de meeste slechteriken. Meestal was er niet veel denkwerk nodig om erachter te komen wie de schuldige was, en dan arresteerde Denise die persoon, luisterde naar wat hij te zeggen had en brak hem door hem te wijzen op de inconsequenties en tegenstrijdigheden in zijn domme verhalen en door hem precies te vertellen hoe lang hij in de gevangenis zou zitten als hij niet meewerkte. Dat was de enige manier die ze kende, dus na een lange, slapeloze zondagnacht, na alle opwinding in het huis van Dirk Merrit en de nasleep daarvan, was haar eerste gedachte naar Charley Phelps te gaan en te kijken wat die te zeggen had.

Nadat ze op maandagmorgen nog eens de wind van voren had gekregen van sheriff Worden, dit keer in de aanwezigheid van de dienstdoende commandant en de advocaat van de politievakbond, en nadat ze haar pistool en haar penning had ingeleverd, ging Denise snel naar de vierde verdieping van het gerechtsgebouw. De kamers en kantoren van het cellenblok bevonden zich aan weerszijden van een centrale gang met aan beide kanten twee paar korte en lange gangen, zodat het geheel een ongelijke H vormde. De zes bijzondere cellen waren in een van de korte gangen, achter een afgesloten deur met stalen tralies met een beveiligingscamera erboven. Denise haalde de bewaker aan de balie over om haar de video uit de camera te laten zien, maar kwam erachter dat de camera in de nacht in kwestie scheef had gestaan en er alleen een lege muur op de band stond. Ze had meer geluk met het register en las daarin dat Charley Phelps niet alleen dienst had gehad in de nacht waarin Joseph Kronenwetter was gestorven, maar zowaar de persoon was geweest die het lichaam had ontdekt.

Op dit moment had hij vrij omdat hij beweerde aan een posttraumatische shock te lijden. Denise reed naar zijn huis en stopte onderweg bij een tankstation om zes blikjes Henry Weinhard's te kopen. Ze wist alles over Charley Phelps. De man was een dronkaard die zijn baantje te danken had aan zijn halfbroer bij de politie, en hij was gewend zijn vrienden van de motorclub mee naar huis te nemen om tot in de vroege uurtjes te feesten. Denise dacht dat hij waarschijnlijk flink gefeest had omdat hij in het weekend had moeten werken, en dat hij nu wel last zou hebben van de uitspattingen van de vorige avond. Ze was van plan een paar biertjes met hem te drinken met het excuus dat ze had gehoord dat hij Joe Kronenwetter had gevonden. Ze zou met hem meeleven en hem aan de praat houden, en dan zag ze wel wat hij zich liet ontglippen. En als hij niets nuttigs te melden had, zou ze zich plotseling tegen hem keren en hem vertellen dat de FBI het lichaam van Joe Kronenwetter eens goed bekeken had en tot de conclusie was gekomen dat hij zichzelf helemaal niet had verhangen, maar dat iemand hem daarbij had geholpen. Ze zou hem vertellen over het gescheurde tongbeen en het feit dat er geen vezels onder zijn nagels hadden gezeten. Ze zou hem vertellen over de resultaten van de tests die Gary Delgatto's vriend had gedaan. Ze zou hem vertellen dat op datzelfde moment een team van FBI-technici in sneeuwwitte laborantenjassen allerlei monsters door hun geavanceerde apparaten haalden om haren en vezels en DNA en god mocht weten wat nog meer te analyseren. Daarna zou ze hem vragen of hij zijn verhaal misschien nog eens door wilde nemen om te kijken of hij iets was vergeten.

Denise vond het zelf een heel goed plan. Het enige probleem was dat Charley Phelps niet thuis was.

Hij woonde in een houtskeletwoning van twee verdiepingen in een vervallen stuk van de stad tussen het spoor en de rivier. De grijze verf bladderde en in de voortuin was niets anders te zien dan onkruid en een verroest motorblok. Niemand reageerde toen Denise op de voordeur klopte, dus liep ze achterom. De keukendeur bleek niet op slot te zijn en ze ging naar binnen. De woonkamer was bezaaid met overvolle asbakken, lege bierflesjes en pizzadozen, in een van de slaapkamers lag de vloer vol kleren, in de andere stond een half uit elkaar gehaalde motor en in de badkamer hing een akelige stank, maar er was geen spoor van Charley.

Toen Denise haar Jeep openmaakte, kwam een van Charleys buren naar haar toe, een gezette zwarte vrouw die verpleegster was in het medische centrum. Ze had afgelopen voorjaar Becca's dichtzittende oor uitgespoten. De verpleegster vertelde Denise dat ze meneer Phelps die morgen niet had gezien, maar dat zijn halfbroer al vroeg bij hem op de deur had staan bonken en Charleys naam had staan schreeuwen, zodat mensen die probeerden te slapen na een nachtdienst er wakker van werden. Hij was uiteindelijk boos weggegaan in die grote pick-up van hem en had bijna de jongen die de kranten bezorgde van zijn sokken gereden.

'Ik denk dat Charley weer eens in de problemen zit,' zei de verpleegster.

'Niet echt, mevrouw,' zei Denise. 'Wanneer hebt u hem voor het laatst gezien?'

'Hij was er gisteravond nog,' zei de verpleegster. 'Hij heeft zijn heavy metalmuziek altijd keihard aan staan, maar de politie doet er niets aan. Een paar maanden geleden heb ik eens geklaagd over een van de feestjes van meneer Charley Phelps, en weet je wat er gebeurde? Ik vond mijn kat dood in de voortuin. Hij was doodgeschoten met een luchtbuks. Bij andere mensen zijn de banden van hun auto stukgesneden of stenen door de ramen gegooid...'

'Het spijt me dat u zoveel problemen met hem heeft, mevrouw. Ik wil Charley onder andere over zulke dingen spreken. Ik zou het fijn vinden als u me wilt bellen als hij thuiskomt.'

Denise pakte een van haar kaartjes, streepte haar telefoonnummer in het sheriffkantoor door en noteerde het nummer van haar mobiel achterop.

Toen ze wegreed, vroeg ze zich af of Charley Phelps ervandoor was gegaan. Het kon natuurlijk best zijn dat hij met de hele zaak niets te maken had en dat hij zijn kater weg sliep in het bed van een meid uit de kroeg. Maar als dat zo was, waarom was Jerry Hill vanmorgen dan op zijn deur komen kloppen en was hij ervandoor gegaan toen er niet open werd gedaan? Als Charley Phelps en Jerry Hill allebei voor Dirk Merrit werkten en als Charley erachter was gekomen dat de FBI vragen stelde over de omstandigheden waarin Joe Kronenwetter de dood had gevonden, was hij misschien in paniek geraakt...

Er was iets aan de hand. Denise wist niet wat het was, maar ze kwam op het idee Jerry Hill het vuur na aan de schenen te leggen. Om de boel een beetje op te jutten.

Ze stopte bij het gerechtsgebouw, maar volgens de vrouw aan het schakelbord, die zo'n beetje de leiding had, was Jerry op weg om onderzoek te doen naar een paar gevallen van diefstal uit kamers in de Calico Country Inn. Dus reed Denise naar de Calico Country Inn, waar de bedrijfsleider haar vertelde dat rechercheur Hill twintig minuten daarvoor was vertrokken. Ze reed de stad weer in en zag Jerry Hills kersrode Dodge Ram scheef voor de Hanging Drop staan.

Hij zat aan de verste kant van de bar met een glas bier en een kom chili. Toen hij Denise door de volle bar met de houten schotjes tussen de tafels en de foto's van ouderwetse juristen en politie-mensen aan de muren naar zich toe zag komen, zei hij luid tegen de barkeeper: 'Zet er ook maar een neer voor mijn maat. Dan kan ze haar zorgen verdrinken.'

'Ik hou hem graag tegoed, Hank,' zei Denise tegen de barkeeper. 'Jerry, jij bent moeilijk te vinden.'

'Als je nijdig bent om wat er gisteravond gebeurd is, moet je er wel even aan denken dat ik alleen mijn werk deed.'

'Ik ben niet kwaad op jou, Jerry. Ik ben alleen niet gewend om te drinken bij de lunch. Hoor eens, misschien kun je me ergens mee helpen. Ik heb gehoord dat je Joe Kronenwetter op de avond van zijn dood nog hebt bezocht. Klopt dat?'

Ze had zijn naam meteen in het register zien staan. Jerry was volgens het boek om halfnegen 's avonds binnengekomen en was om tien over tien weer vertrokken.

Hij keek haar even aan en toen zei hij: 'Ik wilde die schooier alleen nog een paar vragen stellen.'

'Ik had de leiding in die zaak. Ik had erbij moeten zijn.'

'Als je in de buurt was geweest, had ik het je laten weten, uiteraard. Maar ik geloof dat jij en die knappe meid uit Portland Dirk Merrit een bezoek brachten.'

'Wat voor vragen?'

'Hè?'

'Je zei dat je Joe Kronenwetter nog wat vragen wilde stellen. Ik vroeg me af wat dat voor vragen waren.'

'Het maakt nu niet meer uit. Die sukkel heeft zelfmoord gepleegd en jij...'

'Bent geschorst.'

Jerry Hill lachte. 'Je bent nijdig en dat reageer je op mij af. Prima. Ik begrijp het wel.'

'Ik ben niet nijdig,' zei Denise, hoewel ze op dat moment het liefst haar vuist eens flink in die stomme grijns had geplant. 'Ik vroeg me alleen af wat je Kronenwetter gevraagd hebt en wat hij geantwoord heeft.'

Jerry Hill schudde zijn hoofd. 'De schooier wilde nog steeds niets zeggen, dus na een paar pogingen besloot ik dat ik wel wat beters te doen had en toen ben ik weggegaan. Je kunt het de bewaker vragen die in de cel aanwezig was terwijl ik met Kronenwetter probeerde te praten. Het was Bill Porter, hij zal je precies hetzelfde vertellen.'

'Ik vroeg me ook af of jij misschien weet of Joe Kronenwetter medische bijstand nodig had?'

Jerry's glimlach werd een grijns. Hij stak zijn handen op en zei: 'Ik zweer op het graf van mijn grootmoeder dat ik de man met geen vinger heb aangeraakt. Vraag maar aan Bill.'

'Ik vraag het,' zei Denise, 'omdat de FBI het bloed van Joe Kronenwetter heeft onderzocht en sporen van sevoflurane heeft gevonden. Dat is een verdovend middel dat door chirurgen wordt gebruikt. En daarom vroeg ik me af of hij die avond ergens voor behandeld was.'

Jerry zei een hele tijd niets en bleef heel stil achter zijn grijns. Toen zei hij: 'Dat moet je aan de gevangenisdokter vragen, niet aan mij.'

Denise duwde zich weg van de bar. Ze wist dat ze dit zou moeten afmaken met een snedige repliek, maar het enige dat ze wist te zeggen, was: 'Je weet dat ik dat niet kan doen, Jerry. Ik ben geschorst. Maar je kunt er wat om verwedden dat de FBI het niet zal nalaten.'

Toen ze erover nadacht terwijl ze naar buiten liep, bedacht ze dat ze wel degelijk het laatste woord had gehad.

33

Daryl zei tegen Bernard: 'Nou, toen hij me zijn naam had verteld, heb ik hem nagetrokken. Zijn bedrijf heeft een website.'

'O, ja? En wat doet hij, die Hunter Smith?'

Daryl glimlachte. Hij had het perfecte antwoord. 'De toekomst.'

'Wat, zoals *Star Trek*?'

'Nee, man. Geen sciencefiction. De echte toekomst. Hij kijkt naar patronen en trends en vertelt bedrijven wat de mensen willen kopen voordat die het zelf weten. Op dit moment investeert hij in cocoonen. Dan gaan de mensen niet meer naar de film of een restaurant of een bar, maar blijven ze thuis om naar hun grote tv te kijken en nodigen ze vrienden uit. De man noemt zichzelf een visionair.'

Het was maandagmorgen, Bernards vrije dag, en ze reden in Bernards gehavende Datsun naar de yuppenenclave Cobble Hill voor een noodoproep van een klant bij wie de breedbandverbinding niet werkte.

Bernard snoof. 'Die blanken verzinnen iets wat niemand nodig heeft en dan bedenken ze hoe ze ervoor kunnen zorgen dat andere blanken dat willen hebben. Net als al dat newagegedoe, met kristallen en feng shui en zo. Wat heb je verder nog ontdekt?'

'Hij heeft een kantoor in het centrum van Portland.'

'Dus jij denkt dat hij te vertrouwen is omdat hij een website heeft en een kantoor? Jongen, iedereen kan een website bouwen en een hokje huren. Dat maakt hem niet beter dan jou of mij.'

'Hij heeft ook een persoonlijke pagina. Hij is dertig, een blanke man die eruitziet als een nerd, en hij heeft zijn MBA gehaald op Harvard.'

'O ja? Heb je zijn universiteitsgegevens opgezocht om te kijken of dat echt zo is?'

'Ik zeg toch dat ik het adres van dat kantoor ben nagegaan. Ik heb het ook gebeld. Er werd opgenomen door een man, zijn assistent. Die zei dat meneer Hunter voor zaken naar Los Angeles was.'

'En waarom denk je dat het zijn assistent was? Ik wed dat hij het zelf was. En ik wed ook dat hij helemaal niet op een kantoor zat. Hij zat in zijn ondergoed in een kelder vol foto's van naakte zwarte jongens die hij heeft genaaid en daarna in een vriezer heeft verstopt.'

'Hij huurt een suite in het KOIN Center, op de hoek van Southwest Columbia Street en Southwest Third Avenue in Portland. Hij is echt, man. Waarom doe je zo moeilijk? Ik zou bijna gaan denken dat je jaloers was.'

De Datsun reed inmiddels heel langzaam. Bernard zat over het stuur gebogen, op zoek naar een parkeerplaats. 'Weet je wat het is? Ik wil me niet schuldig voelen als ik ergens lees dat je naakte en in stukken gesneden lichaam ergens in een rivier is gevonden.'

'Daar is een plekje, voorbij die Volvo,' zei Daryl. 'Hoor nou eens, die vent is echt. Ik heb zijn profiel opgezocht in *Trans*. Hij heeft allerlei spullen verkocht, goede spullen, en hij heeft het hoogste goedkeuringsniveau. Ik heb een hele maand met hem hieraan gewerkt, hij heeft een eersteklas retourtje voor me geboekt en een hotelkamer... Welke perverse idioot zou zo veel moeite doen?'

Bernard reed langzaam het kleine parkeerplekje op en reed al sturend naar voren en naar achteren tot hij de auto goed vond staan. Eindelijk zette hij de motor uit en keek Daryl met ernstige blik aan. 'Je gaat echt.'

'Waarom heeft die aardige dame jou gebeld om haar breedbandverbinding te repareren? Omdat je goed bent in wat je doet. Hunter Smith wil mij hebben omdat ik ook goed ben in wat ik doe. Ik ben een van de beste spelers. En als het niet helemaal is wat ik verwacht, nou ja, de man heeft me een retourtje gegeven. Bij het eerste teken van moeilijkheden kom ik meteen terug. Wat kan er nu mis gaan?'

34

Op maandagmorgen was Summer een uur bezig de fotoboeken te bekijken met twee jonge vrouwen die in twee verschillende dure kledingzaken onder bedreiging van een vuurwapen waren beroofd, de een die morgen, de ander zondagmiddag. De jonge vrouwen wilden maar al te graag helpen, maar hun besluiteloosheid was om gek van te worden. Nadat ze allebei de boeken hadden doorgenomen zonder duidelijk iemand te herkennen, stelde Summer voor dat ze er gezichten uit pikten die leken op dat van de dader, en nadat ze dat hadden gedaan, liep ze hun verklaringen nog eens met hen door, bedankte hen voor hun hulp en liet hen gaan.

Andy Parish zei: 'Letten die mensen dan helemaal niet meer op hun klanten? We hebben een blanke jongen met een honkbalpetje op en een spijkerbroek aan in een of andere jas, misschien blauw, misschien ook niet, lang haar dat bruin of blond is, hij is ongeschoren of hij heeft een puntbaardje... Het enige waar ze het over eens waren, is dat hij met een groot oud mes zwaaide. Hoeveel heeft hij bij die laatste winkel buitgemaakt?'

'Zestig dollar en wat losgeld.'

'Ik denk dat het een junk is met iets meer lef dan de meesten. Van die zestig dollar kan hij genoeg hasj of coke kopen voor die dag, maar morgen loopt hij weer over straat, op zoek naar meer.'

Summer zei: 'Twee winkels in twee dagen. Hij heeft in ieder geval iets gevonden wat hij leuk vindt.'

'Ja, hij heeft zijn draai gevonden. Die winkels zijn gemakkelijke doelwitten. Geen alarm, geen camera's, een leuke jonge vrouw achter de toonbank met de aandachtsboog van een goudvis...'

Andy Parish zat op de hoek van Summers bureau. Hij was een grote man van in de vijftig met een blozend gezicht en kortgeknipt, sneeuwwit haar, een geboren rechercheur van de oude stempel en een bedachtzame, vasthoudende en nauwgezette speurder. Hij was ook een harde, kritische leermeester, die boven op elk teken van incompetentie of slordigheid zat, maar Summer vond dat ze geluk had met hem als mentor. Tot dusver had hij niets gezegd over haar freelance onderzoek naar de omstandigheden van Edie Colliers dood, en zij zweeg er ook over. Als hij haar advies zou geven en zij in de problemen zou raken, zou dat zijn weerslag op hem hebben.

Dick Searle zei in zijn telefoon: 'Zei hij dat? Nou, dat is gelul. Ik zal je zeggen hoe het zit. Hij vroeg of ik hem een goede raad kon geven en toen haalde hij dat verdomde ding uit zijn zak en zei tegen me dat hij hem de dag daarvoor van iemand op straat had gekocht en dat hij niet zeker wist of het wel toegestaan was. Laurie Chamberlain stond vlak naast me. Zij zal je hetzelfde vertellen, maar je zult moeten wachten tot ze terug is van haar huwelijksreis... Ja, ik wacht wel even.' Hij keek naar Andy Parish en zei: 'Herinner je je die vent nog die twee tankstations probeerde te beroven met een springmes? Zijn advocaat probeert de zaak onontvankelijk te laten verklaren vanwege ongeoorloofd fouilleren.'

Andy Parish zei: 'Is dat die vent die je het mes in kwestie heeft laten zien?'

'Een lemmet van vijftien centimeter met een paarlemoeren handvat. Hij kwam de trap van het Beckett Hotel af terwijl wij naar boven gingen met een arrestatiebevel voor iemand anders, en hij raakte in paniek en gaf het mes vrijwillig omdat hij dacht dat ik hem tegen de muur zou zetten en hem zou fouilleren. Ze waren in de meerderheid en beschikten over meer wapens, maar godzijdank zijn ze nog steeds zo stom als altijd,' zei Dick Searle, en hij wijdde zich weer aan zijn telefoongesprek.

Andy Parish was in een speelse bui; de week daarvoor was de beroving van een pandjeshuis na eindeloze vertragingen eindelijk voor de rechter gekomen en de dader was tien jaar achter de tralies verdwenen. Hij zei tegen Summer: 'Misschien moeten we je een undercoveropdracht geven. Dan trekken we je zo'n cocktailjurkje uit de jaren twintig aan, zo'n leuk zwart gevalletje met kralen en zo en zo'n band in je haar, en leggen wat zwaar geschut onder de toonbank...'

'Als niemand anders een goede beschrijving kan geven of hem in de boeken kan aanwijzen, zal ik er eens over nadenken.'

Jesse Little zei vanuit zijn hoekje naast het hare: 'Hé, Summer. Laat Ryland maar niet merken dat je je wilt gaan verkleden. Misschien is het veiliger om Andy leuk uit te dossen. Hij is je mentor en hij zou je moeten laten zien hoe het moet. En hij zou er zo goed uitzien met een veren boa. Net als in die film met hoe heet hij ook weer, Jack Lemmon.'

Andy Parish zei: '*Some Like It Hot*. En ik voel me beledigd. Ik vind dat ik meer op Tony Curtis lijk dan op Jack Lemmon.'

'Misschien de Tony Curtis van de talkshow,' zei Jesse Little. 'Maar beslist niet de jongere en mooiere filmversie. Hoor eens, wie zou jij neuken als je moest kiezen? Tony Curtis of Jack Lemmon?'

Andy Parish deed alsof hij de vraag serieus nam. 'Verkleed als meid of gewoon?'

'Verkleed als meid, natuurlijk. Ik wil niet suggereren dat je homofiel bent.'

'Dan moet het Jack Lemmon zijn. Als ik Tony Curtis pakte, zou het zijn alsof ik met mijn tweelingzus naar bed ging.'

Summer werkte haar papierwerk bij tot het eind van haar dienst en deed net de la open waarin ze haar tas en haar Glock bewaarde toen haar telefoon ging.

Denise Childers zei: 'Hij heeft weer toegeslagen.'

'Wie heeft toegeslagen?'

'In Los Angeles. Hij moet er vanuit Reno meteen naartoe zijn gereden. Eerst heeft hij Greg Yunis vermoord...'

Summer ging zitten en draaide haar stoel zodat ze met haar rug naar de anderen zat. 'Wacht. Tikkie terug, graag. Wie is Greg Yunis?'

'De man die ze in zijn hotelkamer in Reno hebben gevonden zonder ogen en hart. Gary moest onze expeditie opgeven omdat hij naar de plaats delict moest.'

'Tot zover weet ik het nog. Maar ik wist niet dat het slachtoffer verminkt was.'

'Net als Billy Gundersen, die Duitse toerist en die andere vent.'

'Ben Ridden.'

'En nu is er weer een geval,' zei Denise. 'Gary heeft me net gebeld en hij had allerlei nieuws. De FBI heeft de dood van Gary Yunis in verband gebracht met die van een stewardess in Los Angeles, Julia Taylor. Haar lichaam is vanmiddag door een boswachter gevonden in de San Gabrielbergen. Ze miste haar hart en haar ogen, net als Billy Gundersen en meneer Yunis. De politie van Los Angeles was al naar haar op zoek omdat ze niet op haar werk was verschenen en haar auto is gevonden op de parkeerplaats van een supermarkt met, let goed op, bloederige vingerafdrukken op de kofferbak. Haar bloed, de vingerafdrukken van iemand anders. Wil je weten van wie?'

'Het zullen wel niet die van Dirk Merrit zijn. Als de FBI hem had gearresteerd, had je dat wel meteen verteld.'

'Niet die van Merrit, nee, maar wel van iemand uit zijn omgeving. Een man die Patrick Metcalf heet, een ex-agent die werkt voor het bedrijf dat de beveiliging verzorgt van Merrits landgoed. Greg heeft me verteld dat zijn vingerafdrukken niet alleen op de kofferbak van de auto van de stewardess zijn gevonden, maar ook op een bordje aan de deurknop van Gary Yunis' hotelkamer in Reno. Metcalfs vriendin heeft zaterdagavond gemeld dat hij vermist wordt. Ze had hem niet meer gezien sinds hij naar zijn werk was gegaan en zijn Range Rover is gevonden op de parkeerplaats voor langparkeerders van het vliegveld van Los Angeles. De politie daar denkt dat Julia Taylor is ontvoerd zodra ze uit het vliegveld uit Mexico was gestapt. Ze is om negen uur 's morgens voor het laatst gezien en haar auto is gefilmd door een bewakingscamera toen die omstreeks twintig over negen de parkeerplaats uitreed. Hij werd bestuurd door een man met een donkere bril en een honkbalpet. De video is niet goed genoeg om de man te kunnen identificeren, maar de FBI zet alles op alles om Metcalf te vinden. Hij schijnt al eerder gewelddaden te hebben gepleegd. Hij is ontslagen bij de politie vanwege zware mishandeling van een prostituee en daarvoor was hij al een paar keer berispt omdat hij te enthousiast omging met verdachten die niet mee wilden werken.'

'Dus het is best mogelijk dat Dirk Merrit hier niets mee te maken heeft. Of wacht, misschien werkten hij en Patrick Metcalf samen.'

'Dat kan, maar waarom zouden ze dan twee vreemden vermoorden? En waarom liet Metcalf zijn vingerafdrukken achter op allebei de plaatsen delict? Om het nog maar niet te hebben over zijn Range Rover.'

Summer dacht even na. 'Denk je dat Metcalf erin geluisd is, net als Joseph Kronenwetter?'

Denise zei: 'Het past allemaal wel heel mooi in elkaar, vind je niet? De vingerafdrukken, de Range Rover, het feit dat de twee lijken op een plek zijn achtergelaten waar ze gemakkelijk gevonden konden worden, terwijl de andere slachtoffers op afgelegen plekken zijn aangetroffen. We hebben Dirk Merrit laat op de zondagmiddag thuis aangetroffen, maar hij kan genoeg tijd hebben gehad om de stewardess te vermoorden, haar lichaam te dumpen en van Los Angeles naar huis te vliegen met een lijnvliegtuig of in een privétoestel. Hij heeft een vliegbrevet. Ik wil de passagierslijsten van vliegtuigen van Los Angeles naar Oregon bekijken en ook bij de bedrijven informeren die vliegtuigen verhuren. We hebben één voordeel. Als het echt Dirk Merrit was, zal niemand die hem gezien heeft dat zijn vergeten.'

'We moeten dit aan de FBI doorgeven.'

Er viel een korte stilte en toen zei Denise: 'Hebben ze jou al ondervraagd?'

'Ik heb nog niets van ze gehoord.'

'Daar heb je het al. Ik heb het Gary verteld en die zal met zijn baas praten zodra hij de kans krijgt, maar zoals ik al zei, is de FBI op zoek naar Metcalf. En zijn hond. De vriendin heeft gemeld dat zijn hond ook vermist wordt. Wil jij de verhuurbedrijven doen of de luchtvaartmaatschappijen?'

'Eigenlijk wil ik een spoor volgen dat ik zelf heb gevonden,' zei Summer.

35

Het adres dat Summer van haar moeder had gekregen was op de kruising van 82nd Street en Division, een hoekpand met wit geschilderde etalages. Binnen zaten jongemannen aan twee lange tafels over hun beeldschermen gebogen. In t-shirts en spijkergoed, met lang haar of helemaal kaal, versierd met allerlei tatoeages, piercings en jeugdige pogingen tot baarden of bakkebaarden zaten ze met een koptelefoon op met hun computermuis te klikken en toetsen op hun toetsenbord aan te slaan. Er waren er verscheidene met een rugzak of een oude plunjezak uit het leger aan hun voeten. Geen van hen keek op toen Okay Soucek, de Turkse eigenaar van middelbare leeftijd, Summer meenam naar het kantoortje achterin. Ze gaf hem de politiefoto van William Gundersen en zei dat ze had begrepen dat hij hier gewerkt had.

'Waarom zoekt u hem?'

Okay Soucek was beleefd, maar op zijn hoede. Zijn pokdalige gezicht met het achterovergekamde, golvende haar stond bezorgd.

Summer zei: 'Ik geloof dat hij Billy Newman werd genoemd.'

Dat was de naam waaronder Tony Otaka Edie Colliers vriend had gekend. Toen hij uit Denver was vertrokken, had William Gundersen, alias Bruce Smith, niet alleen zijn busje overgeschilderd en het kenteken veranderd, maar ook een nieuwe naam aangenomen.

Okay Soucek zei: 'Ik ken hem, maar ik heb hem al een tijd niet gezien.'

Summer zei: 'Ik ben bang dat hij dood is, meneer. Iemand heeft hem vermoord.'

Er viel een korte stilte. Okay Soucek keek langs Summer heen en dacht na. Toen richtte hij zijn blik weer op haar en zei: 'Hoe denkt u ik kan helpen?'

Summer vroeg hem naar de aard van zijn werkzaamheden en deed alsof ze helemaal niets wist over grinden. Ze kreeg een uitleg die niet veel verschilde van wat ze van haar moeder had gehoord.

Summer zei wat ze ook tegen haar moeder had gezegd: 'Het klinkt een beetje als vals spelen.'

Okay Soucek haalde zijn schouders op. 'Het is een vrije markt. In de vrije markt heeft alles waarde. Zelfs dingen die niet bestaan.'

'Dit deed Billy Newman dus ook. Hij maakte virtuele personages.'

Okay Soucek zei: 'Hij maakte ze niet. Hij verbeterde ze.'

'Was hij er goed in?'

'Natuurlijk. Hij is bij een ongeluk twee vingers kwijtgeraakt, maar hij was sneller dan de meeste van mijn jongens.'

'Ik heb gehoord dat zijn vingers zijn afgesneden door een paar mensen die hij van een virtueel hebbedingetje had beroofd.'

'Dat is niet wat hij mij vertelde,' zei Okay Soucek. 'Hij zei dat het door een ongeluk in een fabriek kwam.'

Summer schudde haar hoofd. 'Hij heette ook niet echt Billy Newman. Zijn naam was William Gundersen. Hij was een professioneel gamer tot hij zijn vingers kwijtraakte. Dat is een paar jaar geleden gebeurd in Los Angeles.'

Daar dacht Okay Soucek even over na, en toen zei hij: 'Als dat waar is... Denkt u dat ze hem hebben vermoord, die mensen die zijn vingers hebben afgesneden?'

'Dat geloof ik niet.'

'Het zou de moeite waard zijn om ernaar te kijken, denk ik. Sommige jongens nemen hun spel heel serieus. Iemand in China heeft zijn vriend vermoord omdat zijn vriend een zwaard leende dat ze in een spel gebruikten en het toen verkocht.'

'Hoe lang heeft Billy hier gewerkt?'

'Een jaar, zoiets. Hij was goed. Ik gaf hem zelfs de leiding over de anderen, zodat hij ze kon leren wat ze moesten doen. Nu u zegt dat hij vroeger een grote speler was, begrijp ik waarom hij zo goed was.'

'Hij heeft u nooit verteld dat hij een professioneel gamer is geweest?'

'Hij kwam op een dag, vroeg om werk. Toen ik zag hoe goed hij was, zei hij dat hij altijd voor de lol speelde en ik dacht er verder niet bij na.'

Summer dacht dat ze het hele verhaal van Billy Gundersen nu

wel compleet had. Hij was een hele geweldenaar geweest, een rijzende ster in zijn kleine wereldje. Maar toen had hij een stomme zet gedaan en was hij op zijn negentiende verminkt en afgeschreven. Nadat er een schikking was getroffen met de jongens die zijn vingers hadden afgesneden, had hij het geld dat hij had gekregen, of wat er over was gebleven nadat zijn advocaat zijn aandeel had genomen, er snel door gejaagd. Daarna was hij om een of andere reden naar Denver verhuisd, had hij zijn naam veranderd en had hij geprobeerd van creditcardfraude te leven. En toen dat niet was gelukt, was hij in Portland terechtgekomen, waar hij in zijn busje woonde, dat hij had geschilderd en waar hij een ander kenteken op had gezet voor het geval de politie of iemand anders hem kwam zoeken. Hij had voor Okay Soucek gewerkt en hij had geprobeerd iets te vinden wat hem er weer bovenop zou helpen.

Ze zei: 'Had Billy vijanden hier in Portland? Zo iemand als die jongens die zijn vingers hebben afgesneden?'

'Ik zou niemand weten. Hij werkte hard en praatte niet veel. Als hij in zijn vrije tijd het slechte pad op ging, weet ik daar niets van. Die jongens die hem volgens u te grazen hebben genomen, ik denk dat u een vergissing begaat als u daar niet naar kijkt.'

'Hij had een laptop met een kaart voor draadloos internet. Hij speelde computerspelletjes in zijn vrije tijd... Heeft hij het daar ooit over gehad?'

'Niet echt.'

'Heeft hij verteld dat hij een schat zocht of zoiets?'

Okay Soucek haalde zijn schouders op. Zijn waakzaamheid was terug. 'Het spijt me, maar ik weet niet wat hij in zijn vrije tijd deed.'

Summer, die ervan overtuigd was dat de man iets verzweeg, zei: 'De mensen die voor u werken, zijn die ook dakloos, net als Billy?'

'Ik weet niet goed wat u bedoelt.'

'Die kinderen daar, met hun rugzakken en tatoeages, die bedoel ik. Dat lijken mij weglopertjes.'

'Het zit zo: ik kan niet veel betalen omdat ik moet concurreren met bedrijven in landen die veel minder rijk zijn dan Amerika. Die internetspelletjes, iedereen kan ze spelen, waar ook ter wereld. In Mexico, op de Filippijnen, in Taiwan, in Roemenië, in Bulgarije... de meeste landen in Oost-Europa. En ook in Rusland, natuurlijk. Ik moet concurreren met al die mensen, het is een wereldmarkt, dus moet ik mijn kosten laag houden.'

'Door kinderen die op straat staan heel weinig te betalen.'

'Het is beter dat ze werken dan dat ze bedelen.'

'U bent ongetwijfeld een aanwinst voor de maatschappij, meneer Soucek. Dat wil zeggen, zo lang u niet meer in marihuana handelt.'

Ze had Okay Soucek opgezocht in de computer: twee arrestaties voor drugsbezit met de intentie van verkoop. De ene zaak was onontvankelijk verklaard; voor de tweede had hij voor de rechter moeten verschijnen, wat hem dertig maanden gevangenisstraf had opgeleverd. De rechercheur die de zaak behandeld had, Debbie Pinches, had Summer verteld dat de broer van Okay Soucek halverwege een straf van vijf jaar was. De DEA was een huis binnengevallen dat hij pas gekocht had en had in elke kamer marihuanaplanten aangetroffen in watercultuurtanks onder rijen lampen.

Okay Soucek keek haar slaperig aan en zei: 'Ik ben een gewone zakenman, rechercheur, en dit is een gewoon bedrijf.'

'Misschien moet ik toch even rondkijken.'

Het dreigement had geen invloed op zijn glimlach. 'U komt terug met een huiszoekingsbevel, u kunt natuurlijk kijken waar u maar wilt. Maar ik heb u alles verteld wat ik weet over Billy Newman, dus wij zijn klaar, ja?'

Summer bleef in haar Accura voor de winkel van Okay Soucek zitten wachten. Toen er eindelijk een jongen met een baard naar buiten kwam, startte ze de auto, volgde hem naar de kruising, draaide haar raampje naar beneden en zei tegen hem dat hij moest instappen. 'Ik breng je wel waar je wezen moet.'

De jongen stapte met een houding van gelaten norsheid in de Accura. Hij gaf haar de naam van een motel op Lombard Street en zei dat hij Lee heette. Hij vertelde dat hij Billy Newman wel kende, maar wat dan nog, iedereen die daar werkte kende hem.

'Wist je dat hij vermoord is, Lee? Daar gaat het allemaal om.'

Het joch haalde zijn schouders op.

'Speel jij *Trans*, Lee?'

'Dat is geen spelen, wat wij doen. Dat is hard werken.'

'Billy speelde ook *Trans*, nietwaar?'

Het joch haalde nogmaals zijn schouders op. Hij zat onderuitgezakt en iets van haar afgewend. Zijn lange blonde haar hing voor zijn gezicht, dat rood zag van de acne, en zijn vingernagels waren helemaal afgebeten. Summer had tientallen jongens als hij gezien toen ze nog bij de afdeling voor weggelopen kinderen werkte.

Ze zei: 'Ik ben niet van plan het jou en je vrienden moeilijk te maken, Lee. Ik probeer alleen uit te vinden wie Billy heeft vermoord. En zijn vriendin, Edie Collier. Kende je haar?'

'Ze schreef gedichten.'

'Zij en Billy zijn ontvoerd, Lee. Zij is ontsnapt, maar was zwaargewond geraakt en is gestorven, en Billy is vermoord. Ik wil uitzoeken wie dat op zijn geweten heeft.'

De jongen haalde zijn schouders op.

'Ik beloof dat meneer Soucek helemaal niets te horen krijgt van wat je me vertelt.'

De jongen haalde weer zijn schouders op.

'Vertel me over *Trans*. Vertel me over de schat die Billy zocht.'

De jongen keek haar tussen zijn haren door aan. 'Hoeveel?'

'Lee, ik ken je ongeveer tien minuten en ik ben nu al teleurgesteld in je. Een van je vrienden is vermoord en jij wilt er geld aan verdienen.'

'Jullie betalen informanten toch? Hoeveel?'

Ze kwamen uit op vijftig dollar. Lee vertelde Summer dat Billy Newman helemaal gek was geweest van *Trans*, dat hij via geruchten op fora die aan *Trans* gewijd waren had gehoord dat er in het spel een schat verborgen lag in de ruïnes van Los Angeles. Niemand wist wat die schat was, maar iedereen was het erover eens dat hij erg kostbaar was en dat er heel moeilijk bij te komen was.

'Daarom had hij hulp nodig,' zei Lee, en hij wiebelde met de vingers van een hand. 'Ziet u, hij was niet meer zo goed als het om actie ging.'

'Vanwege zijn ongeluk. Wat was het plan?'

'Hij wilde een clan oprichten.'

'Een soort bende?'

'Zoiets. Mensen die samenwerkten in het spel, begrijpt u?'

Lee vertelde Summer dat Billy Okay Soucek had overgehaald hem een paar computers te lenen in ruil voor de helft van wat hij vond. Met zijn eigen geld had Billy ze voorzien van heel goede muismatten en muizen, de centrale processors van de units overgeklokt zodat ze sneller werkten en heatsinks geïnstalleerd om de cpu's koel te houden, want hoe sneller ze liepen, hoe warmer ze werden.

'Hij had vier mensen voor hem werken,' zei Lee. 'Het plan was dat hij ze zou helpen de vaardigheden en wapens te krijgen voor hun personages en daarna zouden hun personages zijn avatar helpen de schat te bereiken. Een soort legertje.'

'En dat konden ze doen omdat het een interactief spel is.'

'Dat is het hele punt,' zei Lee meesmuilend.

'Hoorde jij er ook bij?'

'Ik ben goed in grinden, steeds weer dezelfde basisdingen doen, maar ik ben niet echt een speler. Ik doe het alleen voor het geld. Maar Billy en die andere jongens gingen er helemaal in op. Ik keek af en toe mee... In ieder geval, ze hebben er een maand aan gewerkt en ze zijn tot Los Angeles gekomen, maar toen bleek dat er een andere clan is die de boel daar bewaakt. Ze noemden zichzelf de warewolven.' Lee spelde het en zei: 'U weet wel, "ware" als in "software". Er waren er een heleboel en Billy en zijn jongens kwamen er niet langs. Ze bleven het proberen tot Okay zei dat het genoeg was geweest en de stekker eruit trok.'

'Weet je wie die warewolven zijn? Niet in het spel, maar in het echt.'

Lee haalde zijn schouders op. 'Het zou iedereen kunnen zijn. Er zijn mensen zat die het leuk vinden het voor andere mensen te verpesten. Daarom hou ik niet van *Trans*. Te veel engerds die op macht uit zijn, die het helemaal geweldig vinden om slaven en zo te bezitten. Bovendien gaat het me te veel om reflexen; er wordt te veel gevochten en er komt te weinig strategie bij kijken. En de ontwerpers hebben er zoveel *instances* in gestopt, niet normaal meer. Het zou vaak net zo goed een spel voor één speler kunnen zijn.'

'Instances?'

'Ja, ze verdelen de wereld in kleine instances voor groepen spelers. Een soort van kamers waar niemand anders in kan.'

'Dus die schattenjacht van Billy Newman is een instance.'

Lee haalde alweer zijn schouders op.

'Wat is er gebeurd nadat meneer Soucek de stekker eruit had getrokken?'

'Billy werd kwaad en toen is hij een paar weken weggebleven. Maar hij kwam terug omdat hij het geld nodig had, net als wij allemaal.'

'Probeerde hij nog steeds die schat te vinden of had hij het opgegeven?'

'Ik heb hem een keer horen zeggen dat hij een nieuw plan had. Hij had een team gevormd met een nieuwe speler, een echte kampioen. Een of ander joch dat zijn avatar Seeker8 noemde.'

'Seeker8?'

'Met de acht als cijfer geschreven,' zei Lee. 'Je speelt nooit onder je eigen naam. Je bent altijd iemand anders. Dat is ook het punt.'

Toen ze Lee had afgezet bij zijn motel, belde Summer Denise Childers en vertelde ze haar over Billy Gundersens baan bij Okay Soucek, zijn mislukte poging om een schat in *Trans* te vinden en zijn partnerschap met Seeker8. Denise zei dat ze het zou doorgeven aan Gary Delgatto, maar ze dacht niet dat de FBI er veel mee zou doen. Ze had het veel te druk met de jacht op Patrick Metcalf.

Summer zei: 'Ik vraag me af of Dirk Merrit achter die warewolven zit.'

'Dat zou best kunnen.'

'En ik vraag me ook af hoe ik die kampioenspeler kan vinden die zich Seeker8 noemt. Lee zei dat ik op de fora moest kijken, maar ik denk dat ik Powered By Lightning maar eens bel, het bedrijf dat eigenaar is van het spel. Alle spelers moeten een maandelijkse contributie betalen, dus er moet een lijst met abonnees zijn. Heb jij nog geluk gehad met de luchtvaartmaatschappijen?'

'Nee, maar dank je voor je interesse. En ik heb tot dusver ook bot gevangen bij de verhuurbedrijven. Als Merrit gisteren uit Los Angeles hierheen is gevlogen, heeft hij dat niet onder zijn eigen naam gedaan.'

Denise was opgewonden geweest toen ze Summer had verteld van de moord op Julia Taylor, maar nu leek ze afwezig en gespannen. Dat was niet zo gek. Haar theorie dat Dirk Merrit Greg Yunis en Julia Taylor had vermoord, bewijzen had achtergelaten die naar Patrick Metcalf wezen en daarna was teruggevlogen was op niets uitgelopen, en dan zat ze nog met de schorsing en het vooruitzicht van een verhoor door interne zaken. Toen ze afbelde, besloot Summer dat ze eerst Powered By Lightning zou bellen en daarna alles zou doornemen met Gary Delgatto. Ze was ervan overtuigd dat ze eindelijk ergens kwam en ze dacht dat ze Denise het best kon helpen door te bewijzen dat Dirk Merrit en Billy Gundersen een band met elkaar hadden via het spel. Via *Trans*.

36

Op dinsdag wilde Denise vroeg van huis; ze had een lange lijst met plaatsen waar Charley Phelps zou kunnen zitten. Maar Becca, die zich klaarmaakte om naar school te gaan, kon haar favoriete pen niet vinden.

'Je hebt tientallen pennen. Wat is daar mis mee?'

'Mám, dit is de beste, die roze met de glittertjes in de inkt. Ik gebruik hem in mijn speciale schrift. Als ik een andere gebruik, is het schrift helemaal verpest.'

Het kostte tien minuten om de pen te vinden – hij lag onder het kussen van de bank, waar Becca de avond tevoren haar huiswerk had gedaan terwijl ze tegelijkertijd naar *Charmed* keek – en toen moest Denise nog wachten tot Becca op haar elfendertigste haar boeken, pennen, mobiele telefoon en haar speciale schrift met een collage van popsterren erop in haar rugzak had gedaan. Toen ze eindelijk klaar waren om te gaan, wilde Becca per se weten waarom ze met de oude Honda Accord van haar oma gingen in plaats van met de Jeep Cherokee. Denise zei wat ze haar moeder had verteld toen ze de Accord had geleend, dat er een probleem was met de motor van de Jeep en dat ze hem naar de garage moest brengen om hem te laten maken, maar ze wist dat Becca vermoedde dat er iets aan de hand was.

'We gaan dit weekend iets leuks doen,' zei ze tegen haar dochter om haar aandacht af te leiden. 'Wat dacht je van de Wildlife Safari?'

'Als ik acht was, zou ik het fantastisch vinden.'

Na een discussie die de rest van de korte rit duurde viel de keus op Medford en de winkelcentra daar. Denise stond voor de school te kijken hoe haar dochter tussen de andere leerlingen de trap van het moderne stenen gebouw op liep toen haar mobiele telefoon ging. Het was de buurvrouw van Charley Phelps, die haar vertelde dat de man net thuis was gekomen op zijn lawaaiige motorfiets.

Nou, het werd ook wel tijd dat ze een beetje geluk had. Ze wachtte tot Becca te midden van de andere kinderen door de voordeur van de school was verdwenen en toen reed ze naar het huis van Charley Phelps.

De achterdeur was niet op slot. Toen ze naar binnen liep, zat Charley Phelps in spijkerbroek, maar met ontbloot bovenlijf aan de keukentafel in een bord geklutste eieren te prikken, met een smeulende joint in de tinnen asbak naast zijn elleboog. Hij keek haar slaperig en verward aan en zei: 'O, man.'

'Ik heb gehoord dat je hem flink geraakt hebt, Charley, dus ik dacht dat ik maar eens iets moest brengen voor de kater,' zei Denise. Ze maakte met haar mes een paar flesjes Henry Weinhard's open, zette er een voor zijn bord met eieren en ging tegenover hem zitten. Ze hief haar eigen flesje, nam een slok en zei: 'Het is warm, maar het is bier.'

Charley Phelps keek even naar haar, maar toen pakte hij het flesje dat voor hem stond, nam er een flinke slok uit, ademde uit en zei: 'O, man.' Hij wierp nog een blik op Denise en zei: 'Zit ik in de problemen?'

'Waarom denk je dat, Charley?'

Hij haalde zijn schouders op, pakte de joint en zei met een sluwe glimlach: 'Nou... krijg ik hier last mee?'

'Je gaat je gang maar,' zei Denise.

Ze keek toe terwijl hij een trek nam en met samengetrokken mond de rook binnenhield. Hij was knap op een ruwe manier, met vet zwart stoppeltjeshaar en donkere bloeddoorlopen ogen. Een hand bewoog over het krullende haar op zijn blote borst terwijl hij haar met nog steeds ingehouden adem aankeek van onder zijn dikke wenkbrauwen en met een geknepen stem vroeg of ze ook een trekje wilde.

'Nee, dank je. Hoe gaat het met je, Charley? Kan ik even met je praten?'

Hij blies een grote rookwolk uit en zei: 'O, man. Ik moet slapen.'

'Je hebt er zeker nog steeds last van dat je Joe Kronenwetter dood in zijn cel hebt zien liggen.'

'Nou, ik kende hem, wist je dat? We hebben samen op de middelbare school gezeten.'

'Dat weet ik.' Ze liet de woorden even tot hem doordringen, en toen zei ze: 'Het was zeker een hele schok toen je hem zo aantrof.'

'Ja, dat was het zeker. Maar daarom kom jij me geen bier brengen.'

'Ik moet een paar dingen nagaan over de manier waarop Joe Kronenwetter is gestorven en hoe hij is gevonden. Ik dacht dat jij me daar wel bij zou kunnen helpen.'

'Ik heb dit allemaal al verteld, hoor.'

Charley Phelps klonk precies zoals Becca met haar overdreven klagende stem als ze wist dat ze betrapt was.

'Als ik je verhaal goed begrepen heb, duurt het niet lang,' zei Denise. Ze haalde nog een flesje uit het pak, maakte het open en zette het voor hem neer.

Hij probeerde te glimlachen, maar het lukte niet helemaal. 'Ik geloof dat je me probeert te paaien.'

'Verdomme, Charley, als ik je wilde paaien, deed ik geen moeite met al dat bier. Dan zette ik mijn natuurlijke charme in. Vertel nou maar eens wat er die nacht gebeurd is. Ik geloof dat jij aan de balie zat.'

'Toen Joe zelfmoord pleegde? Ja.'

'Je dienst begon om tien uur in de avond.'

'Van tien tot zes, nooit een succes,' zei Charley Phelps, en hij lachte om zijn eigen domme rijmpje.

'En ongeveer een uur later, rond elven, dacht je dat je maar eens bij Joe Kronenwetter moest gaan kijken.'

'Ik heb al gezegd dat ik die man kende. Daarom ging ik even naar hem toe.'

'Heb je daarom de celdeur opengedaan? Omdat je over de goede oude tijd wilde praten?'

'Ik vond dat ik even naar hem toe moest omdat hij zo van streek was en een hoop herrie had gemaakt. Ik deed de deur open omdat ik hem niet zag.'

Charley Phelps zei het alsof hij een vanbuiten geleerd lesje opzei.

Denise vroeg: 'Waar was Jerry al die tijd?'

'Jerry? Wat heeft Jerry ermee te maken?'

'Ik weet dat je halfbroer die avond om ongeveer halftien bij Joe Kronenwetter is geweest. Hij zegt dat hij net na tienen is weggegaan. Volgens het register heeft hij om tien over tien zijn handtekening gezet voor vertrek. Heb je hem niet gezien?'

Charley Phelps haalde zijn schouders op.

'Ik heb met de andere bewakers gesproken, Charley. Ze weten nog dat je die dag een halfuur te vroeg binnenkwam. Sommigen hebben er zelfs een opmerking over gemaakt, zo ongewoon was dat. Ik heb je prikkaart ook bekeken. Je bent inderdaad een halfuur te vroeg binnengekomen. Dus moet je achter de balie hebben gestaan toen Jerry die avond om tien over tien wegging.'

'En?'

'Iedereen die naar de vierde verdieping gaat moet tekenen en een afdruk van zijn duim laten maken, en als ze wapens bij zich hebben, moeten ze die inleveren. En Jerry heeft zijn wapen altijd bij zich, zelfs op kantoor. Hij zit steevast als een grote oude cowboy achter de computer met dat pistool op zijn heup. Dus als jij achter de balie stond, moet je hem zijn pistool hebben teruggegeven toen hij om tien over tien wegging.'

'Dat zal ik dan wel gedaan hebben.' Charley Phelps had opeens grote belangstelling voor zijn bierflesje en peuterde aan een hoekje van het etiket. 'En wat dan nog? Jullie lopen voortdurend in en uit. Het is op een gewone dag al moeilijk om dat bij te houden, laat staan als een van de gevangenen zich verhangt.'

'Dus jij stond achter de balie toen Jerry wegging.'

'Dat zal dan wel. Als jij het zegt.'

'Wat voor indruk maakte hij toen je hem zijn pistool teruggaf?'

'Hoe bedoel je?'

'Was hij nijdig, opgewonden, had hij haast, wat?'

Charley Phelps keek naar een hoek van het plafond en zei toen: 'Gewoon zoals hij altijd is.'

Denise glimlachte. 'Dus je hebt hem inderdaad gezien.'

'Denk jij dat ik lieg? Waarom zou ik liegen?'

'Dat weet ik niet, Charley. Waarom zou je?'

'Nou, dat doe ik niet. Ik ben gewoon moe, dat is alles. Ik heb een gigantische koppijn en dan kom jij met al die vragen. Ik weet van voren niet meer of ik van achteren leef.'

'Je stond bij de balie op de avond dat Joe Kronenwetter stierf. Je hebt je halfbroer zijn handtekening laten zetten toen hij wegging.'

'Dat zal dan wel.'

'Misschien ben je in de war omdat Jerry wel zijn handtekening zette, maar niet wegging,' zei Denise.

'Hij tekende toch?'

'Ik zit even iets te verzinnen, Charley, dus laat me nou even. Tegen elven liep je weg bij de balie om bij je vriend Joe Kronenwetter te gaan kijken. Je maakte zijn celdeur open, je zag dat hij dood was en je drukte op de dichtstbijzijnde alarmknop. Klopt het tot dusver?'

Het duurde even, maar toen haalde Charley Phelps zijn schouders op, nog steeds druk bezig met het afscheuren van het etiket van het bierflesje.

'Het alarm rinkelt, iedereen die dienst heeft komt aangerend, de lampen gaan aan, het is een en al verwarring. De gevangenen bonken op hun deuren omdat ze willen weten wat er aan de hand is, de andere bewakers vragen je wat er gebeurd is...'

'Ja, en?'

'Ik vroeg me af, wie lette er op de balie toen dit allemaal gebeurde?'

'Ik weet niet wat je bedoelt.'

'Jij was in de cel van Joe Kronenwetter, mensen liepen af en aan, het was een grote chaos, dus volgens mij kan er best iemand van de vierde verdieping zijn geglipt zonder te worden gezien.'

'Hoor eens, de man heeft zichzelf verhangen. Meer is er niet over te zeggen.'

Even had Denise medelijden met hem. Ze zei: 'Er is een probleem, Charley. Het lichaam van Joe Kronenwetter is onderzocht door een forensisch deskundige van de FBI. En die heeft allerlei bewijzen gevonden die aantonen dat Joe geen zelfmoord heeft gepleegd. Wat mij het meest interesseert, is dat hij sporen van een verdovend middel in Joe's bloed heeft gevonden. Iemand heeft hem dat middel gegeven, hem vastgebonden, een lus om zijn nek gedaan en hem verhangen. Het was geen zelfmoord. Het was moord.'

Charley schudde zijn hoofd. 'Kom op nou...'

'Ik denk dat jij achter de balie stond toen Jerry om tien over tien zijn handtekening in het register zette, maar hij ging niet weg. Hij leende jouw sleutels of anders had hij al een reserveset, en hij bleef ergens buiten het zicht op de vierde verdieping rondhangen. Rond elf uur zocht hij je op en zei dat je bij Joe Kronenwetter moest gaan kijken. En toen het alarm afging en alles in rep en roer was, is hij weggeglipt.'

Charley schudde met open mond zijn hoofd. De arme kerel probeerde erachter te komen hoe hij zich zo in de hoek had laten drijven.

Denise bood hem een uitweg en zei: 'Het is al goed, Charley. Ik ben niet kwaad op jou. Ik wed dat Jerry je niet had verteld wat hij van plan was. Je besefte pas wat er gaande was toen je Joe Kronenwetter dood in zijn cel aantrof. Maar nu zit de FBI op de zaak en als Jerry ten onder gaat, sleurt hij jou mee. Tenzij je me vertelt wat er die avond gebeurd is.'

'Ik heb je al verteld wat er gebeurd is.'

'Dat verhaal gaat niet meer op, Charley. Je kunt me beter de waarheid vertellen voordat je echt in de problemen komt. Voordat de FBI erachter komt dat jij en Joe vroeger ruzie hebben gehad om een meisje.'

Charley Phelps staarde haar aan met een domme glimlach op zijn gezicht. 'Ho eens even. Waar heb je dat vandaan?'

'Het maakt niet uit waar ik het vandaan heb. Hij heeft haar van je afgepakt en toen jullie slaags raakten, heeft hij je in elkaar geslagen. Waar of niet?'

'Min of meer. Het is zo lang geleden, nog op de middelbare school. Iets uit een ver verleden.'

'Ben je nog steeds kwaad op Joe?'

'Wat, vanwege Jenny Mackee? Nee, ze was niet eens echt mijn vriendin. Ik bedoel, ze heeft zo'n beetje het hele footballteam genaaid. En nu is ze getrouwd met die makelaar, en als ik haar op straat tegenkom, kijkt ze recht door me heen en steekt haar neus in de lucht alsof ze niet weet dat ze een golfbal door een tuinslang kan zuigen.'

'Maar jij en Joe hebben om haar gevochten.'

Charley Phelps haalde zijn schouders op. 'Het stelde niets voor, en het is heel lang geleden. Ik ben geen mens om boos te blijven.'

'Dus jij wil zeggen dat jij en Joe daarna nog steeds vrienden waren.'

Charley Phelps haalde nog eens zijn schouders op.

'Ik geloof je wel, Charley, maar dat zullen andere mensen niet doen. Andere mensen zullen denken dat jij een reden had om Joe Kronenwetter te vermoorden. Ze zullen alles op jouw bordje leggen, terwijl je alleen maar je halfbroer hebt geholpen toen die je om een gunst vroeg. Waarom vertel je me nou niet gewoon wat er gebeurd is, dan zoek ik een manier om je te helpen.'

Even dacht Denise dat hij het zou doen. Maar toen schudde hij zijn hoofd.

Ze bleef het nog twintig minuten volhouden, maar Charley Phelps trok zich terug in een koppig stilzwijgen en Denise kon niets meer met hem beginnen. Uiteindelijk zei ze tegen hem dat hij eens goed moest nadenken over wat hem te doen stond en toen liet ze hem achter met zijn bord met koude eieren en het flesje bier dat ze niet had aangeraakt, en ging ze een eindje verderop in de straat in de Accord van haar moeder naar zijn huis zitten kijken, wachtend op wat er nu zou gebeuren.

Meer dan drie uur lang gebeurde er helemaal niets. Denise had altijd een hekel gehad aan observaties en het was nog erger nu ze alleen was en niemand had om mee te praten en voortdurend bang was dat haar blaas haar op het verkeerde moment in de steek zou laten. Ze schreef het gesprek met Charley Phelps uit. Charleys buurvrouw, de verpleegster, kwam in een wit schort naar buiten, stapte in een poepbruine Toyota en reed weg. Iemand was iets aan het doen met een elektrische zaag en steeds weer hoorde ze het ding janken. En toen kwam eindelijk Charley Phelps naar buiten. Hij klom op zijn zwarte Triumph motorfiets en reed de straat uit. Denise startte de Accord en volgde hem.

37

Summer belde het plaatselijke FBI-kantoor en na enig heen en weer praten kreeg ze een agent aan de lijn, Arnold Carson. Agent Carson wilde haar het nummer van Gary Delgatto's mobiel niet vertellen, maar zei dat hij met alle plezier een boodschap zou doorgeven.

'Vraag meneer Delgatto of hij me wil bellen,' zei Summer, en ze gaf haar nummer op het werk en dat van haar mobiele telefoon, maar ze verwachtte er niet veel van.

Gary Delgatto belde een paar uur later terug, om halfeen. Zoals Summer al had vermoed, bleek Carson haar boodschap niet te hebben doorgegeven; Gary was in Portland om toezicht te houden op het transport van Billy Gundersens uitgebrande busje naar de garage onder het Edith Green Wendell Wyatt Federal Building, waar hij het uitgebreid wilde onderzoeken. 'Ik geloof dat ik vlak om de hoek zit bij waar jij werkt,' zei hij. 'Ik stel voor dat je met mij gaat lunchen, dan kan ik je op de hoogte brengen van de laatste ontwikkelingen.'

Ze kochten burrito's en blikjes fris bij de Mexicaan op de parkeerplaats tegenover het politiebureau, liepen naar het Waterfront Park en vonden daar een bankje. Het was een mooie dag met een helderblauwe hemel en een fris briesje van de rivier, en het zonlicht schitterde op het verkeer dat over de hoger gelegen weg aan de andere kant reed.

Terwijl ze aten, beschreef Summer Billy Gundersens werk bij Okay Soucek en legde ze uit dat zijn mislukte poging om een of andere schat in *Trans* te bemachtigen klopte met iets dat Dirk Merrit had gezegd. 'Volgens mijn zegsman wilde hij gaan samenwerken met een heel goede speler die zichzelf Seeker8 noemt.'

Gary Delgatto glimlachte. Hij droeg een zwarte spijkerbroek en een bruin leren jasje dat net een tint lichter was dan zijn ogen, en hij zag er heel behoorlijk uit voor een laborant. 'Jij laat niet graag los, of wel soms?'

Summer glimlachte terug. 'Dat is mijn grote fout.'

Dat had haar ex, Jeff Tuohy, haar tenminste verteld. Ze hadden er een keer een enorme ruzie om gehad toen ze volgens Jeff veel te veel van haar vrije tijd had gebruikt om iemand te vinden die was doorgereden na een aanrijding en een dakloze junk in coma had achtergelaten. Jeff vond dat Summer politiewerk te vaak verwarde met gerechtigheid, en hij had haar gezegd dat het niet professioneel was te veel bij je werk betrokken te raken, zoals hij het noemde. Hij zei dat ze alles tot het bittere einde wilde afmaken als reactie op het feit dat haar ouders nooit iets af leken te maken – het huis van haar vader aan de Columbiarivier, het boek van haar moeder. Daar zat genoeg waarheid in om pijn te doen. Ze had geprobeerd hem te vertellen wat ze van de brigadier had geleerd die haar onder zijn hoede had gehad toen ze voor het eerst in een ongemakkelijk nieuw uniform op patrouille was gegaan: dat goed politiewerk betekende dat je elk spoor moet volgen, hoe onbetekenend het ook lijkt. Het betekent dat je onopgeloste zaken nooit mag vergeten of opgeven omdat er altijd een kans is dat ze de dader voor iets anders pakken of dat er iets nieuws aan het licht zal komen. Het gaat niet om cijfers en percentages om de bazen tevreden te stellen. Jeff had gezegd dat haar hart op de goede plaats zat, maar dat ze wel naïef was. Hij had het aardig bedoeld, hij had geprobeerd haar te helpen carrière te maken, maar achteraf vond ze dat ze het verrassend lang had uitgehouden met die betweterige klootzak.

Gary Delgatto zei: 'Denise heeft me verteld dat je gerechtigheid wilt voor het meisje, Edie Collier.'

'Dat is mijn karma,' zei Summer. 'Ik ben hierbij betrokken geraakt omdat ik Edie afgelopen december heb gearresteerd wegens winkeldiefstal. Daarom was ik de eerst aangewezene om haar ouders op de hoogte te stellen van haar dood. Ik reed met de stiefvader naar Cedar Falls zodat hij haar kon identificeren, hij raakte in de problemen en ik moest een nacht overblijven, wat me de kans gaf om ervaringen uit te wisselen met Denise. Edie heeft niets verkeerds gedaan, ze is alleen verliefd geworden op de verkeerde jongen, en ze had een heleboel lef. Ze is ontsnapt aan iemand die haar iets aan wilde doen, ze was zwaargewond, maar ze wist toch bijna het bos uit te komen...'

Summer zweeg even, want ze zag Edie Collier even duidelijk voor zich, bleek en stil, onvoorstelbaar in zichzelf gekeerd.

Gary zei: 'Denk je dat er echt iets in dat computerverhaal zit?'

'De FBI niet?'

'Malone is heel nauwgezet. Hij heeft er waarschijnlijk wel een paar mensen op gezet.' Gary zweeg even, en toen zei hij: 'Je beseft dat ik ze dit moet vertellen.'

'Dat weet ik. Ik dacht alleen dat het beter zou klinken als het van jou kwam. En ik hoopte bovendien de echte naam van Seeker8 te achterhalen via de abonneelijst van Powered By Lightning,' zei Summer. 'Het probleem is dat ze die niet willen geven als ik geen gerechtelijk bevel heb.'

'En je vraagt je af of de FBI daarvoor kan zorgen.'

'Zou dat kunnen?'

'Geef me alle details,' zei Gary. 'Ik kan niets beloven, het is aan Malone of we een bevel krijgen of niet. Maar ik zal mijn best doen.'

Hij haalde een aantekenboekje uit zijn zak en schreef het telefoonnummer en het adres van de kantoren van Powered By Lightning op en de namen van de mensen met wie Summer had gesproken. Ze zag hem van opzij toen hij zich over het aantekenboek boog en er een lok zwart haar over zijn voorhoofd viel.

'Het is mogelijk dat Billy Gundersen ontvoerd en vermoord is omdat hij achter die zogenaamde schat aan zat,' zei Summer. 'En Seeker8 was zijn partner. Ik ben niet gerust over hem.'

'Denk je dat het allemaal om dat spel gaat? Neem me niet kwalijk dat ik het zeg, maar dat is een vrij vergezochte theorie.'

'Billy Gundersen is twee vingers kwijtgeraakt door iets wat hij in dat spel heeft gedaan. En Dirk Merrit heeft zichzelf laten ombouwen tot iemand uit het spel. Zijn huis ziet er ook uit alsof het in het spel thuishoort en het hangt vol met tv's waarop beelden uit het spel te zien zijn. Volgens mij is hij zo geobsedeerd door het spel dat hij er geen been in zou zien een speler die iets van hem probeerde te stelen iets aan te doen.'

Gary keek alsof hij onder de indruk was. Hij beloofde dat hij het verhaal zou doorgeven aan het team van Harry Malone.

Summer zei: 'Ik weet dat je sterke bewijzen hebt die Pat Metcalf in verband brengen met de moord op de man in Reno en op de stewardess in Los Angeles. Maar het is toch mogelijk dat dit een ziek spelletje is om je aandacht van Dirk Merrit af te leiden?'

'Daar heeft Denise me ook al over doorgezaagd. En eigenlijk vinden wij ook dat er iets geks is aan die moorden.'

'Echt? Ik heb er vanmorgen een verhaal over in de krant gezien. Volgens de verklaring die meneer Malone tegenover de pers heeft uitgegeven, is de FBI op zoek naar Patrick Metcalf. Maar ik denk dat Metcalf dood is...'

'Wij ook. Ik leg zo uit waarom.' Gary keek Summer ernstig aan en zei: 'Je moet begrijpen dat ik je dit in vertrouwen vertel. Maar we hebben de plaatselijke politie al op de hoogte moeten stellen van wat we aan het doen zijn, en omdat jij een deel al zelf hebt uitgevogeld, en omdat we volgens mij aan dezelfde kant staan...'

'Dat mag ik hopen.'

'Goed. Nou, wij zijn er net als jij vrij zeker van dat de laatste twee moorden bedoeld zijn om ons te misleiden. Maar we willen dat de moordenaar denkt dat hij in zijn opzet geslaagd is, en daarom heeft Malone die verklaring afgelegd tegenover de pers.'

'Slim van hem.'

'Malone is hier al een tijdje mee bezig,' zei Gary. 'Hij heeft een goed beeld van de werkwijze van de dader, en de laatste twee moorden passen niet in het patroon. De eerste slachtoffers die bij ons bekend zijn, Ben Ridden en Tomas Stahl, zijn het laatst gezien in motels langs de I-5, maar hun lichamen zijn een heel eind van de plaats waar ze zijn verdwenen gevonden. Dat van Ridden lag in de Mojave Desert en dat van Stahl in Christmas Lake Valley in Oregon. William Gundersen is waarschijnlijk hier in Portland ontvoerd, maar zijn lichaam is achtergelaten in de Black Rock Desert in Nevada. Alle drie de locaties zijn open vlakten. De psycholoog die met Malone samenwerkt, denkt dat dat belangrijk is. Er kunnen ook nog andere slachtoffers zijn. We zijn bezig met een aantal onopgeloste verdwijningen uit motels langs de I-5 in de afgelopen twee jaar. Het ziet ernaar uit dat dat het jachtgebied van onze man is. Hij wordt gedreven door een of andere fantasie, maar hij is niet impulsief. Hij gaat georganiseerd te werk. Hij maakt plannen. Hij kiest zijn slachtoffers, bergt ze een tijdje ergens op en doodt ze dan op een specifieke manier op een specifieke plaats, een afgelegen gebied waar hij het lichaam kan achtergelaten zonder veel risico dat het snel gevonden wordt.'

Summer zei: 'Edie Collier en William Gundersen zijn beslist ergens vastgehouden nadat ze zijn ontvoerd.'

Gary zei: 'Op dezelfde plek. Daar ben ik zeker van.'

'Vanwege die sporenanalyse. Ik vroeg me af wat er gebeurd is met het monster dat Denise op het terrein van Dirk Merrit heeft genomen.'

'Ik heb haar de filter per koerier naar mijn contact in de Missouri Botanical Garden laten sturen. Hij zegt dat een aantal van de pollen dezelfde waren als in de monsters die ik uit de longen van Collier en Gundersen heb gehaald.'

'Maar niet precies hetzelfde mengsel.'

'Ik verwacht ook niet precies hetzelfde mengsel. Zoals ik Denise al heb verteld, bewijst dit niet dat ze ergens op Merrits landgoed zijn vastgehouden, maar ook niet dat dat onmogelijk is. De monsters uit hun longen tonen aan dat Collier en Gundersen in ieder geval een aantal dagen dezelfde lucht hebben ingeademd.'

'Als Edie Collier en William Gundersen op dezelfde plek zijn vastgehouden, vraag ik me toch af waarom Edie niet is meegenomen naar de woestijn.'

Gary haalde zijn schouders op. 'Ze voldoet niet aan het profiel van de andere slachtoffers of aan die van de onopgeloste verdwijningen. Dat zijn allemaal jonge blanke mannen tussen de negentien en de achtentwintig en redelijk fit.'

'En Greg Yunis en Julia Taylor passen ook niet in dat profiel.'

'Daarom denken we ook dat de moordenaar ons op een dwaalspoor probeert te zetten. Hun hart is uitgenomen, net als bij Ridden, Stahl en Gundersen, maar degene die het gedaan heeft, heeft een ander mes gebruikt met een kort, gekarteld lemmet. Belangrijker is nog dat ze niet zijn ontvoerd. Ze zijn ter plekke vermoord en ergens achtergelaten waar ze gemakkelijk gevonden zouden worden. Greg Yunis in zijn hotelkamer, Julia Taylor bij een boswachtershut in de San Bernadino bergen.'

'Iemand wilde ook dat jullie het lijk van William Gundersen zouden vinden. Daar hebben jullie een anoniem telefoontje over gehad.'

'Onze psycholoog denkt dat de moordenaar besloot het anders aan te pakken na de ontsnapping van Edie Collier en wat lol te maken met de mensen die achter hem aan zitten. Als je daarvan uitgaat, is het wel verdacht dat we de vingerafdrukken van Metcalf in Greg Yunis' hotelkamer en op de kofferbak van Julia Taylors auto hebben gevonden. En er was iets vreemds aan de vingerafdrukken op de kaart die aan Greg Yunis' hotelkamerdeur hing. Hoe pak jij een stuk papier op?'

'Bedoel je hoe ik het vasthoud?'

Gary scheurde een bladzijde uit zijn aantekenboek en stak hem haar toe. Toen Summer het vel papier aannam, glimlachte hij en hij zei: 'Zie je wel? Duim aan de voorkant, een of meer vingers aan de achterkant. Of andersom. Zo doet iedereen het. Maar ik heb goede afdrukken van de vingers en de duim aan één kant van de kaart gevonden en niets aan de andere kant.'

'Net als op een registratiekaart,' zei Summer. Ze vond het leuk als Gary lachte en zijn donkerbruine ogen oplichtten.

'Het is hetzelfde met de afdrukken op de kofferbak van Julia Taylors auto,' zei hij. 'Iemand heeft ze daar achtergelaten in een onbeholpen poging om ons te laten denken dat Patrick Metcalf er iets mee te maken had.'

'Daar achtergelaten? Hoe dan?'

'Goede vraag. Het gemakkelijkste antwoord is dat iemand zijn hand heeft gebruikt.'

'Dus iemand heeft Metcalf vermoord, zijn hand afgehakt en die gebruikt om die afdrukken achter te laten?'

'Het is mogelijk. We weten in ieder geval wel dat Patrick Metcalf beslist niet de man is die kort voor de moord met meneer Yunis in de hotellift naar boven is gegaan. Dat was een tenger gebouwde, blanke man, kleiner dan gemiddeld met een lengte van een meter tweeënzestig tot een meter vijfenzestig en een gewicht van ongeveer vijfenvijftig kilo. Zwart, kortgeknipt haar, zijn gezicht verborgen door een honkbalpet. Het is natuurlijk mogelijk dat die man niets te maken heeft met de moord, maar een andere videocamera in de lobby heeft hem gefilmd toen hij een uur later vertrok met iets in een waszak. Mogelijk de trofeeën die hij uit het lichaam van Yunis heeft gesneden.'

'Jezus,' zei Summer, en ze voelde zich een beetje misselijk bij de gedachte.

'Ik weet het. We bekijken de banden van elke videocamera op het vliegveld in de hoop beelden te zien van Julia Taylors auto. De man die erin reed, droeg ook een honkbalpet. Als we een duidelijke opname hebben van zijn gezicht, wil meneer Malone die aan Dirk Merrit laten zien en vragen of hij weet wie het is.'

'Dus de FBI kijkt nu serieus naar Dirk Merrit.'

'Laten we het zo zeggen,' zei Gary. 'We zoeken een goede verdachte voor de ontvoering van en de moord op Edie Collier sinds ik harde bewijzen heb gevonden dat Joseph Kronenwetter is vermoord.'

Op dat moment kwam Summer erachter dat Denise haar niet had verteld over de resultaten van de tests op de monsters die van Joseph Kronenwetters lichaam waren genomen. Dat onder zijn vingernagels het DNA van een onbekende was gevonden en een verdovend middel, *sevoflurane*, in zijn bloed.

Gary zei: 'In boeken of films gebruikt de slechterik vaak ether of chloroform, maar bij die twee middelen kan het twee of drie minuten duren voordat het slachtoffer helemaal buiten bewustzijn is en kan hij intussen tegenstribbelen en proberen het spul niet in te ademen. Sevoflurane is heel effectief en niet moeilijk te krijgen. Het lijkt erop dat iemand het gebruikt heeft om Kronenwetter te verdoven, waarschijnlijk door een in het middel gedrenkte doek voor zijn mond en neus te houden, en hem daarna heeft opgehangen. Het is mogelijk dat hij bij bewustzijn kwam voordat hij stierf, probeerde op te staan en omlaag is geduwd. Dat zou het gruis onder zijn nagels verklaren en ook het gescheurde tongbeen.'

'En het DNA?'

'Mijn vriend in het lab heeft het monster gerepliceerd en op dertien plaatsen *short tandem repeats* gecontroleerd, goed genoeg voor de rechter. Ze heeft het DNA-profiel ingevoerd in CODIS, maar het niet teruggevonden. We zijn van plan monsters te nemen van iedereen die in het gerechtelijke gebouw werkt. Dat zal even duren.'

'Dat zal sheriff Worden leuk vinden.' Toen viel Summer een verontrustende gedachte in en ze zei: 'Heb je dit allemaal aan Denise verteld?'

'Natuurlijk. We zouden nooit argwaan hebben gekregen als zij ons niet in de juiste richting had gewezen.'

'Dan hebben we misschien een probleem,' zei Summer. 'Je hebt Denise verteld over de harde bewijzen die je gevonden hebt, maar zij heeft dat niet aan mij doorgegeven. En ik heb haar verteld dat vaststaat dat Billy Gundersen iets probeerde te bemachtigen in *Trans* en haar gevraagd dat aan jou door te geven, maar dat heeft ze ook niet gedaan.'

'Misschien is ze het vergeten in al die opwinding.'

'Dat zou kunnen...'

'Maar?'

'Ik denk dat ze van plan is deze informatie te gebruiken om nog een keer de confrontatie met Dirk Merrit aan te gaan.'

'Ik ga morgen terug naar Cedar Falls. Dan praat ik wel met haar.' Gary aarzelde even en toen voegde hij eraan toe: 'Ik blijf vannacht hier, en ik vroeg me af... zou je met me uit eten willen?'

Summer dacht er even over na. Aan de ene kant was hij leuk en slim en kon je makkelijk met hem praten. Aan de andere kant wist ze eigenlijk niet zo veel van hem af. Voor hetzelfde geld had hij een vriendin in Washington of was hij zelfs getrouwd, het soort man dat zijn trouwring afdoet als hij de stad uit gaat. En al was hij vrij, ze was niet van plan een relatie te beginnen met iemand die aan de andere kant van het continent woonde. Dat had haar al een vriend gekost.

Gary vatte haar aarzeling verkeerd op en zei: 'Alleen eten. Verder niets.'

Ja, hoor. Summer wist dat mannen ergens in hun achterhoofd altijd aan seks dachten, hoe ze het ook ontkenden. Dus glimlachte ze en zei: 'Waarom kom je niet bij mij eten?'

Nu aarzelde Gary. Maar toen zei hij: 'Dat is ook prima.'

'Ik moet je wel waarschuwen dat ik op het moment tijdelijk bij mijn moeder woon. Maar ze kan fantastisch koken en ik weet dat er nog iets van haar beroemde lamstajine in de koelkast staat. En ze zal het fantastisch vinden om een echte forensisch rechercheur te ontmoeten. Ze is gek op detectives en ze zal alles willen weten over je werk.'

38

Denise reed achter Charley Phelps aan, over de 138 de stad uit naar het oosten. De oude Honda kon zijn motorfiets niet bijhouden en ze verloor hem al snel uit het oog, maar ze had geen andere keus dan gewoon door te rijden. Bij Argyle kreeg ze hem weer in de gaten; ze zag zijn motor bij een van de pompen van een tankstation staan toen ze langsreed. Ze keerde, reed terug, parkeerde de auto tegenover het tankstation en zag hem uit het winkeltje komen. Hij dronk een blikje fris leeg en gooide het in de richting van de afvalbak voordat hij weer op zijn motor stapte. Denise draaide nog eens en reed achter hem aan over de oude ijzeren brug ten noorden van het gehucht, waar ze de remlichten van zijn motor op zag lichten toen hij een brandgang in reed.

Ze reed langzaam door de diepe schaduw van de hoge dennen aan weerszijden van de brandgang tot de bomen aan de linkerkant terugweken en ze een vonk van opwinding voelde toen ze de motor een stofwolk zag opwerpen aan de andere kant van de kreek, aan de rand van het terrein van Joe Kronenwetter. Denise reed er voorbij, parkeerde bij het begin van een oud houthakkerspad en was zo alert om haar mobiele telefoon uit te zetten – ze wilde niet dat het verdomde ding afging terwijl ze naderbij sloop. Daarna liep ze door het dichte bos terug. Toen ze bij de jonge aanplant en bosjes aan de rand van het bos kwam, bukte ze en sloop naar voren tot ze een goed uitzicht had op de hut, die dertig meter verderop stond. Ze zag de motor niet, die moest voor de hut staan, maar een eindje verderop stond een ander voertuig, een oude Ford Ranger pick-up, zo te zien, een veelgebruikt, maar schoon, lichtblauw ding.

Denise was er vrij zeker van dat haar plan gewerkt had, dat Charley Phelps betrokken was bij de moord op Joe Kronenwetter, dat hij in paniek was geraakt nadat ze hem daarmee had geconfronteerd en dat hij een afspraak had gemaakt met wie er nog meer mee te maken had. Ze moesten nu in de hut staan bedenken hoe ze de gaten in hun verhaal moesten vullen. Of misschien vroeg Charley om meer geld, zo'n idioot was hij wel. Ze was ervan overtuigd geweest dat Jerry Hill er ook bij betrokken was, maar nu was ze daar niet meer zo zeker van. Dat was in ieder geval niet zijn pick-up die bij die hut stond.

Ze haalde de digitale camera voor de dag die haar ouders haar met Kerstmis hadden gegeven, nam een foto van de hut, stelde de zoom in en nam een paar foto's van de pick-up. Ze was het liefst naar de hut geslopen om haar oor tegen de deur te leggen of door het raam te kijken, maar ze wist dat het te riskant was. Oké, dan nam ze het kenteken van de pick-up maar op, dan kon ze via AutoTrack zien of die op naam stond van Dirk Merrit of iemand die voor hem werkte.

Denise kroop zijdelings door het struikgewas tot ze goed zicht had op de achterkant van de pick-up. Ze noteerde het kenteken en nam een paar foto's, en ze deed net haar aantekenboek en camera weg toen er iemand om de hoek van de hut kwam.

Het was Dirk Merrit.

Het was een schok om hem buiten te zien, alsof er iemand uit een film was ontsnapt. Hij droeg zijn camouflagejasje en -broek en er hing een sporttas over zijn schouder. Terwijl hij naar de pick-up liep, zette Denise de camera aan en begon foto's te maken, en toen stootte het vervloekte ding een zacht gepiep uit omdat de batterij bijna leeg was. Ze zette hem uit en bleef stil tussen de zachte nieuwe bladeren van een jonge els liggen, rillend van opwinding en angst.

Dirk Merrit keek met een hand boven zijn ogen naar de boomgrens. Denises hart sloeg over toen hij zijn witte gezicht naar haar toe keerde. Ze liet haar hand in haar tas glijden, maar dacht er toen aan dat ze haar pistool en haar penning had moeten inleveren. Dirk Merrit wendde zich af, deed het portier van de pick-up open en gooide zijn sporttas naar binnen. Even dacht Denise dat ze niet was opgemerkt, maar toen draaide hij zich weer om, nu met de grote, zwarte kruisboog in zijn hand.

Hij liep snel en doelbewust de heuvel op. Als hij een gewone man was geweest, was Denise misschien stil blijven liggen, maar Dirk Merrit was gek en hij was gewapend. Ze sprong op en zette het op een lopen. Gevallen dennenappels en stukjes hout kraakten onder haar voeten; bomen sprongen in en uit beeld. Ze worstelde zich door een wirwar van takken, stormde een steile helling af, gleed uit over de dennennaalden, verloor haar evenwicht en kwam hard op haar billen terecht, met een schok die door haar hele lichaam trok. Ze griste haar tas van de grond, kwam overeind, krabbelde aan de andere kant weer omhoog en ving tussen de bomen door een glimp op van de Honda, en toen werd ze geveld door een geweldige klap tussen haar schouderbladen. Ze probeerde overeind te komen, maar ze had het gevoel dat haar rug was gebroken en haar benen schopten zwakjes, zonder grip te krijgen op de grond. Haar tas lag vlak voor haar. Er waren dingen uit gevallen en ze greep het cameraatje en gooide het zo ver mogelijk weg. Ze zocht naar de bus met pepperspray toen Dirk Merrit aan de rand van de helling verscheen. In zijn linkerhand had hij de kruisboog en met de rechter trok hij een automatisch pistool uit de band van zijn broek.

Denise sloot haar ogen. Ze had nog een moment om aan haar dochter te denken. Becca op de schommel in de achtertuin, wild lachend terwijl ze met rechte benen zo hoog mogelijk schommelde, afgetekend tegen een hemelsblauwe lucht.

Toen hij er zeker van was dat de vrouw dood was, ging Dirk Merrit het voorwerp zoeken dat ze in de bosjes had gegooid. Het kostte hem maar een paar minuten om de digitale camera te vinden. De batterij gaf het op toen hij de laatste foto bekeek die ze had genomen, een goede opname van hem terwijl hij naar de pick-up keek. Goed genoeg om naar een vriend te sturen, dacht hij, en hij liet de camera in een van zijn zakken glijden, waarna hij de vrouw bij de polsen greep en haar naar de boomgrens sleepte.

39

Carl was laat op de dinsdagmiddag terug op het landgoed. Hij was op zondagavond in de buitenwijk van Santa Clarita gestopt bij een Motel-6 en had daar twaalf uur aan een stuk geslapen, en op maandag was hij nog eens gestopt in Sacramento, waar hij een Smith & Wesson achtendertig en twee dozen kogels met holle punten had gekocht van een handelaar die naar zijn hotelkamer was gekomen. De man had hem ook een goede tip gegeven voor een hoer, vijfhonderd dollar voor de hele nacht, maar het was het geld waard geweest.

Aanvankelijk hadden de plaatselijke en nationale tv-zenders steeds weer de opname van dertig seconden herhaald waarin Dirk Merrit verklaarde dat hij door de politie werd lastiggevallen omdat er in het bos vlakbij zijn terrein een meisje was gevonden en dat hij niets te verbergen had, maar die was uit het journaal gehaald toen de FBI bekend had gemaakt dat Patrick Metcalf gezocht werd in verband met moorden in Oregon, Nevada en Californië. Volgens de vent die de leiding had over de zaak was Metcalf gewapend en hoogst gevaarlijk en zou hij misschien proberen de grens met Mexico over te steken. Over Erik Grow werd niets gezegd; blijkbaar was zijn lichaam nog niet gevonden.

Perfect. De FBI was op zoek naar een dode man en Carl was weer helemaal fris en klaar om in actie te komen. Hij had een eenvoudig plan. Zo snel mogelijk naar binnen en naar buiten. Elias Silver en de kok, Louis Frazier, doden en Dirk Merrit een paar vragen stellen. Carl had als huurling in Afrika een heleboel geleerd over het loskrijgen van informatie van onwillige gevangenen en hij was er zeker van dat hij de man zo ver kon krijgen dat hij hem het wachtwoord van Don Beebes programma gaf. Daarna ging hij het land uit, gebruikte het programma om Powered By Lightning te bestelen en begon hij aan een gloednieuw leven.

Er stonden geen bewakers bij de hoofdpoort van het landgoed. Misschien zaten ze allemaal bij de sheriff om vragen te beantwoorden over Patrick Metcalf, of anders had Dirk Merrit ze zeker weggestuurd voordat zijn nieuwe pelgrim zou arriveren. Wat de reden ook was, voor Carl was het een behoorlijk voordeel, een ding minder waar hij zich zorgen over hoefde te maken. Hij gebruikte de kleine afstandsbediening aan zijn sleutelbos om de poort open te maken en moest daarna uit de Dodge Neon stappen die hij in Los Angeles had gestolen om de slagboom omhoog te doen. De kok, Louis Frazier, was ook in geen velden of wegen te bekennen. Carl keek in de koelkast en vond daar een schaal met dungesneden rauw rundvlees, overgoten met olijfolie en bestrooid met kappertjes. Dat stond hij bij het aanrecht te verorberen toen de telefoon aan de muur ging. Hij liet hem rinkelen terwijl hij het smakelijke rauwe vlees wegwerkte, maar toen hij daarna weer overging en niet meer ophield, veegde Carl zijn vingers vol olie af aan een stuk keukenpapier, pakte de telefoon op en zei: 'Louis is er niet.'

'Dat weet ik,' zei Dirk Merrit. 'Welkom terug, Carl. Ik ben in de bibliotheek.'

Toen hij van de lift de grote, ronde kamer in stapte, zei Carl: 'Ik zag je op tv als een idioot beweren dat je lastig werd gevallen door de politie. Ik wed dat dat een idee van Elias Silver was, zo'n stomme stunt is precies iets voor hem. Waar is dat opdondertje eigenlijk?'

Hij voelde de kolf van zijn gloednieuwe Smith & Wesson in zijn rug. Hij was meer dan bereid om het wapen te trekken, het Elias Silver onder de neus te houden en te genieten van het moment van verrassing voordat hij de beroemde hersenen van de man uit zijn schedel schoot.

Dirk Merrit stond voor de grote, gebogen ruit van het enige raam van de bibliotheek, zo mager als een lat in een camouflagejasje en een camouflagebroek met lussen en grote zakken op de bovenbenen. Hij zei: 'Om precies te zijn, het was mijn idee. Toen de plaatselijke politie het landgoed eenmaal had doorzocht en zich ervan overtuigd had dat er geen spoor was van ongeoorloofde zaken, was het moeilijker voor andere instanties om nog een huiszoekingsbevel te krijgen. Maar ik moet eerlijk bekennen dat Elias me wel geholpen heeft met een paar zinswendingen. Ik vraag me af of ik geen royalty's moet eisen. Ik wed dat het tv-station grof verdiend heeft aan de verkoop van het fragment aan andere zenders. Het is niet meer dan eerlijk dat ik daar een deel van krijg.'

De man had weer zo'n zonderlinge bui, ongetwijfeld opgeroepen door een of meer van dokter Elias Silvers magische pillen en drankjes.

Carl zei: 'Als je met andere instanties soms de FBI bedoelt, die heb ik al op een zijspoor gezet. De Black Rock Desert, Reno, Los Angeles, zie je hoe het werkt? Een rechte lijn van het noorden naar het zuiden. Als je de tv in de gaten hebt gehouden, weet je dat ze denken dat hun moordenaar op weg is naar de Mexicaanse grens.'

'Mmm. Het probleem is dat niet iedereen ervan overtuigd is dat Patrick Metcalf de slechterik is. De reden waarom ik op de tv ben verschenen en sheriff Worden heb uitgenodigd mijn landgoed te doorzoeken, is dat ik de dag tevoren een paar politiemensen had betrapt die hier rondsnuffelden. Twee vrouwen, een van het sheriffkantoor en een uit Portland. Weet je nog?'

'Zijn ze teruggekomen?'

Carl kwam in de verleiding het pistool te pakken en de man ter plekke dood te schieten. Een enkel schot, recht door zijn geribbelde voorhoofd. Hij kon bijna de harde knal van het pistool horen en het zwarte gat zien verschijnen, Dirk Merrits verbaasde gezicht zien verslappen en zijn lange magere lichaam ineen zien zakken als een zak stokken. Maar eerst moest hij weten wat er hier allemaal gebeurd was en hij moest ook het wachtwoord hebben. Hij kon geen leuk leventje gaan leiden als het abonnementsgeld niet binnenstroomde.

Dirk Merrit zei: 'Ze zeiden dat ze met een speurhond het spoor van het meisje door het bos hadden gevolgd en dicht bij mijn terrein waren uitgekomen.'

'Waarschijnlijk gelogen. Om je zo bang te maken dat je je iets liet ontglippen.'

'O, ik geloof niet dat ze logen. Ze vertelden me dat het spoor doodliep op de wei op de heuvelrug. Ik heb gezegd dat ik er niets van wist, heb ze weggestuurd en heb ervoor gezorgd dat ik geen last meer van ze zou hebben. En ik kan je verzekeren dat die rechercheur uit het sheriffkantoor, die rooie, definitief uit beeld verdwenen is. Alles is geregeld,' zei Dirk Merrit, en hij liep naar zijn grote bureau, pakte de afstandsbediening en wees ermee naar de andere kant van de kamer. 'Net op tijd voor onze nieuwe gast.'

Carl draaide zich om naar de rij tv's. Ze lieten allemaal hetzelfde beeld zien, een vage groene gestalte die in elkaar gedoken onder in een kuil vol schaduwen zat. 'Dat is die jongen, nietwaar? Ik dacht dat die morgen pas zou arriveren.'

'Dat heb ik gelogen,' zei Dirk Merrit. 'En hier zie je waarom.'

De tv's flikkerden allemaal tegelijk en lieten nu de bibliotheek zien in zachte groene en zwarte tinten. Een lichte gestalte zat gebukt onder het bureau.

Carl draaide zich weer om naar Dirk Merrit en bracht zijn handen naar zijn rug om zijn Smith & Wesson te pakken.

'Laat dat, Carl.'

De man hield een pistool op hem gericht, zo te zien een colt .45. Hij keek hem over de loop heen aan en zei: 'Ze maken tegenwoordig camera's die zo klein zijn dat je ze bijna niet kunt zien. Wil je misschien uitleggen, Carl, waarom je een keystroke recorder uit mijn computer haalt? Ik denk dat Grow je daartoe heeft aangezet, want je bent erg goed in wat je doet, maar je bent niet erg technisch aangelegd, hè?'

Carl keek de man aan en zei: 'Ik had je er alles over willen vertellen. Erik Grow chanteerde me. Hij was iets te weten gekomen uit mijn verleden en hij zei dat hij ermee naar de politie zou gaan als ik niet deed wat hij vroeg.'

Dirk Merrit glimlachte. 'Heel goed, Carl. Ik zou het bijna geloven.'

'Het is de waarheid. Maar je hoeft je er nu geen zorgen meer over te maken. Erik is dood.'

'Jij en Erik waren van plan een programmaatje over te nemen, of niet soms? Het programmaatje dat me toegang geeft tot het betalingssysteem van Powered By Lightning.'

'Het was Eriks idee.'

'Dat zal best. Hij liet je dat apparaatje installeren omdat hij het wachtwoord wilde hebben, nietwaar? Hij moet het inkomende geld bij Powered By Lightning in de gaten hebben gehouden en hebben gewacht tot ik het programma gebruikte. Toen ik dat had gedaan, liet hij jou het apparaatje verwijderen. Geen wonder dat je zo graag naar Los Angeles wilde.'

'Ik heb hem vermoord. Tegelijk met die stewardess.'

'Gek dat de FBI niet heeft gezegd dat zijn lichaam is gevonden.'

'Ik heb het verstopt. Ik wist dat het hen naar jou had kunnen leiden als ze het vonden, dus heb ik het verstopt.'

Dirk Merrit bleef Carl strak aankijken terwijl hij zei: 'Wat denk je, Elias? Zullen we hem het voordeel van de twijfel geven?'

Elias Silver kwam uit de gewelfde opening naar de trap. 'Psychopaten kunnen enorm goed fabeltjes verzinnen. Dat moet ook wel. Ze zijn het grootste deel van de tijd bezig hun eigen versie van de werkelijkheid op te stellen omdat ze andere mensen niet echt begrijpen.'

Carl herinnerde zich wat hij zo lang geleden in het psychiatrische rapport had gelezen en het was alsof er spinnen in zijn hoofd rondkropen.

Dirk Merrit zei: 'Het maakt niet uit of je Erik hebt vermoord of niet, Carl. Ik heb het wachtwoord meteen nadat jij dat apparaatje had verwijderd veranderd. Als dat opdondertje nog leeft, zal ik hem wel opzoeken en met hem afrekenen als ik even tijd heb. Wat jou betreft, ik wil dat je jezelf deze handboeien aandoet en gaat zitten. Daar in die leunstoel. O, maar voordat je dat doet, denk ik dat we eerst maar even het pistool moeten weghalen dat je onder je shirt draagt.'

'Ik snap het niet,' zei Carl. Hij probeerde tijd te winnen en een uitweg te zoeken.

'Gebruik je linkerhand, breng die naar je rug en haal het pistool met je duim en je wijsvinger voor de dag. Snap je dat? Als je het op een andere manier doet, schiet ik.'

Carl gooide het pistool weg. Hij deed de handboeien om die Elias Silver hem toewierp, liep naar de leunstoel en ging naar Dirk Merrit zitten kijken terwijl Elias Silver achter hem ging staan, uit het zicht. Hij had zijn mes nog, in de schede die aan zijn kuit was bevestigd. Als een van hen binnen bereik kwam, stak hij hem neer en gebruikte hij het lichaam als schild. Hij hoorde Elias Silver ergens achter hem, hield zich gereed...

Dirk Merrit schoot hem in de linkerschouder en de klap duwde hem tegen de stoel. Toen werd er iets tegen zijn gezicht gedrukt, een natte doek met een sterke chemische geur.

Toen hij weer bijkwam, zat hij nog steeds op de stoel. Hij had geen shirt meer aan en er zat een kompres met een verband erover op zijn gewonde schouder. Er liep een hete draad doorheen en de hele arm was stijf en pijnlijk. Hier en daar in de grote kamer waren lampen aangedaan. Dirk Merrit zat achter zijn bureau en Elias Silver stond naast hem. Beide mannen keken naar Carl.

Dirk Merrit zei: 'In veel opzichten ben je een goede en trouwe dienaar geweest, Carl. Maar ik kan je niet meer vertrouwen en ik kan me ook geen bedienden meer veroorloven. Dit landgoed is niet langer van mij. De bank heeft alle hypotheken die ik erop had afgesloten geëxecuteerd. Ik heb bericht gekregen dat ik het landgoed moet verlaten en het moet overdragen aan mijn schuldeisers, maar dokter Silver en ik hebben een veel beter idee. Jammer dat je dat niet meer zult meemaken...'

De man wachtte even af of Carl nog iets te zeggen had. Carl gunde hem het plezier niet.

'Ze zullen me een monster noemen, maar ze hebben het mis. Ik ben het allernieuwste. Ik ben de toekomst. Er is nog geen naam voor wat ik word.'

'Die vinden we nog wel,' zei Elias Silver.

'Inderdaad.' Dirk Merrit trok een afschuwelijke glimlach. 'Ik heb een afspraak met een plastisch chirurg in Mexico. Dokter Silver gaat met me mee. Hij zal toezicht houden op de creatie van mijn nieuwe avatar. Gelukkig zijn de meeste verbeteringen die ik heb ondergaan omkeerbaar. Implantaten kunnen worden verwijderd, botimplantaten kunnen worden weggeschaafd... Binnenkort zijn wij ver weg. Maar jij, Carl, mijn goede en trouwe dienaar, jij gaat nergens heen. Jij wordt onderdeel van ons eerste echte kunstwerk.'

40

Om half zeven in de avond belde Summers moeder. 'Heb je de laatste tijd je e-mail nog gecontroleerd?'

'Wat is er dan?'

'Iemand heeft me net een e-mail gestuurd die voor jou bedoeld is, met een bijlage met twee foto's. Ik denk dat je even moet controleren of ze ook naar je werk zijn gestuurd.'

'Blijf even hangen,' zei Summer, en ze draaide zich om naar haar computer. Behalve een paar mensen in de hoek waar de afdeling Moordzaken was gevestigd was zij de enige rechercheur op de dertiende verdieping.

Haar moeder zei: 'De mail is afkomstig van een *hotmail account*. Het onderwerp is "goede jacht" en de gebruikersnaam is Seeker8. Met het cijfer...'

'Niet uitgespeld, ik weet het.'

Summer zette de browser aan, vond de mail en opende hem. Er waren twee foto's bij. Een van de achterkant van Joseph Kronenwetters hut met een lichtblauwe pick-up. De ander van Dirk Merrit in zijn camouflagekleding, die naar de pick-up liep.

Haar moeder vroeg of ze de mail gevonden had.

'Maak je geen zorgen. Ik denk dat ze niet wisten of ik nog op kantoor was.'

Summer probeerde te bedenken wie haar de foto's gestuurd kon hebben. Ze dacht allereerst aan Denise Childers, want ze was er zeker van dat Denise ondanks haar schorsing nog steeds aan de zaak werkte en ze had Denise het e-mailadres van haar moeder en haar eigen e-mailadres op kantoor gegeven, zodat ze dag en nacht met elkaar in contact konden blijven. Maar de cryptische boodschap was niets voor Denise. En waarom zou ze de mail sturen onder de naam Seeker8?

Haar moeder zei: 'Ik hoop dat je niet te lang doorwerkt. Ik kijk ernaar uit om kennis te maken met die mysterieuze vriend van je.'

Summer zei: 'Zo'n vriend is het niet. Gary was in de stad, we werken samen aan deze zaak en hij wist zich met zijn tijd geen raad...'

'En toen vroeg hij je maar mee uit eten,' zei haar moeder. 'Dat lijkt mij een afspraakje.'

'Hoor eens, ik moet een paar telefoontjes plegen. We spreken elkaar straks nog wel.'

Summer belde Denises mobiele telefoon en kreeg de boodschap dat die buiten bereik was. Ze belde haar huisnummer en kreeg een ingesprektoon. Met een groeiend gevoel van onbehagen belde ze Gary Delgatto en vertelde hem over de foto's die ze per e-mail had ontvangen. 'Dirk Merrit staat erop bij de hut van Kronenwetter, maar ik weet niet wanneer...'

'Heeft iemand ze gezien, behalve je moeder?'

'Wat is er aan de hand?'

'Het ziet ernaar uit dat we ons etentje moeten verzetten. Ik moet naar Cedar Falls.'

'Er is iets gebeurd. Wat is het?'

'Er is geen gemakkelijke manier om dit te zeggen, dus ik zal er geen doekjes om winden. Je hebt het recht het te weten. Denise Childers wordt vermist.'

Er ging iets groots en kouds door Summer heen. Ze zei: 'Waar ben jij nu?'

'In mijn kamer in het Marriot, aan het pakken. Beneden staat een auto op me te wachten.'

Met drie muisklikken stuurde Summer de e-mail en de twee foto's naar de kleurenprinter. 'Ik ben er over tien minuten. Waag het niet zonder mij te vertrekken.'

Gary Delgatto en een chauffeur zaten in een zwarte Crown Victoria voor het hotel op haar te wachten. Zodra Summer achterin was gestapt en naast Gary was gaan zitten, startte de chauffeur de auto en reed hij weg.

Gary vertelde haar dat iemand een anoniem telefoontje had gepleegd naar het sheriffkantoor in Cedar Falls en had gezegd dat er een lijk in de hut op het land van Kronenwetter lag. 'De beller gebruikte een vervormingapparaat om zijn stem onherkenbaar te maken en belde rechtstreeks naar het recherchekantoor, dus er is geen opname.'

'Net als de telefoontjes over Billy Gundersen en Joseph Kronenwetters kelder. Je zei dat Denise vermist wordt, dus wat is er met dat lijk?'

'Zegt de naam Charley Phelps je iets?'

Summer was buiten adem en versuft. Ze moest diep in haar geheugen graven voor ze zich herinnerde waar ze die naam had gehoord.

'Charley Phelps heeft met Joseph Kronenwetter en Dirk Merrit op de middelbare school gezeten. Toen Denise en ik die laatste keer bij hem waren, zei Merrit dat Phelps en Kronenwetter vrienden waren geweest tot ze ruzie kregen over een meisje. Is hij het lijk dat in de hut lag?'

'Heeft Denise je verteld dat Charley Phelps bewaker was in het cellenblok van het politiebureau in Cedar Falls? Dat hij degene was die het lichaam van Kronenwetter heeft ontdekt?'

'Nee, dat heeft ze niet gedaan.' Summer keek Gary aan en haar hersenen werkten op topsnelheid om deze nieuwe onthullingen te verwerken. 'Ik houd niets voor je achter. Als Denise achter die kerel aan zat, deed ze dat op eigen houtje.'

Gary keek verontschuldigend. 'Je begrijpt waarom ik het moest vragen.'

'Je kunt me beter vertellen wat er gebeurd is.'

'Volgens een buurvrouw van Phelps is Denise gisteren bij hem langs geweest. We denken dat ze hem vandaag volgde. Ze heeft de auto van haar moeder geleend, waarschijnlijk omdat Phelps haar eigen wagen kende. Hij is gevonden in de brandgang die langs Kronenwetters terrein loopt. Mensen van het sheriffkantoor kammen de bossen uit, maar tot dusver is er niets gevonden.'

'Ze zoeken op de verkeerde plek,' zei Summer, en ze overhandigde Gary de afdrukken van de twee foto's. 'Ik denk dat het zo gegaan is. Die Charley Phelps had in Kronenwetters hut afgesproken met Dirk Merrit. Denise volgde Charley Phelps, ze zag Dirk Merrit, nam een foto van hem en toen is er iets misgegaan. Ik denk dat hij haar in de gaten kreeg en achter haar aan is gegaan...' Ze wilde de gedachte niet afmaken. 'In ieder geval ben ik er zeker van dat Dirk Merrit deze foto's gestuurd heeft. Misschien houdt hij Denise ergens vast in dat vervloekte landhuis van hem of ergens op het terrein. Daar moeten ze zoeken.'

'Summer, even rustig aan, oké?' Malone heeft deze foto's ook gekregen en is tot dezelfde conclusie gekomen. Hij is op dit moment waarschijnlijk een huiszoekingsbevel voor Dirk Merrit aan het opstellen.'

'Wat is er met Charley Phelps gebeurd?'

'Zijn lichaam is in de hut gevonden. Hij was van dichtbij in de borst en in het hoofd geschoten. Bloedspatten en sporen wijzen erop dat hij is neergeschoten toen hij de deur opendeed, achterover is gevallen en naar binnen is gesleept.' Gary zweeg even en toen zei hij: 'Zijn hart is weggesneden.'

Summer dacht aan de foto van Dirk Merrit en de sporttas die hij bij zich had. Dirk Merrit hield van jagen en hij nam graag trofeeën mee. Hij had erover opgeschept. Deze foto's waren ook bedoeld om op te scheppen en als plagerige uitnodiging. *Goede jacht.* Ze haalde diep adem, hield de lucht vast en staarde door het raam terwijl ze probeerde alles op een rijtje te zetten.

'Ik denk dat Phelps voor Dirk Merrit werkte en dat hij iets te maken had met de dood van Kronenwetter,' zei ze. 'Hij was op het juiste moment op de juiste plaats, en hij en Merrit kenden elkaar van de middelbare school. Merrit wist dat Denise en ik bewijzen verzamelden om aan te tonen dat Kronenwetter erin geluisd was, hij wist dat we het spoor van Edie Collier hadden gevolgd tot aan zijn landgoed. Dus besloot hij Phelps uit de weg te ruimen voor het geval hij besloot te gaan praten of andere moeilijkheden wilde veroorzaken, en hij sprak met hem af...'

'Hij is ook degene die jullie over Phelps verteld heeft.'

'Hij speelde met ons. Hij leidde ons daarheen waar hij ons wilde hebben. Hij liet ons ook een kruisboog zien en praatte over het jagen op mensen...'

'Waarom zou hij zichzelf verdacht maken?'

'Hij houdt van spelletjes. Wanneer is dit allemaal gebeurd?'

'Phelps lichaam was al stijf toen hij werd gevonden,' zei Gary. Hij was koel en kalm, en dat stond haar erg aan. 'De lijkschouwer denkt dat hij waarschijnlijk tussen twaalf en vier uur is neergeschoten en gedood.'

'En de foto's zijn me net voor halfzeven toegestuurd. Dus Merrit had tijd zat om van alles te doen.'

'Als hij die mail heeft gestuurd.'

'O, hij heeft hem gestuurd. Hij speelt een soort spelletje. Dat doet hij de hele tijd al. Die boodschap is precies iets voor hem, net als de ondertekening met "Seeker8". Ik denk dat hij van Billy Gundersen over Seeker8 heeft gehoord. Je moet hem vinden, Gary. Misschien verkeert hij in gevaar.'

Gary zei: 'Ik heb nog meer slecht nieuws. We hebben een gerechtelijk bevel geregeld voor de abonneegegevens van Powered By Lightning en zijn erachter gekomen dat de echte naam van Seeker8 Daryl Weir is. Hij is een zwarte jongen van zestien en woont bij zijn moeder in een flat in Brooklyn. We zijn er ook achter gekomen dat hij vandaag naar Portland is gevlogen. We hebben gegevens van een ticket op zijn naam, eersteklas op een vlucht van American West die om half twaalf vanmorgen arriveerde.'

'Jezus. En toen?'

'Dat weten we niet. Volgens zijn moeder is hij hierheen gekomen om met iemand over een sponsorcontract te praten, maar ze wist niet met wie hij een afspraak had. De Visacard waarmee het ticket is gekocht, is van ene meneer Anthony Wise, die in Londen in Engeland woont. We wachten op een reactie van de Londense politie, maar het ziet ernaar uit dat iemand de kaart van meneer Wise heeft gekloond.'

'Jezus.'

'Onze plaatselijke mensen controleren de hotels en doen navraag bij taxichauffeurs en buschauffeurs. Ze bekijken ook de videobeelden van de beveiligingscamera's op het vliegveld.'

'Dirk Merrit kan hem niet in Portland hebben opgehaald en toch op tijd weer in Cedar Falls zijn geweest voor zijn afspraak met Charley Phelps. Hij moet iemand hebben die hem helpt. Ik wed dat het die persoon is die dat valse spoor heeft uitgezet en die twee mensen in Reno en Los Angeles heeft vermoord.'

'Het is mogelijk, als Daryl Weir tenminste van het vliegveld is gehaald,' zei Gary Delgatto. 'Maar dat weten we nog niet. We weten wel dat hij van school is gegaan en dat hij volgens zijn moeder geld verdiende met het spelen van *Trans*. Hij verkocht dingen die hij in het spel won aan andere spelers. Wie weet wat hij nog meer uithaalde? Hij kan de creditkaart waarmee zijn ticket is betaald ook zelf hebben gekloond en naar Portland zijn gevlogen om Gundersen te zoeken. Hij heeft zijn laptop meegenomen, maar de agenten vonden allerlei cd-roms en zip-drives in zijn kamer. Ze nemen ze door en verhoren ook zijn vrienden. Hopelijk komt er iets nuttigs uit.'

'Laten we het hopen,' zei Summer. Maar ze had een akelig voorgevoel over Seeker8 – Daryl Weir – en nog een nog akeliger voorgevoel over Denise.

De auto reed inmiddels op de 205 tussen het drukke verkeer op zo'n anderhalve kilometer van de afslag naar het vliegveld. Summer boog zich naar voren en zei tegen de chauffeur: 'Wat dacht je ervan om je sirene en zwaailichten aan te zetten?'

41

Daryl Weir zat op een aarden vloer in een duisternis die zo diep was als het eind van de wereld. Met zijn rug tegen een muur van ruwe stenen, zijn knieën opgetrokken en zijn armen om zijn knieën geslagen probeerde hij zichzelf zo onzichtbaar mogelijk te maken, als een kind dat verstoppertje speelt. Een boei om zijn rechterenkel zat vast aan een stalen ring in de vloer via een ketting die zo kort was dat hij niet meer dan twee stappen in elke richting kon doen. Het enige binnen zijn bereik was een stel plastic emmers. De ene zat halfvol water, op de andere zat een deksel. Daryl veronderstelde dat hij die moest gebruiken als hij naar de wc moest.

Hij wist niet waar hij was of hoe lang hij hier had gezeten, vastgeketend als een slaaf op een van die ouderwetse schepen. Het was moeilijk om in het donker de tijd in de gaten te houden en hij geloofde dat hij een paar keer in slaap was gesukkeld. Hij wist wel dat het heel lang geleden leek, in een ander leven, dat hij was gearriveerd op het vliegveld van Portland. Hij wist nog dat hij door de drukke gangen was gelopen, langs beveiligingspoortjes waar mensen in de rij stonden om hun tassen door röntgenapparaten te laten voeren, hun schoenen uit te trekken en op sokken of blote voeten door de metaaldetectorpoortjes te lopen. Hij herinnerde zich dat hij zenuwachtig was geweest en zich heel kwetsbaar had gevoeld en dat al zijn opgewekte gissingen over Hunter Smith en al het geld dat hij zou verdienen door de schat te veroveren plotseling waren verdrongen door het idee dat dit een of andere afschuwelijke grap was. Hij zou met lege handen naar huis moeten en zo zijn moeder en Bernard onder ogen moeten komen... Maar toen had hij een man gezien die een geplastificeerd stuk papier met SEEKER8 in letters van wel dertig centimeter hoog ophield en hij had een zucht van opluchting geslaakt. Toen had hij het gevoel gehad dat het allemaal wel goed zou komen.

De man had een bos wit haar en droeg een kraagloos jasje dat eruitzag als een soort uniform. Hij zei tegen Daryl dat hij de assistent van meneer Smith was en vroeg of hij nog andere bagage had behalve de sporttas. Daryl zei van niet en wilde uitleggen dat hij zijn speciaal voor hem vervaardigde controller, zijn muis en zijn speciale muismat had meegenomen, maar de man had hem onderbroken en gezegd dat ze een beetje laat waren en of hij alstublieft mee wilde gaan. Daryl was met hem het gebouw uitgelopen, verschillende rijbanen vol auto's en bussen en groene taxi's overgestoken en een parkeergarage in gegaan. Daar waren ze een betonnen trap op geklommen naar de vijfde verdieping, waar een zwarte Mercedes SUV had gepiept en met de lampen had geflitst toen de man er met zijn sleutel naar had gewezen.

Daryls goede gevoel was nog wat sterker geworden toen hij de SUV had gezien. Het was een topklasse auto. Meneer Smith had duidelijk geld zat. De witharige assistent had de achterklep opengedaan en was achter Daryl gaan staan toen die zich naar voren boog om zijn sporttas in de auto te zetten, en toen had hij Daryl gegrepen en na een korte, felle worsteling een doek tegen zijn gezicht gedrukt. Verder wist Daryl niets meer tot hij hier wakker was geworden, ziek en duizelig, met een bonkende koppijn, vastgeketend aan de vloer in absolute duisternis.

Aanvankelijk was hij ervan overtuigd geweest dat er iemand in het donker naar hem stond te kijken, de witharige man of zijn werkgever, Hunter Smith.

Hij had gevraagd of er iemand was, had gewacht en had het nog eens gevraagd.

Hij had gezegd: 'Meneer Smith, bent u dat?'

Hij had gezegd: 'Als er iets mis is, wil ik er best over praten.'

Hij had gezegd: 'Dit is niet goed. Ik kom u hélpen.'

Daryl was boos geworden en had geschreeuwd tot zijn keel rauw was, maar niemand had antwoord gegeven. Er was waarschijnlijk helemaal niemand hier in het donker, hij was helemaal alleen, misschien hadden ze hem hier achtergelaten om te sterven... Hij had zijn ogen dichtgedaan en geprobeerd te bedenken wat hij zou zeggen als de witharige man terugkwam, maar toen werd hij overvallen door angst en moest hij zijn ogen weer opendoen en ze inspannen om iets te zien, wat dan ook.

Hij deed zijn ogen ook nu weer open toen hij een zware deur hoorde dichtvallen en het geritsel van kleren hoorde, lagen stof die over elkaar heen bewogen. Zijn hart klopte in zijn keel en het koude zweet brak hem uit toen voetstappen in het donker op hem af kwamen.

Dirk Merrit, met een infraroodkijker over zijn ogen, zag de jongen blindelings naar links en naar rechts kijken, met grote ogen in wat voor hem een pikzwarte duisternis was. Hij moest toegeven dat hij er niet zeker van was geweest of Elias Silver wel in staat was de jongen te ontvoeren; hij had half en half verwacht dat de man bang zou worden en weg zou rennen of op een of andere manier in de fout zou gaan en last zou krijgen met de politie, maar alles was volgens plan verlopen. Hij had afgerekend met Charley Phelps en die akelige rechercheur. Hij had de jongen. Hij had Carl Kelley. En straks zou de FBI arriveren en zou de echte pret beginnen. Hij was duizelig van verrukking en verwachting.

'Seeker8,' zei hij.

De jongen rukte aan de lijn als een vis die de haak voelt.

'Alstublieft, ik begrijp niet wat ik hier doe. Wat heb ik gedaan?'

'Je hebt veel gedaan. Je hebt enorme avonturen beleefd en veel schatten veroverd. Je bent een dappere pelgrim, Seeker8.'

'Hoor eens, meneer Smith...'

'Meneer Smith is een website en een gehuurd kantoor. Een dekmantel voor een van mijn zaakjes.'

De jongen sloot zijn ogen, slikte, haalde diep adem en zei: 'Hoor eens, ik weet niet wie u bent. Wie u echt bent. U hebt me goed te pakken, maar dat geeft niet, ik ben de lul, oké? U kunt me nu wel laten gaan, dan zal ik niemand hier ooit over vertellen, dat zweer ik.'

'De man die je van het vliegveld heeft gehaald. De man die je hierheen heeft gebracht. Heb je die herkend?'

'Nee. Ik weet niet wie hij is, ik weet niet wie u bent...'

'Dat zal hem teleurstellen. Hij had vroeger een zekere naam in de media. Loop jij hard?'

'Wat?'

'Loop jij hard?'

'Joggen, bedoelt u? Niet echt.'

'Maar je zou wel hard kunnen lopen als het moest... Doe je aan sport?'

'Ik heb op school gymnastiek gehad. Waarom wilt u dat weten? Wat wilt u?'

Dirk Merrit deed de infraroodlamp uit, zette hem op de vloer, duwde zijn kijker omhoog en haalde het zaklampje uit zijn zak. Hij hield hem onder zijn kin, genoot even van het moment, deed hem toen aan en zei: 'Weet je nu wie ik ben?'

De jongen schudde van nee. Zijn ogen waren nog steeds dichtgeknepen.

'Als je liegt, doe ik je pijn.'

'U hebt *Trans* uitgevonden.'

De stem van de jongen klonk kleintjes en benepen, als van een kind dat een overtreding toegeeft.

'Prima. Hoe heet ik? De naam die ik in de wereld gebruik.'

'O, god.'

'Zeg mijn naam.'

'Alstublieft, wat wilt u van me?'

'Zeg het.'

'Dirk Merrit.'

'Ik heb *Trans* gemaakt. Ik ben de god van *Trans* en ik ben een naijverige god. Niemand heeft ooit de schat veroverd die jij probeerde te bereiken. Begrijp je nu waarom je hier bent?'

Daryl bleef stil zitten met zijn armen om zijn knieën terwijl Dirk Merrit knielde, de boei om zijn enkel losmaakte en weer opstond. Hij was onmogelijk lang en mager in zijn camouflagejasje en broek en zijn gezicht was spierwit. Op zijn voorhoofd stond een kijker met enge lenzen, op zijn rechterheup hing een pistool in een leren holster, op zijn linkerheup een groot mes met een benen heft in een schede en aan zijn riem was ook nog een mobiele telefoon bevestigd.

'Sta op, met je gezicht naar de muur. Kom op, draai je om, ik doe je niets zo lang je doet wat ik zeg. Steek je armen naar achteren. Recht naar achteren, zo ver als je kunt.'

Daryl deed wat hem gezegd werd. Er werd iets om zijn rechterpols geklikt en toen om zijn linkerpols. Handboeien. Toen greep Dirk Merrit zijn t-shirt vast, draaide de stof tussen zijn schouderbladen, draaide hem om en duwde hem naar voren. Door lagen zwarte stof voor een deuropening, een stenen trap op en de koude nachtlucht in.

De lage overblijfselen van stenen muren werden fel verlicht door de koplampen van een pick-up. De ruwe grond liep af naar een meer dat zilver glansde in het licht van de volle maan, die net boven de bomen aan de overkant stond. Het uiteinde van het meer liep smal weg tussen de bomen en werd verlicht door een drietal schijnwerpers op een bruggetje – nee, het was een dam. Daryl herinnerde zich dat hij foto's van Dirk Merrits hightech woning had gezien in een artikel in *Wired*, de torens aan een kant van een smalle vallei met een kleine dam op de achtergrond.

Dirk Merrit duwde Daryl naar de pick-up en zei: 'Je zat in de oude wijnkelder van het vroegere familiehuis. Errol Flynn heeft daar ook eens gelogeerd, een zomerweekend in 1941. Mijn favoriete filmacteur.'

Daryl, die nog nooit van die vent gehoord had, zei niets.

Ze reden weg van de ruïne en de verlichte dam, om de andere kant van het meer heen en over een houten brug over een kreek, passeerden met flinke snelheid een vervallen huis en een grote, nieuw ogende schuur en gingen door een poort in een lage stenen muur. Daar draaiden ze een smaller en ruwer pad op dat tussen hoge bomen omhoogklom, die werden gevangen in de koplampen van de pick-up en schoten voorbij, waarbij de takken over de zijkanten van de wagen schraapten. De koude lucht rook scherp en fris en deed aan Kerstmis denken. Daryl zat met handboeien om naast Dirk Merrit en probeerde kalm te blijven. Hij had geen kans gehad om te ontsnappen toen hij geboeid in de kelder had gezeten, maar nu moest hij alert blijven, klaar om elke kans te grijpen...

De pick-up remde af en de bomen weken aan weerszijden uiteen toen de auto een lange wei op reed onder het koude witte oog van de maan. Aan het eind van een startbaan stond een klein vliegtuigje met een propeller achter de open cockpit. Opzij stond de zwarte Mercedes suv die Daryl het laatst in de parkeergarage van het vliegveld had gezien. De koplampen beschenen een naakte man in een cirkel van platgetrapt gras. De man kwam overeind toen de pick-up stopte en de witharige man kwam achter de suv vandaan en zei luid: 'Je bent maar net op tijd. Er zijn net drie patrouillewagens voor de poort verschenen.'

42

Summer Ziegler en Gary Delgatto werden naar Cedar Falls gevlogen in een twaalf jaar oude Cessna c-172 die een jaar eerder was geconfisqueerd van een marihuanaboer en nu werd gedeeld door de staatspolitie van Oregon en de DEA. Het was lawaaiig en koud in het vliegtuigje en ze konden bijna niet met elkaar praten. Terwijl het naar het zuiden vloog, over de bossen en het boerenland van de Willamette Valley, en de hemel steeds donkerder werd voor de wazige cirkel van de enkele propeller had Summer tijd genoeg om de feiten op een rijtje te zetten, zodat ze die zo duidelijk en beknopt mogelijk aan sectiehoofd Malone kon voorleggen. Ze had ook tijd genoeg om te denken aan Denise en de jongen, Daryl Weir.

Ze wist dat gedachten aan wat er bij Kronenwetters hut met Denise was gebeurd en aan wat er op dit moment met haar zou kunnen gebeuren al het andere zouden verdringen. Ze wist dat ze moest proberen haar emoties de baas te blijven en rustig en met een koel hoofd op te treden. Maar terwijl ze ineengedoken in het koude, lawaaiige donker zat, met haar handen tussen haar knieën geklemd, zich alles probeerde te herinneren dat Dirk Merrit tegen haar had gezegd en haar bewijslast probeerde op te bouwen, gingen haar gedachten toch steeds weer terug naar wat er op zijn ergst zou kunnen gebeuren, zoals een tong steeds terugkeert naar een pijnlijke tand.

Het vliegtuigje landde net voor achten op het vliegveldje buiten Cedar Falls. Een zwarte Crown Victoria, identiek aan de zwarte Crown Victoria die ze in Portland hadden achtergelaten, stond bij de landingsbaan te wachten. De chauffeur, agent Buck Cole, reed precies vijftien kilometer harder dan toegestaan, haalde op economische wijze andere voertuigen in en nam met piepende banden de bochten. Hij vertelde Summer en Gary dat ze net na Malone en zijn team waren gearriveerd en dat er een belangrijke ontwikkeling was geweest terwijl zij in de lucht zaten.

'Het sheriffkantoor heeft een alarmoproep gekregen van een man die zei dat hij werd gegijzeld in de hoofdtoren van Dirk Merrits landhuis. Hij zei dat ene Carl gek was geworden, Merrit had doodgeschoten en alle anderen bij elkaar had gedreven.'

Summer, die met Gary achterin zat, had het gevoel dat ze viel. 'Is Dirk Merrit dood?'

'Volgens de beller,' zei Buck Cole. Hij had een Texaans accent. 'We hebben zijn verhaal nog niet bevestigd.'

'En Denise Childers en Daryl Weir?'

'Dat weten we niet. De man bleef niet lang genoeg aan de lijn om hem vragen te kunnen stellen. Maar nu wordt het interessant,' zei Buck Cole. 'Het sheriffkantoor heeft het telefoontje getraceerd en het bleek afkomstig van de mobiele telefoon van een werknemer van Merrit die Louis Frazier heet. Ze hebben teruggebeld. Er werd door iemand anders opgenomen, maar we weten niet wie, want hij gebruikte een elektronische stemvervormer.'

Summer zei: 'Net als de persoon die het sheriffkantoor belde over de kelder van Joseph Kronenwetter. En dat is waarschijnlijk dezelfde persoon die gebeld heeft over de locatie van William Gundersens lichaam.'

Buck Cole zei: 'Heel waarschijnlijk. Maar we hebben geen bandjes van die telefoongesprekken, dus kunnen we ze niet vergelijken. In ieder geval eiste hij een helikopter en tien miljoen dollar aan contanten, en hij zei dat hij zijn gijzelaars zou doodschieten als hij tegen tien uur nog niet had wat hij wilde.'

Summer vroeg: 'Zei hij nog hoeveel gijzelaars hij vasthield? Heeft hij namen genoemd?'

Het was zoveel beter om Denise en Daryl Weir te beschouwen als gijzelaars dan als slachtoffers.

'Nee, dat zei hij niet. Hij zei dat hij ze allemaal zou vermoorden als iemand probeerde het huis in te komen en toen hing hij op. We hebben sinds die tijd geprobeerd het contact te herstellen, maar tot dusver heeft hij de telefoon niet opgenomen. Zoals ik al zei, hebben we niets van dit alles kunnen bevestigen, maar we moeten ervan uitgaan dat dit een echte gijzeling is. De weg langs Merrits landgoed is afgesloten en toen ik wegging om jullie op te halen, werd het huis beslopen. Weet je hoe het eruitziet, dat huis? Ik heb begrepen dat het nogal vreemd is.'

Summer zei: 'Ik ben binnen geweest.'

Buck Cole zei: 'Voor zover ik heb gezien, zal het niet gemakkelijk zijn om het terrein af te sluiten. Iedereen van het team is aanwezig en ook de meeste mensen van het plaatselijke sheriffkantoor. En ook nog lui van de staatspolitie, de brandweer en wat mannen van de parkpolitie en ik weet niet wie nog meer. Het arrestatieteam van de staatspolitie van Oregon vliegt hierheen vanuit Salem. Ze brengen ook een bemiddelaar mee en scherpschutters en tactische mensen. We hopen die vent aan het praten te krijgen en hem over te halen naar buiten te komen.'

Gary zei: 'Weten we iets over hem?'

Buck Cole antwoordde: 'We geloven dat het gaat om Carl Kelley, een Brit die al bijna twee jaar de chauffeur van Dirk Merrit is. Een blanke man van achtendertig, geen strafblad in dit land, maar je kunt je voorstellen dat we kijken naar wat hij heeft uitgespookt voordat hij hier arriveerde.'

Gary zei tegen Summer: 'Heb je zo iemand gezien toen je daar was?'

'Nee, maar de eerste keer dat Denise en ik met hem spraken, zei Merrit iets over zijn chauffeur. Hij zei dat ze samen op jacht waren geweest.'

Buck Cole zei: 'Alles wat u zich kunt herinneren kan nuttig zijn, rechercheur Ziegler. Dit is een lastige situatie vol onbekende factoren. We weten niet hoeveel gijzelaars er zijn, we weten niet wie er dood is en wie niet, we weten niet eens of dit wel een gijzeling is. Het is mogelijk dat het alarmtelefoontje deel uitmaakt van een vooropgezet plan van de dader.'

'Ik ben er niet zo van overtuigd dat Merrit dood is,' zei Summer. 'Hij speelt graag spelletjes. Het kan best zijn dat hij dit allemaal bedacht heeft en dat hij ergens zit te wachten tot jullie binnen proberen te komen.'

Buck Cole glimlachte naar haar in zijn achteruitkijkspiegel. 'Als iemand een spelletje met ons wil spelen, zal hij er snel achter komen dat hij met de grote jongens speelt.'

43

Dirk Merrit en Elias Silver zagen hoe de belegering zich ontwikkelde via een laptop die ze op de motorkap van de pick-up hadden gezet. De laptop was met een snoertje verbonden met een satelliettelefoon die aan de computer beelden doorgaf van de beveiligingscamera's van het landgoed. Dirk Merrit, een en al scherpe hoeken in zijn camouflagepak, schakelde over van de ene camera naar de andere terwijl er steeds meer voertuigen arriveerden, eerst van de politie en de hulpdiensten en daarna van de FBI. Een scanner die was afgesteld op het politiekanaal braakte statische salvo's jargon uit.

De twee mannen gaven commentaar op de gebeurtenissen toen FBI-agenten kortsluiting veroorzaakten in het elektronische slot van de hoofdpoort, de poort opentrokken, over de oprit slopen, het wachthuis controleerden en posities innamen met uitzicht op de drie torens van het landhuis. Hun opwinding steeg naarmate hun dodelijke grap zich ontwikkelde en Dirk Merrit danste zelfs een paar passen nadat hij had ingezoomd op een stel agenten met geweren, die tussen de bomen door slopen.

Het deed Daryl denken aan de keren dat DeLeon en zijn vrienden basketball hadden gekeken op de tv in de flat en ze onderuitgezakt op de bank en de stoelen lagen, commentaar gaven op het spel en juichten en high fives uitwisselden als hun team had gescoord. Hij stond strak tegen het linkerportier van de pick-up met zijn rechterarm door het open raampje en zijn pols met handboeien vastgemaakt aan het stuur, zodat zijn schouders en ruggengraat pijn deden vanwege de verwrongen houding die hij gedwongen was aan te nemen. Hij had een droge mond en zweette in de koude nachtlucht. Als Dirk Merrit zijn kant uit keek, voelde hij zijn hart overslaan en versnellen. Hij was zo moe en het bang zijn zo zat dat hij moeite moest doen om te blijven beseffen dat de man hem elk moment en zonder enige aanleiding kon vermoorden, dat hij dit niet zou overleven tenzij hij iets deed om zijn hachje te redden. Daar had hij een idee over sinds hij had gezien dat Dirk Merrit de sleutels in het contact van de pick-up had laten zitten, maar hij kon niets doen zo lang de twee mannen recht voor zijn neus lol hadden...

Dertig of veertig meter verderop zat de naakte man in het licht van de koplampen van de Mercedes SUV en de pick-up, met het geduld van een steen. Zijn polsen waren voor zijn lichaam vastgebonden met een tiental wikkelingen van een dun koord dat strak was vastgebonden en in de huid sneed. Zijn rechterenkel was geboeid en met een korte ketting vastgemaakt aan een staak die in de grond was gedreven. Een stuk gaas vol bloedvlekken werd op zijn plaats gehouden door verband dat over zijn rechterschouder en zijn borst liep. Dirk Merrit had hem even daarvoor aan Daryl voorgesteld door Daryl bij de arm mee te voeren naar de gloed van de koplampen en te zeggen: 'Daryl Weir, dit is Carl Kelley. Carl, deze jongeman is de speler over wie ik je verteld heb. De goede vriend van onze laatste pelgrim.'

De naakte man, Carl Kelley, had Dirk Merrit genegeerd. Maar hij had Daryl aangekeken en met een kille glimlach gezegd: 'Maak je geen zorgen, joch. Ik neem hem te grazen. Hem en zijn vriendje, ze zijn allebei zo goed als dood.'

'Zo mag ik het horen,' had Dirk Merrit vriendelijk gezegd. 'Hoe voel je je, Carl? Nog last van duizeligheid of misselijkheid? Stijfheid? Nee? Denk je dat je klaar bent voor een beetje actie?'

Carl Kelley weigerde Dirk Merrits vragen te beantwoorden en

had sinds dat moment stil met zijn gebonden armen op zijn knieën gezeten. Alleen zijn ogen bewogen. Ze waren op Dirk Merrit gevestigd toen die met een wijsvinger tegen het scherm van de laptop tikte en zei: 'Dat is de man die de leiding heeft. Zie je hem? Die met de megafoon.'

'Sectiehoofd Harry Malone, gedragswetenschappen,' had Elias Silver gezegd.

'Mijn Nemesis,' zei Dirk Merrit opgewekt. 'Ik vraag me af wat hij zegt. Verdomme, ik had eraan moeten denken ook geluid aan te leggen.'

'Het ziet ernaar uit dat ze zich erop voorbereiden naar binnen te gaan,' zei Elias Silver, turend naar het scherm.

'Nog niet,' zei Dirk Merrit. 'Ze zullen zich niet met geweld toegang verschaffen voordat het ultimatum dat ik ze heb gesteld afloopt. Theater valt of staat met timing, Elias. Daarom heb ik dat ultimatum gesteld. Daarom hebben bommen in films altijd klokken die aftellen naar nul. Daar had ik eigenlijk ook aan moeten denken. Ze stormen naar binnen en dan staat er een pakje op de tafel met een grote digitale teller... Ze zouden niet weten of ze in hun broek moesten schijten of het op een rennen moesten zetten,' zei Dirk Merrit met een blik op zijn horloge. 'Intussen hebben we nog iets meer dan een halfuur voordat het ultimatum afloopt. Meer dan genoeg tijd om af te rekenen met onze goede vriend Carl.'

'Wil je dat echt nu meteen doen?'

'Neem jij hem soms liever mee?'

'Eerlijk gezegd had ik liever dat je hem in zijn achterhoofd schoot.'

'Carl is een goede soldaat geweest en verdient de dood van een soldaat. Ik ben bang dat we niet genoeg tijd hebben voor onze gebruikelijke ceremonie,' zei Dirk Merrit tegen de naakte man. 'Het zal meer een duel worden. Een heel eenzijdig duel.'

De naakte man keek op naar Dirk Merrit, maar zei niets. Na een korte stilte liep Dirk Merrit naar de suv en haalde een soort leren harnas van de achterbank. De man had geen vleugels, maar verder was hij een heel goede replica van een opperheer. Het was eng om hem daar te zien staan terwijl hij het harnas vastmaakte om zijn smalle borst en heupen en een zwaard met een kort gebogen lemmet en een met rode zijde omwikkeld heft door een van de lussen stak. Daarna haalde hij een grote kruisboog uit de suv en ontlokte een enkele toon aan de strakke pees. Hij glimlachte tegen Daryl en zei: 'Net als in het spel, nietwaar?'

Daryls hart sprong opzij als een hond die een schop krijgt. Hij vertrouwde zijn stem niet en wilde helemaal niets zeggen en Dirk Merrit de bevrediging van een antwoord onthouden, maar de ogen van de man dwongen hem. Hij knikte kort, eenmaal op en neer, en schaamde zich meteen voor zijn zwakte.

'Als Carl wint ga jij vrijuit, dus je zou hem kunnen aanmoedigen,' zei Dirk Merrit en hij liep naar de naakte man met de kruisboog langs zijn been. 'Wat denk je, Carl? Denk je dat je die jongen kunt redden? Denk je dat je al je zonden kunt inlossen door zijn leven te redden?'

De naakte man stond op en keek Dirk Merrit met ijzige minachting aan.

Elias Silver zei: 'Laten we opschieten.'

'Dit wordt fantastisch,' zei Dirk Merrit.

De onmenselijk lange opperheer en zijn naakte prooi: Daryl had dit schouwspel zo vaak gezien toen hij was begonnen met *Trans* en Seeker8 niet meer geweest was dan een slaaf op het landgoed van zijn opperheer. Een slaaf kon alleen zijn vrijheid krijgen door te ontsnappen terwijl hij werd nagezeten door een opperheer. Seeker8 was talloze malen gestorven voordat hij erachter was in welke richting hij weg moest rennen en voordat hij de rotspunt had gevonden waar hij zich kon verstoppen (nadat hij de slangen had gedood die daar nestelden) en kon wachten tot de nacht was ingevallen, waarna hij door de woestijn naar de dichtstbijzijnde nederzetting kon lopen. Maar dit was echt...

Dirk Merrit zei tegen de naakte man: 'Ik ben trots op je, Carl. Echt. Je bent de eerste echte tegenstander. Dit is de eerste keer dat ik tegenover een echte moordenaar sta. En jij zou ook trots moeten zijn, want je zult een nobele dood sterven.'

Precies het soort slappe toespraakje dat de opperheren altijd afstaken voordat de jacht begon.

Carl Kelley stak zijn gebonden polsen omhoog. 'Maak er een echte wedstrijd van. Een duel, man tegen man. Maak me los. Geef me een wapen.'

Elias Silver, die een eindje opzij stond, zei: 'Je weet dat dat niet gaat gebeuren. Laten we opschieten.'

Dirk Merrit bleef even staan denken en toen zei hij: 'Aan de andere kant is het misschien leuker om het op Carls manier te doen.'

Hij trok zijn grote jachtmes uit de schede en wierp het in een boog naar Carl, zodat het heft trillend voor de voeten van de naakte man terechtkwam. Hij liet zich op zijn knieën vallen, trok het mes uit de grond, zette het heft tussen zijn bovenbenen en begon het touw rond zijn polsen los te snijden.

Elias Silver zei tegen Dirk Merrit: 'Dit is niet het moment om stoer te doen.'

Dirk Merrit haalde het pistool uit zijn broekband en gooide het de witharige man toe, die het onhandig met twee handen opving.

'Als je hier een probleem mee hebt,' zei Dirk Merrit, 'staat het je vrij om hem neer te schieten. Ik raad je aan op de borst te mikken, het is veel gemakkelijker om de borst te raken dan het hoofd. O, en je kunt beter eerst de vergrendeling eraf halen.'

'Rot op,' zei de witharige man, en hij draaide zich om naar de naakte man met het pistool langs zijn been.

Dirk Merrit trok zijn zwaard en sloeg er kruiselings mee door de lucht. 'Errol Flynn tegen Basil Rathbone, mijn zwaard tegen jouw mes, wat dacht je daarvan?'

'Ik kom eraan, klootzak,' zei Carl Kelley zonder op te kijken. Zijn polsen vlogen op en neer langs het mes. Hij had zichzelf gesneden en het bloed droop helderrood op zijn handen en bovenbenen in de gloed van de koplampen.

Daryl besefte dat niemand naar hem keek, het was nu of nooit en hij stapte op de treeplank van de pick-up. Dirk Merrit en Elias Silver stonden met hun rug naar hem toe te kijken hoe de naakte man zich lossneed en Daryl haalde diep adem – nu of nooit –, greep het kozijn van het open raam met zijn linkerhand, trok zich op en ramde zijn hoofd en schouders door het raam, heftig kronkelend tot hij met zijn hoofd op de stoel viel. Er ging een scherpe, scheurende pijn door zijn schouder en de stalen handboei sneed hard in het bot van zijn pols en dwong hem op zijn zij te draaien. Zijn benen staken door het raam naar buiten en één afschuwelijk moment dacht hij dat hij ze niet naar binnen zou kunnen trekken. Hij schopte heftig, een van zijn voeten kreeg houvast en met een enkele harde duw lag hij over de stoelen heen, met de bal van de versnellingspook tegen zijn ribben, zijn rechterarm recht naar achteren gestrekt en een heel pijnlijke pols, die open was geschaafd tegen de handboeien waarmee hij vastzat aan het stuur.

Hij ging overeind zitten en dacht: *Zet hem op, Daryl!* Hij juichte zichzelf toe zoals DeLeon hem had toegejuicht vanaf de bovenste rij van de tribune als hij een goede beweging had gemaakt op de mat. Door de met insecten besmeurde voorruit zag hij dat Carl Kelley zijn polsen had losgemaakt en rechtop in de gloed van de koplampen stond, het mes in zijn hand. Het lemmet flitste toen hij zijn arm achteruitbracht alsof hij het wilde werpen.

Elias Silver had het pistool met recht vooruit stekende en licht trillende arm op Carl Kelley gericht, maar hij keek naar Dirk Merrit. Die stond met het zwaard tegen zijn gezicht alsof hij het wilde kussen en zei tegen Carl Kelley: 'Als je mist, krijg je geen tweede kans.'

De naakte man zei: 'Als je me niet losmaakt, zul je naar me toe moeten komen als je wilt vechten.'

Omdat zijn rechterhand vastzat aan het stuur, moest Daryl zijn linkerarm voorlangs brengen om de handrem los te maken, en toen kon hij zich niet meer herinneren welk van de drie pedalen de koppeling was. De paniek tintelde in zijn bloed. Wacht. Denk na. Rustig aan, jongen, diep ademhalen en nadenken. Hij besloot dat het middelste pedaal, het grootste, de rem moest zijn, en in Bernards Datsun zat het gaspedaal rechts van de rem... Hij drukte op het linkerpedaal, schakelde onhandig met zijn linkerhand en zijn hart maakte een sprongetje toen de pook in het gaatje gleed waar 1 bij stond. *Goed zo, Daryl!* Nu kon hij starten en over die blanke gekken heen rijden.

Dirk Merrit haalde iets uit een zak van zijn camouflagebroek, een sleutel die hij flitsend door het licht van de koplampen naar Carl Kelley gooide, die hem opving.

Elias Silver zei: 'Jezus christus.'

Carl Kelley grinnikte tegen hem. 'Als het je niet aanstaat, weet je wat je kunt doen, makker.'

Hij stond daar met het glinsterende mes in zijn rechterhand naar Elias Silver te staren, met een kille glimlach op zijn gezicht. Het bloed droop van zijn polsen.

Dirk Merrit zei: 'Maak je geen zorgen, Elias. Tegen mij kan hij niet op.'

'Ik denk dat Elias eerder in zijn broek piest dan dat hij op me schiet.' Carl Kelley bukte en maakte de boei om zijn enkel los, stapte eruit en wees met het mes naar Dirk Merrit. 'Vooruit maar.'

Niet helemaal zoals in *Trans*, dacht Daryl. Zijn duim en wijsvinger knepen in de contactsleutel, klaar om hem om te draaien. In het spel werd je in de woestijn vastgemaakt en als de enkelboei opensprong, wist je dat je moest rennen voor je leven. Maar de situatie was hier niet veel anders.

Toen gebeurde het volgende.

De naakte man liep recht op Dirk Merrit af en Dirk Merrit stapte naar links en zwaaide achtjes met zijn zwaard. Daryl draaide de sleutel om, de motor maakte een afschuwelijk knarsend geluid, de pick-up schoot naar voren en de motor sloeg weer af. De drie mannen in de koplampen draaiden zich om naar Daryl terwijl hij met zijn linkerhand de versnellingspook bediende om hem in zijn vrij te zetten en er toen pas aan dacht dat hij de koppeling moest indrukken.

Carl Kelley schoot op Dirk Merrit af, ze raakten elkaar met een gekletter van staal en werden toen weer achteruitgeworpen. Elias Silver draaide zich om en richtte het pistool op de pick-up, en Daryl startte de motor, schakelde naar de eerste versnelling en stampte op het gaspedaal. De pick-up schoot naar voren. De laptop en de scanner gleden over de motorkap, bonsden tegen de ruit en vielen op de grond. Dirk Merrit en Carl Kelley draaiden zich om, hun gezichten wit in de gloed van de naderende koplampen en doken naar links en naar rechts. Daryl zag ze amper. Hij probeerde tegelijkertijd te sturen en te schakelen. Toen schoot het rechtervoorwiel met een enorme bonk over een oude boomstronk in het gras. De motor sloeg af en het stuur draaide rond, zodat de handboeien een ruk gaven aan Daryls pols en hij opzij werd geworpen. Zijn hoofd sloeg tegen de deurpost en toen wist hij niets meer.

44

Nog geen kilometer van de hoofdingang van Dirk Merrits landgoed werd de weg door rode fakkels versmald tot een enkele rijbaan, die werd geflankeerd door patrouillewagens en auto's van de staatspolitie. Een patrouillewagen reed achteruit om de Crown Victoria door te laten. Naast de weg stond een tv-busje en toen de Crown Vic erlangs schoot, zag Summer sheriff Worden geïnterviewd worden door een keurig verzorgde vrouw in de gloed van een aan de camera vastgemaakte lamp. Voor het hek zelf stonden nog meer voertuigen: patrouillewagens, brandweerwagens, ambulances, burgerauto's en suv's. De zwaailichten draaiden, de lichtbalken flitsten en schaduw en licht dansten onder de bomen aan weerszijden om elkaar heen. Buck Cole vroeg Summer en Gary bij de Crown Vic te wachten, maar toen de FBI-agent de weg was overgestoken en tussen twee suv's doorliep, riep iemand Summers naam.

'Rechercheur Summer Ziegler, godverdomme.'

Het was Jerry Hill, die snel door het flikkerende rode en blauwe licht naar haar toeliep, zijn gezicht rood van woede. Hij werd gevolgd door twee mannen. Een ervan was de roodharige rechercheur die Summer de zondag daarvoor had ontmoet, Jay Sexton.

De ander was een geüniformeerde hulpsheriff met brigadiersstrepen.

'Wat kom jij verdomme doen?' zei Jerry Hill.

Summer had in haar tijd al tegenover heel wat boze en onredelijke mensen gestaan, vaak zonder steun. Sommigen waren ook gewapend geweest, net als Jerry Hill. Ze bleef staan, rechtte haar rug, keek hem recht aan en zei: 'Wat is het probleem, rechercheur Hill?'

'Het probleem? Jezus christus,' zei Jerry Hill tegen Jay Sexton en de brigadier. 'Horen jullie dat? Die bemoeizuchtige teef zorgt ervoor dat mijn broertje vermoord wordt en dan vraagt ze verdomme wat het probleem is?'

'Rustig aan, Jerry,' zei de brigadier.

'Het is niet haar schuld,' zei Jay Sexton.

'De zaak was rond,' zei Jerry Hill. 'We hadden Kronenwetter achter slot en grendel, we vonden de kleren en het identiteitsbewijs van het meisje in zijn hut, die ellendige schooier pleegde zelfmoord en liet een bekentenis achter. De zaak was rond. Helemaal voor elkaar. Maar dat was niet goed genoeg voor Denise Childers en deze bemoeizuchtige teef. O, nee. Ze moesten zo nodig in de stront roeren. En wat gebeurde er? Er gingen nog meer mensen dood, dat gebeurde er. Mijn broer is dood. Hij werd vermoord. In het hoofd geschoten als een smerige hond. Door jou,' zei Jerry Hill, en hij zwaaide met zijn vinger voor Summers gezicht.

Summer was geschokt. Ze zei: 'Was Charley Phelps jouw broer?'

'Zijn halfbroer,' zei Jay Sexton.

'Het kleine broertje waar ik altijd voor zorgde,' zei Jerry Hill. Summer kon van een meter afstand de alcohol in zijn adem ruiken.

Summer zei: 'Ik ben hier omdat ik over informatie beschik waarmee de man die je broer heeft vermoord misschien gepakt kan worden. Dus waarom laat je me niet rustig mijn werk doen?'

Jerry Hill wees weer met zijn vinger. 'Waarom ga jij niet rustig naar Portland voordat er door jou nog iemand vermoord wordt?'

Summer gaf geen centimeter toe. 'Het spijt me van je broer, maar hij was betrokken bij iets heel slechts en dat weet je net zo goed als ik. Hij had dienst in het cellenblok op de avond dat Kronenwetter is vermoord. Dat klopt, rechercheur Hill, Kronenwetter heeft geen zelfmoord gepleegd. Hij is vermoord. Daar hebben we harde bewijzen voor en we weten dat je broer er iets mee te maken had, en we weten ook dat hij banden had met Dirk Merrit. Daarom ging Denise met hem praten. Daarom volgde ze hem. Daardoor is hij vermoord. Als je daar iets over weet, kun je maar één ding doen, en dat is alles vertellen.'

Jerry Hill haalde naar haar uit met een wilde zwaai van zijn arm. Ze deed een stap achteruit, voelde de luchtverplaatsing van zijn vuist langs haar gezicht en toen hij het nog eens wilde proberen, schopte ze hem tegen zijn rechterknie, waarbij de hak van haar schoen hard tegen de knieschijf terechtkwam. Hij ging brullend neer en greep naar het pistool op zijn heup, maar toen werd hij gegrepen door Jay Sexton en de geüniformeerde brigadier, die zijn armen achter zijn rug wrongen, hem optilden en hem wegtrokken van Summer.

'Verdomde teef,' zei Jerry Hill. 'Ik zou maar uitkijken...'

'Waag het niet mij te bedreigen,' zei Summer. Haar keel was droog van de adrenaline en er klopte iets achter haar ogen. 'En probeer niet nog eens zo'n idiote stunt uit te halen zoals je bij Randy Farrell hebt gedaan, want ik verzeker je dat ik achter je aan kom. En dat is iets wat je zeker niet wilt, rechercheur Hill.'

Jerry Hill keek haar vol woede en opstandigheid aan, maar hij was de eerste die zijn blik afwendde.

'Ik ben hier om mijn werk te doen, dus val me niet lastig,' zei Summer, en ze draaide zich om.

Gary Delgatto ging met zijn vingers door zijn haar en ademde uit. 'Wat was dat nou allemaal?'

Hij leek meer van streek door de confrontatie dan Summer. Ze wilde hem net vertellen over het trucje dat Jerry Hill had uitgehaald toen ze Randy Farrell naar Cedar Hills had gebracht om het lichaam van zijn stiefdochter te identificeren toen Jay Sexton terugkwam om zijn excuses te maken voor wat er was gebeurd.

Summer zei: 'Laat maar zitten. Hij zoekt gewoon een zondebok.'

'We hebben hem in zijn pick-up gezet en gezegd dat hij naar huis moet gaan. Ik vind dat je moet weten dat we hem hebben moeten verhoren in verband met de dood van Joe Kronenwetter en dat hij daarom zo kwaad was.'

Jay Sexton legde uit dat Denises aantekenboek was gevonden in het bos bij Kronenwetters land, samen met haar lippenstift en haar pepperspray.

'We denken dat die uit haar tas zijn gevallen toen ze naar haar auto rende. Ze had Charley Phelps ondervraagd en alles opgeschreven. Hij zat achter de balie op de avond dat Kronenwetter stierf. Ik denk dat je dat wel weet. Nou, uit haar aantekeningen begrepen we dat Denise een theorie had dat Jerry Hill naar Kronenwetter toe was gegaan en had getekend voor vertrek, maar niet was weggegaan. Ze dacht dat hij met medeweten van Charley

Phelps in een van de lege cellen was achtergebleven en had gewacht tot alles stil was, zodat hij Kronenwetters cel in kon sluipen en hem kon vermoorden. Dus moesten we Jerry ondervragen,
maar hij had een alibi. Hij was inderdaad bij Kronenwetter geweest, maar de rest van de avond zat hij te drinken in een bar aan
de overkant.'

Gary Delgatto zei: 'Ik heb hard bewijs dat Kronenwetter is vermoord. Als wat jij zegt waar is, moet Phelps het hebben gedaan.'

'Dat zou kunnen,' zei Jay Sexton. 'Wat er ook gebeurd is, er
komt een hoop herrie van als het bekend wordt.'

Summer was het zat om aan Jerry Hill te denken. Ze vroeg: 'Hoe
is de situatie hier?'

'Voor zover ik weet houdt de gijzelnemer zich stil. De FBI heeft
de buitenlijnen doorgesneden, zodat er geen verslaggevers kunnen
bellen. Ze hebben hem gebeld via de mobiele telefoon die hij gebruikt heeft, maar hij neemt niet op en hij heeft ook geen nieuwe
eisen gesteld. Als Denise daar is en als ze met hem kan praten, kan
ze hem misschien overhalen zijn verstand te gebruiken en zich over
te geven. Als iemand dit kan overleven, is het Denise wel. Ze is
hard en slim,' zei Jay Sexton met een felle, wanhopige blik in zijn
ogen die Summer in haar hart raakte. Hij droeg een kogelvrij vest
onder zijn sportjasje.

'Dat staat vast,' zei Summer.

Jay Sexton legde uit dat het wachthuis veilig was gesteld en dat
de FBI er mensen had neergezet om met de interne telefoons te bellen in een poging contact te krijgen met de gijzelnemer of met iemand anders in het landhuis. 'Malone staat bij het huis met een
megafoon om die vent te vragen de telefoon op te nemen. We wachten eigenlijk op het arrestatieteam. Als je koffie wilt, die kun je
daar krijgen in de auto bij de brandweerwagen. Daar heeft de tv-
ploeg voor gezorgd om een wit voetje bij ons te halen.'

Op de achterbank van de auto stonden flessen met koffie en plastic bekertjes. Summer hield een beker tussen beide handen. Het was
zo koud dat haar adem wolkjes vormde in de lucht. Ze voelde de
kou door haar lichtgewicht wollen mantelpak dringen en ze voelde die op haar blote kuiten. Het blauwe schijnsel van de lichtbak
op de brandweerwagen veegde over de grond en over Gary's gezicht toen hij een slokje uit zijn eigen beker nam.

Hij zei: 'Ik stond wat te denken. Als die gijzelnemer, Carl Kelley,
echt de chauffeur van Merrit is, kan hij ook best degene zijn die die
man in Reno en de stewardess in Los Angeles heeft vermoord.'

Summer zei: 'Het is mogelijk. Toen Denise en ik zondag bij Merrit waren, vertelde hij nadrukkelijk dat zijn chauffeur er niet was.'

Ze dacht even terug aan Dirk Merrits glimlach en aan zijn stijve witte gezicht. Ze voelde een huivering die niets te maken had met de koude nachtlucht.

Gary zei: 'Dus kan die chauffeur best in Los Angeles zijn geweest. Hij komt terug of hij gaat naar Portland om dat joch, die Daryl Weir te halen, arriveert hier en komt erachter dat Dirk Merrit Phelps heeft vermoord en een politieagente heeft ontvoerd. Ze maken ruzie en het loopt allemaal uit de hand. De chauffeur vermoordt Dirk Merrit. De kok ziet iets en belt de politie, en op de een of andere manier ontwikkelt het zich tot een gijzelneming.'

'Dat is juist waar ik een probleem mee heb. Waarom werd het een gijzelneming? Waarom zette Carl Kelley het niet gewoon op een lopen?'

Daar gingen ze even op door. Summer kon goed met Gary praten. Ze zeiden precies wat ze dachten zonder zich te laten afleiden door hun emoties. Twee mensen die iets wisten over de slechte dingen die op de wereld gebeurden en geloofden dat ze te maken hadden met iets wat ze nog nooit eerder hadden meegemaakt.

Gary zei: 'Het is me het afspraakje wel.'

Summer had het gevoel dat ze alles tegen hem kon zeggen wat ze wilde. 'Ik wist niet dat het een afspraakje was.'

Buck Cole kwam terug, zei dat Malone met hen zou spreken zodra hij de gelegenheid had en ging weer weg. Tegen halftien ontstond er beroering tussen de mensen achter de auto's langs de weg. Drie mannen in kogelvrije vesten en jasjes van de FBI kwamen door de poort.

'Dat is Malone, in het midden,' zei Gary.

Malone was een kleine, energieke man. Hij liep snel naar een groepje mannen rond een auto met een gedetailleerde kaart op de motorkap, die met stenen was vastgelegd, en de agenten aan weerszijden van hem moesten hollen om hem bij te houden. Tegen de tijd dat Summer en Gary zich bij het groepje hadden gevoegd, praatte hij in een mobiele telefoon, zei een paar keer ja, klapte de telefoon weer dicht en vertelde de mensen rond de auto dat ze definitief te maken hadden met een crisissituatie.

'De kantoren en het atelier in het wachthuis zijn veiliggesteld, maar we hebben aan het begin van de oprit een lijk gezien, hier op deze plek,' zei hij, en hij wees naar een grote luchtfoto van het landhuis die in een hoek van de kaart was vastgemaakt. 'Een blanke man in een blauw overhemd, een zwarte broek en een riem met uitrustingsstukken eraan gehaakt. Waarschijnlijk een van de bewakers. We konden niet heel dichtbij komen, want hij ligt in het zicht van de torens, maar het ziet ernaar uit dat hij in de rug geschoten is, mogelijk toen hij probeerde weg te komen. Ik heb Grosse en Morgan in het wachthuis achtergelaten en die proberen contact te zoeken via het interne telefoonsysteem. Hij neemt nog steeds de mobiel niet op. De anderen bevinden zich op de heuvels boven het landhuis of werpen een barricade op aan het eind van de oprit. Het arrestatieteam wordt gebracht in een helikopter van de National Guard en kan hier binnen een kwartier zijn, maar ze zullen moeten opschieten als ze hun posities willen innemen voordat het ultimatum verstreken is. U moet rechercheur Ziegler zijn,' zei Malone in één adem door, met een blik op Summer. 'Bent u op de hoogte van wat er hier aan de hand is?'

'Ja, meneer.'

'U hebt vijf minuten van mijn tijd. U bent zondag in dat huis geweest. U hebt met Merrit gesproken. Vertel me wat u weet.'

Summer keek even naar de kaart, wees naar de wei waar het spoor van Edie Collier was geëindigd en volgde met haar vinger de route die zij en Denise Childers hadden gevolgd naar het huis en de schuur en van daar naar het landhuis.

Malone zei: 'Bent u in die schuur geweest?'

Hij had snelle blauwe ogen achter een stalen dubbelfocusbril.

'Nee, meneer. Hij was op slot.'

'Wat gebeurde er toen die bewakers jullie ontdekten? Waar werden jullie naartoe gebracht?'

'Naar de benedenverdieping van de grootste toren. Wat Dirk Merrit zijn trofeezaal noemt. Daar hebben we ook bij ons eerste bezoek met hem gepraat.'

'Ik heb er foto's van gezien uit tijdschriften over stijl en architectuur. Bent u nog ergens anders geweest?'

'Nee.'

'Wie hebt u allemaal gezien?'

'Dirk Merrit en twee van de bewakers.'

'Nog iemand anders?'

'Nee, meneer.'

'Wat voor indruk kreeg u van Merrit? Was hij boos, op zijn hoede, iets anders?'

'Hij leek speels. Geamuseerd. Bij beide gelegenheden vertelde hij uit zichzelf dat hij van jagen hield. Hij vertelde ons dat zijn favoriete wapen een kruisboog is. Hij speelde met ons. Hij plaagde ons en gaf steeds hints.'

Summer gaf Malone een kort overzicht van de twee gesprekken.

De man luisterde met zijn hoofd scheef en deed haar denken aan de valk die soms op de elektriciteitspaal voor het half afgebouwde huis van haar vader zat. Malone had dezelfde saaie kleur en dezelfde snelle, doordringende blik.

Ze zei: 'Mijn indruk van Merrit is dat hij ijdel is, aandacht wil en op zichzelf gericht is. Hij denkt ook dat hij slimmer is dan alle andere mensen en dat hij elke situatie in zijn voordeel kan aanwenden. Hij heeft plastische chirurgie gehad om hem het uiterlijk te geven van wezens in zijn computerspel, de opperheren die zich ontwikkeld hebben tot een soort die hoger staat dan gewone mensen. Zijn huis ziet eruit als een van hun kastelen.'

'Leek hij vijandig, uitte hij directe bedreigingen?'

'Daar was hij te slim voor, meneer. Hij heeft de eerste keer wel gezegd dat het een eer zou zijn om op mij te jagen. Ik ging erop in en vroeg of dat een dreigement was. Hij zei dat het als een compliment bedoeld was.' Summer zag dat het korte gesprek op zijn eind liep. Ze wist dat Malone veel meer ervaring had dan zij, maar ze vond toch dat ze het moest zeggen: 'Volgens mij moet u erg voorzichtig zijn. Het is heel goed mogelijk dat dit een van Merrits spelletjes is. Hij zou nog in leven kunnen zijn. Misschien heeft hij daarginds een val voor u uitgezet.'

Malone keek haar even aan, en toen keek hij omhoog. Summer hoorde het ook; het klepperende gebrul van een naderende helikopter.

'Blijf in de buurt, rechercheur. Bij het arrestatieteam is ook een bemiddelaar. Misschien wil hij u spreken,' zei hij, en toen liep hij weg.

Summer riep hem na: 'Er stond een camper in de schuur, meneer. Dirk Merrit zei tegen Denise Childers dat hij die gebruikte op zijn jachttochtjes en ik geloof dat u sporen van een camper hebt gevonden bij het lijk van Billy Gundersen. Er kunnen ook nog andere voertuigen in staan. Moet iemand daar niet even naar gaan kijken?'

45

Carl hoorde het zware gebonk van een grote helikopter – het klonk als een Chinook – die uit het noorden aan kwam vliegen en hij hoopte dat hij versterking bracht voor de agenten die het landgoed belegerden. Misschien lieten Dirk Merrit en Elias Silver zich erdoor afleiden, zodat ze onvoorzichtig werden en hij de kans had om in actie te komen.

Hij lag op zijn buik in de lage bosjes aan de andere kant van de wei. De maan hing groot en helder en meedogenloos boven de zwarte bomen en bestraalde de lange heuvelkam met een bleek licht. De ondiepe groef van een verse kogelwond in Carls rechterzij deed pijn bij elke ademhaling. Hij wedde dat er minstens één rib was gebroken, zijn schouder deed gemeen zeer en de nacht was zo koud als een heksentiet, maar hij voelde zich alert en sterk. Hoewel achter hem een ruw pad tussen de bomen door liep, was hij niet van plan ervandoor te gaan. Hij had het jachtmes nog en hij was klaar om het die twee eens flink betaald te zetten.

Een paar honderd meter verderop trok Elias Silver de bewusteloze jongen uit de pick-up. Hij gooide hem op de grond en boog zich over hem heen. Dirk Merrit stond iets verderop en zijn lange magere gestalte tekende zich af in de gloed van de koplampen. Hij keek op naar de hemel en draaide zijn hoofd verschillende kanten uit tot het lawaai van de helikopter wegstierf. Toen trok hij de infraroodkijker voor zijn ogen.

Carl drukte zijn gezicht tegen de grond en bedekte de bovenkant van zijn hoofd, het warmste deel van zijn lichaam, met zijn handen. Hij bleef heel stil liggen om zich zo onzichtbaar mogelijk te maken. Hij telde tot er een minuut voorbij was en toen er niets gebeurde, nam hij het risico om zijn hoofd op te tillen. Dirk Merrit was naar de suv gelopen, boog zich door het linkerportier naar binnen en kwam weer tevoorschijn met een uzi met korte loop in zijn handen. Hij deed een stap naar voren en schoot vanaf de heup, volautomatisch. De flitsen uit de loop lichtten zijn witte gezicht op terwijl hij drie korte salvo's afvuurde op de bomen aan de rand van de wei. Carl drukte zijn gezicht weer tegen de grond. De kogels raakten boomstammen en scheurden door het gebladerte. Een paar jankten er boven Carls hoofd door de lucht, zodat zijn hart wat sneller ging slaan, maar ze ontlokten hem toch een glimlach. Dirk Merrit wilde soldaatje spelen, maar hij had er de ballen verstand van.

In de galmende stilte na de schoten klonk de stem van Elias Silver dun en pruilend toen hij Dirk Merrit vertelde dat hij vooral zo moest doorgaan, inmiddels zou elke fbi-agent en elke politieman in de buurt weten waar ze zaten.

Carl hief zijn hoofd weer. Dirk Merrit liep terug naar de pickup en zei: 'De fbi en de politie maken zich op om het landhuis te bestormen. Ik wed dat er een arrestatieteam in die helikopter zat.'

'Daarom zouden we hier weg moeten wezen,' zei Elias Silver.

'Hou je nou maar rustig,' zei Dirk Merrit. 'Als we nu proberen weg te komen, stuiten we binnen tien minuten op een wegversperring. We moeten ons aan het plan houden.'

De twee mannen waren zwarte gestalten tegen de gloed van de koplampen van de pick-up, de een veel langer dan de andere, en hun stemmen droegen ver in de koude lucht.

'Ik heb geen problemen met het plan. Het plan is prima. Maar je kunt nu niet opstijgen. Niet zo lang hij hier nog rondloopt.'

'Elias, ik ben niet van plan alle lol te missen. Ik heb dit georganiseerd en ik hang recht boven hun hoofden als het spektakel begint.'

Carl glimlachte. De man was hyper en kon alleen nog maar denken aan zijn spelletjes en de kick die hij daarvan kreeg.

Elias Silver zei: 'Als dingen fout lopen, kun je niet gewoon doorgaan alsof er niets is gebeurd. Je moet je plan wijzigen. Je moet je aanpassen aan de nieuwe situatie. Je moet flexibel zijn.'

'Waar maak je je nou zorgen over? Zei je niet dat je Carl geraakt had?'

'Ik zei dat ik dat dacht,' zei Elias Silver en dat kinderlijke gejank was terug in zijn stem. 'Ik zag hem struikelen.'

'Nou, ik weet zeker dat ik hem geraakt heb.' Dirk Merrit duwde de uzi tegen Elias Silvers borst; de witharige man moest hem aanpakken of laten vallen. 'Als hij op je afkomt, schiet je zo vaak je kunt. Hij heeft de neiging omhoog te trekken als hij op de automaat staat, dus richt op zijn knieën.'

'Ik weet niet of ik dit wel kan.'

'Het is geen kwestie van kunnen of niet kunnen. Het gebeurt en je doet het. Kijk me aan, Elias. Kijk naar mij, niet naar die verdomde bomen. Die zullen je niets vertellen. Carl is dood of zwaargewond, of anders rent hij zo hard als hij kan naar de volgende staat. Maar voor het geval hij stom genoeg is hier te blijven hangen en problemen te veroorzaken, heb je je pistool, een van de allerbeste machinegeweren, dat me drieduizend dollar gekost heeft, en een zak munitie in de suv, veertig kogels per magazijn.' Dirk Merrit wendde zich af van Elias Silver en keek de nacht in. 'En wat heeft hij? Hij heeft een mes. Als hij een beetje gezond verstand heeft, maakt hij dat hij wegkomt nu hij nog een kans heeft langs de politie en de fbi te glippen.'

Elias Silver zei: 'Laten we op zijn minst met het joch afrekenen.'

'Met het joch afrekenen. Kun je dat wel, Elias? Kun je hem nu meteen vermoorden, in koelen bloede?'

Elias Silver probeerde te redeneren met een man die niet logisch meer kon denken. 'Hij is een onnodige complicatie.'

'Hoe is het met hem?'

'Hij heeft zijn hoofd gestoten. Hij raakt steeds weer buiten bewustzijn, maar hij heeft geen hersenschudding.'

'Mooi. Hij is echt dapper en vindingrijk, vind je niet? Mijn aandacht meer dan waard.'

'We hebben geen tijd om spelletjes met hem te spelen.'

'Hier niet, natuurlijk. Maar we maken onderweg naar Mexico wel tijd. Het zal niet lang duren. Een uur. Twee uur. Jij kunt je benen strekken en het woestijnlandschap bewonderen terwijl ik me vermaak, en dan zijn we weer onderweg.'

'Goed. Wat je maar wilt, maar kunnen we nu een beetje opschieten?'

'Dat lijkt er meer op. Luister goed, Elias. Wij zijn de nieuwe mensen, de mensen van de toekomst. Wij zijn Homo Superieur. Alle anderen zijn zo goed als uitgestorven. Ze vormen geen probleem voor mensen als wij.'

'Oké,' zei Elias Silver.

'Daar geloof ik in. En jij ook,' zei Dirk Merrit, en hij trok een paar handschoenen aan. 'Je bent zenuwachtig, maar dat is begrijpelijk. Je hebt nog niet geleerd dat adrenaline een goede zaak is. Elke keer als je denkt dat je iets ziet bewegen, vuur je er een salvo op af. Er is genoeg munitie om een leger olifanten af te maken, en het zal niet lang duren voor de politie en de FBI het te druk hebben om zich zorgen te maken over wat geweervuur. Ben je er klaar voor?'

Elias Silver knikte schokkerig. Carl, die alles zag vanuit zijn nest in het struikgewas, glimlachte bij de gedachte dat deze hele toestand dokter Elias Silver helemaal niet aanstond.

'Ik ben terug voor je het weet,' zei Dirk Merrit. 'Oké, we gaan beginnen. Verlicht de baan terwijl ik me klaarmaak.'

Na een korte stilte knikte Elias Silver nogmaals. Dirk Merrit ging weer naar de SUV en bleef erin staan rommelen terwijl Elias Silver de pick-up langs de bovenkant van de helling reed, een wijde bocht maakte en achter de ultralight parkeerde, zodat de koplampen van de pick-up de schaduw van het vliegtuigje over de lange baan gemaaid gras wierp. Nu kwam Dirk Merrit aanlopen in een met schapenbont afgezet pilotenjasje over een leren harnas en met een sporttas in zijn hand. De twee mannen omhelsden elkaar even en toen draaide Elias Silver zich om naar de duisternis en richtte de uzi nu eens deze kant en dan weer een andere kant op terwijl Dirk Merrit zijn slungelige lichaam in de piepkleine open cockpit van de ultralight vouwde.

Carl bleef stil liggen. Zijn linkerschouder en rechterzij klopten eensgezind terwijl hij probeerde te bedenken wat hij nu moest gaan doen. Wachten tot Dirk Merrit weg was en dan met Elias Silver afrekenen, dat was duidelijk. Maar dan? Het was gemakkelijk te raden dat Dirk Merrit iets spectaculairs van plan was, en natuurlijk moest de man erbij zijn als dat ging gebeuren, hij moest zijn kick hebben en er lol aan beleven en zich gedragen als een van die verdomde opperheren in dat stomme spel van hem, want zo zag hij zichzelf. De vraag was, dacht Carl, of hij moest wachten tot Dirk Merrit terugkwam of de zaak moest omdraaien en zijn stomme plannetje tegen hem moest gebruiken.

Nu draaide Elias Silver aan de propeller van de ultralight en deed een stap achteruit toen de motor aansloeg. Dirk Merrit gaf gas en de ultralight reed hotsend over de baan gemaaid gras, kreeg snelheid, steeg op, vloog over Carls schuilplaats en klom naar de met sterren bezaaide hemel boven de bomen.

Toen het geluid van het vliegtuigje in de verte verdween, keek Carl toe hoe Elias Silver de koplampen van de pick-up uitdeed en terugliep naar de SUV. Hij hield de uzi stevig vast en keek voortdurend om zich heen, en op een gegeven moment liep hij zelfs een eindje achteruit. Carl grinnikte. Dit werd een makkie.

Er zat een grote pijnlijke plek boven Daryls oor en hij voelde zich heel onwezenlijk. Hij stribbelde niet tegen toen hij uit de cabine werd getrokken en op zijn rug op de grond werd achtergelaten. De pijn was een rotsblok waar hij niet overheen of omheen kon. Hij kon niet anders dan blijven liggen kijken naar de motten die door de lange stralen van de koplampen gleden, terwijl de oneffen grond onder hem helde tot een eindeloze, misselijkmakende glijbaan. Toen iemand een machinegeweer of zo afschoot, gaf hij geen krimp.

Dirk Merrit stond nu met Elias Silver te praten, als ver gemompel in een andere kamer, als de tv van zijn moeder. Na een tijdje startte de motor van de pick-up sputterend en streek het licht van de koplampen over hem heen toen de auto draaide en wegreed, waardoor Daryl in het eindeloos draaiende donker bleef liggen.

Hij moest buiten westen zijn geraakt, want hij werd met een schok wakker toen Elias Silver hem bij de schouders greep en hem naar de SUV begon te slepen. De man hijgde toen hij Daryl optilde en hem drie stappen meedroeg, stopte en hem nog drie stappen meesleepte. Eindelijk werd Daryl tegen de bumper van de SUV gezet en toen kneep de man hem in zijn wangen tot Daryl zijn hand probeerde weg te slaan.

'Je moet opstaan,' zei Elias Silver. Hij hield een keurig machinegeweertje stevig in beide handen terwijl hij zich over Daryl heen boog en links en rechts de nacht in keek.

Daryl hield zich vast aan de bumper en slaagde erin zich overeind te duwen. Maar zijn hoofd klopte nog harder dan daarvoor en toen begaven zijn knieën het en moest hij weer gaan zitten. Elias Silver vloekte en begon hem te schoppen, maar Daryl was te moe om zich er iets van aan te trekken en had het te druk met voorkomen dat zijn maag een achterwaartse salto maakte door zijn mond. Elias Silver gaf hem nog een nijdige schop en zei dat hij er genoeg van had.

'Als hij lol wil maken, kan ik wel honderd jongens als jij voor hem vinden,' zei hij, en hij stapte zijdelings door de lichtstraal van de rechterkoplamp en hief het geweer.

Daryl staarde naar de witharige man en vroeg zich af waarom het hem niets kon schelen. Na een lange stilte liet de man het geweer zakken. Hij slikte zichtbaar, haalde diep adem en hief het wapen weer. Daryl keek naar hem op, niet bij machte zich te bewegen. De ogen van de man waren stijf dichtgeknepen en het machinegeweer trilde in zijn hand toen er een geest achter hem omhoogkwam, die zijn arm om zijn borst sloeg en een groot mes onder zijn kin duwde. Het geweer ging met een kort, scheurend geluid af en een halve meter van Daryls hoofd sloegen dingen in het metaal, en toen gleed het mes weg van Elias Silvers kin, gevolgd door een lange straal bloed als de roodzijden zakdoek van een goochelaar, en het bloed gorgelde in Silvers keel toen hij vergeefs probeerde iets te zeggen.

Carl liet Elias Silver op de grond zakken en zette een voet tussen de schouderbladen van de man om hem daar te houden terwijl hij trekkend en schokkend bleef liggen en het bloed snel onder zijn half afgewende gezicht weg stroomde. De bewegingen werden minder terwijl hij snel leegbloedde; zo, klaar, het had nog geen minuut geduurd.

'Ik ga je nog een dienst bewijzen,' zei Carl tegen de versufte zwarte jongen. 'Ik neem je mee.'

Hij rolde het lichaam van Elias Silver om en fouilleerde hem, zodat zijn handen helemaal vol bloed kwamen te zitten voordat hij de mobiele telefoon in een tasje aan de riem van de man had gevonden.

'Maar eerst moet ik de politie bellen.'

46

Een patrouillewagen reed vlak achter de Crown Victoria en het licht van de koplampen scheen fel door de achterruit toen Buck Cole snel over de weg reed. Op de achterbank zat Summer naast Gary Delgatto, die luisterde naar de berichten op de radio die hij had geleend. Hij meldde dat de helikopter van de National Guard bij het wachthuis was geland en dat het arrestatieteam het landhuis inmiddels dicht genaderd was. Intussen meldden waarnemers van de politie en de FBI zich iedere twee minuten. Niemand zag iets. Niemand nam de telefoon op.

Buck Cole reed met gillende banden de brandweg op die tussen de sparren en dennen in het donker verdween en zei dat hij geen goed gevoel had over deze zaak.

'Als de dader in dergelijke gevallen niet wil praten, betekent dat dat hij zelfmoord heeft gepleegd of dat hij wil dat we hem komen halen. Een klassiek voorbeeld van iemand die wil dat de politie hem doodschiet.'

De klok op het dashboard van de Crown Vic stond op een paar minuten voor tien uur, wanneer het ultimatum zou aflopen, en Summer had om haar eigen redenen ook geen goed gevoel bij de gebeurtenissen. Een paar jaar eerder had ze bijstand verleend aan een FBI-team dat een bankrover wilde arresteren die zich had verschanst in het huis van zijn moeder. De agenten hadden de voordeur ingebeukt en waren naar binnen gestormd, hadden de bankrover doodgeschoten terwijl die opstond van de bank, waar hij tv had zitten kijken, en hadden de moeder en de vriendin van de bankrover verwond. De moeder zat inmiddels in een rolstoel en eiste vijftig miljoen dollar van de FBI en de politie van Portland. Summer, drie andere geüniformeerde agenten en twee rechercheurs hadden de achterkant in de gaten gehouden toen ze schoten hadden gehoord in het huis en de partner van de bankrover door de achterdeur naar buiten zagen komen. Ze hadden zich op hem gestort en hadden hem overmeesterd, en waren toen bijna beschoten door een stel schietgrage FBI-agenten die vlak achter hem aan kwamen.

Ze was bang dat de FBI en het arrestatieteam een circus van de belegering zouden maken, zich schietend toegang zouden verschaffen tot het huis en Denise en alle andere aanwezigen zouden doden. En ze was er zeker van dat Dirk Merrit, als hij nog leefde, bepaald niet van plan zou zijn zich door de politie te laten neerschieten. Hij stond erom bekend dat hij eeuwig wilde leven. Hij zou een plan hebben om weg te komen, een achterdeurtje. En de FBI was zo druk bezig geweest het landhuis van de buitenwereld af te sluiten dat ze er niet aan gedacht had de rest van het landgoed te controleren.

Het hek in de lage muur stond wijd open. De Crown Victoria en de patrouillewagen raasden erdoorheen en kwamen naast elkaar tot stilstand voor de schuur. Naast de schuur stond een zwarte camper ter grootte van een schoolbus, en de grote, vierkante schuurdeur stond wijd open. Binnen brandde licht.

Summer zei: 'Er is hier iemand geweest. De eerste keer dat ik hier was, stond de camper in de schuur en zat er een hangslot op de deur.'

Buck Cole schakelde de koplampen van de Crown Vic uit en haalde zijn pistool voor de dag. 'We doen dit heel rustig aan. Gary, geef door wat er aan de hand is en vraag of ze honden kunnen sturen. Als iemand zich hier verborgen houdt, hebben we met een hond meer kans hem te vinden.'

Toen ze uitstapten, riep Buck Cole naar de twee hulpsheriffs in de patrouillewagen dat ze verdomme hun lampen uit moesten doen voordat iemand ze uitschoot.

Gary, die de radio tegen zijn oor hield, zei: 'Wacht even. Er zijn schoten gehoord in de hoofdtoren.'

Buck Cole zei: 'Dat is het dan. Hij had net zo goed de voordeur open kunnen zetten en het arrestatieteam kunnen uitnodigen binnen te komen.'

Summer vroeg: 'Heeft hij de telefoon al opgepakt?'

Als Dirk Merrit nog leefde en als hij zich in het huis bevond en net een van zijn gijzelaars had vermoord, zou hij de verleiding niet kunnen weerstaan erover op te scheppen.

Gary luisterde naar de radio en schudde toen zijn hoofd. 'Malone vraagt om radiostilte.'

'Dan kan het arrestatieteam ieder moment naar binnen gaan,' zei Buck Cole. Hij bestudeerde even het donkere, lege huis aan de andere kant van de open plek en draaide zich toen weer om naar de verlichte schuur. 'Hoe sneller we hier gekeken hebben, hoe sneller we terug kunnen.'

Summer vroeg aan Gary of hij gewapend was.

'Een laborant als ik? Je maakt zeker een grapje?'

'Blijf dan dicht bij mij,' zei ze, en ze haalde haar Glock uit haar tas en liep achter Buck Cole de oprit van de schuur op. Aan de rechterkant stond een rode John Deere tractor met een grasmaaier erachter, aan de linkerkant bevonden zich een speedboot op een trailer en een paar mountainbikes. Tegen de muur aan de andere kant zag ze stalen kasten en een werkbank met een geperforeerd bord erachter met zagen, hamers en een set beitels. Buck Cole zei tegen Summer dat er niets te zien was en dat hij de camper ging bekijken, en Gary liep langs hen heen en ging op zijn hurken een kettingzaag zitten bekijken die op de grond lag. Hij keek op naar Summer en zei: 'Ik denk dat hier vlees mee is gesneden. Zie je die flarden? En dat lijkt wel een bloedvlek op het beton.'

Summer voelde haar hoofdhuid tintelen. 'Jij dacht dat iemand Pat Metcalfs hand had afgesneden...'

'Nou, via het DNA zal het niet moeilijk te bewijzen zijn, maar dat kost tijd. Op dit moment denk ik dat we moeten oppassen de plaats delict niet te verstoren.'

Summer bleef onderweg naar buiten even naar de tractor staan kijken. Ze brak een van de hompen bruin gras open die tussen de bladen van de grasmaaier waren blijven zitten en zag dat die vochtig was van binnen. Toen haastte ze zich achter Gary aan.

Buck Cole kwam uit de camper, liet Summer en Gary de sleutels zien die hij uit het contact had gehaald en zei dat die schoft nog een verrassing te wachten stond als hij soms dacht te ontsnappen. De twee agenten kwamen met getrokken pistolen om de hoek van het huis tevoorschijn en lieten hun zaklampen over de ruwe grond schijnen toen ze over het erf liepen.

Gary zei tegen hen: 'Ik hoop dat jullie daarbinnen niets hebben aangeraakt. Dit zou een plaats delict kunnen zijn.'

'Jullie zouden even naar de auto kunnen kijken die achter het huis staat,' zei een van de hulpsheriffs.

Het was een kersrode Dodge Ram Charger.

De hulpsheriff zei: 'Als ik me niet vergis, is dat de wagen van Jerry Hill.'

Summer zei tegen Buck Cole: 'Dat is de halfbroer van Charley Phelps. Charley Phelps...'

'... is die man die is neergeschoten,' zei Buck Cole. 'De man die voor Dirk Merrit werkte.'

'Dat weten we nog niet zeker,' zei de hulpsheriff.

'Ik weet dat Phelps en Merrit in ieder geval ruzie hebben gekregen,' zei Buck Cole, die de hulpsheriff recht aankeek. 'En dus kreeg Phelps een kogel in het hoofd.'

Summer probeerde iets te doen aan de plotselinge, door testosteron aangedreven vijandigheid. 'Ik denk dat we het er wel over eens kunnen zijn dat rechercheur Hill hier niet hoort te zijn. Hij is waarschijnlijk op zoek naar Dirk Merrit en dat kan alleen maar op problemen uitlopen.'

Buck Cole zei: 'Merrit is dood.'

Summer zei: 'Iemand die beweert gegijzeld te worden heeft ons verteld dat Merrit dood was, maar we weten niet of hij de waarheid vertelde. Het kan net zo goed Merrit zelf geweest zijn.'

Buck Cole keek naar de duisternis achter het huis en de schuur. 'Misschien moet je de radiostilte maar verbreken om dit te melden, Delgatto.'

'Wacht,' zei een van de hulpsheriffs. 'Hoor eens.'

Summer hoorde het; het krasserige gejank van een vliegtuigje dat vanuit het zuiden op hen toe kwam.

Buck Cole zei: 'Vast een of andere vervloekte tv-ploeg die zich niets aantrekt van het vliegverbod.'

Ze keken allemaal omhoog naar de lucht, maar zagen alleen de koude schijf van de maan boven de getande rij boomtoppen achter de schuur.

De hulpsheriff zei: 'Als ik niet beter wist, zou ik zeggen dat het de ultralight van meneer Merrit was.'

Summer herinnerde zich met een schok dat Denise haar had verteld dat Dirk Merrit een vliegbrevet had en dat het mogelijk was dat hij na de moord op de stewardess, Julia Taylor, van Los Angeles weer hierheen was gevlogen. En ze herinnerde zich ook nog iets anders dat Denise had gezegd toen ze onderweg waren geweest voor hun eerste bezoek aan het landhuis. Dirk Merrit had uitvoerige plastische chirurgie ondergaan om hem het uiterlijk te geven van een van de opperheren uit zijn computerspel, op de vleugels na. En hij maakte altijd hetzelfde grapje als iemand vroeg naar het gebrek aan vleugels en zei dan dat hij een vliegtuig moest gebruiken, net als ieder ander...

De hulpsheriff zei: 'Hij heeft zo'n piepklein vliegtuigje, wat ze een ultralight noemen. Vorig jaar is hij bekeurd voor het lastigvallen van het verkeer...'

'Pak je radio,' zei Summer tegen Gary. 'Zeg tegen je baas dat Dirk Merrit beslist niet dood is. Zeg hem dat hij zich niet in het huis bevindt, maar in de lucht. En ik denk dat ik weet waar hij vandaan kwam.'

47

Het einde van de smalle weg die zigzaggend langs de wand van de vallei naar de drie torens van het landhuis voerde, was gebarricadeerd met sedans en suv's. Rechercheurs, hulpsheriffs en agenten met blauwe overvaljasjes met in grote gele letters FBI erop hurkten achter de voertuigen en keken met hun geweren in de aanslag of ze beweging zagen in de door schijnwerpers verlichte torens en op de terrassen. Aan de rand van het bos aan weerszijden van de grootste toren lagen twee scherpschutters achter hun Remington 700 Standard-geweren door ITT-dag-en-nachtvaziers de verlichte ramen in de gaten te houden. Een ander lid van het arrestatieteam droeg een koptelefoon die was aangesloten op iets wat eruitzag als een kleine satellietschotel van transparant plastic, een paraboolmicrofoon die hij op verschillende delen van de hoofdtoren richtte in een poging gesprekken of andere geluiden van binnen op te vangen.

Om tien uur liep het ultimatum af. Er bewoog niets voor de ramen of ergens anders rond de hoofdtoren. Maar om precies vijf minuten over tien hoorde de man met de paraboolmicrofoon met vaste tussenpozen drie schoten ergens in de hoofdtoren. De bemiddelaar deed tien minuten lang via de megafoon pogingen om de gijzelnemer over te halen de telefoon op te nemen, en zijn stem schalde door de nacht. Om kwart over tien kwam het bericht dat Malone het arrestatieteam toestemming had gegeven de toren binnen te dringen. Iedereen controleerde zijn wapen en maakte zich klaar.

De tactisch leider van het arrestatieteam, brigadier Robbie Tyler, zat met vijf van zijn mannen ineengedoken onder aan de toren. Tyler en zijn team waren al vele malen met geweld ergens binnengedrongen, maar dit was het vreemdste gebouw waar ze ooit mee te maken hadden gehad. Terwijl ze in de Chinook van de National Guard werden aangevlogen, had Tyler bouwtekeningen van het huis bestudeerd en die over de radio met Malone besproken. Ze waren het erover eens geweest dat een dienstingang onder de loopbrug die deze toren verbond met de keuken in de kleinere toren daarachter het beste punt was om binnen te komen. Daar bevond Tyler zich nu: drie mannen zaten tegen de muur aan de linkerkant van de eenvoudige stalen deur en Tyler en twee anderen zaten aan de rechterkant. Ze hadden allemaal zuurstofmaskers op en oortelefoontjes in en droegen zwarte overals onder kogelvrije vesten die versterkt waren met keramische platen en die een geweerkogel konden tegenhouden. Ze waren bewapend met Glock 40's en Heckler & Koch 9 mm machinegeweren met korte loop. Een man had een knikloopgeweer van 37 mm dat was geladen met traangaspatronen. Een tweede, Bill Stanley, droeg een Remington hagelgeweer met afgezaagde loop en een pistoolgreep, met lichtkogels erin. Op het signaal van Tyler stapte Stanley naar de deur en blies met één schot het slot kapot.

Tyler was het eerst de deur door en belandde in een kale hal met een lift aan de linkerkant, een betonnen wenteltrap aan de rechterkant en recht voor hem nog een deur. Stanley schoot ook die deur open. Tyler wierp een *flashbang*-granaat de kamer in en drukte zich naast Stanley tegen de muur toen de granaat afging met een verblindende flits en een geweldige klap. Daarna sprong hij een grote kamer in met een hoog plafond, kale muren en een centrale open haard; hij hield de kolf van zijn submachinegeweer tegen zijn schouder. Hij liet het geweer van de ene kant naar de andere zwaaien, maar zag geen enkele beweging door het vizier, alleen de wervelende rook van de granaat. Toen kreeg hij drie lichamen van twee mannen en een vrouw in het oog, die naast elkaar bij de open haard lagen.

Stanley schopte een deur aan de andere kant van de kamer open, en hij en twee andere mannen sprongen erdoorheen. Dertig seconden later meldde Stanley via de radio dat de hal veilig was en vroeg hij of hij via de trap naar de volgende verdieping moest gaan. Tyler zei hem de trap te controleren en dan te wachten. Hij stond naast de lijken. De vrouw was met een klein kaliber vuurwapen door het voorhoofd geschoten, maar er was geen bloed te zien op de stenen waarop ze lag; ze was duidelijk ergens anders gedood. Een van de dode mannen was een Afro-Amerikaan, de ander droeg het uniform van een beveiligingsman. Beiden waren in de borst geschoten met korte stalen pijlen, die het hart hadden doorboord. Naast de lichamen stond een draagbare radiocassetterecorder waar een statisch geruis uit kwam. Achter het doorzichtige plastic raampje draaide een bandje. Het toestel was met een lange kabel die over de vloer kronkelde verbonden met een elektronische timer, die in een wandcontact zat. Tyler had het bandje dolgraag terug willen spoelen en weer af willen laten spelen, maar hij wist dat er een boobytrap in de radiocassetterecorder verborgen kon zitten. Hij maakte zijn masker los en vertelde Stanley via de microfoon bij zijn keel dat hij de volgende verdieping moest doorzoeken, maar dat hij alert moest blijven, dat hij er vrij zeker van was dat de schoten die ze hadden gehoord op een bandje hadden gestaan en dat dit een soort val kon zijn. Maar op dat moment werd hij onderbroken door de FBI-man, Malone, die vroeg of Tyler de gijzelaars had gevonden.

'Drie op de benedenverdieping, allemaal dood. We wilden net naar boven gaan...'

'Luister goed, brigadier. Ik heb twee stukjes informatie. Ten eerste heeft iemand het alarmnummer gebeld met de boodschap dat Dirk Merrit nog leeft, dat hij hier boobytraps heeft geplaatst en dat hij op dit moment hiernaartoe komt in een vliegtuigje. Ten tweede heeft een team aan de zuidkant van het landgoed net gemeld dat ze een vliegtuigje hebben horen overkomen. Ik wil geen enkel risico nemen. Ik wil dat jullie meteen vertrekken, zo snel jullie kunnen.'

Tyler telde of al zijn mannen de stalen deur door gingen, volgde ze in draf om de basis van de toren en hoorde het gezoem van een vliegtuigje ergens in de duisternis boven hen. Ze waren halverwege de rij voertuigen die de weg barricadeerden toen de vallei werd verlicht door een gele lichtflits en de gespierde knal van explosieven de lucht in trilling bracht. Tyler draaide zich snel om en zag een zwarte rookwolk opstijgen langs de verlichte dam.

Even gebeurde er verder niets.

Toen spoot er een straal water uit de witte dam, die glinsterend in het licht van de schijnwerpers in een uitwaaierende stroom omlaagviel en in kracht verdubbelde en nog eens verdubbelde toen een scheur erboven steeds breder werd, tot stukken beton aan beide zijden van de schuimende straal naar beneden vielen met een geweldig gebrul dat het geluid dempte van een tweede stel explosieven die ringen zwarte rook uit drie verschillende verdiepingen in de hoofdtoren bliezen. Tyler en zijn mannen doken ineen met hun armen over hun hoofden toen het puin om hen heen viel en er een dikke stofwolk over hen heen rolde, en toen zakte de toren aan één kant in en viel hij met een boog in stukken, waarbij het puin in de vloedgolf terechtkwam.

48

Hoog boven alle gebeurtenissen liet Dirk Merrit de ultralight draaien, met de ijskoude wind langs het perspex raampje van de open cockpit, het gestage gebrul van de motor voelbaar in zijn botten en het laatste deel van Mahlers tweede zo hard mogelijk op zijn iPod (hij had dagenlang gepiekerd over de juiste muziek tot hij had beseft dat Mahlers meesterwerk met zijn thema van ondergang en wederopstanding in wezen de enig mogelijke keuze was). Hij vloog over het maanverlichte meer terug naar de dam, dook laag over de schuimende straal water die door de bres stroomde en scheerde over de wolken stof en rook die de smalle vallei van de ene kant tot de andere vulde. De schijnwerpers schenen door de stofwolken en de toppen van twee torens staken erboven uit. De hoofdtoren was verdwenen.

Dirk Merrits scherpe tanden waren op elkaar geklemd in een haaiengrijns. Hij had voor het eerst sinds maanden een erectie. De grote dodenmars donderde in zijn oren.

Alles was perfect verlopen. Hij had rondjes gevlogen over zijn landhuis, de stoet politiewagens langs de weg aan de rand van zijn landgoed zien staan en naar de mannen gekeken die het huis zelf belegerden voordat hij de mobiele telefoon op zijn heup had gepakt. Hij had veel moeite gedaan om uit te werken waar hij de explosieven moest plaatsen voor een maximaal effect en uiteindelijk had hij twee ladingen geplaatst en de ontstekingen verbonden aan twee verschillende mobiele telefoons. Hij had het eerste nummer gebeld toen hij een volledige cirkel boven het huis had gemaakt, had de rook van de explosie de gloed van de schijnwerpers zien verduisteren en had het water plotseling uit de steeds bredere scheur in de dam zien spuiten. Hoog boven de vallei was hij gedraaid en hij had het tweede nummer gebeld toen hij terugschoot naar de dam, zodat de toren had gewankeld en was ingestort op het moment dat hij met het lef van een gevechtspiloot langs was geschoten, zo dichtbij dat hij overspoeld zou zijn door de boog puin en stof als hij een seconde later was geweest, zo dichtbij dat de enorme luchtverplaatsing van de val van de toren zijn kleine vliegtuigje opzij had gedrukt. Er was een hachelijk moment geweest toen hij een scherpe bocht had moeten maken om de bomen aan de top van de valleirand te ontwijken en de ultralight bijna had overtrokken.

En nu vloog hij nogmaals over zijn grote prestatie, terwijl de sopranen en het koor naar het hoogtepunt toe zongen; het was echt bijna al te volmaakt. *O Tod! Du Allbezwinger! Nun bist du bezwungen! O dood! Die alles overwint, nu ben je overwonnen!*

Hij had de dood overwonnen.

Hij was de dood.

Met zijn ene hand aan de knuppel om de ultralight recht te houden haalde hij een glazen pot uit de sporttas onder zijn stoel en liet hem in de melkachtige slierten rook vallen.

Bij proefvluchten over het meer had hij ontdekt dat de hoogte precies goed moest zijn, anders ontploften de granaten voordat ze de grond bereikten. Hij had dat opgelost door de pinnen uit de granaten te trekken en ze in glazen potten te klemmen; het glas voorkwam dat de hendel omhoogkwam tot de pot de grond raakte en kapotviel.

Hij wierp de helft van zijn potten af, maakte een scherpe bocht in het ijskoude donker en kwam weer terug naar de dam met de gedachte dat de engel des doods zich ook zo moest voelen. Toen hij een pot over de rand liet vallen, zag hij uit zijn ooghoek flitsen op de donkere heuvelrug waar het wachthuis stond; er werd op hem geschoten.

De ultralight sidderde toen de kogels een rij gaten in de stuurboordvleugel maakten en in de motorkap recht achter zijn hoofd sloegen. Het pedaal dat de helling van de vleugel regelde, kwam los onder Dirks rechterlaars, de knuppel schokte in zijn hand en het vliegtuigje slingerde. Hij drukte de neus naar beneden om wat snelheid te krijgen terwijl hij hoogte verloor en vocht om de ultralight recht te houden toen hij over de dam en het zwarte meer schoot. De motor maakte nu een raspend geluid en verloor vermogen, en de temperatuurmeter ging omhoog – een verdwaalde kogel moest de koeling hebben geraakt – maar hij was high door adrenaline en bloeddorst en door de triomfantelijke finale van de *Herrijzenissymfonie.*

Het kon nu niet meer misgaan. Hij zou ontsnappen en veranderen, als een nieuw mens herrijzen.

Niets kon hem nu nog tegenhouden.

49

De twee hulpsheriffs bleven bij het huis en de schuur voor het geval Jerry Hill zijn pick-up nog kwam halen, maar Buck Cole, Gary Delgatto en Summer Ziegler gingen op weg naar de wei op de heuvelkam ten zuiden van Dirk Merrits landgoed. Ze reden snel over het steile pad en de Crown Victoria hotste over de sporen tussen de hoge, donkere bomen toen Summer uit haar ooghoek een rode lichtflits zag in het zwarte land achter en beneden hen. Een moment later klonk er een krakende kakofonie van stemmen door Gary's radio. Hij hield hem tegen zijn oor en meldde even later dat een explosie een scheur in de dam had veroorzaakt en dat een van de torens was ingestort.

Buck Cole zei dat hij verdomme een grapje maakte.

Summer voelde de adrenaline door haar aderen razen. 'De gijzelaars. Hoe zit het met de gijzelaars? Hoe is het met Denise?'

Gary luisterde even naar zijn radio en schudde zijn hoofd. 'Iedereen loopt tegen iedereen te schreeuwen.'

'Dirk Merrit houdt van spelletjes,' zei Summer. 'Hij heeft ons hierheen gelokt met een zogenaamde gijzeling en heeft zijn huis opgeblazen toen het arrestatieteam naar binnen was gegaan. Hij moet boven het schouwspel cirkelen in dat vliegtuigje van hem...'

'Als hij nog leeft,' zei Buck Cole.

'Hij leeft,' zei Summer.

Ze was er zeker van. En ze was er ook zeker van dat hij op dit moment rondjes vloog boven de chaos en genoot van het bewijs dat hij slimmer was dan alle anderen. De twee telefoontjes, een van een gijzelaar en de ander van de gijzelnemer, hadden deel uitgemaakt van zijn plan. Er waren nooit gijzelaars geweest. Denise was waarschijnlijk dood en dat joch, Daryl Weir, ook...

De Crown Vic bereikte de top en Buck Cole reed recht de wei in, remde scherp naast een pick-up en deed zijn koplampen uit. Summer deed het portier open en liet zich in de koude buitenlucht vallen met haar Glock in de ene hand en haar zaklamp in de andere. De laadbak van de pick-up was leeg, en de cabine ook. De koplampen waren kapotgeschoten en alle vier de banden waren lek.

Buck Cole dacht dat ze te laat waren en dat de schoft al gevlucht was.

Summer zei: 'Misschien niet. Merrit moet ergens landen. Misschien komt hij nog terug.'

Achter de pick-up en de Crown Victoria strekte zich een lange baan kort gemaaid gras uit, bleek in het maanlicht. Het ruwe gras aan weerszijden liep af naar de hoge, donkere bomen. Ze was het vergeten tot ze de tractor met de grasmaaier in de schuur had zien staan, waarvan de messen vol zaten met vochtig gras. En toen had ze de ultralight weg zien vliegen van de heuvelkam waar het spoor van Edie Collier was geëindigd en beseft dat iemand een strook in de wei gemaaid moest hebben om die te kunnen gebruiken als landingsbaan...

Ze schrok toen Gary haar schouder aanraakte. Hij wees en zei: 'Wat is dat?'

Het lag ongeveer honderd meter verderop langs de strook gras, lang en laag en skeletachtig, en het was moeilijk te zien in het schrille maanlicht. Summer hield haar Glock erop gericht terwijl Buck Cole tegen Gary zei dat hij bij de Crown Vic moest blijven en een kleine .38 revolver uit een enkelholster haalde, die hij aan Gary gaf.

'Als iemand anders dan ik of rechercheur Ziegler op je af komt, zeg je dat hij moet blijven staan. "Sta of ik schiet." Zo hard je kunt. Als hij niet stopt, schiet je. Er zit geen veiligheidspal op, je richt en haalt de trekker over. Oké?'

'Oké,' zei Gary. Hij leek bang, maar vastberaden.

Summer volgde Buck Cole toen die naar de vage gestalte liep en bleef staan toen hij dat ook deed, op een afstand van maar tien meter.

Buck Cole zei: 'Blijf waar je bent, klootzak!' Hij knipte zijn zaklamp aan en de straal viel op een lange, lage trailer en een lichaam dat een eindje verderop in het ruwe gras lag. Summers hart trok samen, maar toen besefte ze dat het Denise niet was, maar een man die ze niet kende. Hij lag op zijn rug met zijn armen wijd en op de voorkant van zijn kraagloze blauwe jasje zat een donkere, natte bloedvlek.

Summer volgde Buck Cole naar het lichaam. De FBI-agent richtte zijn zaklamp even op het gezicht van de man – een bos wit haar, nietsziende ogen, een doorgesneden keel – en knipte hem toen uit.

'Elias Silver,' zei Buck Cole. 'Een gast van Dirk Merrit. Ik denk dat hij Merrit heeft geholpen de ultralight van de trailer te halen en dat Merrit hem daarna heeft vermoord.'

'Dat is mogelijk. Maar wie heeft dan de koplampen en de banden van de pick-up kapotgeschoten?'

'Hoe bedoel je?'

Ze spraken zachtjes en stonden met hun ruggen tegen elkaar in het donker naar de lange, maanverlichte wei en naar de bomen aan weerszijden te kijken.

Summer zei: 'Ik denk dat Dirk Merrit in een krankzinnig, groots gebaar zo veel mensen wilde vermoorden als hij kon en hij wilde alles kunnen zien. Hij is hier opgestegen in zijn ultralight, maar dat kan hij niet in het donker hebben gedaan. Hij moet de koplampen van de pick-up hebben gebruikt om die strook gras te verlichten en dat betekent dat iemand die koplampen heeft stukgeschoten nadat hij was opgestegen. En die iemand heeft ook de banden stukgeschoten, zodat Merrit de pick-up niet kon gebruiken om weg te komen nadat hij weer geland was.'

'Denk je aan Jerry Hill?'

'Het zou kunnen. Hij zou ook deze man vermoord kunnen hebben.'

Buck Cole dacht even na. Toen zei hij: 'Hoor je dat?'

Het gegons van een motor ergens in het noorden. Het kwam dichterbij.

Summer rende naar de Crown Vic, struikelde over een graspol en viel met een geweldige klap languit op de grond, sprong weer overeind en rende verder. Ze riep ademloos naar Gary dat hij niet moest schieten.

'We moeten licht hebben. Hij verwacht licht. Zonder licht kan hij niet landen.'

Ze rukte het portier van de Crown Victoria open en boog zich met bonzend hart naar binnen terwijl ze tastte naar het pookje waarmee ze de koplampen kon aanzetten. Ze draaide hem twee klikjes, zodat de koplampen aangingen en de strook gemaaid gras verlicht werd. Even later viel de ultralight uit de donkere hemel, scheerde over de boomtoppen aan het eind van de smalle wei, vloog met een plotseling geraas en een windvlaag over, zakte in de gloed van de koplampen, kwam hotsend neer en reed netjes over de gemaaide strook. Even brulde de motor nog in zijn achteruit en toen ging hij met een scherpe klap uit.

Toen het kwetsbare vliegtuigje stilstond en opzij zakte, greep Summer Gary bij de arm en zei tegen hem dat hij bij de auto moest blijven. 'Voor het geval zich hier ergens een vriend van hem verborgen houdt.'

'Jezus.'

'Je doet het prima voor een laborant,' zei Summer, en ze rende met haar Glock in de hand over de weide naar de ultralight, maar zonder in de lichtbaan te komen. Buck Cole haalde haar in en zei: 'Dit is een arrestatie, geen instantrechtspleging.'

'Maak je geen zorgen. Ik wil weten wat er met Denise is gebeurd.'

De ultralight stond met zijn neus in het hoge gras en het onkruid. Er kwam een schaduw uit, helemaal zwart en wit in het maanlicht.

Summer oefende wat druk uit op de trekker van de Glock, zodat de veiligheidsgrendel losging, en stapte naar links terwijl Buck Cole naar rechts stapte. Beiden hielden hun wapens en zaklampen gericht op Dirk Merrit, die heel stil bleef staan. De kruisende lichtstralen deden de hoeken van zijn gezicht sterk uitkomen. In zijn pilotenjasje met de grote kraag van schapenbont tuurde hij tegen het felle licht in en zei met zijn charmante bariton: 'Rechercheur Ziegler, ben jij dat? Hoe vond je mijn kleine show?'

Buck Cole legde al zijn kracht in de woorden toen hij zei: '*Handen op je hoofd, verdomme! Nu meteen!*'

Dirk Merrit bracht met een zorgeloos en arrogant gebaar zijn rechterhand naar zijn schouder. 'Ik kan mijn linkerarm niet bewegen. Volgens mij is hij gebroken.' Hij klonk niet alsof hij pijn had. Hij glimlachte tegen Summer, zodat zijn scherpe tanden te zien waren, en zei: 'Jij hebt echt meer pit dan de meesten, rechercheur Ziegler. Ik meende het echt toen ik zei dat het leuk zou zijn om op je te jagen. Hebben jullie de jongen gevonden?'

Buck Cole deed een stap naar hem toe. Summer bleef op een afstand van drie meter staan en keek over het vizier van haar Glock naar zijn linkerhand.

'Ik wil dat je op je knieën gaat zitten,' zei Buck Cole. 'Heel langzaam.'

Dirk Merrit negeerde hem en zei tegen Summer: 'Als jij en je vriend jullie pistolen laten zakken, geef ik je Daryl Weir en de man die hem gevangenhoudt.'

'Als je Elias Silver soms bedoelt,' zei Summer, 'die ligt daarginds met doorgesneden keel.'

Dirk Merrit staarde haar aan, maar van zijn inwitte gezicht was niets af te lezen.

Summer zei: 'U kunt geen kant meer uit, meneer Merrit.'

Buck Cole zei: 'Op je knieën. Langzaam.'

'Zeker,' zei Dirk Merrit, maar in plaats van te knielen bracht hij zijn linkerhand omhoog en liet de granaat zien die hij vast had. 'Ik heb de pin eruit getrokken. Het enige wat voorkomt dat hij afgaat, is mijn duim op de veer. Leg jullie pistolen neer, allebei.'

Summer zei: 'Dat gaat niet gebeuren.'

'Dan gaan we allemaal dood.'

'Dat denk ik niet,' zei Summer. Ze richtte zorgvuldig en schoot hem neer.

Hij viel, liet de granaat vallen en greep naar zijn rechterbovenbeen.

Summer dook in elkaar en draaide zich half om. De granaat ging niet af.

Buck Cole ging voorzichtig op Dirk Merrit af. De man lag op de grond met zijn hand op zijn been. Hij keek naar Summer, zijn lippen weggetrokken van zijn scherpe tanden in een pijnlijke grimas, en zei verbaasd: 'Je hebt me neergeschoten.'

'Nou en of,' zei Summer, en ze haalde haar handboeien van haar riem.

Buck Cole richtte zijn zaklamp op de granaat, die als een zwart ei in het gras lag. 'De pin zit er nog in. Hoe wist je dat hij blufte?'

'Hij is niet het type om zich door de politie te laten vermoorden. Hij denkt dat hij het eeuwige leven heeft.'

Zij en Buck Cole zeiden Dirk Merrit dat hij moest gaan zitten en de man, die veel pijn had, deed wat ze zeiden. Er was een heerlijk moment van triomf toen ze hem de handboeien omdeed en ze strak aantrok. Buck Cole zei dat hij de auto zou halen en op hetzelfde moment zag Summer Gary naar hen toe komen in het licht van de koplampen. Hij liep met stijve benen en zijn handen in zijn nek. Een van zijn polsen werd vastgehouden door de man achter hem.

Het was Jerry Hill. De loop van zijn Sig-Sauer .38 stak in het vlees achter Gary's oor. Summer richtte haar Glock en de zaklamp op hem en zag uit haar ooghoek dat Buck Cole hetzelfde deed.

Jerry Hills gezicht stond vol zweetdruppels en er lag een felle en wilde uitdrukking op. 'Laat verdomme je pistolen vallen,' zei hij. 'Nu meteen of ik vermoord hem, dat zweer ik.'

Summer dacht eraan dat ze iets tegen haar moeder had gezegd over een confrontatie met Jerry Hill, zoals in het wilde Westen. Zijn Sig-Sauer tegen haar Glock. 'Jerry, haal nou eens even diep adem. Blijf rustig en luister naar me. Je weet dat we onze pistolen niet laten vallen, en je weet ook dat we jou niets laten doen...'

Gary slaakte een kreet toen Jerry Hill de loop van zijn pistool nog dieper in het zachte vlees van zijn oor drukte. Buck Cole deed een stap naar rechts en Summer deed een stap naar links, en ze zei: 'Je weet dat we je neer zullen schieten als jij hem neerschiet, Jerry. Wat heb je daaraan?'

'Die klootzak is een monster. Hij verdient het om dood te gaan.'

'Help ons hem voor de rechter te brengen, Jerry.'

'Hij verdient het om dood te gaan.'

'Hij verdient het om te boeten voor wat hij gedaan heeft. Help ons hem te arresteren.'

Even keken zij en Jerry Hill elkaar recht aan en ze geloofde dat ze hem zou kunnen ompraten. Toen zei Dirk Merrit achter haar: 'Schieten, rechercheur Ziegler,' en ze zag Jerry Hills blik verharden. Ze deed haar mond open om te zeggen dat hij het niet moest doen, maar hij was te snel, richtte de Sig-Sauer langs Gary's gezicht en vuurde twee snelle schoten af die Dirk Merrit in de borst raakten, zodat hij achteroversloeg.

Summer zei tegen Jerry Hill dat hij zijn pistool moest laten zakken. Hij keek recht door haar heen, zei: 'Loop naar de hel,' en duwde Gary weg. Gary viel op zijn knieën toen Jerry Hill de loop van zijn pistool in zijn eigen mond duwde. Het schot verlichtte zijn gezicht als een uitgesneden pompoen.

50

Summer vertelde haar moeder over de telefoon: 'Zelfs met twee pistolen op zich gericht probeerde Merrit de situatie nog naar zijn hand te zetten. Hij gaf alles wat hij had om uit een onmogelijke situatie te komen.'

De stem van haar moeder zei: 'Dat klinkt alsof je hem bewondert.'

'Als het iemand anders was geweest,' zei Summer, 'had ik kunnen denken dat het iets als moed was. Maar hij was echt een monster. Monsterlijk ijdel, monsterlijk arrogant, monsterlijk wreed. Hij geloofde dat hij altijd alles in de hand had, dat hij slimmer was dan alle andere mensen. Hij moest per se het laatste woord hebben en dat is hem fataal geworden.'

'Misschien wilde hij het zo. Misschien zei hij tegen je dat je rechercheur Hill moest neerschieten omdat hij wist dat Hill dan op hem zou schieten.'

'Ik geloof niet dat hij dood wilde. Ik denk dat hij tegen me zei dat ik Jerry Hill moest neerschieten omdat hij nu eenmaal altijd iedereen liep te commanderen.'

Summer zat aan een bureau in een hoekje van de rechercheruimte op de derde verdieping van het gerechtsgebouw in Cedar Falls. Het was iets na middernacht. Hulpsheriffs, mensen van de staatspolitie, rechercheurs en FBI-agenten liepen in en uit, hielden haastige besprekingen en zaten achter bureaus te telefoneren en dingen op de computer te doen of stapels dossiers en foto's door te nemen. Achter de rug van hun meerderen om werden een paar flesjes whisky doorgegeven. Eén bureau lag vol met pizzadozen en bakjes van de afhaalchinees. Er hing een drukke sfeer van opluchting en feestelijkheid.

Er waren geen slachtoffers gevallen door Dirk Merrits boobytraps. Twee mannen waren gewond geraakt toen de dam was gebarsten en de toren was ingestort; de een was geraakt door rondvliegend puin en de ander had zijn pols gebroken in de haastige aftocht. Maar niemand was gedood. De belegering, of wat het ook geweest was, was voorbij. De slechteriken waren dood of zaten in de gevangenis. Elias Silver was vermoord door een onbekende dader. Jerry Hill had zelfmoord gepleegd nadat hij Dirk Merrit had neergeschoten, en Dirk Merrit was in de helikopter op weg naar het ziekenhuis overleden aan zijn verwondingen, net als Edie Collier.

Summers moeder zei: 'Op CNN.com hebben ze een heel stuk van een forensisch psycholoog. Hij zegt dat die Merrit van jou symptomen vertoonde van een narcistische persoonlijkheidstoornis. Grootheidswaanzin en de behoefte aan bewondering, geboeid door fantasieën van onbeperkte macht en succes. En in extreme gevallen de bereidheid om gewelddaden te plegen om een fantasie te beschermen. Klinkt dat bekend?'

'Hij leefde inderdaad in een fantasiewereld. Als hij niet was doodgeschoten, zou hij zich inmiddels hebben voorzien van de beste advocaten en zou hij proberen Walt Disney de schuld in de schoenen te schuiven, en hij zou van elke minuut hebben genoten.'

'Die psycholoog zei dat mensen met deze stoornis ook lijden aan wat hij verhoogde eigenliefde noemt. Volgens hem veranderde Dirk Merrit zichzelf om tegemoet te komen aan zijn ideaalbeeld en was zijn computerspel een projectie van zijn persoonlijke fantasieën.'

Summer veronderstelde dat er nog een heleboel van dit soort dingen gezegd en geschreven zouden worden, tot de media de hele zaak tot pulp had gekauwd en op iets anders overgingen. Ze zei: 'De FBI wil dat *Trans* van het internet verdwijnt, maar ik geloof niet dat ze enige kans maken. Het bedrijf dat de eigenaar is van het spel heeft al een verklaring doen uitgaan dat het niets te maken heeft met Dirk Merrit.'

Er viel een korte stilte. Toen zei haar moeder: 'Heb ik al gezegd dat jouw naam werd genoemd in het CNN-rapport?'

'Dat was zo ongeveer het eerste wat je zei.'

'Mijn dochter de heldin.'

'Ik voel me niet erg heldhaftig.'

Summer herleefde steeds weer het afschuwelijke moment waarop Jerry Hill zichzelf had doodgeschoten, het moment waarop ze geweten had wat hij ging doen en niet in staat was geweest hem tegen te houden. En ze wist nu ook dat Denise Childers werkelijk dood was. De leider van het arrestatieteam had haar lichaam in de trofeezaal van Dirk Merrits landhuis zien liggen, tussen de lichamen van Louis Frazier, de kok, en Charles Paulson, een van de bewakers. Tot dusver was geen van de lichamen onder het puin van de hoofdtoren uit gehaald. Daryl Weir werd nog steeds vermist. Net als de chauffeur van Dirk Merrit, Carl Kelley.

Haar moeder zei: 'Wanneer kom je thuis?'

'Morgen. Ik bel je nog wel als ik weet hoe laat.'

Summer had alles al besproken met sectiehoofd Harry Malone en had verklaard dat zij Dirk Merrit eenmaal in het bovenbeen had geschoten en dat Jerry Hill twee keer op de man geschoten had voordat hij zichzelf had doodgeschoten. Malone was tevreden geweest met haar verhaal, maar sheriff Worden had er uit nijd op gestaan dat ze haar Glock inleverde, zodat zijn onderzoek naar het fatale schietincident precies zou uitwijzen welke gebeurtenissen in welke volgorde hadden geleid tot de dood van Dirk Merrit en Jerry Hill. Nadat ze haar moeder goedenacht had gewenst, maakte ze haar rapport af en wachtte ze op haar beurt om het aan Harry Malone te geven. Ze mocht doodvallen als ze het aan iemand anders overhandigde.

'We geven de pers niets tot we alles weten,' zei Malone toen ze hem eindelijk een paar minuten kon spreken.

Hij zat achter het bureau van sheriff Worden met zijn overhemdsmouwen tot boven zijn ellebogen opgerold en zijn colbert over de rugleuning van zijn stoel. Sheriff Worden had zich afgezonderd met de burgemeester om te bepalen hoe ze de media tegemoet moesten treden. Een grote tv in de hoek van het kantoor was afgestemd op Fox News, maar het geluid stond zacht. Een verslaggever stond bij de wagens van de politie en de hulpdiensten voor het hek van Dirk Merrits landgoed in de microfoon te praten. Malone wees met zijn kin naar de tv en zei tegen Summer: 'Je naam is meer dan eens genoemd. Ze zullen met je willen praten.'

'Ik ben niet van plan met hen te praten, meneer.'

'Dat zal niet gemakkelijk zijn. Ze zullen je achtervolgen zo lang dit in het nieuws blijft. Ze bellen je op het werk en thuis, ze gaan voor je deur liggen... Zodra je weer in Portland bent, moet je contact opnemen met de persdienst van jullie bureau. Daar kunnen ze je helpen een verklaring op te stellen. Je zult ook bezoek krijgen van het Openbaar Ministerie om je verklaring door te nemen. Maar daar hoef je je nu geen zorgen over te maken. Hoe voel je je?'

'Versuft, eigenlijk.'

Summer had het gevoel dat ze het verknald had. Ze had moeten beseffen dat Denise in haar eentje achter Dirk Merrit aan zou gaan. Ze had Jerry Hill moeten tegenhouden voordat hij Dirk Merrit kon neerschieten. Ze vond dat ze geen medeleven verdiende.

De tv ging van luchtopnamen van de verwoeste dam, waar het water langs batterijen lampen kolkte die waren opgezet door de reddingswerkers, over naar een nieuwslezer achter een bureau.

'Hij had ons bijna te pakken,' zei Malone. 'Als dat telefoontje naar de alarmlijn er niet was geweest en jij niet zo snel de ultralight had geïdentificeerd, waren er slachtoffers gevallen.'

'Er is nog geen spoor van Carl Kelley of Daryl Weir?'

Malones theorie was dat Carl Kelley ruzie had gekregen met Dirk Merrit, Elias Silver had vermoord en het alarmnummer had gebeld om Dirk Merrits plan te saboteren en vervolgens was gevlucht met Daryl Weir als gijzelaar.

'We zoeken overal,' zei hij. 'Het feit dat hij een gijzelaar heeft meegenomen, betekent dat hij meer opvalt. En het zal hem ophouden.'

Summer zei: 'Als ik iets kan doen, blijf ik met liefde hier.'

'Je hebt al meer dan genoeg gedaan. Ga uitrusten, rechercheur.'

Toen Summer langs de twee agenten liep die voor het kantoor stonden te wachten, kwam Malone naar de deur en hij riep haar na: 'Dirk Merrit zal nooit meer iemand kunnen vermoorden. Probeer dat goede nieuws in gedachten te houden.'

Een hulpsheriff reed Summer naar het motel waar de FBI een heleboel kamers had gehuurd voor die nacht. Toen ze het gastenboek tekende, stopte er nog een patrouillewagen voor het kantoor en stapte Gary Delgatto uit.

Gary was naar het ziekenhuis geweest om de brandwonden op zijn wang te laten behandelen van de twee schoten waardoor Dirk Merrit dodelijk gewond was geraakt. Hij was nog steeds doof aan zijn rechteroor, en hij was van streek en boos. Net als Summer gaf hij zichzelf de schuld van wat er gebeurd was, van het feit dat hij zich had laten gijzelen door Jerry Hill en van de dood van Denise Childers.

Hij zei: 'Denise heeft van het begin af aan gelijk gehad.'

'Ja, dat klopt.'

'Ze verdacht Dirk Merrit meteen al. Ze hield hem in het oog toen iedereen geloofde dat Joseph Kronenwetter Edie Collier had ontvoerd. Ze hield hem in het oog nadat ze was geschorst... Ik denk steeds dat ze Phelps niet naar die afspraak met Merrit had hoeven volgen als ik bewijs had gevonden dat Phelps Kronenwetter had vermoord. Snap je? Ik had van iedereen in dat cellenblok DNA-monsters moeten nemen en die moeten vergelijken met het DNA onder Kronenwetters vingernagels,' zei Gary, en hij keek naar Summer, maar het was alsof hij haar niet zag.

'Wie had daar toestemming voor gegeven?' vroeg Summer. 'En hoeveel tijd had het niet gekost al die monsters te bekijken?'

'Nou, ik had iets moeten doen,' zei Gary koppig, en hij zag er ellendig uit.

'Ik heb er ook heel wat over nagedacht. Dit klinkt hard, maar uiteindelijk was het Denises eigen idee om in haar eentje achter Charley Phelps aan te gaan, niet dat van iemand anders.'

'Zo kun je het ook bekijken.'

Summer nam een besluit en zei: 'Kom mee.'

Nu keek Gary haar aan.

Summer zei: 'Bij het tankstation aan de overkant verkopen ze drank en het is nog open. Ik denk dat ik je maar eens moet trakteren op een borrel.'

Ze zaten op het bed in Summers kamer Jack Daniel's met cola te drinken uit plastic bekertjes, de tv op CNN met het geluid heel zacht. Ze praatten over het grootse plan van Dirk Merrit, over wat er gebeurd kon zijn met Daryl Weir en Carl Kelley. Gary viel steeds stil en zat dan voor zich uit te staren. Summer was er zeker van dat hij steeds weer verschillende momenten van de confrontatie op de wei herbeleefde. Maar hij leek zich staande te houden, min of meer. Hij zag er aantrekkelijk aangeslagen uit in het flikkerende licht van de tv, met een stuk verband over zijn rechterwang alsof hij bij het duelleren een litteken had opgelopen, en de hand waarmee hij hen nog eens inschonk was vast.

Hij hief zijn plastic beker en zei met een zwakke glimlach: 'We hebben in ieder geval Merrit tegengehouden.'

'Inderdaad.'

Ze dronken whisky en cola en keken tv. Gary zei: 'Ik zie hier niets wat ik in het ziekenhuis niet ook gezien heb. Dat was vreemd. Er kwamen steeds agenten naar me toe die me de hand wilden schudden...'

'Je hebt het goed gedaan voor een laborantje.'

'Misschien moet ik maar eens weggaan,' zei hij.

Ze kwamen allebei tegelijk overeind, zodat ze dicht tegen elkaar aan stonden, en toen zoenden ze elkaar en plotseling lagen ze op het bed, waar ze elkaars kleren uit probeerden te trekken, hoewel ze daar maar half in slaagden voordat het echt serieus werd.

'Wacht even,' zei Gary, en hij rolde om en pakte zijn leren jasje van de vloer, haalde zijn portefeuille uit de zak en trok er een condoom uit.

Summer giechelde omdat hij er zo jongensachtig plechtig uitzag en zei, met een mond die plotseling droog was van verlangen: 'Kom hier.'

Toen ze later in elkaars armen tussen de lakens lagen, zei ze: 'Ik moet wel even uitleggen dat ik nog nooit bij het eerste afspraakje met iemand naar bed ben gegaan.'

'Is dit een afspraakje?'

'Verder dan dit zijn we nog niet gekomen.'

Ze vrijden nog een keer, maar dit keer namen ze de tijd om aan elkaar te wennen. Summer begon zich een beetje afstandelijk te voelen, alsof ze naar zichzelf keek en zichzelf beoordeelde. Net als in die film, *Annie Hall*, waarin de geest van Diane Keaton uit het bed komt waarin ze ligt te vrijen met Woody Allen...

Gary, die zachtjes op haar bewoog, zei in haar oor: 'Alles goed?' en ze kuste hem en bewoog met hem mee, begon erin te raken, voelde het komen, bijna maar nog niet helemaal, bijna, bijna, bijna... Ja.

Naderhand ging Summer even naar de badkamer. Toen ze terugkwam, hield Gary het laken omhoog zodat ze weer in bed kon glippen, in zijn armen.

Hij zei: 'Wat kijk je triest.'

'Ik ben moe, dat is alles.'

Een van zijn handen hield haar hoofd vast, met zijn vingers in haar haar, en de ander streelde haar rug. Het voelde troostend om bloot tegen deze man aan te liggen, maar ook vreemd. Alsof ze een lange reis had gemaakt en was aangekomen op een plek die ze niet kende. Ze was moe en verdrietig, want ze wist dat hier niets van kon komen en dat ze de volgende morgen met hem zou moeten praten.

Gary zei: 'Denk je dat we kunnen slapen?'

Ze zei: 'We zouden het moeten proberen, denk ik.'

Summer werd wakker toen het vroege ochtendlicht langs de randen van de gordijnen drong. Gary's kant van het bed was leeg. In de badkamer liep de douche. De klokradio naast het bed meldde dat het twintig over zeven was. Ze bleef nog even liggen, deed haar ogen dicht en probeerde alles op een rijtje te zetten. Toen Gary in zijn boxershort uit de badkamer kwam, met natte haren en een handdoek om zijn schouders, zei hij: 'Dit is niet wat je denkt.'

'Dus je slaat niet op de vlucht?'

Het leek haar een goed idee het luchtig te houden.

Gary zei: 'Herinner jij je Julia Taylor nog?'

'De stewardess.'

'Haar lichaam is achtergelaten in de San Gabrielbergen, vlak bij een boswachterhut.' Gary ging op het voeteneind van het bed zitten om zijn sokken aan te trekken. 'Gistermiddag hebben de boswachters een lijk gevonden onder aan een klip daar in de buurt. Meneer Malone heeft het net pas gehoord. Hij wil dat ik naar Los Angeles ga en assisteer bij de autopsie.'

'Weten ze al wie het is?'

'Erik Grow. Blanke man, zesentwintig, en dit zal je beslist aanstaan,' zei Gary, terwijl hij opstond en zijn broek omhoogtrok. 'Hij is niet alleen veroordeeld wegens het misbruik van computers – hij is een paar jaar geleden ontslagen bij de universiteit van Los Angeles omdat hij hun computers had gebruikt om een pornosite te runnen – maar hij werkte bovendien voor Powered By Lightning, het bedrijf dat de eigenaar is van *Trans*.'

Summer ging overeind zitten en sloeg het laken om zich heen. 'Julia Taylor en Greg Yunis waren willekeurige slachtoffers, die de aandacht van de FBI moesten afleiden van Dirk Merrit. Maar er moet een verband bestaan tussen Erik Grow en Dirk Merrit, en Merrit wilde hem uit de weg hebben...'

'Dus stuurde hij Carl Kelley erop uit om hem te vermoorden. En Kelley heeft onderweg Greg Yunis en Julia Taylor vermoord. We zijn er vrij zeker van dat Kelley de man was die bij Yunis in de lift stond. Een van de beveiligingsmensen die op het landgoed van Merrit werkten, heeft hem geïdentificeerd aan de hand van beelden van een beveiligingscamera. We denken ook dat hij de man is die Julia Taylors auto van het vliegveld heeft gereden.'

'Jullie zullen wel niets van hem gehoord hebben.'

'Nog niet.' Gary maakte de laatste knoopjes van zijn overhemd dicht en pakte zijn leren jasje.

'Misschien is er een reden waarom hij iemand heeft meegenomen die zo goed is in dat computerspel. Dirk Merrit had tenslotte een hoop moeite gedaan om het arme joch in handen te krijgen.'

'Dirk Merrit was gek.'

'Is dat een officiële forensische conclusie?'

'Het is gebaseerd op ervaring uit de eerste hand van zijn gedrag.' Gary aarzelde even en zei toen: 'Ik moet echt rennen. De auto staat buiten.'

Summer zei: 'Hij kan nog wel een paar minuten wachten.'

'O-o.' Gary's glimlach gaf hem het uiterlijk van een onhandige tiener.

Summer voelde zich ook onhandig, maar ze wilde toch liever meteen afrekenen met wat er gebeurd was. Ze zei: 'Ik heb geen spijt van gisteravond, geen moment.'

'Ik ben blij het te horen.'

'Toen ik je voor het eerst zag, vond ik je heel leuk.'

'Voor een laborantje.'

Hij maakte het niet gemakkelijk, maar ze hield vol en keek hem recht aan. 'Ik vind je nog steeds heel leuk. Ik wil dat je goed begrijpt dat ik niet met iedereen naar bed ga. Maar ik denk ook dat gisteravond niet alleen om jou en mij ging. Een deel ervan, een behoorlijk groot deel, kwam door wat er gebeurd is. We hadden iets behoorlijk heftigs meegemaakt. We wilden voor onszelf bewijzen dat we nog leefden.'

Gary zei: 'Ik ga iets zeggen waar je misschien boos om zult worden. Maar ik wil het toch zeggen. Ik denk dat het wel duidelijk is dat ik je gisteren niet alleen mee uit heb gevraagd om over de zaak te praten. Ik wilde je nog een keer zien. In andere omstandigheden...'

Ze dacht dat ze wist wat hij probeerde te zeggen en gaf hem een voorzetje. 'Als we niet met elkaar hadden moeten werken.'

'En ook, en dat is het deel waar je misschien boos om zult worden, als ik niet iemand anders had in Washington.'

'Dat dacht ik wel. Een leuke vent als jij.'

Summer was wel een beetje boos, maar ze was vooral opgelucht.

'Als je je soms afvraagt waarom ik condooms bij me heb, dat komt niet omdat ik met anderen naar bed wil als ik de stad uit ben. Ze slikt de pil niet...'

'Dat is al te veel informatie.'

'Het spijt me. Ik heb de slechte gewoonte dat ik altijd alles probeer uit te leggen.'

'Kom hier,' zei Summer.

Toen Gary zich over het bed boog, was er even een onbehaaglijk moment, een lichte aarzeling voordat ze elkaar een kus gaven.

Hij had zich niet geschoren en zijn stoppels krasten langs haar wang.

Ze zei: 'Laat me weten wat je ontdekt in Los Angeles.'

'Reken maar.' Hij zweeg even en toen zei hij: 'Wat ga jij nu doen?'

'Officieel ben ik zonder toestemming afwezig. Ik moet terug naar Portland om mezelf te verantwoorden. Dus het is aan jullie om Carl Kelley en Daryl Weir te vinden.'

51

Daryl Weir was verdiept in *Trans* en zat over het scherm van de laptop gebogen met een controller in zijn handen met een ergerlijk onwillige linker joystick. Hij concentreerde zich erop om Seeker8 door de wirwar van kronkelende bloedrode klimplanten te krijgen, maar was niet helemaal in staat om de kamer achter zich te vergeten met de dode man in een plas bloed bij de deur en de gek in een leunstoel die zat te eten terwijl hij naar het journaal keek, het voedsel met zijn vingers in zijn mond schoof en allerlei walgelijke geluiden maakte.

Ze waren hier vroeg in de morgen gearriveerd, terwijl het nog donker was. Daryl, die versuft en bang achter in de Mercedes SUV had gelegen, als een kind in de lijkkist van een volwassene, was weer klaarwakker toen het voertuig stopte en de motor werd afgezet. Een portier was open- en dichtgegaan en daarna was het lange tijd stil geweest, tot eindelijk de achterklep openging en Carl Kelley zich naar binnen boog met die doodskopgrijns op zijn gezicht en tegen Daryl zei dat hij eruit moest komen.

De SUV stond in een steegje tussen de achterkanten van gebouwen van twee en drie verdiepingen. Carl Kelley duwde Daryl naar het gebouw op de hoek, door een stalen deur, een smalle, ongeschilderde houten trap op en door een kralengordijn een grote ouderwetse keuken in. Daar lag een man op zijn buik in de boog tussen de keuken en de voorkamer, met een roodomrand gat in de rug van zijn witte hemd en zijn gezicht opzij in een glanzende poel bloed, die zich verspreidde over het smerige gele linoleum.

Carl Kelley klemde zijn hand boven Daryls elleboog en stuurde hem om het lijk heen de voorkamer in, waar hij hem dwong op een versleten leren bank te gaan zitten en zichzelf tegenover hem in een leunstoel liet zakken. De grimmige, levensgevaarlijke man droeg kleren die hij uit een koffer had gehaald die hij achter in de suv had gevonden; zwarte schoenen waarvan hij de zijkanten had opengesneden om ze te laten passen, een zwarte broek en een geel kraagloos jasje dat openhing, waardoor het verband om zijn blote borst te zien was. Hij zei tegen Daryl dat alles helemaal in orde kwam en vervolgde met: 'Weet je wat we hier doen?'

Daryl schudde zijn hoofd, want hij had besloten dat het veiliger was om zich dom voor te doen.

'Mijn vriend hier – je mag best naar hem kijken als je wilt, hoor, hij vindt het niet erg – die heeft beneden allemaal computers, klaar om het spel te spelen waar jij zo goed in bent. Ik dacht, wat moet ik doen om dat joch zover te krijgen dat hij me laat zien wat hij kan? Ik zou een computer kunnen kopen, alleen zou ik niet weten waar ik moest beginnen. En ik kan niet met je een winkel in lopen en jou er een laten kiezen... Toen dacht ik aan deze vent.' Hij zweeg even en toen zei hij: 'Ben je je tong soms verloren? Vind je me eng?'

'Een beetje.'

'Je trilt helemaal. Haal diep adem en probeer te kalmeren. Ik doe je niets. Ik heb je nodig. Jij en ik, wij zijn nu partners. Begrijp je?'

Daryl begreep er niets van, maar hij knikte toch.

'Ik vond deze plek een paar weken geleden, toen ik op zoek was naar je oude vriend William Gundersen. Hij noemde zich ook wel Billy Newman, maar ik denk dat jij hem kende als Ratking. Ratking, Seeker8... Jezus. Vinden jullie dat echt stoere namen?'

Daryl haalde zijn schouders op.

'Je zou net als hij vermoord zijn als ik je niet had gered,' zei Carl Kelley. 'Meneer Merrit zou je hebben meegenomen naar de woestijn en je daar hebben opgejaagd en vermoord. Hij zou je hart uit je lijf hebben gesneden en je bloed hebben gedronken en de rest voor de gieren hebben achtergelaten. Je hebt het aan mij te danken dat je nog leeft en het enige wat ik ervoor terugvraag, is dat je afmaakt waar je mee begonnen bent. Er staat beneden een heel stel computers, helemaal klaar om te beginnen, maar we hebben geluk, ik denk niet dat we naar beneden hoeven. Kijk daar, op de tafel. Dat is een mooie laptop, vind je ook niet? Hij heeft een van die joystickgevallen en een verbinding met de telefoonlijn... Start hem eens op. Bekijk hem eens.'

Het was een mooie nieuwe Toshiba met een titanium kast en een scherm van tweeëndertig inch. Toen Daryl hem had aangezet, boog Carl Kelley zich over zijn schouder en bestudeerde het scherm, dat helemaal vol stond met icoontjes voor wel honderd programma's. Daryls gezicht vertrok toen de man naar het bekende kattenoog in een zwarte driehoek wees, het icoon van *Trans*.

'Nou, volgens mij kunnen we zaken doen,' zei Carl Kelley. 'Maar voordat je begint, moet je me eens vertellen over die schat.'

'Ik weet niet...'

'Doe niet zo dom. Ik weet dat jij weet waar ik het over heb. De schat. Het spul waarvan meneer Merrit niet wilde dat jij het vond. Hij heeft een hoop moeite gedaan om je te pakken te krijgen, dus het moet waardevol zijn. Vertel me erover en lieg niet, want dat merk ik meteen.'

'Ik weet niet precies wat het is,' zei Daryl, en het koude zweet brak hem uit.

'Gelul.'

'Echt niet. Sommige mensen denken dat het een evolutiegeweer is, waarmee je een slaaf met één schot in een opperheer kunt veranderen. Of een opperheer in een slaaf. Of iets dat je onzichtbaar maakt. Of misschien is het een hyperlink waarmee je van de ene plek naar de andere kunt springen.'

'Je hebt al die moeite gedaan, maar je weet niet wat het is?'

'Het is iets waardevols,' zei Daryl. 'Dat moet wel, omdat het zo moeilijk te bemachtigen is. Maar niemand weet precies wat het is.'

Er viel een lange, afschuwelijke stilte. Toen zei de man: 'Meneer Merrit weet wat het is. En hij vindt het in ieder geval waardevol, want hij wil niet dat iemand het te pakken krijgt. Maar dat is wat jij voor me gaat doen. Jij gaat het pakken en daarna ga je het verkopen. Mensen die dit spel spelen, zullen er goed voor betalen, waar of niet?'

Daryl knikte.

'Verdomme, die klootzak heeft het wachtwoord veranderd waarmee hij het abonneegeld binnenhaalt, dus het is dit of een bank beroven. En ik moet rusten. Dus laten we het doen. Ga online, log in en ga aan het werk.'

Daryl typte zijn naam en zijn wachtwoord in en nog geen minuut later bevond hij zich op de virtuele brug over de virtuele Hollywood Freeway en keek hij over de schouder van Seeker8 naar de computerschijf van het save point, die draaide in de schemering.

Carl Kelley, die zich over Daryl heen boog en in Daryls oor ademde, tikte tegen het scherm van de laptop. 'Hoe lang duurt het?'

'Dat weet ik niet. Echt niet. Ik moet ongeveer anderhalve kilometer lopen, maar hoe dichterbij je komt, hoe moeilijker het wordt.'

'Een uur? Twee uur?'

'Misschien langer. Het hangt ervan af wat me probeert tegen te houden.'

'Een dag?'

'Misschien.'

'Maar je hebt geen dag. Je hebt tot twaalf uur. Vanmiddag.'

Daryl probeerde de metalige smaak in zijn mond weg te slikken. 'Wat gebeurt er wanneer ik er ben?'

'Als je voor me bemachtigt wat ik wil hebben, ga ik weg. Ik zal je vastbinden, maar op zo'n manier dat je jezelf zonder al te veel moeite kunt bevrijden. Daarna kun je de politie bellen of wat je maar wilt. Hoe klinkt dat?'

'Prima, geloof ik.'

Daryl geloofde de man geen moment. Hij wist dat Carl Kelley hem zou vermoorden, of hij nu de schat wist te bereiken of niet, maar hij wist dat hij ook vermoord zou worden als hij niet deed wat hem gezegd werd. Maar hij kon in ieder geval wat tijd winnen als hij in het spel zat en probeerde bij de schat te komen...

In het begin was het moeilijk om zich te concentreren, want Carl Kelley zat vlak achter hem te kijken hoe Seeker8 tussen de ruïnes van Western Avenue door draafde. De man stond steeds op als er een zoemer ging in de winkel beneden en gluurde dan door de geelbruine lamellen voor de ramen terwijl hij wachtte tot het gezoem stopte. Maar later ging hij in de leunstoel voor de tv naar Fox News zitten kijken, waarop het verhaal over de dood van Dirk Merrit en de verwoesting van zijn landhuis steeds herhaald werd. Daryl kon de tv min of meer verdringen, maar omdat het dat niet lukte met Carl Kelley's rusteloze, gevaarlijke aanwezigheid of de akelige wetenschap dat in dezelfde kamer een dode man lag, kon hij niet helemaal in het spel opgaan. Seeker8 voelde als een onhandige ledenpop en Daryls reacties op de bloedvleermuizen en de dolle coyotes, de gemechaniseerde zombies en alle andere bedreigingen die op hem af kwamen, waren net zo paniekerig als die van de eerste de beste beginneling. Tot dusver had hij alles van zich af weten te slaan, maar na elk treffen werd hij zenuwachtiger en brak het zweet hem uit. Een enkele vergissing, een klein foutje kon betekenen dat hij weer vanaf het save point moest beginnen. Als Carl Kelley hem tenminste niet eerst vermoordde.

52

Summer vloog terug naar Portland in de kleine Cessna en landde iets na negenen op het vliegveld. Toen ze eenmaal in een taxi zat, bekeek ze de oproepen die ze gemist had terwijl ze in het vliegtuig zat. Vijf journalisten hadden haar nummer weten te achterhalen en hadden berichten ingesproken. Er waren ook berichten van de persdienst van het politiebureau en van het kantoor van het hoofd van politie. Er was een bericht van Ryland Nelsen, die zei dat ze meteen na terugkeer naar het kantoor van het hoofd van politie moest komen en haar eraan herinnerde dat ze volgens de regeling Ondersteuning Personeel gratis hulp kon krijgen als ze dat wilde. En er waren twee berichten van haar moeder. Ze belde terug, kreeg het antwoordapparaat en vertelde dat alles goed met haar was, dat ze zo snel mogelijk naar huis kwam en dat ze van plan was een week te slapen.

Haar mobiel ging een aantal keren terwijl de taxi via de snelweg de stad in reed. Het kantoor van het hoofd van politie. Iemand die voor de redactie van KOIN werkte, het zusterbedrijf van CBS. De misdaadverslaggever van de *Oregonian*. Ze luisterde naar de berichten, maar nam niet op. Voor zover zij wisten, zat ze nog in het vliegtuig, buiten bereik. Maar toen de taxi de rivier overstak via de Morrison Bridge, belde Gary Delgatto.

Summer nam op en zei: 'Zeg dat jullie Carl Kelley hebben gevonden.'

'Hoi, met mij gaat het prima, leuk dat je ernaar vraagt. Ik ben onderweg naar het Parker Center, het hoofdkwartier van de politie in Los Angeles. En jij?'

'Een beetje uitgeput, maar het gaat wel,' zei Summer, hoewel ze wist dat dat niet was wat hij bedoelde. 'Ik ben weer in Portland en sta op het punt erachter te komen wat mijn bazen met me van plan zijn. Het zou een stuk schelen als ik ze kon vertellen dat de hele zaak was afgesloten.'

'Oké. Nou, ik weet niet of we Carl Kelley al echt op het spoor zijn, maar het ziet ernaar uit dat hij beslist iets te maken heeft gehad met het lijk dat de boswachters gisteren hebben gevonden.'

'Erik Grow.'

'De politie hier heeft achterhaald waar hij woonde en hun technische recherche heeft verschillende goede vingerafdrukken veiliggesteld die passen bij de vingerafdrukken die zijn aangetroffen in Carl Kelleys kamer in het huis van Merrit. Bovendien zegt een van

Erik Grows buren dat een man die voldoet aan het signalement van Carl Kelley zondag bij hem is geweest, ongeveer rond het tijdstip waarop Grow moet zijn overleden. De buurvrouw herinnert zich Kelley omdat de man haar aankeek op een manier die haar helemaal niet aanstond. Ze zei, en ik citeer: "Hij had kwade bedoelingen." We kunnen dus bewijzen dat Kelley op de dag dat de stewardess is vermoord in Los Angeles was, en het is mogelijk dat hij daarheen is gereden nadat hij in Reno Greg Yunis had omgebracht. De timing laat niet veel ruimte, maar het kan wel. De flat wordt in de gaten gehouden voor het geval Kelley daar terugkomt.'

'Intussen kan hij overal zijn. Met Daryl Weir.'

Gary zei: 'Erik Grow kreeg net voordat Dirk Merrit zijn belang in *Trans* verkocht een baan op de boekhouding van Powered By Lightning. Meneer Malone denkt dat hij Merrits mol was. Hij had toegang tot de gegevens van abonnees, hun namen en adressen en betalingsgegevens. Het zou kunnen verklaren hoe Dirk Merrit Daryl Weir heeft kunnen opsporen.'

'Oké.'

Maar Billy Gundersen had geen adres gehad; hij en Edie Collie hadden in zijn busje gewoond. Summer had het gevoel dat ze iets miste dat zich vlak voor haar neus bevond, iets dat ze al die tijd al over het hoofd had gezien. Ze wist dat de oplossing voor haar lag, maar ze kon hem niet zien...

Gary zei: 'Erik Grow hield zich ook bezig met creditcardfraude. De politie van Los Angeles heeft een aantal gekloonde kaarten in zijn flat aangetroffen.'

'Iemand heeft een gekloonde kaart gebruikt om het vliegticket van Daryl Weir te betalen.'

'Precies. We proberen nu een solide verband te vinden.'

De taxi was voor het politiebureau gestopt. Summer zei tegen de chauffeur dat hij even moest wachten omdat ze dit telefoontje moest afhandelen en zei tegen Gary: 'Het komt steeds weer terug op dat spel. Dirk Merrit heeft me iets verteld over een schat die iedereen probeerde te bereiken en hij zinspeelde erop dat Billy Gundersen daar iets mee te maken zou kunnen hebben...' Ze herinnerde zich dat zowel Billy Gundersen als Daryl Weir geld had verdiend door dingen te verkopen die ze in *Trans* hadden gewonnen en dat Billy Gundersen was verminkt door spelers die hij van een virtuele bezitting had beroofd, en ze zei: 'Stel dat die schat echt veel geld waard is. Billy Gundersen probeerde hem te pakken te krijgen en werd vermoord. En Daryl Weir was Billy Gundersens partner en probeerde ook bij de schat te komen...'

'Denk je dat Carl Kelley Daryl Weir daarom ontvoerd heeft?'

'Als het gaat om iets wat in het spel verborgen ligt, iets wat Carl Kelley te pakken wil krijgen, is het mogelijk dat Daryl Weir op dit moment het spel zit te spelen. Dat kan niet moeilijk te controleren zijn, toch? Powered By Lightning moet kunnen zien wie er online is en *Trans* speelt. Zijn avatar heet Seeker8.'

'Ik zal nagaan of iemand daar aan gedacht heeft. Denk je dat Powered By Lightning ons kan vertellen waar hij zit als hij online is?'

'Dat zou al te gemakkelijk zijn, hè?' Summer dacht aan iets wat de jongen bij Okay Soucek tegen haar had gezegd. 'De spelers kunnen met elkaar praten. Vraag de mensen van Powered By Lightning of ze met hem in contact kunnen komen.'

Gary beloofde dat hij er meteen achteraan ging en dat hij haar terug zou bellen zodra hij iets wist. Summer betaalde de taxichauffeur en belde haar moeder nog eens voordat ze naar binnen ging. Ze wilde met iemand praten die iets wist over online spelletjes en hoopte dat haar moeder haar in contact kon brengen met haar assistent in opleiding, maar haar moeder nam nog steeds de telefoon niet op. Ze moest in een vergadering zitten of een lezing of seminar geven...

Er was iemand anders die haar zou kunnen helpen, dacht Summer. Toen ze eerder met hem had gesproken, was ze er zeker van geweest dat hij iets verzweeg. Nu wilde ze hem vragen of hij toevallig een idee had hoe Dirk Merrit Billy Gundersen gevonden zou kunnen hebben.

53

Daryl zat in een waas van ellende en angst over de laptop gebogen. Zijn rug deed pijn en zijn handen lagen verkrampt om de controller waarmee hij Seeker8 links en rechts liet springen terwijl de avatar zich een weg zocht door de jungle op de hellingen van Griffith Park. Klimplanten grepen naar zijn voeten en zijn armen. Cactussen spuwden salvo's giftige naalden. Vleermuizen met messcherpe vleugels vielen hem aan vanuit de lucht.

Carl Kelley stapte over het lijk heen toen hij naar de keuken ging, waar hij de koelkast opendeed en luid vroeg: 'Wil je iets drinken, knul? Er is melk, sinaasappelsap, perziksap, druivensap... Jezus, zelfs kersensap. De man zorgde goed voor zichzelf. Hij dacht zeker dat hij nooit dood zou gaan als hij maar genoeg van dat spul dronk. Of wat dacht je van een cola, om je bloedsuiker op peil te houden?'

Daryl zei dat cola prima was, alleen om hem zijn mond te laten houden.

Carl Kelley zette het ongeopende blikje naast de laptop en boog zich over Daryls schouder. Daryl voelde zijn adem in zijn nek en de man rook naar geitenzweet. 'Wat is dat voor gedoe?'

'Ik kom in de buurt,' zei Daryl.

'Dat is je geraden. Laat het me weten zodra je er bent.'

De man ging weer op de stoel voor de tv zitten en beneden ging de zoemer.

'Die vervloekte kinderen,' zei Carl Kelley.

De zoemer ging weer, als een bij in een fles. Hij bleef maar gaan, maar plotseling hield het geluid op. Carl Kelley gromde en zapte langs de kanalen, op zoek naar meer nieuws over Dirk Merrit, en toen begon er iemand op de achterdeur te bonzen. De man vloekte, stond op, stapte over het lijk en liep naar de keuken. Op het scherm van de laptop hapten bloedrode klimplanten met doornige tanden naar Seeker8. Daryl sneed met een enkele haal van zijn zwaard hun uitlopers af en toen hij opkeek, zag hij door de boog Carl Kelley op zijn tenen door het raam boven de gootsteen naar iets in de steeg kijken. Hij keek en keek en toen kwam hij snel weer naar de woonkamer, waar hij de rand van een van de jaloezieën opzij hield en naar buiten gluurde. Na een lange minuut ging hij weg bij het raam, deed het gele jasje aan en trok het naar beneden om het pistool te verbergen dat in de band van zijn broek stak.

'Ik ben zo terug,' zei hij. 'Je hoeft er niet eens aan te denken iets anders te doen dan je mannetje te brengen waar hij moet zijn.'

De deur van de zaak van Okay Soucek zat op slot, het licht was uit achter het witgeschilderde raam en er werd niet opengedaan toen Summer aanbelde. Ze zette haar gebogen handen tegen het raam en keek door een schone plek naar binnen. Schaduwen, stilte. Ze leunde nog een volle minuut tegen de bel en toen liep ze om naar de steeg aan de achterkant, wrong zich langs een zwarte Mercedes suv en merkte dat de stalen branddeur ook op slot zat.

Ze beukte met de zijkant van haar vuist tegen de deur en rammelde eraan, zodat de echo's door de steeg weerkaatsten. Er gebeurde niets. Ze had een vaag gevoel dat er iemand bij het raam boven haar stond, maar toen ze tegen de SUV ging staan en omhoogkeek, was het leeg.

Er zaten krassen in de zwarte lak aan de zijkant van de SUV. Lange, dunne parallelle strepen, alsof iemand ermee door een heg was gereden...

Er klikte iets in Summers hoofd, alsof er een kaart werd omgedraaid. Toen Denise met haar naar het huis van Dirk Merrit was gereden, hadden ze geparkeerd achter een Mercedes SUV, een zwarte. Summer liep op haar gemak om de SUV heen en bekeek hem van voor naar achter. Aan de voorkant zat ze iets dat op kogelgaten leek en er zat iets vast tussen de achterbumper. Een twijgje van een dennenboom, het afgescheurde eind nog kleverig van het sap.

Ze kreeg een schok van opwinding, maar ze voelde zich ook kwetsbaar. Lege ramen keken op haar neer, wie weet wat zich daarachter bevond. Ze stak haar hand in haar tas om haar Glock te pakken en bedacht toen dat die nog bij de technische recherche van Cedar Falls lag. Ze schreef het kenteken van de SUV op in haar aantekenboekje, liep toen naar het begin van het steegje en haalde haar mobiele telefoon voor de dag.

Hij ging af voordat ze er iets mee kon doen. Het was Gary. 'Je had gelijk. Hij is online. Hij speelt het spel.'

Summer liep om de hoek van het gebouw heen, op weg naar haar Accura. 'Weet je zeker dat het Daryl Weir is?'

'Nou, in ieder geval iemand die zijn wachtwoord gebruikt.'

'Kun je hem een bericht sturen?'

'Blijkbaar niet. Spelers kunnen alleen met elkaar praten als ze elkaar in het spel ontmoeten.'

'Jezus. Kun je een lijst met Dirk Merrits voertuigen te pakken krijgen? Ik wil dat je een kenteken nagaat.'

'Wat is er aan de hand?'

Summer gaf hem het kenteken van de SUV en vroeg of hij haar terug wilde bellen. Ze maakte haar auto open en wilde het nummer van de balie van het politiebureau intoetsen toen een man in een kraagloos geel jasje de hoek om kwam en haar recht aankeek.

Zodra hij beneden de stalen deur hoorde dichtslaan, duwde Daryl zich weg van de laptop en stond hij op. Zijn eerste gedachte was kinderachtig. Een plek zoeken om zich te verbergen, onder een bed of in een kast, en daar blijven zitten. De tweede: een telefoon zoeken en het alarmnummer bellen, maar de telefoon werkte niet omdat de kabel uit het contact was gerukt. De derde: een wapen zoeken, iets wat hij kon gebruiken tegen Carl Kelley.

Hij liep voorzichtig om de dode man heen en probeerde niet naar hem te kijken en niet in de bloedplas te stappen. Daarna rukte hij de ene la na de andere open, vond een verzameling keukenmessen en haalde het grootste eruit.

Op het scherm van de laptop kronkelden de klimplanten zich om de armen, benen en de borst van Seeker8. Ze tilden hem op en wurgden hem en de gezondheidsindicator daalde snel naar nul.

Daryl ging naar het raam en zag een heel gewone straat in de stad. Een vrouw stond naast een auto die voor het gebouw geparkeerd stond en Carl Kelley liep naar haar toe en trok het pistool uit de band van zijn broek.

Het was een kort, pezig mannetje met niet vastgemaakte schoenen aan waarvan de zijkanten waren opengesneden, een broek met opgerolde broekspijpen en een geel jasje dat half dicht was geknoopt en waaronder schoon, wit verband te zien was. Er zat ook verband om zijn polsen. Op het eerste gezicht kon hij doorgaan voor een van de zeer uiteenlopende daklozen van Portland, maar zijn manier van doen en zijn blik waren te doelbewust. Toen Summer het portier van de auto opendeed, zodat het zich tussen haar en de man bevond, zei hij: 'Waag het niet om in te stappen, liefje.'

Zijn stem was vlak en kalm en het accent kwam ergens uit Londen, waar Summer jaren geleden als au pair had gewerkt. Een sjofel, Engels mannetje; dat moest Carl Kelley zijn die daar drie of vier meter van haar af stond en een pistool op haar richtte. Het verkeer reed langs hen heen alsof er niets aan de hand was.

Summer keek langs het pistool naar Carl Kelleys gezicht. Zijn ogen waren hard en strak en zijn kaken waren stevig op elkaar geklemd. In zijn ongeschoren wang trok een spiertje. Hij was onder invloed van het een of ander. Hij moest de hele nacht hebben doorgereden om hier te komen en moest wakker zijn gebleven om Daryl Weir in de gaten te houden terwijl die zich door *Trans* bewoog.

Ze zei: 'Van mij zul je geen last hebben.'

Ze stond achter het open portier van haar auto. Haar rechterhand stak in haar tas en haar tas zat tussen haar heup en het portier geklemd, waar hij hem naar ze hoopte niet kon zien.

'Jij bent van de politie. Nee, probeer het maar niet te ontkennen. Doe je handen omhoog, zodat ik ze kan zien, en stap weg van die auto.'

Summer zei: 'We komen er wel uit. We kunnen erover praten, waar je ook maar over wilt praten.'

Carl Kelley kwam een stap dichterbij. Het zwarte gat aan het eind van het pistool slokte haar aandacht even op en ze schrok toen een auto claxonneerde en langsreed. Misschien had de bestuurder het pistool gezien. Carl Kelley schrok ook en het pistool trok weg en werd toen weer op Summers gezicht gericht.

'Doe je handen omhoog en stap weg van de auto,' zei hij.

Hij was nu nog maar een meter van haar af. Het pistool bevond zich recht voor haar gezicht. De haan was gespannen en zijn wijsvinger lag strak tegen de trekker. Hij maakte zich op om haar dood te schieten en ze kon er niets tegen doen, maar toen klonk boven hen het geluid van brekend glas en er kletterde iets, een stoel, te midden van een hagel van schitterende fragmenten op het trottoir.

Carl Kelley draaide zich om, richtte zijn pistool met een ruk op het open raam en bukte toen er nog iets, een laptop met kabels eraan, naar zijn hoofd werd gegooid. Hij kwam met een klap op de motorkap van de Accura terecht en viel op straat. Carl Kelley kwam omhoog en schoot tweemaal op het raam, zodat de harde knallen van het gebouw weerkaatsten, en toen richtte hij het pistool op Summer terwijl zij hem met rechte arm een busje pepperspray toestak en het leegspoot in zijn gezicht.

Carl Kelley strompelde achteruit en het pistool ging af; de kogel sloeg door het open autoportier en raakte Summer in de kuit. Het was alsof ze geraakt werd door een honkbalknuppel. Haar hele been werd slap en ze moest zich aan het portier vastklampen om overeind te blijven. Carl Kelley stond dubbel gebogen en brullend naar zijn gezicht te klauwen. Summer liet zich met een stijf been achter het stuur vallen en ramde de sleutel in het contact. Haar neus liep en de tranen stroomden over haar wangen. Haar ogen prikten van de teruggewaaide pepperspray. De motor startte brullend en ze reed achteruit recht de verkeersstroom in zonder in haar spiegel te kijken. Achter haar piepten banden en schalden claxons. Haar eerste impuls was te maken dat ze wegkwam en het alarmnummer te bellen. Maar ze was er zeker van dat Daryl Weir zich boven de winkel bevond, dus zette ze de auto in de eerste versnelling, stampte op het gaspedaal en wrong het stuur om, zodat ze over de stoeprand hotste en Carl Kelley vlak voor zich overeind zag komen. Hij schoot een keer door de voorruit en toen klonk er een klap, veel harder dan ze had verwacht, en was hij verdwenen.

Summer stapte uit te midden van het geschal van claxons in de straat. Haar been deed nog geen pijn, maar ze voelde de kracht eruit vloeien terwijl ze naar Carl Kelley hinkte, die ineengedoken op zijn zij lag en versuft naar haar opkeek. Zijn pistool lag een eindje verder op de stoep. Summer durfde niet te bukken om het op te rapen omdat ze bang was voorover te vallen en niet meer overeind te kunnen komen, dus schopte ze het onder haar auto. Haar rechterschoen zat vol bloed. Ze leunde tegen de zijkant van haar auto en haalde haar mobiele telefoon voor de dag.

De telefonist vroeg welke dienst ze verlangde. 'Allemaal,' zei ze.

54

Summers dokter zei dat ze geluk had gehad; de kogel was vertraagd toen hij door het autoportier was gegaan, maar was niet gaan draaien of in stukken gebarsten, en hij had het bot en de grote bloedvaten gemist. Het zou niet lang duren voordat ze weer kon lopen, hoewel ze misschien heel licht zou blijven hinken. Haar moeder was er verrassend kalm onder en zei maar één keer dat Summer nu vervroegd met pensioen kon omdat ze gewond was geraakt bij het uitoefenen van haar plicht. Het raamkozijn van haar ziekenhuiskamer stond vol bloemstukken. Laura Killinger kwam een paar uur bij haar zitten. Verscheidene vrienden van Summer van Bureau Centraal en de rechercheurs van de afdeling Beroving kwamen aan haar bed staan. Ryland Nelsen zei: 'Dus het is toch waar. Je bent echt langzamer dan een kogel.'

Tijdens de drie dagen dat ze in het ziekenhuis lag, kon ze via de tv en de kranten die haar moeder elke dag bracht de voorgeschiedenis van Carl Kelley nagaan. Zijn echte naam was Stephen Thompson en hij was als Brits staatsburger geboren in het East End in Londen als jongste van vier kinderen. Toen hij zes was, had zijn vader, een politieman en chronische alcoholist met een geschiedenis van huiselijk geweld, zelfmoord gepleegd. Zijn moeder was twee jaar later overleden aan longkanker. De rest van zijn jeugd had hij doorgebracht bij verschillende pleeggezinnen en in weeshuizen. Een psychiater die een populair boek had geschreven over seriemoordenaars hechtte veel belang aan het feit dat een van de pleeggezinnen hem had teruggebracht naar de sociale dienst nadat hij de kat van de familie had vermoord en trok parallellen met het feit dat Dirk Merrit de hond van een klasgenoot zou hebben gedood en verminkt.

Hij was op zijn zestiende bij het Britse leger gegaan en had bijna twintig jaar gediend. In die tijd was hij uitgezonden naar Noord-

Ierland en het voormalige Joegoslavië en hij had meegedaan aan de Eerste Golfoorlog. Hij had verschillende eervolle vermeldingen gekregen wegens moed, was gepromoveerd tot sergeant en had het leger verlaten nadat hij betrokken was geweest bij een schandaal in een trainingskamp, waar een aantal rekruten zelfmoord had gepleegd. Na een korte periode bij een beveiligingsfirma in Zuid-Afrika had hij meegevochten met groepen huurlingen in Kongo, Liberië en Oeganda. In Oeganda was zijn naam gevallen met betrekking tot een incident waarbij meer dan twintig kindsoldaten van het Lord's Army waren geëxecuteerd. Het Internationale Gerechtshof in Den Haag had een arrestatiebevel voor hem uitgevaardigd en hij sloeg op de vlucht, kwam in Namibië weer voor de dag onder de naam Carl Kelley en werkte daar als gids. Daar had hij Dirk Merrit ontmoet. Een maand later was hij met een vals paspoort via Hong Kong en Vancouver de Verenigde Staten binnengekomen. Niet lang daarna hadden hij en Dirk Merrit hun eerste slachtoffer vermoord bij Wheeler's Peak in het noordoosten van Nevada.

De FBI ontdekte de moord bij Wheeler's Peak nadat ze met een gerechtelijk bevel naar Dirk Merrits bank was gestapt en die had gedwongen het materiaal te overhandigen dat lag opgeslagen in een kluis. Er zat onder andere een video bij waarop stond hoe Dirk Merrits ultralight het slachtoffer had nagezeten door de woestijn en hoe het lichaam daarna verminkt was. Harry Malone vertelde Summer erover toen hij haar een bezoek bracht in het ziekenhuis.

'Het lijkt erop dat Kelley de slachtoffers ontvoerde en dat hij en Merrit ze daarna meenamen naar afgelegen gebieden, waar Merrit ze vermoordde. De video laat zien dat Kelley aanwezig was toen Merrit het eerste slachtoffer vermoordde bij Wheeler's Peak, maar we kunnen het pas tegen hem gebruiken als we het lijk hebben gevonden. Zijn advocaat zal beweren dat de video een trucage is. Als Merrit zich aan zijn vaste werkwijze heeft gehouden, heeft hij het lichaam daar gewoon laten liggen; we proberen met satellietbeelden opvallende zaken in het landschap op te sporen. En we zijn zeker nog een week bezig met het doorzoeken van de puinhoop van het huis en de rest van het landgoed, dus het zou kunnen dat we nog iets vinden wat ons kan helpen. We hebben bovendien Merrits notaris voor de rechter gedaagd, want papieren uit de kluis doen vermoeden dat hij ook materiaal bezit. Maar ik moet je zeggen dat ik op dit moment niet weet hoeveel mensen Kelley en Merrit hebben vermoord,' zei Malone. 'En als Kelley niet gaat praten, ben ik bang dat we er nooit achter zullen komen.'

'Probeert Kelley een deal te sluiten?'

'Dat gaat hem niet lukken.' Malone zat stijfjes op de stoel bij Summers bed, in een zwart pak en glanzend gewreven schoenen. Hij was eigenlijk onderweg naar Salem, waar hij toezicht moest houden op de overdracht van Carl Kelley aan de federale autoriteiten. 'Hij zal worden beschuldigd van zevenvoudige moord, om het nog maar niet te hebben over ontvoering en het verwonden van een politiebeambte met de bedoeling haar te vermoorden. We hebben al meer dan genoeg om hem voor vier van de moorden veroordeeld te krijgen, Elias Silver en Okay Soucek, Patrick Metcalf en een van Metcalfs personeelsleden, Frank Wilson. We hebben videobeelden van Merrits beveiligingssysteem waarop te zien is hoe Kelley de lichamen van Metcalf en Wilson in het meer op Merrits terrein dumpt en we hebben de lichamen zelf ook opgevist. Dat was niet moeilijk, omdat het meer zo goed als helemaal is leeggelopen nadat Merrit de dam had opgeblazen. We werken nog aan Greg Yunis, Julia Taylor en Erik Grow, maar ook daar zal hij verantwoording voor moeten afleggen. Hij zit de rest van zijn leven in de gevangenis, en omdat hij naar ons weten drie mensen heeft vermoord in Californië en Nevada kan hij de doodstraf krijgen.'

'En Edie Collier en William Gundersen?'

'We denken dat Dirk Merrit Edie Collier in zijn eentje heeft willen vermoorden. Toen zij ontsnapte, zat Kelley in een motel in Los Angeles. En wat Gundersen betreft, hebben we goede indirecte bewijzen dat Merrit hem heeft vermoord, maar we zijn er tot dusver niet in geslaagd Kelley daarmee in verband te brengen.'

Summer begreep het. De openbare aanklager zou Carl Kelley die dingen ten laste leggen waarbij er een goede kans was op een veroordeling, maar de FBI kon het zich niet veroorloven elke moord in detail te onderzoeken. De andere moorden zouden aan Dirk Merrit worden toegeschreven, die toch al dood was.

Malone vertelde haar dat Merrit afspraken had gemaakt in een kliniek in Mexico die op de grijze markt opereerde en dat hij van plan was geweest een deel van de ingrepen die hij had ondergaan ongedaan te laten maken, zodat hij kon verdwijnen onder de bevolking en ongetwijfeld zijn bijzondere pleziertjes kon blijven najagen. Hij vertelde haar ook dat DNA uit schraapsels onder Kronenwetters vingernagels overeenkwam met het DNA van Charley Phelps.

'Het ziet ernaar uit dat Phelps Kronenwetter op eigen houtje heeft vermoord. We hebben rechercheur Hills alibi gecontroleerd en dat klopte.'

'Het was zo ongeveer het enige wat Denise verkeerd had. En

zelfs toen had ze het half goed.' Summer keek Malone recht aan en voegde eraan toe: 'Ik hoop dat ze erkenning krijgt voor wat ze heeft gedaan.'

Nu de FBI de hele zaak had overgenomen, was ze bang dat Denises aandeel in een voetnoot zou worden afgedaan.

'Ze is gestorven bij het uitoefenen van haar plicht. Dat zal niet onopgemerkt blijven. En als u niet tevreden bent, dan hebt u nog de kans in de rechtszaal, rechercheur Ziegler. U kunt bij die gelegenheid vertellen wat ze gedaan heeft.' Malone keek op zijn horloge en vroeg of ze goed behandeld werd in het ziekenhuis.

'Ze laten me vanmiddag gaan.'

'Hebt u nog problemen gehad met de pers of zo? Ik zag de agent buiten staan.'

'Niets wat de pr-afdeling niet aankan. De pers is voornamelijk geïnteresseerd in Dirk Merrit.'

'Hij zal nog wel een tijdje de krantenkoppen blijven beheersen. Ik wil u nog zeggen dat ik uw hulp zeer heb gewaardeerd,' zei Malone. 'U hebt het goed gedaan.'

'Ik wou dat ik meer had kunnen doen. Ik had vanaf het begin moeten beseffen dat Dirk Merrit zijn spelletjes heel serieus nam.'

Omdat Denise Childers was omgekomen tijdens haar werk, kreeg ze een waardig afscheid. Het was de dag na de begrafenis van Edie Collier – een besloten ceremonie die werd bijgewoond door Randy Farrell, drie mensen van het restaurant waar Edie had gewerkt, en Summer en haar moeder. Summer wilde Randy Farrell naderhand nog even bedanken voor de tip waardoor aan het licht was gekomen dat Joseph Kronenwetter geen zelfmoord had gepleegd, maar was vermoord. Maar toen ze naar hem toe liep, draaide hij zich om en liep weg, terug naar de oververhitte tombe van de bungalow in Felony Flats en de levende dood van zijn huwelijk.

In tegenstelling tot Edie Colliers bescheiden afscheid kreeg Denise Childers alles erop en eraan, inclusief twee lange rijen politiemotoren die voor de zwarte limousines uit reden, rijen politiemensen in gala-uniform en een erewacht die de met een vlag bedekte kist naar het graf begeleidde, waar Denises dochter, een plechtig en hartverscheurend mooi meisje, met haar grootouders tussen de notabelen en hoge politiebeambten uit de hele staat zat. Summer was er in haar uniform, leunend op een paar krukken, net als haar vriendin Laura Killinger, die haar naar Cedar Falls had gereden.

Het was een prachtige zomerdag, de hemel was wolkeloos en

het heldere zonlicht accentueerde de kleuren van de bloemen rond het graf, schitterde op de opgewreven penningen en knopen van de geüniformeerde agenten en flitste in de rivier onder aan de lange helling van de begraafplaats. Dat Jerry Hill dezelfde eer was betoond – de sheriff van Macabee County had de gebeurtenissen rond zijn dood in de doofpot gestopt, zodat het imago van het sheriffkantoor niet besmeurd zou worden door een afgedwaalde agent die een verdachte had doodgeschoten en daarna zichzelf – deed niets af aan de plechtigheid van het gebeuren. Sheriff Worden leverde een verrassend aangrijpende speech af en zei dat de beste politiemensen, zoals Denise, zonder terughouding alles gaven wat ze hadden om de wet te handhaven, de burgers van hun gemeenschap te beschermen en hun onderzoek met onvermoeibare ijver voort te zetten. Hij noemde verschillende moeilijke zaken die ze had opgelost en zei dat haar deelname aan een onderzoek dat een eind had gemaakt aan een reeks van moorden haar beste prestatie was geweest, en dat hij er zeker van was dat ze trots zou zijn geweest op alles wat er na haar dood was gedaan om deze tragische affaire tot een goed einde te brengen.

Het was beter dan Summer had verwacht, maar ze moest zichzelf toch bedwingen om niet naar het podium te hinken, die kleine witharige hypocriet onderuit te halen met een van haar krukken en iedereen te vertellen dat zijn onwil om Denise te steunen en de gretigheid waarmee hij de dood van Edie Collier aan de meest voor de hand liggende verdachte had toegeschreven hadden bijgedragen tot haar dood. Maar ze liet het moment voorbijgaan en hield haar mond, omdat ze ook wist dat Denise haar eigen keuzes had gemaakt, dat ze buiten haar boekje was gegaan en onnodige risico's had genomen bij de jacht op Dirk Merrit, en dat haar motieven niet altijd zo zuiver waren geweest als ze behoorden te zijn. Want niets was ooit eenvoudig bij politiewerk en soms was het nodig om troost te putten uit verhalen, zodat de achterblijvenden in vrede verder konden leven.

Zeven collega's van Denise richtten hun geweren op de blauwe hemel en vuurden elk drie saluutschoten af. De vlag werd van de kist gehaald, zorgvuldig opgevouwen door een agent met witte handschoenen aan en daarna aan Denises dochter gegeven, die prompt in tranen uitbarstte. Toen zakte de kist in de grond. Summer wachtte met Laura tot Denises collega's en familie afscheid hadden genomen en de menigte zich langzaam verspreidde. Toen de begraafplaats leeg was, hinkte ze op haar krukken naar de hoop aarde en bukte onhandig.

'Ik zal je helpen,' zei Laura, en ze kwam naar voren.

'Laat maar. Ik kan het zelf.'

Summer moest één kruk ver van zich af zetten om te kunnen bukken en een handvol zanderige aarde op te scheppen. Ze kwam moeizaam weer overeind en hinkte naar het graf onder het witte baldakijn. Ze keek neer op de glanzende bovenkant van de kist, dacht aan de eenvoudige rieten mand waarin haar vader was begraven en liet de handvol aarde vallen. Ze zei: 'Ik hoop dat ik het goed heb gedaan.'

Summer stond te wachten tot Laura de auto had opengedaan toen Gary Delgatto over het parkeerterrein naar hen toe kwam. Hij zag er goed uit in zijn zwarte pak met zwarte das en met zijn netjes achterovergeborstelde haar. Hij schudde Laura plechtig de hand toen Summer haar voorstelde, glimlachte tegen Summer en zei dat hij blij was dat ze was gekomen.

'Jullie willen praten,' zei Laura. 'Neem de tijd. Ik wacht wel in de auto.'

Toen ze alleen waren, zei Gary: 'Ik hoop dat je dit niet erg vindt. Dat ik even gedag kom zeggen, bedoel ik.'

'Waarom zou ik dat erg vinden?'

'Ik dacht dat je misschien wel wilde weten wat er allemaal gebeurd was. Met de zaak.'

'Je baas is langs geweest om me bij te praten.'

'Echt waar?'

'Een paar dagen geleden,' zei Summer, die geraakt werd door zijn terneergeslagen gezicht. 'Is er nog meer nieuws?'

'Heeft Malone je verteld dat Daryl Weir aan het eind van zijn zoektocht is gekomen?'

'In *Trans?*'

'Ja, in *Trans.* We hebben het joch een van de allerbeste computers gegeven en een technicus om zijn hand vast te houden. Niet dat hij die nodig had. Het kostte hem even, maar hij kwam aan het eind. Het was in een virtuele kopie van het Griffith Observatory, achter een deur die bewaakt werd door een gekke robot. Hij moest drie vragen beantwoorden om langs dat ding te komen, daarmee hebben we hem geholpen, en toen moest hij een verborgen deur zoeken in een gang vol akelige verrassingen. Die ruimde hij uit de weg, hij kreeg de deur open en... Nou, wil je raden wat hij aantrof?'

'Niets.'

Gary knipperde met zijn ogen. 'Ik dacht dat je nog niet gehoord had...'

'Dat had ik ook niet. Maar ik dacht niet dat Dirk Merrit iets waardevols zou bewaren op een plek waar iemand in het spel het kon vinden.'

'We denken dat hij geruchten over die schat verspreidde om de mensen ernaartoe te lokken,' zei Gary. 'Zodat hij lol met ze kon hebben. Misschien was het een manier om nieuwe slachtoffers te vinden.'

'Hoe is het met Daryl Weir? Dat joch heeft een heleboel meegemaakt.'

'Hij is weer in New York, bij zijn moeder. Hij krijgt psychologische bijstand en hij heeft gezegd dat hij bereid is te getuigen in het proces van Kelley.'

'Goed van hem.'

'We hebben nog wel iets anders ontdekt over het spel. Het blijkt dat Dirk Merrit een tiende cent van elke dollar afroomde die de abonnees moesten betalen. Hij had een virus in de software van de boekhouding geïntroduceerd. Het paste de boeken aan om de diefstal te verbergen en stuurde het afgeroomde geld naar een bankrekening op Bermuda. Het stelde niet veel voor,' zei Gary. 'Net genoeg om zijn gas, water en licht van te betalen. Maar ik denk dat het niet om het bedrag zelf ging.'

'Hij was trots. Dat was zijn fatale fout. Hij moest zijn belang in zijn dierbare spel opgeven, dus nam hij wraak op het bedrijf dat het kocht door het te bestelen.'

'We hebben nog niet alles achterhaald waar hij mee bezig was,' zei Gary.

Het voelde verkeerd om op de begrafenis van Denise over Dirk Merrit te praten. Summer ging op iets anders over en vroeg Gary hoe zijn afstudeerproject vorderde.

'Daar heb ik helemaal geen tijd voor gehad. De zaak en zo. Ik ga er wel mee verder als het allemaal wat rustiger is geworden.'

Er viel een stilte. Gary vroeg aan Summer of ze in de stad logeerde.

'Ik heb een lift naar Portland.'

'Oké.'

'Eigenlijk moet ik gaan. Ik vind je nog steeds een leuke kerel, Gary.' Ze boog zich naar voren op haar krukken, gaf hem een kus op zijn wang en zei: 'Ik heb nergens spijt van.'

In de auto zei Laura: 'Man, als jij daar niets mee wil, wil ik wel.'

'Hij heeft een vriendin.'

'Dat zal best. Maar ik wed dat ze geen schijn van kans zou maken als jij hem wilde hebben. Ik zag hoe hij naar je keek. Je hoeft maar te knikken en...'

'Ja, en naar Washington te verhuizen. En je weet waarom dat niet gaat gebeuren.'

'Ik wed dat de FBI je na deze zaak maar al te graag zou willen hebben.'

'Ik bij de FBI? Ik dacht dat je mijn vriendin was.'

Summer was die avond om zeven uur thuis. Haar moeder zat op het terras te doezelen in een ligstoel, met een paperback open op haar buik. Toen Summer door de openslaande deuren naar buiten kwam en haar krukken op de cederhouten planken van het terras bonkten, kwam haar moeder met een schok overeind en gleed de paperback op de vloer.

Summer zei: 'Wat is er? Nare dromen of een slecht geweten?'

Haar moeder hield haar hand boven haar ogen en staarde haar aan met een vreemde, verloren blik. Toen verhelderde haar gezicht en ze glimlachte en zei: 'Ik ben een dwaze oude vrouw en ik heb een lange dag gehad. Ik ben helemaal naar het huis gereden en terug. Ik dacht even.... Ik denk dat het door het uniform komt, maar ik zag je even voor je vader aan.'

'Ben je naar de Columbia Gorge geweest?'

'Ik rijd al langer dan jij bestaat en ik ben nog niet helemaal seniel,' zei haar moeder. 'Ik geef toe dat de terugrit zwaar was, maar het was een mooie dag en ik had niets beters te doen, dus dacht ik dat ik maar eens moest gaan kijken. Het is er mooi, hè?'

'Ja, inderdaad. Ik heb daar gelukkige tijden beleefd.'

'Ik weet dat ik je vader altijd plaagde met zijn obsessie voor die plek, maar ik heb er ook gelukkige tijden gekend. En ik geloof dat ik er nog niet helemaal klaar voor ben om het huis op te geven.'

Summer glimlachte. 'Ik ben blij dat te horen.'

'Ik vind dat je daar heen moet tot je beter bent. Zolang ik je maar kan komen bezoeken.'

'Dat zou ik graag willen. Maar je zult het met me moeten uithouden tot ik weer kan rijden.'

Haar moeder keek haar nog steeds vreemd aan; ze keek tegelijkertijd naar haar en door haar heen.

Summer zei: 'Ik zal me maar eens gaan verkleden.'

'Je ziet er knap uit in je uniform, schat. Net als je vader. Soms vraag ik me af of ik hem wel opgemerkt zou hebben als hij geen uniform had gedragen.'

'Als ik me het beroemde verhaal goed herinner, zocht je ruzie met hem omdat hij in uniform was.'

'Dat heb ik hem altijd voorgehouden. Maar eigenlijk zocht ik ruzie met hem omdat hij de knapste man was die ik ooit had gezien en ik hem beter wilde leren kennen. En om eerlijk te zijn, ben ik er zeker van dat het uniform daar iets mee te maken had.'

'Toch ga ik me maar eens opfrissen.'

Summer had nog steeds aarde van het kerkhof onder haar nagels.

Haar moeder klopte op de rand van de ligstoel. 'Ga eerst maar eens even zitten en vertel me hoe je dag is gegaan. Vertel me alles.'

DANKWOORD

Mijn dank aan alle leden van de politie van Portland, voor hun tijd en hun gastvrijheid, met name agent Ryan Engweiler, rechercheur Matt Horton, en de brigadiers Kelly Scheffler en Brian Schmantz. Dokter Michael Alkire heeft een belangrijke vraag beantwoord over anesthesie en Russell Schechter en Jack Womack hebben een eerste versie van het manuscript gelezen en waardevolle adviezen en bemoediging gegeven.

Hoewel dit boek zich afspeelt in Oregon en de stad Portland, moeten de procedures die erin beschreven worden niet verward worden met werkelijke politiepraktijken in die staat.